医师继续教育用书

围术期气道管理

PERIOPERATIVE AIRWAY MANAGEMENT

主编 尤新民 皋 源

世界图书出版公司

上海·西安·北京·广州

图书在版编目(CIP)数据

围术期气道管理/尤新民,皋源主编. —上海:
上海世界图书出版公司,2010.8
ISBN 978 - 7 - 5100 - 2390 - 3

Ⅰ. ①围… Ⅱ. ①尤…②皋… Ⅲ. ①围手术期—气
管—导管治疗 Ⅳ. ①R768.1

中国版本图书馆 CIP 数据核字(2010)第 123461 号

围术期气道管理

尤新民 皋源 主编

上海世界图书出版公司 出版发行

上海市广中路 88 号
邮政编码 200083
上海市印刷七厂有限公司印刷
如发现印刷质量问题,请与印刷厂联系
(质检科电话:021 - 59110729)
各地新华书店经销

开本:787×1092 1/16 印张:30.75 字数:570 000
2010 年 8 月第 1 版 2010 年 8 月第 1 次印刷
ISBN 978 - 7 - 5100 - 2390 - 3/R · 250
定价:150.00 元
http://www.wpcsh.com
http://www.wpcsh.com.cn

编 写 人 员

主　　编　尤新民　皋　源

副 主 编　陈锡明　陈　杰

主　　审　杭燕南

序　　　　于布为

前　　言　尤新民　皋　源

编写单位与人员（排名不分先后）

上海交通大学医学院附属新华医院	鲍泽民	尤新民	陈锡明
	陈依君	王英伟	江　来
	蔡　英	陈治宇	张　艳
	丛　露		
上海交通大学医学院附属仁济医院	杭燕南	王祥瑞	王珊娟
	陈　杰	皋　源	肖　洁
	王云霞	李燕芹	郑微艳
上海交通大学附属第一人民医院	李士通	黄施伟	
上海交通大学附属胸科医院	徐美英	李劲松	
复旦大学医学院附属眼耳鼻喉科医院	陈莲华		

序

呼吸道(气道)是病人生命的通道,气道发生问题,极易致命。长期以来,麻醉科医师已经历过许多险境,其中还有不少惨痛教训。虽然麻醉科医生在和困难气道的处理过程中积累了大量的经验,有关处理困难气道的器具也层出不穷,但是气道问题至今尚未得到充分重视和完全解决。因此,临床上因困难气道引发的意外仍时有发生。

围手术期是医疗环节中较易发生并发症的特殊时期,尤其是气道并发症的发生率较高。若气管插管失败,而喉镜又显露困难,甚至面罩通气困难,则如不及时处理,病人将很快面临生命危险。因此,正确及时的处置由困难气道引发的危机,是每一位麻醉科医生所必须掌握的本领。由尤新民和皋源教授主编的《围术期气道管理》,正是对此有针对性的专著。该书由上海市各大医院的麻醉科和 ICU 专家撰写,内容包括各种特殊手术(如上气道和下气道手术),围术期各个阶段(如麻醉诱导期,麻醉恢复期和术后 SICU 监护治疗期)以及各年龄段(小儿和老年患者)的气道管理;喉罩、气管插管及纤维支气管镜操作技术;困难气道处理以及机械通气技术与气道管理用药和护理等,内容非常丰富,既有理论基础,更有很多临床实践经验的总结。

迄今为止,国内有关如此详细和实用的围术期气道管理参考书仍嫌甚少。《围术期气道管理》专著的出版,对麻醉科医师和 ICU 医师在围术期正确管理病人气道方面将发挥积极有效的指导作用。有鉴于此,本人特郑重推荐麻醉科和 ICU 的年轻医生认真阅读该专著。相信会对各位在临床工作中对病人的气道管理及气道意外的抢救治疗带来很大的帮助。

中华医学会麻醉学分会主任委员

上海交通大学医学院附属瑞金医院

麻醉科主任,教授,博士生导师

于布为

2009 年 12 月

前　言

围术期气道管理是临床麻醉医师和重症医学医师必须掌握的急救和治疗技术之一。围术期气道并发症和意外的发生率和死亡率较高，在许多紧急情况下临床医师能否对病人的气道情况做出快速、准确的判断，并给予及时有效的处理，常常会直接关系到病人的安危。因此，气道管理在临床医学中占有极其重要的地位。

近年来，老年、肥胖、急症和危重病人的手术增多，因此，在手术室、麻醉后恢复室和SICU中发生气道问题很多，如气管插管困难、气道阻塞、拔管困难及拔管后呼吸抑制等，可造成低氧血症或高碳酸血症，严重者导致呼吸心搏骤停，甚至死亡。呼吸意外的事故常有所闻，所以，气道问题应引起高度重视。

美国麻醉学会（ASA）索赔管理会最近的资料显示，因呼吸意外事件所产生的索赔案百分比尽管从20世纪80年代的48%降低到90年代的32%，但仍然持续地占据医疗损伤索赔案的很大部分比重。2005年发表的关于困难气道管理的非公开索赔案分析显示，从1985年至1999年的所有179例索赔中，87%发生在围手术期。近期的不公开索赔案分析显示，与1985年至1992年相比，1993年至1999年之间因困难气道管理导致死亡和脑损伤所产生的索赔案有所减少，主要与麻醉诱导阶段有关，而很少发生在其他麻醉阶段。2006年，一份对麻醉相关死亡和脑损伤的不公开索赔趋势分析显示，在1975至2000年之间，对死亡和脑损伤的索赔全面降低。在所有引起死亡和脑损伤的呼吸意外事件中，气管插管困难、给氧不足和气管导管误入食管是三个首要原因。

在所报道的三类呼吸意外事件中，20世纪90年代由于通气不足和导管误入食管而引起的索赔案（9%）明显降低（与80年代的死亡和脑损伤索赔案25%相比），这主要是因为脉搏氧饱和度和呼气末二氧化碳监测的普及。但是，仍有一定比例因困难气管插管（与监测无关的纯技术因素）和其他导致死亡和脑损伤的呼吸意外事件所引起的索赔案，在20世纪80和90年代，保持相对稳定的发生率（分别是9%和8%）。在这些呼吸意外事件中，有3/4被认为是可避免的。因此，更好地预测困难气道，并对气道管理做好充分的准备可能减少这些意外的发生。

随着基础医学、麻醉学、外科学和重症医学的发展，医学科学的新技术、新理论、新知识和新方法不断呈现，气道管理的理论和实践亦取得很大进步。尤其是新设备、新仪器和新技术的不断问世亦为气道管理创造了极为有利的条件，临床经验的积累、技术水平的提高，使许多极其困难的气道问题得到解决，从而保证了病人围术期的安全。

为了提高围术期气道管理的质量，尽量减少或避免气道不良事件的发生，我们发起编写这本《围术期气道管理》，全书共分 28 章，各章内容系统、丰富。力求深入浅出，注重理论联系实际，实用性强，能反映现代气道管理方面的新成就，便于读者学习、理解和掌握，以适应解决临床工作中常见的和疑难的气道问题，提高临床医疗水平。参编人员主要是上海交通大学医学院和复旦大学医学院各附属医院麻醉科、外科重症监护室的主任、教授、硕士研究生导师、博士研究生导师，在各自的领域中均有很深的专业造诣。编写过程中各位专家参阅了近年相关的国内外文献，密切结合专家本人的临床经验、科研方向，内容新颖和实用。但气道管理乃是一门实用性和操作性很强的技术，无论采用何种先进方法，其成功率在很大程度上取决于操作者的临床经验和技能。希望年轻医师阅读本书后在日常工作中反复训练和使用，掌握各种方法的技巧，为抢救重危病人发挥作用，减少并发症发生率。编写《围术期气道管理》的目的是向广大麻醉医师和重症医学医师提供气道管理方面的专门知识，希望对麻醉学和重症医学的发展起到一定的促进作用。

在本书的编写过程中，得到老一代麻醉学家金熊元教授亲切关怀，热情指导，在本书出版之际，特此表示深切的敬意和缅怀。衷心感谢杭燕南教授的支持、鼓励和认真仔细的审阅，衷心感谢于布为教授为本书作序。也衷心感谢每位参编人员的积极参与和密切合作。

限于我们的学识和精力，虽已作很大努力和认真校对，但不可避免存在许多不足之处，请广大读者批评和指正。

尤新民　皋　源

2009 年 12 月

目　录

第 *1* 章　气道管理的发展史

自 1842 年 Long 及 Clark 应用乙醚，1844 年 Wells 应用氧化亚氮于全身麻醉。特别是 1846 年 Morton 公开演示乙醚麻醉以来，全身麻醉很快在临床应用。但由于当时麻醉医务人员并不了解保持气道通畅对于麻醉病人的重要性，也不会应用托下颌、头后仰等方法来解除上气道阻塞。因此，在以后全身麻醉广泛应用的过程中，出现了数例麻醉期间病人因"窒息"而意外死亡，这一事件引起了麻醉医务人员的重视，并进行了相关研究，发现病人死亡是因上气道阻塞引起，从而研发了一系列有关保持气道通畅的医疗器械。这些器械的研究持续至今，历时一个多世纪，当一种新的器械发明后，又有人不断加以改进成另一种器械，有开口器、拉舌钳、面罩、鼻咽和口咽通道以及气管导管等，直至 1981 年 Brain 发明了喉罩通气道，各种气道管理器械临床应用才比较满意地解决保持麻醉期间气道通畅及机械通气的问题。现将保持气道通畅的器械的研究历史和现状做一简单回顾。

第一节　早期气道管理的方法

19 世纪 40 年代的麻醉医师施行麻醉时并不了解麻醉期间上气道阻塞的解剖原因，麻醉时也不采取措施预防上气道阻塞（图 1-1）。因此麻醉期间易于发生并发症，并偶有死亡事件。直至 1874 年，Heiberg 发表论文提出应用头后仰及推开下颌的方法来解决全身麻醉期间上气道阻塞问题。在此期间，有的外科医师应用拉舌钳将舌拉出以改善气道阻塞，Clover 则提出麻醉期间将下颌上托起来解决上气道阻塞问题。

图 1-1　1846 年 4 月 16 日 Morton 演示乙醚麻醉

1880 年，Howard 首先研究了麻醉期间上气道阻塞的原因和处理方法，并绘图说明舌、腭垂（悬雍垂）、会厌后坠贴于咽后壁是上气道阻塞的原因。指出将舌外推使舌基底部自咽后壁上提可保持气道通畅。1888 年，Howard 又提出头颈部向后伸展，可使会厌软骨变硬并自咽后部上提，从而保持气道通畅。Howard 的观点很快得到公认，并在临床上推广应用（图 1-2）。Howard 的发现为设计声门外通气道装置来解除上气道阻塞提供了理论基础。

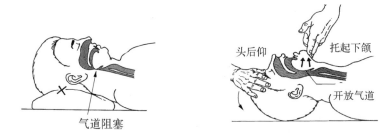

图 1-2　头后仰，托起下颌，保持气道通畅

英国麻醉医师 Clover 施行了 11 000 次麻醉（包括氯仿麻醉 7 000 例）而无死亡。1881 年 Clover 应用鼻咽通气道施行麻醉，通气道一端经鼻孔插入咽部，另一端接上漏斗，加麻醉药施行麻醉，应用于腭部手术，从而诞生了第一个声门外通气道装置—鼻咽通气道（图 1-3）。但 Clover 于 1892 年逝世，研究暂告终止。

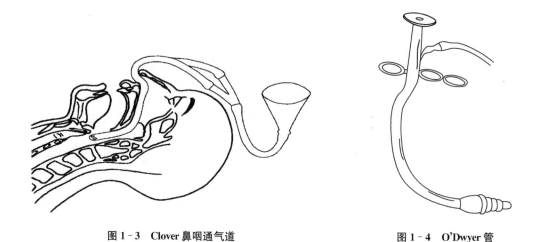

图 1-3　Clover 鼻咽通气道　　　　　　　　　图 1-4　O'Dwyer 管

1894 年，O'Dwyer 设计声门外通气道装置（图 1-4），它是一金属弯曲管道，远端为圆锥形，插入喉部使气道密闭，金属管为吸入及呼出气体通道。O'Dwyer 设计的金属通气道目的是治疗阿片中毒。1900 年 Matas 将此管应用于吸入全麻，但该管较难插入喉部的正确位置。1908 年 Hewitt 设计了口咽通气道，以解决舌后坠的问题。Clover 的鼻咽通气道和

Hewitt 的口咽通气道几经改进,材料已从金属、橡胶改进为聚氯乙烯(PVC),一直沿用至今(图 1 - 5)。

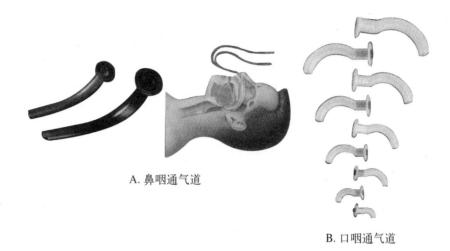

A. 鼻咽通气道

B. 口咽通气道

图 1 - 5　目前使用的鼻咽通气道(A)和口咽通气道(B)

第二节　气管导管发展史

早在 1788 年,Kite 报道在麻醉恢复期或濒临死亡病人经口或经鼻将类似导尿管的弯曲管插入声门,其外口接上吹气管,吹入空气或氧,以挽救病人生命。

1878 年,苏格兰外科医师 William Macewan 对一个口腔肿物的病人行清醒气管插管,这是气管插管在麻醉中使用的最早记载。最先使用的气管导管是可以弯曲的金属管,这就是气管导管与气管插管的初始情况。

1902 年,Kuhn 设计了气管导管,该导管口径粗,可弯曲,不会扭折且易于插入气管,插管时需用管芯,导管由橡胶带密封,声门处用油纱布填塞使口腔分泌物或血液不另流入呼吸道,以保护气道。Kuhn 导管是现代气管导管的雏形。

1917 年英国的麻醉医师 Ivan Magill 爵士采用红橡胶管作为气管插管的导管,使导管具有一定弧度、硬度与弹性,增加了导管的柔软性,降低了气管插管的并发症。第二次世界大战期间,应用大单腔的橡胶导管受到推崇,使橡胶气管导管得到逐步完善,并广泛地应用于临床。随后带气囊的气管导管被提倡使用,使气管插管技术更加安全。由于橡胶材料制作的气管导管存在着许多缺陷,从临床角度需求寻找更为适合人体的材料。随着塑料工业的发展与进步,聚氯乙烯被用以制作气管导管的材料。

1964 年聚乙烯气管导管的问世,将气管导管的精密度、工艺、一次性使用都更上升了档次,比橡胶导管更为理想、安全和实用。由于在漫长的岁月里经过不断认识与发展,以及人工呼吸道的材料和技术不断改良与完善,气管导管成品工艺更符合现代临床医学的要求,气管插管并发症明显减少。

此外,1949 年 Carlens 与 White 橡胶制品的双腔气管导管相继出现,并应用于临床,为双肺隔离和单肺通气技术得到了突破性进展。随后在橡胶制品 Carlens 与 White 双腔气管导管的基础上,经过改良生产出聚乙烯材料透明的 Robertshaw 等双腔气管导管。现今气管导管已研制与发展为多种类型,可分为口腔插入气管导管、鼻腔插入气管导管、特殊应用气管导管与气管切开用气管导管,以及双腔支气管导管等,可满足不同手术的全身麻醉与抢救危重病人的需求。

在 1942 年肌肉松弛药应用于临床麻醉以前,施行气管插管需在深麻醉下进行,因此气管插管未能普及,但随着喉镜和气管导管质量和型号的改进,肌松药较广泛地应用于临床,气管插管迅速得到推广。实践证明,气管插管是施行全身麻醉时保持气道通畅最有效的方法,也是抢救呼吸衰竭必备器械。同时,由于密闭性好,有利于施行控制通气,因此气管内麻醉已成为当代常规麻醉方法,但气管插管是声门内通气道装置,插管时对声门可能有一定的损伤,虽然其发生率很低,但对某些特殊人群如教师、歌唱家、播音员、电视节目主持人等施行气管插管有一定顾虑,万一并发声音嘶哑,对他们的事业有严重影响,因此最好应用声门外通气道麻醉,既能保证气道安全,又避免了对声门的有害影响。此外,气管插管需经过培训有一定临床经验的医务人员才能完成,难以在非医务急救人员中大规模推广,仍需要既易于插入而通气功能又良好的声门外通气道装置。

第三节　气管食管通气道

气管食管通气道主要有食管堵塞通气道(1968)、食管胃管通气道(1968)、气管食管双腔通气道(1987)。

一、食管堵塞通气道(esophageal obstruct airway,EOA,图 1-6A)

该通气道面罩与导管相连,导管末端为盲端,无开口,附有气囊。导管近端有小孔,供气体逸出,导管突出于面罩之外,供通气用。食管堵塞通气道供急救通气用,急救者将此导管经口插入食管,并用面罩紧贴病人面部,防止漏气,然后将气囊充气 30 ml,由于导管长度固定,常能插在食管内相当于气管隆突处的下方,充气后不致压迫气管而只起堵塞食管的作用。急救者经导管近端吹气,空气即经导管小孔逸出至咽部,最后经声门而入肺,达到通气目的。

食管堵塞通气道的优点是操作较容易,常能顺利插入食管,通过导管吹气可达到一定的通气,便于推广。但实践证明食管堵塞通气道插入时可引起一系列并发症,如操作不当可引起食管损伤甚至食管穿孔。如气囊破裂,注入气体可引起胃充气,严重者甚至引起胃穿孔。气囊位置放置不当,插入不够深,可使气管及喉向前移位,影响通气。最严重的并发症是导管偶然可插入气管。由于导管末端为盲端,可导致气道严重堵塞甚至引起死亡,临床应用发现 10% 病例有食管损伤,意外插入气管占 4%,Bryson 以呼出潮气量、面罩的密闭性、声门外梗阻、操作难易度为指标,对食管堵塞通气道与面罩加口咽通气道进行对比,认为食管堵塞通气道的通气效果不如面罩加口咽通气道。

由于食管堵塞通气道对院前心搏骤停病人通气效能的有效性尚未得到公认,且有死亡并发症的报道,虽然至 1985 年,曾有 300 万病例应用了 EOA,但自 1992 年以来,食管堵塞通气道已很少应用。

二、食管胃管通气道(esophageal gastric tube airway,EGTA,图 1 - 6B)

该通气道结构基本与食管堵塞通气道相同,不同点是导管末端有开口,开口处有一单向阀,可引流反流的胃容物。导管近端无小孔,导管插入食管后,主要经面罩吹入气体进入肺部,而不是经过导管上的小孔入肺。食管胃管通气道并发症比食管堵塞通气道少,即使偶尔插入气管,也可作为气管导管使用,空气经导管吹入,同样可获得通气效果。EGTA 可作为 EOA 的替代品,而在急救医学应用。

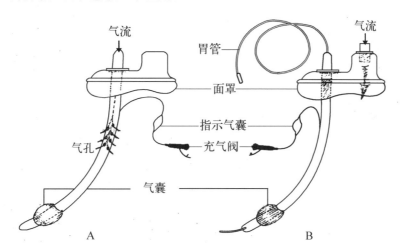

图 1 - 6 食管堵塞通气道(A)和食管胃管通气道(B)

三、食管气管双腔通气道(esophageal tracheal combitube,ETC,图 1 - 7)

该通气道由两根独立的聚氯乙烯管融合一起而成,两管一管在前,另一管在后,其弯度与成人口咽部相仿,融合管有两个气囊,大容量橡胶气囊位于管中间,充气后位于咽部近端,小容量聚氯乙烯气囊位于管的远端,充气后位于食管(大部分情况),偶尔位于气管。近端气囊充气 100 ml,不论成人体重均可使口咽部密闭,并使通气道固定,并可防止加压人工通气时气体逸出至口腔。ETC 前面的导管近端较长,管呈蓝色,远端为盲端。前面的导管有8个7 mm×3 mm卵圆形孔,可供前管声门外通气。后面的管近端较短,管色透明,远端有开口,其外径为13 mm,相当于10 mm内径的气管导管(图1-7A),可供吸引管插入作吸引用。

前后两管的近端为15 mm的连接管,可连接麻醉机。在远端套囊前的导管较短,以减少食管损伤或插入支气管的危险性。ETC插入时大多数插入食管,远端套囊充气15 ml后可使食管密闭,防止空气入胃或胃内返流物入咽部(图1-7B)。ETC如插入气管,远端套囊充气后,使气管密闭,有利于人工通气。ETC有两个黑色标记,提示插管深度。插入时病人门齿位于此两黑色标记之间,表明插入位置正确。

ETC为一次性应用,包装时已消毒,有41F(供男性成人)及37F(较小成人或女性)两种型号。

ETC用于对气管插管不熟练者在心肺复苏用,不论插入食管(图1-7B)或气管(图1-7C)均可进行通气,避免了EOA误插气管造成的致命的并发症。ETC也可用于麻醉或困难气道的处理。ETC是继喉罩通气道之后研究最多的声门外通气装置。但急救应用率仅5%~13%,麻醉时应用更少。

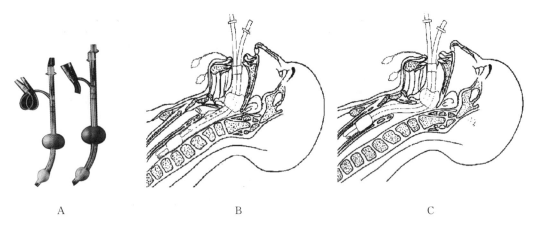

A　　　　　　　　　　　　B　　　　　　　　　　　　C

图1-7　食管气管双腔通气道

A. ETC管　B. ETC管输入食管　C. ETC管插入气管

第四节　喉管通气道

喉管通气道(laryngeal tube airway)(简称喉管)由通气管、咽部气囊、食管气囊、单向注气管和接头(外径15 mm)组成。1999年由Agno等首先报道。喉管插入和注气后的位置见图1-8。喉管的两个气囊都是低压高容量性柔软气囊,适于病人的解剖学形状,注气后同时膨胀,堵塞食管和咽部。通气管接头处有3条黑线,是门齿部位。

喉管通气道是新型气道通气管,无需用咽喉镜帮助即可将其背面紧贴硬腭正中位盲探插入。由于其"S"状设计,前端稍向后弯曲,插入气管内的可能性很低,也很少对声门和气管造成刺激。

喉管通气道有0,1,2,3,4,5六种型号。0号适用于新生儿。1号适用于婴儿。2号适用于小儿。3、4、5号适用于成人。

Cook等将喉管与喉罩作比较,认为喉管与喉罩一样,均可安全地应用于全麻控制通气中。两者的术中、术后并发症也相似。但喉管气道阻力比喉罩略高,但并不影响气道管理。喉管通气道在国内已有应用。

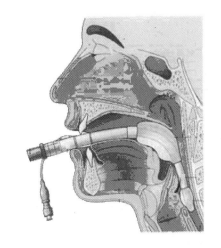

图1-8 喉管通气道插入及注气后的正确位置

第五节 喉罩通气道

一、喉罩通气道发展史

声门外通气道用于急救或麻醉,种类繁多,直至20世纪70年代,尚无一种符合使用简便,通气效果良好的声门外通气道出现。英国麻醉医师Brain对已有的各种声门外通气道进行了研究,发现有的装置(如Dwyer装置)声门部密闭良好,但该装置插入声门,可能有损伤。有的装置在咽近端密闭,但保持气道通畅的效果还不如面罩。Brain认为应利用喉部入口周围及其后部的空间来解决声门外通气道的通气问题,他详细研究了喉部的尸体标本,并制作了石膏模型来研究声门周围和声门后部的实际和潜在的间隙,他发现此间隙呈船形,狭窄的船首面向食管,宽阔的船尾面向鼻咽部,而船身则覆盖于颈椎椎体前缘。此间隙是进食时食物进入食管的缓冲地带。他认为既然此间隙可耐受食物等异物,应该比声门或气管更能耐受吹张膨大的套囊。而颈椎椎体牢固,足以忍受施加于喉入口处的压力。Brain认为通气道前端如放一个球囊,充气后密闭程度可以加强。因此,Brain设计并制造了喉罩通气道。喉罩通气道由通气导管和通气喉罩两部分组成,通气道近端开口可与麻醉机或呼吸机相连接,远端开口与喉罩相连,喉罩通气道插入喉部,充气后可在喉部周围密闭,有利于通气。

1981年Brain将喉罩通气道(喉罩)应用于40岁男性病人施行疝修补术,在氟烷麻醉下,喉罩盲插进入喉部,气道通气良好,麻醉顺利,术后病人恢复良好。他发现应用喉罩不仅气道通畅,病人可以自主呼吸,并且还可以通过手法辅助通气。

1982 年 Brain 又应用了 23 例病人(包括 16 例妇科腹腔镜手术),全部病人在 10 s 左右可顺利插入喉罩,并可达到 >20 cm H_2O 的密闭程度,病人恢复均顺利,仅 3 例主诉咽痛,与气管插管有明显区别。Brain 又发现喉罩还可用于头颈耳鼻喉科手术,对预计气管插管困难的病人也很有用。1983 年英国麻醉学杂志发表了 Brain 撰写的《喉罩—气道管理的新概念》论文,这是国际上关于喉罩最早发表的论文。由于麻醉医师已习惯于应用气管插管麻醉,认为带套囊的声门外通气道早已不用于麻醉,喉罩不能像气管插管那样能保证气道通畅及通气。而喉罩是 Brain 自己制造,尚未有工厂生产,麻醉医师不能得到该产品,更无法通过临床实践来评估喉罩的优缺点,再加上 Brain 当时是一个小人物,因此,这篇论文并未引起麻醉界的重视。但 Brain 坚信喉罩是有用的,他不仅在尸体上对喉部进行了深入的研究,而且在临床上继续应用。

至 1983 年已积累了 1 000 例的经验,并在气管插管失败病人应用了喉罩。在实践中他发现会厌软骨下垂可堵住喉罩通气道的入口,而引起通气困难,需紧急应用咽喉镜插入,将会厌挑起即可解除气道阻塞。为此,他对喉罩做了改进,在通气道进入喉罩入口处加入两条垂直栅栏,形成几条纵形裂隙,来防止会厌软骨阻塞管腔,同时,应用喉罩导引器。导引器由 2 mm 厚的不锈钢制成,其远端形似一调匙,导引器放于喉罩之前,紧贴喉罩,不仅有助于喉罩插入,且可提升会厌软骨,不会堵塞喉罩入口,并可保证喉罩插入正确部位。

Brain 发现喉头位置越高越向前,喉罩越易插至喉头后部,这有重要临床意义。因喉头位置越高,意味着通过喉镜气管插管越困难,而喉罩可解决这一问题,因此喉罩引起了欧洲和美国医学界的重视。

1991 年美国食品药品管理局(FDA)批准喉罩可替代面罩(注意不是替代气管插管)。

1993 年喉罩应用进入美国麻醉学会困难气道处理的流程图。同年,日本厚生省批准喉罩用于复苏。

1996 年欧洲复苏会议批准喉罩应用于复苏,这表明欧美各国对喉罩用于气道管理的认可。此后喉罩在世界各地获得广泛应用,至 1996 年,全球应用喉罩达 3 000 万例。

在临床推广应用过程中,发现个别病例出现喉罩通气管扭曲现象,因而促使了可曲喉罩(Flexible LMA)的诞生(1989),导管内加入了钢丝,不易扭折阻塞,并应用于易产生导管扭曲的口腔科和头颈耳鼻喉科手术。结合临床困难气道病人气管插管的需要,经过多年精心研究,包括 50 次对咽喉部磁共振图像的分析研究,经历了多次失败,Brain 终于在 1997 年研究成功了插管型喉罩(第二代喉罩)。为解决困难气道病人的气管插管作出了贡献,并在临床上迅速推广。

由于硅橡胶制作的普通型喉罩价格昂贵,难以在急诊室、救护车及战场救护中普遍应用。此外还有一些特殊感染病人,如艾滋病人,喉罩不适宜重复使用。

1997 年又推出了以聚氯乙烯为材料的一次性喉罩,其形状与普通型喉罩一样,但因价格低廉便于普及推广,也为特殊感染病人应用喉罩提供了方便。

鉴于普通型喉罩在正压气密闭性差,且不能防止胃内容物反流误吸,因此腹部手术不适宜应用普通型喉罩。经过众多麻醉医师15年的努力,第三代喉罩—气道食管双管型喉罩又称食管引流型喉罩,终于在2000年问世,它使喉罩的应用范围进一步扩大。

我国在1991年应用普通型喉罩。1992年在麻醉杂志发表喉罩应用的论文,以后在全国各地陆续开展并逐渐推广。插管型喉罩、气道食管双管型喉罩在近年也已在临床上应用。截止2006年,全球已有2亿病例应用喉罩通气道施行麻醉和急救。

二、喉罩的优点和临床意义

20世纪80年代喉罩通气道的出现无疑是气道管理中的重大进展,特别在困难气道病人。当气管插管发生困难时,喉罩的应用发挥了重要的作用,甚至可起到挽救病人生命的作用。现已公认,对于因声门上梗阻而不能进行肺通气,或由于解剖异常,气管插管无法顺利插入时,应首选喉罩。喉罩不仅在困难气道的处理中作用显著,而且还可应用于眼科、耳鼻喉、头颈外科、腹部、四肢、门诊等很多选择性或急诊手术。至2006年,全球已有2亿病人应用喉罩进行麻醉手术,并发表了2 500篇学术论文。喉罩置管比较方便且可减少声门损伤和气道并发症,在全身麻醉中已部分替代了气管内插管麻醉。喉罩可避免气管插管引起的潜在损伤和较深的麻醉要求,而能提供与气管插管同样的气道保护。喉罩可早期拔管,有利于病人及时离院而提高周转率,因此在门诊手术及手术室外麻醉应用较广。对某些特殊人群,如教师、播音员、电视节目主持人等应用喉罩全身麻醉有特殊意义,可避免术后声音嘶哑而影响到他们的职业生涯。喉罩置管操作较气管插管容易,有利于向非麻醉专业的医务人员推广,有利于在救护车内、急诊室及病房甚至公共场所推广应用,有利于及时保护气道,实施供氧和加压人工通气。因此,喉罩在急救医学中的地位也很重要。随着插管型喉罩和气管食管双管型喉罩的相继出现,喉罩的临床应用范围还有可能扩大。目前喉罩已是麻醉科必备的器械。

喉罩虽然适用范围较广,但喉罩仅是声门外的通气道,对保持气道的密闭性和防止胃内容物反流误吸方面不如气管插管。喉罩不可能完全替代气管插管,更不能替代双腔气管导管进行单肺通气,对喉罩的评价要适当,任何通气装置都有一定的局限性和适用范围。喉罩也有适应证和禁忌证,喉罩不能用于张口受限的病人,更是众所周知的事实,对于需要高度气道密闭进行人工通气和防止胃内容物反流的病人,喉罩是相对禁忌的。

我们的临床经验提示,作为声门外通气道的喉罩和声门内通气道的气管插管是互为补充的气道管理方法,应该从病人的实际情况考虑选择何种气道管理方法(喉罩或气管插管),一切应以病人利益为出发点,这样才能保证病人的安全性。

第六节　人工呼吸设备

　　早在 1796 年,Herhlar 和 Rafn 专题报道了应用人工呼吸方法使溺水患者获救。1929 年 Drinker 和 Shaw 研制成功自动铁肺,直至第二次世界大战前后才逐渐了解了人工和机械通气的原理,出现了简易人工呼吸设备,并用于心胸外科手术后呼吸支持。1952 年斯堪的纳维亚半岛脊髓灰质炎流行,在 4 个多月内哥本哈根医院收治了 2 722 例,其中 315 例需用呼吸支持,Ibson 强调呼吸支持和气道管理,总死亡率从 87% 降到 30%。从此,人们认识到气道管理、人工和机械通气的重要性,各种类型的气道管理工具和呼吸设备也逐渐诞生,20 世纪 60 年代末电子技术和微机进步,ICU 迅速发展,对呼吸功能不全病人的治疗水平不断提高。气道管理技术的发展是艰难和曲折的,虽有较大进展,发明了许多工具,但都不是十全十美的,气道管理既需要器械,更需要医生和护士们的临床经验。气道问题至今尚未完全解决,每年仍有惨痛教训发生,我们必须高度警惕和重视,除了配备良好的器械外,同时加强研究和学习,不断研制和改进气道管理设备,提高气道管理和技术水平,确保围术期病人的气道安全。

(尤新民)

参 考 文 献

1　林树桂,郭宝琛,刘凡,等. 喉罩的临床研究. 中华麻醉学杂志,1992,12:36~38.

2　马家骏. 喉罩在小儿麻醉的应用. 中华麻醉学杂志,1994,4:138~139.

3　张勤功,邓丽云,李国华. 喉罩的临床应用体会. 临床麻醉学杂志,2004,20:557.

4　诸葛万银. 声门上气道管理技术的进展. 麻醉与监护论坛,2007,14:141~143.

5　庄心良、曾因明、陈伯銮主编. 现代麻醉学. 第 3 版. 北京:人民卫生出版社,2003:7~8.

6　Brain AIJ. The laryngeal mask-a new concept in airway management. Brit J Anesth, 1983, 55: 801~805.

7　Hugin W. Anesthesia, Discovery, Protress, Breakthroughs. Basel: Editions 〈Roche〉, Switzerland, 1989.

8　Brimacombe JR. Laryngeal Mask Anesthesia, Principle and Practice Ind ed. Singapore: Elsevier, 2005.

9　Cook TM. The classic laryngeal mask airway: a tried and tested airway. What now? (Editorial) Brit J Anesth, 2006, 96:149~152.

10　Don Michael TA, Lambert EH, Mehran A. Mouth-to-lung airway for cardiac resuscitation. Lancet, 1968,2:1329.

11　Berdeen TN. One-year experience with the tracheo-esophageal airway. Ann Emerg Med, 1981, 10:25~27.

12　Frass M, Frezner R, Zdrahal F, et al. The esophageal-tzaeheal lumen airway: Preliminary investigation of a new adjust, Ann Emerg Med，1984，13：591～596.

13　Doeztes V，Ockez H，Wenzel V，et al. The laryngeal tube：a new simple airway device. Anesth Analg，2000，90：1220～1222.

14　Brain AIJ，Verghese C，Addy EV，et al. The intubation laryngeal mask：Development of a new device for intubation of the trachea. Brit J Anesth，1997，79：699～703.

15　Brain AIJ，Verghese C，Sturbe PJ. The LMA 'Proseal'—a lazyngeal mask with an esophageal vent. Brit J Anesth，2000，84：650～654.

16　rimacombe J. Spontaneous reinglation characteristics of the laryngeal mask airway. Can J Anesth，1994，41：873.

17　pstein RH，Ferouz F，Jenkins MA. Airway sealing pressures of the laryngeal mask airway in pediatric patients. J Clin Anesth，1996，8：93～98.

18　Asai T，Koga K，Morris S. Damage to the laryngeal mask by residual fluid in the euff. Anesthesia，1997，52：977～981.

第2章　气道管理的解剖学基础

气道管理是麻醉医师的基本技能,也是保证病人术中安全的基本手段。在围手术期,为保持气道通畅,麻醉医师需要使用一些方法,包括托下颌、放置口咽通气道或鼻咽通气道、插入气管导管和喉罩等。但在控制气道的过程中,仍有一定困难气道的发生。为正确管理气道,必须熟悉相应的解剖学基础。本章就有关鼻、口、咽、喉、气管和颈椎等的详细解剖结构及其与气道管理的关系进行系统地阐述。

第一节　鼻

鼻是呼吸道的起始部位,具有多个生理功能:温暖和湿化空气、去除细微颗粒、嗅觉功能和辅助发音等。鼻可分为外鼻、鼻腔和鼻旁窦三部分(图2-1)。

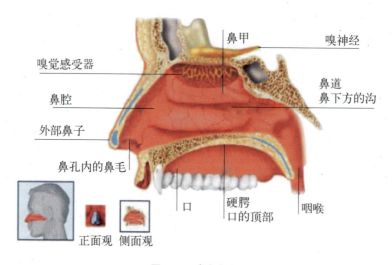

嗅觉感受器

鼻腔

外部鼻子

鼻孔内的鼻毛

鼻甲　　嗅神经

鼻道
鼻下方的沟

口　硬腭
口的顶部　咽喉

正面观　侧面观

图2-1　鼻部解剖

一、外鼻

外鼻位于面中部,由上部的骨性部(上颌骨的前端、鼻骨和腭骨的鼻部)和下部的鼻软骨作支架,外覆纤维脂肪组织和皮肤组成。鼻尖两侧的泡状隆起称鼻翼,左右鼻翼各围成鼻孔,是鼻腔的前口,称前鼻孔。从前鼻孔至气管隆突的距离在成年男性平均为 32 cm,成年女性为 27 cm。

二、鼻腔

鼻腔前起于前鼻孔,后止于作为鼻咽部开口的后鼻孔,成人长约 10～14 cm,由鼻中隔分隔为左、右两个部分。鼻腔以骨和软骨为基础,腔的内面衬以黏膜或皮肤,每侧鼻腔均由底、顶、内侧及外侧壁四部分所组成。

鼻腔的底壁即口腔的上壁,由上颌骨的腭突、腭骨的水平部和软腭组成。顶壁呈窄小的拱形,借筛骨的筛板与颅前窝相隔,筛板极薄,易破碎而出现脑脊液鼻漏。这类病人进行经鼻气管插管时,易引起颅内感染,甚至气管导管通过破损的颅底部进入颅内,造成严重后果。内侧壁即鼻中隔,由筛骨正中板、犁骨和鼻中隔软骨组成,一般都偏于一侧,以偏左侧多见,偏位严重则会影响经鼻气管插管的方法选择。外侧壁结构最复杂,也最重要,从上向下悬挂着隆起的鼻甲,分别称为上鼻甲、中鼻甲和下鼻甲,各鼻甲的下方裂隙分别称为上鼻道、中鼻道和下鼻道,各鼻甲与鼻中隔之间的空隙称为总鼻道。经鼻气管插管或放置鼻咽通气道时,均通过下鼻道,下鼻甲是限制导管顺利通过鼻腔的重要因素。

鼻腔的黏膜根据其功能分为两部分:① 嗅区黏膜:分布于上鼻甲及与其相对应的鼻中隔部分,比较薄,呈浅黄色,内含嗅细胞,其中枢突组成嗅神经,穿过筛孔进入嗅球,具有嗅觉功能,嗅区黏膜由嗅神经支配。② 呼吸区黏膜:范围较大,除嗅区外的其余部分均为呼吸区黏膜,且与鼻旁窦内的黏膜相延续,呈红色或粉红色,血管丰富,比较潮湿,由纤毛上皮组成,对吸入的空气进行加热、湿润、净化灰尘和细菌。呼吸区黏膜由三叉神经第一支(眼神经)和第二支(上颌神经)的分支支配。鼻中隔前下区的黏膜分布有来自上颌动脉分支的及其丰富的血管丛,称 Little 区或易出血区,此处黏膜较薄,血管表浅丰富,经鼻气管插管可损伤鼻黏膜,甚至严重鼻出血。

三、鼻旁窦

鼻旁窦又称副鼻窦,包括上颌窦、蝶窦、额窦和筛窦,根据开口位置又可分为前后两组。前组包括上颌窦、前组筛窦和额窦,均开口于中鼻道。后组包括后组筛窦和蝶窦,都开口于上鼻道。鼻泪管开口于下鼻道。副鼻窦炎病人,如分泌物较多,则影响重危病人的气道通畅。

第二节 口腔

口腔是消化道的起始部,其功能包括咀嚼、吞咽、消化、呼吸、发声和味觉等。牙槽弓、牙龈和牙齿将口腔分成口腔前庭和固有口腔两部分。口腔前庭位于前外侧部,为一裂隙,外壁是嘴唇和面颊,内壁是牙龈和牙齿,腮腺在第二磨牙处开口于口腔前庭。固有口腔位于后内侧部,其前界和两侧是上下牙齿和牙槽弓,后经咽峡与咽相通,上壁为腭,下壁为封闭口腔底的肌肉,黏膜和舌等,下颌骨构成了口腔底部的骨架,并借颞下颌关节和上颌骨相连。

一、牙齿

牙齿嵌于上、下颌骨的牙槽内,并排成上牙弓和下牙弓。每颗牙齿都由牙冠、牙颈和牙根组成。牙齿的神经血管通过牙根尖孔及牙根管,在牙腔内与结缔组织共同构成牙髓。牙髓外周是牙本质,是一种坚硬的钙化物。牙冠部的牙本质外面包有更为坚硬的釉质,在牙根和牙颈部则包有牙骨质,所以牙质本身不暴露于外面。

人出生 6 个月前后乳牙开始萌出,3 岁左右 10 对乳牙出全。6～7 岁第 1 恒磨牙开始萌出并代替乳牙,至 11～13 岁,除第 3 恒磨牙外,乳牙均被恒牙所取代,成人有 16 对恒牙。6～10 岁期间,由于乳牙逐步被恒牙取代,乳牙容易松动、脱落,麻醉前应仔细观察。

直接喉镜插管时,容易伤及牙齿,特别是已松动的牙齿,对于乳牙尚未萌出的婴儿,损伤牙蕾可导致乳牙萌出停止或畸形。因此,气管插管时应加强对牙齿的保护,以免损伤或脱落。由于牙齿的位置比较固定,临床上常将上切牙用于定位经口气管插管深度的标志,成年男性平均为 23 cm(上切牙至气管导管顶端的距离),成年女性为 21 cm。

二、腭

腭是口腔的上壁,分硬腭和软腭两部分(图 2-2)。硬腭由上颌骨腭突和颚骨的水平板覆以黏膜而成,黏膜和骨结合紧密。软腭连续硬腭,前部几乎水平,后部向下倾斜,称腭帆。腭帆的后缘游离,中央有一向下的圆形突起为腭垂,又称悬雍垂。自腭帆向两侧各有两条下垂的弓形黏膜襞,前方的延续至舌根的前外侧,称舌腭弓,后方的下延至咽侧壁,称腭咽弓。两弓间的三角形陷凹为扁桃体窝,容纳腭扁桃体。腭帆后缘和两侧的舌腭弓以及舌根共同围成咽峡,是口腔和咽的分界。

腭黏膜的感觉由三叉神经的上颌神经分支支配,软腭诸肌,除腭帆张肌为下颌神经分支支配外,其余都由迷走神经咽丛的分支支配。

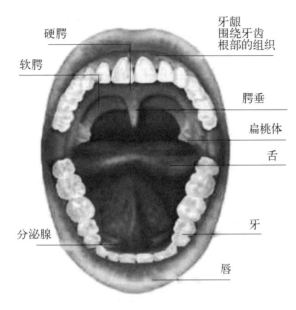

图 2-2 口腔解剖

三、舌

舌是一肌性器官,位于固有口腔底部。舌分上、下两面,上面拱起,称舌背,在舌背的后部可见人字形的界沟,将舌分为前 2/3 的舌体和后 1/3 的舌根两部分。舌下面的黏膜在中线上折成舌系带,内有舌静脉,舌系带向前下方连于口底的前部。舌系带两旁有两个小突起,称舌下阜,有下颌下腺和舌下腺导管的开口。舌的上、下被覆的黏膜呈淡红色,在舌体上面和侧面可见许多小的黏膜突起,称舌乳头。舌根部的黏膜内及其深面的结节状的淋巴组织构成许多大小不等的隆起,称舌扁桃体。舌肌为横纹肌,分舌内肌和舌外肌。舌内肌收缩时可改变舌的长短、宽窄和厚度。舌外肌收缩时改变舌的位置。舌体的大小及其基底部的宽窄可作为一种简单预测困难插管的指标。舌体巨大和舌根部宽大则影响气道通畅及气管插管。

舌的神经:舌前 2/3 的一般感觉由三叉神经的舌支支配,味觉由面神经支配;舌后 1/3 的一般感觉和味觉由舌咽神经支配;除腭舌肌外,舌的运动由舌下神经支配,腭舌肌由迷走神经咽丛支配。舌动脉平对舌骨大角处起自颈外动脉,在舌骨舌肌后缘的深面进入舌内,供应舌、口腔底的黏膜和舌下腺等。舌静脉可直接或与面静脉汇合后注入颈内静脉。

Mallampati 试验:当病人直立且头处于中立位时,用力张口伸舌至最大限度,并发"啊"声,检查者的视线与病人的口处于同一水平,直接观察咽部结构及舌体遮住咽部的程度,进行分级:Ⅰ级,可见软腭、咽腭弓、腭垂;Ⅱ级,可见软腭、咽腭弓、腭垂部分被舌根遮盖;

Ⅲ级,仅见软腭;Ⅳ级,未见软腭(图 2-3)。Mallampati 分级为Ⅲ～Ⅳ级的病人,提示气管插管时可能存在困难插管。

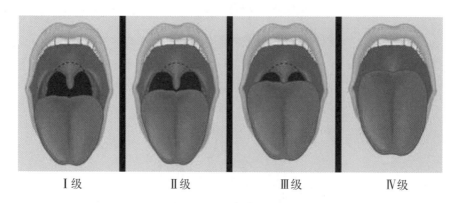

| Ⅰ级 | Ⅱ级 | Ⅲ级 | Ⅳ级 |

图 2-3　Mallampati 试验

四、下颌骨

下颌骨是口腔底部的骨架,由两块水平的骨体在前正中联合处融合在一起构成。两块骨体的后部各自向上延伸出垂直的部分,并分成两支,前支为喙突,是肌肉的附着点,后支是髁突,形成颞下颌关节。两骨突间有凹陷的切迹,称下颌切迹。颞下颌关节被纤维软骨性关节盘分为上下两部分,由颞下颌/碟下颌参与加强的韧带包裹。下颌骨的张开需要翼外肌、下颌舌骨肌、颏舌骨肌和二腹肌的参与,关闭由翼内肌、咬肌和颞前肌完成,外伸、收缩和向两侧移动分别由翼外肌、颞后肌和翼内肌完成。这些肌肉均有三叉神经的下颌支支配。

张口度的大小主要由颞下颌关节的活动度决定,颞下颌关节强直会导致张口受限,使气管插管困难。下颌支的长度也是预测困难插管的指标之一,下颌支过短,可使声门显露困难。提下颌可以使舌和会厌从咽后壁脱离,通畅气道,也有利于喉罩的置入。下颌骨损伤或骨折,可能影响气道通畅或导致气管插管困难。

第三节　咽腔

咽腔是消化和呼吸的共同通道,功能活跃,参与吞咽、呼吸、发声、气道保护和骨膜内外压力的平衡。咽腔是个漏斗状的肌性管道,上起颅底枕骨大孔的前方,下至第 6 颈椎下缘(平环状软骨水平),并在此续于食管。咽腔的后壁紧贴上 6 个颈椎的椎体和椎前肌;两侧有颈部的大血管;前壁不完整,自上而下分别与鼻腔、口腔和喉腔相通。咽腔以软腭后缘和会厌上缘为界,分为鼻咽腔、口咽腔和喉咽腔三部分(图 2-4)。

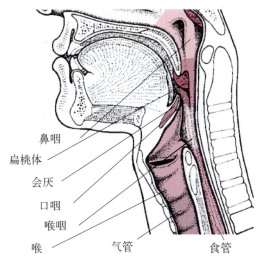

鼻咽

扁桃体

会厌

口咽

喉咽

喉　　　　　气管　　　　　食管

图 2 - 4　咽腔

一、鼻咽腔

鼻咽腔是鼻腔后鼻孔向后方的直接延续,上达颅底,下至软腭平面,前经后鼻孔通向鼻腔。长度约为 2.1 cm,左右径约为 1.5 cm。鼻咽腔与口咽腔借鼻咽峡相通,鼻咽峡位于软腭游离缘与咽后壁之间,吞咽时可关闭。鼻咽腔顶壁呈拱顶状,后部黏膜内有丰富的淋巴组织,称咽扁桃体,在婴幼儿较发达,10 岁后完全退化。约在下鼻甲后方 1 cm 处,咽的侧壁上有咽鼓管咽口,经咽鼓管通向中耳鼓室。咽鼓管咽口的前、上、后方有一隆起包绕,称咽鼓管圆枕。经鼻气管插管时,如果导管太硬或弯度不够,可能会被隆起的咽鼓管圆枕所阻。

二、口咽腔

口咽腔位于软腭和会厌上缘平面之间,借咽峡与口腔相通,向上借鼻咽峡与鼻咽腔相通。在舌根后部正中矢状位上有一黏膜皱襞连至会厌,称舌会厌正中襞,两侧凹陷,称为会厌谷。腭舌弓和腭咽弓之间的三角形凹陷,为扁桃体窝,容纳腭扁桃体。腭扁桃体,俗称扁桃体,是一对扁椭圆形的淋巴器官,表面被覆黏膜,扁桃体内面对向口腔,它的外侧面和前、后面均包被薄层纤维膜,称扁桃体囊。扁桃体囊的外侧面有疏松结缔组织连于咽壁的内侧。扁桃体肿大也可能阻碍气管插管。

三、喉咽腔

喉咽腔位于喉口和喉的后方,向下至第 6 颈椎水平与食管相连,向前经喉口与喉腔相通,是咽腔最狭窄的部分。在喉口的两侧,各有一深窝,称为梨状隐窝,是异物易滞留的部位,气管插管不当,也易误入此处,造成损伤。隐窝外侧壁的黏膜上,有一条由外上向内下斜行的小皱襞,内有喉上神经内支在黏膜深面经过。

四、咽的血管和神经

供应咽的动脉主要是直接和间接发自颈外动脉的小支。供应扁桃体的主要血管是面动脉的扁桃体支,同时,舌动脉和咽升动脉的分支也供应扁桃体,静脉血则引流至咽静脉丛。咽部的神经来自分布于外膜上的咽丛,由舌咽神经、迷走神经和交感神经的分支组成,它们分别属于感觉、运动和血管运动成分的纤维。来自迷走神经咽支的纤维,支配咽缩肌和除茎突咽肌与腭帆张肌以外的软腭肌。茎突咽肌由舌咽神经支配,腭帆张肌由三叉神经支配。由于咽部缺乏骨架的支撑,当咽部肿瘤、感染、外伤等原因引起呼吸困难的病人,麻醉诱导后,由于肌肉松弛,可导致严重的通气困难,需小心提防。

第四节　喉

喉是呼吸的通道,又是发音器官,位于颈前部,咽腔喉部的前方,向下通气管。喉的后方是咽喉部,前方有皮肤、筋膜和舌骨下肌群覆盖,两侧有颈部大血管、神经和甲状腺侧叶。成人喉的上界平对第4、5颈椎体之间,下界平对第6颈椎体下缘。喉由软骨作支架,由关节、韧带连接,喉肌附于喉软骨,为喉的主要动力(图2-5)。

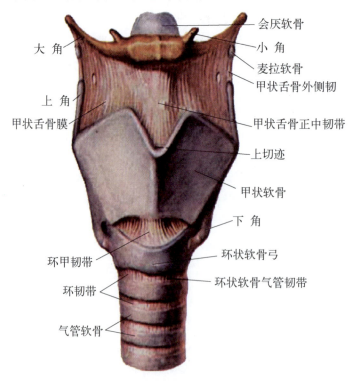

图2-5　喉部解剖

一、喉软骨

喉的构架组织主要由 5 个骨性或纤维软骨结构组成：舌骨、甲状软骨、环状软骨、会厌和杓状软骨。前三个能在颈部的正前方被摸到。甲状软骨为一明显可见到的突出部分，尤其在男性更明显，即"喉结"。

甲状软骨呈盾形，由左右对称的四边形的甲状软骨板合成，两板在前缘汇合形成一定的角度，此角度在男性较小约 90°，在女性约 120°。两侧甲状软骨板后缘向上、下延伸，形成上角和下角。两侧下角的内侧面分别与环状软骨后外侧面的小凹形成环甲关节。甲状软骨上缘正中处有一"V"形凹陷，称甲状软骨切迹，临床上常用作识别颈正中线的标志。颈部充分后仰时，颏尖至甲状软骨切迹上缘的距离称甲颏间距，可预测气管插管的难易度。

环状软骨位于甲状软骨之下，下接气管。前部较窄，称环状软骨弓；后端宽阔，称环状软骨板，是喉部唯一呈完整环形的软骨，对支撑呼吸道的开放具有重要作用，在行气管切开时不能切断环状软骨，不然会引起气管狭窄。

杓状软骨呈三角锥形，左右各一，位于环状软骨板的上缘。杓状软骨基底向前方突起，称声带突，为声带附着处。底部外侧有肌突，环杓后肌附着于其后部，环杓侧肌附着于其前外侧面。杓状软骨底部和环状软骨上缘关节面构成环杓关节。杓状软骨沿环状软骨板上缘滑动和旋转时，可使声带张开或闭合。置入喉镜过深或气管导管的不当操作都可能使杓状软骨受压，造成环杓关节脱位，出现长期声音嘶哑。

会厌软骨在吞咽的时候能保护咽的入口，为一叶状薄片软骨，位于舌根和舌骨的后上方，附着于甲状软骨前角的内面，上缘游离面呈弧形，伸向上后方，是口咽腔与喉咽腔的分界标志。会厌前面上部与舌根间的黏膜形成位于中线的舌会厌正中襞和两侧的舌会厌外侧襞，三条黏膜皱襞间的一对凹窝称为会厌谷，置入弯后镜片时，必须深达舌会厌正中襞，使皱襞中的舌会厌韧带紧张，才能使会厌翘起。紧贴后镜片，显露声门。会厌僵硬或过大，均会使声门显露困难。

二、喉的韧带

喉体的各软骨间以及软骨与舌骨、气管之间有纤维状韧带组织相连接。甲状会厌韧带为连接会厌软骨茎与甲状软骨切迹后下方的纤维韧带，舌骨会厌韧带是位于会厌舌面、舌骨体和舌骨大角之间的纤维组织。喉弹性膜为宽阔的弹性纤维组织，被喉室分为上、下两部。上部在会厌侧缘，甲状软骨板交角线背面与杓状软骨前外侧面之间，构成杓会厌襞与室襞（室带）。室襞边缘增厚部称室韧带，下部称喉弹性圆锥，向下附着于环状软骨上缘；前端附着在甲状软骨板交角线的背面，后端至杓状软骨声带突的下缘。前后附着处游离边缘的增厚部为声韧带，是发音的主要结构。圆锥之前中部，附着于甲状软骨下缘与环状软骨弓上缘之间,称环甲膜,其中央增厚而坚韧的部分称环甲中韧带。环甲膜的位置表浅,紧急情况下用粗针穿刺或部分切开以建立临时通气通道。

三、喉腔

喉腔是由喉软骨支架围成的腔隙,上经喉口通咽喉腔,下经声带与气管相通,前壁为会厌软骨,两侧壁为杓会厌襞,后壁为杓状软骨。

声带位于室带下方,左右各一,由声韧带、肌肉、黏膜组成。由于其后端附着于杓状软骨的声带突,故可随声带突的运动而张开或闭合。声带张开时,出现一个等腰三角形的裂隙,成为声门裂,简称声门(图2-6,图2-7)。

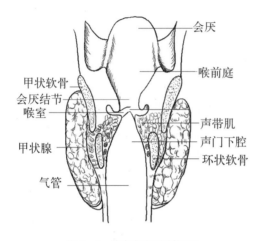

图2-6 喉部解剖(冠状面)

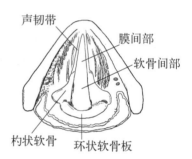

图2-7 喉部解剖(声带横截面)

四、喉肌

喉肌分为内外两组。

喉内肌依据其功用主要分成以下4组:① 使声门张开,主要由环杓后肌支配;② 使声门关闭,由环杓侧肌和杓肌支配;③ 使声带紧张和松弛,由环甲肌和甲杓肌支配;④ 使会厌活动,主要有杓会厌肌和甲状会厌肌,前者使喉入口关闭,后者使喉入口开放。

喉外肌将喉与周围的结构相连,依据其功用可分为升喉与降喉两组肌肉。前者有颏骨舌肌、二腹肌、甲舌骨肌、下颌舌骨肌和茎突舌骨肌;后者有胸骨甲状肌、胸骨舌骨肌和肩胛舌骨肌。咽中缩肌附着于舌骨大角,咽下缩肌附着于甲状软骨的斜线和环状软骨,此两肌在收缩时可影响喉部位置。咽下缩肌在吞咽时还有提喉作用,以增强喉的保护功能。

五、喉的神经和血管

喉的神经主要来自迷走神经的喉上神经和喉返神经。喉上神经在相当于舌骨大角平面处分为内、外两支。外支属运动神经,支配环甲肌,但也有感觉神经纤维分布在声门下区。内支在喉上动脉穿入甲状舌骨膜处的喉上方穿过甲状舌骨膜,分布于声带以上区域的黏膜,主要是感觉神经。用直喉镜片挑起会厌压迫其喉面时,易诱发喉痉挛及咳嗽,但会厌舌面黏膜由舌咽神经舌支支配,故使用弯喉镜片插入会厌谷时,不易引起喉痉挛及咳嗽。

喉返神经是迷走神经进入胸腔后分出的,左右两侧路径不同,右侧在锁骨下动脉之前离开迷走神经,绕经该动脉的下、后方,再折向上行,沿气管与食管间所成之沟,直到环甲关节的后方进入喉内。左侧的路径较长,在迷走神经经过主动脉后离开迷走神经,绕主动脉弓之下、后上行,沿与右侧相似的途径进入喉内。喉返神经主要是运动神经,支配除环甲肌以外的喉内各肌,但亦有感觉支分布于声门下区的黏膜。喉返神经在甲状腺手术容易损伤,术中如使颈部过度旋转、后伸或气管导管的套囊过度膨胀,都有可能使喉返神经受压损伤,出现声带麻痹。

喉的血供来源有来自甲状腺上动脉的喉上动脉和来自甲状腺下动脉的喉下动脉。

六、喉的功能

喉的骨性、纤维软骨、肌肉和韧带等各结构协同参与声门的开启和关闭、发声和吞咽。喉的主要功能如下。

(一)呼吸功能

正常情况下,喉的声门是空气出入肺部的必经之路。声门的大小是根据呼吸的需要,由中枢反射调节。声门在平静呼吸时较小,呼出时微闭,吸气时张大。用力吸气或体力劳动时,因需氧量增加,声门扩张最大,以便增加肺部气体交换,调节血液中二氧化碳浓度(图2-8)。

(二)发声功能

喉是发声的重要器官,发声时声带向中线移动,声门闭合,当气流自肺部呼出冲击声带时,就发出声音,称为基声。再经过喉腔、咽腔、鼻腔及胸腔的共鸣作用,和唇、牙、舌、软腭及颊部在神经系统协调下的运动,才发出各种不同声音和语言。发声与呼吸相反,属随意

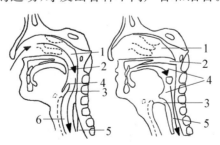

呼吸时的情况　　吞咽时的情况
1.鼻腔　2.腭垂　3.会厌软骨
4.咽　5.食管　6.气管

图2-8　喉的呼吸和保护功能

动作,但哭、笑、惊叫等,则有时可由反射而发出,亦可属随意动作。喉部产生音调的高低,取决于声带的长度、紧张度及呼出气流的力量。若声带张力增强,并变短、变薄,则其共振频率较高,因而发出高音,反之则形成低音。

（三）保护作用

喉对下呼吸道能起保护作用。吞咽时喉体上提,会厌向后下倾倒,将喉入口盖住,同时室带、声带向中线移动关闭喉腔,以便食物沿两侧梨状窝下行进入食管,而不致误入下呼吸道。喉部还有丰富的神经分布,在受到误入的异物刺激时,则产生防御反射性剧咳,迫使异物排出,起保护下呼吸道的作用。喉对吸入的冷空气还有加温和湿润作用(图2-8)。

（四）屏气功能

屏气时声门紧闭,呼吸暂停,控制膈肌活动,固定胸腔内压,增加腹压,以利各种用力的动作。

（五）吞咽功能

吞咽由一系列快速而协调的动作组成。食物和水传送至舌后根处即触发吞咽反射,把食物和水运送至食管。

七、上呼吸道三轴线

自口腔(或鼻腔)至气管之间存在三条解剖轴线,彼此相交成角:① 口轴线(AM),即从口腔(或鼻腔)至咽后壁的连线;② 咽轴线(AP),即从咽后壁至喉头的连线;③ 喉轴线(AL),即从喉头至气管上段的连线。

正常情况下AM与AP互成直角,AP与AL成锐角。气管插管时,为达到显露声门的目的,需使这三条轴线重叠成一条线(图2-9)。

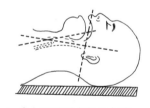

A.病人平卧时各轴线相交

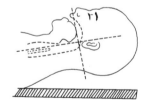

B.头微抬起时,经咽部轴线与经喉部轴线相重叠

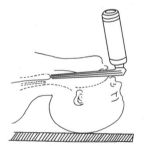

C.头后仰并抬起时三轴线成为一直线

图2-9 上呼吸道三轴线

第五节 气管、支气管及食管

一、气管

气管是位于喉和两个主支气管之间的呼吸道部分,始于第 6 颈椎水平,下端在气管隆突(相当于第 4 胸椎下缘水平)分成左、右主支气管,成人气管长约 10～12 cm。气管由 10～20个马蹄形透明软骨环组成,软骨环之缺口向后,各软骨环间有结缔组织连接。气管后壁则由纤维结缔组织和平滑肌组成。气管颈部的前面,由浅入深为皮肤、浅筋膜、颈深筋膜浅层、胸骨上间隙及其内的颈静脉弓,以及舌骨下肌群和气管前筋膜。第 2～4 气管软骨前方有甲状腺峡部,峡的下方有奇静脉丛。气管后方有食管,气管与食管间的两侧沟内有喉返神经。气管颈部有甲状腺侧叶,后外侧为颈动脉鞘,颈部大血管和气管的距离,越靠近胸骨上缘距离越近。气管胸段其前方邻接胸腺、左头臂静脉和头臂干,左侧部邻接主动脉弓、左颈总动脉和左锁骨下动脉,其右侧邻接头臂干、右迷走神经、右头臂静脉、上腔静脉。

气管内壁覆有黏膜,为假复层柱状纤毛上皮,含有杯状细胞,黏膜下层内有腺体,能分泌浆液性和黏液性液体。气管的血供来自甲状腺下动脉及甲状腺下静脉。气管、支气管的神经由交感神经和副交感神经支配。交感神经纤维来自星状神经节,兴奋时使平滑肌舒张,气管、支气管扩张。副交感神经纤维来自迷走神经,兴奋时使气管、支气管收缩。气管隆突黏膜内有较丰富的迷走神经分布,极为敏感,仅在麻醉较深时受抑制,麻醉过浅时刺激隆突可引起反射性血压下降、心动过缓、呛咳及支气管痉挛。

二、主支气管

气管下端自隆突起分为左、右主支气管。右主支气管短而粗,走向陡直,与气管中轴延长线的夹角约为 25°～30°,异物及气管导管易进入右侧主支气管。右肺上叶的支气管开口距气管隆突很近,约 1～1.5 cm。左支气管细长而走向稍斜,与气管中轴延长线的夹角约为40°～45°。

三、食管

食管在第 6 颈椎下缘续于咽,沿脊柱前下方下行,于第 11 胸椎体左侧连于胃贲门。食管全长约 25 cm,可分为颈、胸、腹三段。食管颈段,其前方与气管相邻,后方为脊柱,外侧邻颈动脉鞘和甲状腺侧叶。食管胸部前方邻接气管和左喉返神经,左主支气管,心包和左心房;后方邻接主动脉胸部、右肋间后动脉、奇静脉、胸导管和脊柱胸段;左侧邻接左锁骨下动脉、胸导管上段、主动脉弓及主动脉胸部。食管壁具有消化管典型的四层结构,从内向外依次为黏膜层、黏膜下层、肌层和纤维膜层。黏膜层的黏膜上皮为复层鳞状上皮;黏膜下层疏松,内含血管、腺体及黏膜下神经丛等;肌层,食管上 1/3 段为横纹肌,下 1/3 段为平滑肌,中 1/3 段由横纹肌和平滑肌混合组成;外膜层为纤维膜,含血管、神经。食管上段动脉来自甲状腺下动脉,静脉回流注入甲状腺下静脉或头臂静脉。食管中段动脉来自主动脉胸部的食管动脉,静脉注入奇静脉和半奇静脉。食管下段动脉来自胃左动脉,静脉经胃左静脉入门静脉。食管的神经支配来自迷走神经和颈、胸交感神经节的分支。

第六节 颈椎

颈椎共有 7 块,可分为两部分:枢下颈椎(枢椎以下部分)和枢上颈椎(颅骨基底、寰椎和枢椎)。枢下颈椎和其他椎骨相似,由椎体、椎弓板、横突和棘突等组成。枢上颈椎则不同。

寰椎,为第 1 颈椎,呈环形,没有椎体和棘突,主要由两个侧块和连接于侧块之间的前弓与后弓构成。两个侧块上表面上各有一个关节面,与枕髁相连,形成寰枕关节。枢椎为第二颈椎,其特点是从椎体向上伸出一齿状突起,称齿突,越过寰椎前弓,与寰椎的齿突凹形成寰枢关节,齿突位于寰椎前弓的正后方。

利用直接喉镜插管时,为显露声门,必须使头颈部发生相应的运动:上颈椎伸展、下颈椎前曲,这就依赖于寰枕关节和寰枢关节的活动,寰枕关节能使颈部伸展 35°。头颅的旋转主要依赖寰枢关节的活动,即以齿状突作为枢轴。当寰枕关节、寰枢关节发生硬化时(如颈椎融合术后、强直性脊柱炎等),头颈部的活动就会受到严重受限,易发生困难插管。

隆椎为第 7 颈椎,其特点是棘突长而粗大,末端不分叉,在皮下易于摸到。隆椎的棘突可作为定位椎骨的标志。颈椎的横突上均有孔,称为横突孔,$C_1 \sim C_6$ 的横突孔内有椎动脉通过,椎动脉跨过寰椎弓进入枕骨大孔。在每一节颈椎的椎弓根上方各有同序颈神经从椎管穿出。

(王英伟)

参 考 文 献

1 Yan g K, Zeng XL, Yu MS. A study on the diference of upper respiratory tract sagittal diameter of oral and nasal breathing children. J Clin Stomatol,2001, 17:177～179.

2 Veldi M, Vasar V, Vain A, et al. Obstructive sleep apnea and aging:myotonometry demonstrates changes in the soft palate and tongue. Pathophysiology,2004,11(3):159～165.

3 杨凯,曾祥龙,俞梦孙. 口—鼻呼吸与颅面形态的相关关系. 中华口腔医学杂志,2002,37:385～387.

4 Akahoshi T, White DP, Edwards JK, et al. Phasic mechanoreceptor stimuli can induce phasic activation of upper airway muscles in humans. J Physiol(Lond), 2001,531(pt 3):677～691.

5 Fogel RB, M alhotra A. Pillar G, et al. Genioglossal activation in patients with obstructive sleep apnea

versus control subjects. Mechanisms of muscle control. Am J Respir Crit Care Med，2001，164(11)：2025～2030.

6　van Lunteren E. Muscles of the pharynx：structural and contractile properties. Ear Nose Thorax J，1993，72(1)：27～29.

第 3 章　气道的病理生理

了解与气道管理有关的呼吸系统的解剖、生理,对围术期气道管理十分重要。气道管理引起的气道病理生理效应包括局部反应和全身反应两部分。局部反应包括:① 黏膜缺血;② 气道梗阻;③ 气体或液体漏;④ 压迫血管、神经或导管。全身反应包括:① 插入和移除气管导管或喉罩等气管插管装置时血流动力学的应激反应;② 肺部、咽部以及食管的功能改变;③ 保护性反射的激活;④ 眼内压的改变等。

第一节　气道的生理

以环状软骨下缘为界,通常将气道分为上、下气道。上气道由鼻、咽、喉组成,是气体进入肺内的门户。主要功能除传导气流外,尚有加温、湿化、净化空气和吞咽、嗅觉及发音等功能。下气道主要由气管、支气管、支气管树及肺泡等组成,根据功能不同,又分为传导气管(气管、支气管树)和呼吸区。

一、气管

气管是个管状结构,上端起于环状软骨,通过颈部向下延伸入胸内,在胸骨上、中 1/3 处分叉为左、右支气管。气管分叉部即所谓隆突。成人气管平均长度约 10～13 cm,直径约 2.0～2.5 cm。气管由 16～20 个 U 形软骨环组成,开口部向背面,由富于弹性的纤维结缔组织连接。气管虽有 U 形软骨支撑,但仍容易受外来压力影响,通常受压 50～70 cm H_2O 即可引起气管萎陷,如颈部肿瘤、血肿压迫常引起气管狭窄。在人体气管内外压差达 10 cm H_2O 时,可使气管容量有 42%～56% 的变化。

二、支气管

气管于第 5、6 胸椎之间,相当于胸骨角水平分叉为左、右支气管。在成人,右支气管较左支气管短、粗而陡直,平均长 2.5～3 cm,与气管纵轴夹角为 20°～30°。左支气管细,长约

4～5 cm，与气管纵轴夹角为 40°～50°。因此插管过深或吸入异物时易入右主支气管。3 岁以下的儿童左、右支气管与气管纵轴夹角基本相等，约为 55°。

三、支气管树

左、右支气管经肺门进入肺内后反复分支，分别为叶、段、亚段、细支气管、终末支气管、呼吸性支气管、肺泡管、肺泡等共约 23 级(见图 3-1)。终末支气管以上不参与气体交换，为传导气道；呼吸性支气管以下为呼吸区，是气体交换的主要场所。从 12～19 级气道内径虽从 1.0 mm 减小到 0.5 mm，但其整个横断面积明显增加，已是大支气管横断面积的 30 倍，气流阻力也相应减小，仅占气道全部阻力的 10% 左右。因此，应用较高压力克服气道阻力来进行通气，而不致于造成肺泡的损伤。

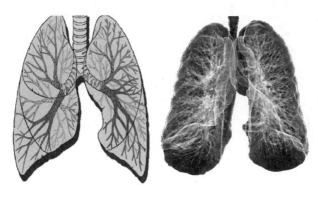

图 3-1 支气管树

四、支气管腺体

气管与支气管相似，均由黏膜、黏膜下层和外膜组成。黏膜上皮为假复层柱状纤毛上皮其间散在着杯状细胞，能分泌黏液。支气管分支越细，杯状细胞越少，至细支气管时黏膜仅为一层纤毛上皮和极少的杯状细胞。黏液腺位于气管和支气管的黏膜下层，以中等大小的支气管中数目最多。腺体的大小及数目变化很大，最大者可达 1 mm。慢性支气管炎时，腺泡增多，腺体增大。腺体分泌的黏液主要含有酸性和中性多糖，此外还有白蛋白和球蛋白。黏液腺的分泌除源于直接刺激外，还可由迷走神经反射诱发。乙酰胆碱可促使黏液腺分泌，但对杯状细胞无影响。阿托品能减少黏液腺体的分泌。

正常情况下，气道分泌物有助于维持气道正常功能，减少气道水分丢失，维持纤毛上皮的正常运动，形成黏液毯，并通过特异性或非特异性免疫因子对吸入的病原体起抗感染作用。病理情况下，黏液腺分泌过多，以致纤毛不能摆动，黏液不能排出；过量黏液还可能阻塞细支气管，使气道引流不畅而发生感染。

五、支气管的纤毛

上、下气道除极少部位,均分布有纤毛。纤毛从黏膜的纤毛细胞上长出,纤毛顶端有厚约 5 μm 的黏液毯。纤毛在较稀的液体中摆动,速度可变。黏液毯向上方移动的速度为 2.5～3.5 mm/min,能有效地将颗粒和病原体等排出气道(图 3‑2)。

影响纤毛上皮运动和黏液毯活动的因素很多,干燥可破坏黏液毯;吸烟和药物可影响纤毛运动;流感病毒能引起纤毛细胞变性;慢性支气管炎和支气管扩张时,可引起纤毛数目减少。吸入麻醉药如氟烷能通过抑制纤毛运动频率,改变黏液的质和量,降低黏液纤毛清除率。吸入氟烷 6 h 后,黏液纤毛清除率降低,并至少延续到停药后 3 h。

 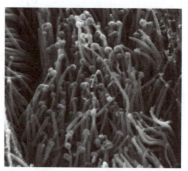

A. 支气管纤毛垂直切面观　　　　B. 电镜下的支气管纤毛

图 3‑2

六、气道上皮

气道上皮对吸入气体有增湿作用,能捕获和清除微粒,是抵抗气源性致病原的第一道屏障。呼吸道被覆纤毛上皮,至终末支气管纤毛上皮消失,与肺泡上皮细胞连接逐渐变平。拥有杯状细胞的气道上皮细胞负责产生气道液体和控制液体的成分。气道的液体由黏膜下腺和杯状细胞产生,当上皮细胞上升到气道主干时,它成为控制液体中水和电解质成分的主要细胞。气道液体由两层组成,下层是液态层,上层是凝胶层。杯状细胞的高度分泌和异常增生是许多呼吸疾病的特点,尤其是慢性阻塞性肺疾病和哮喘。

第二节　呼吸生理功能

一、肺通气

肺通气是肺与外界环境之间的气体交换过程。实现肺通气的器官包括气道、肺泡和胸廓等。气道是沟通肺泡与外界的通道,同时还具有加温、加湿、过滤、清洁吸入气体的作用和引起防御反射等保护功能;肺泡是气体与血液进行交换的主要场所;而胸廓的节律性呼吸运动则是实现肺通气的动力。呼吸运动时,由于胸腔体积的改变,引起胸腔内和肺内压力的变化,形成大气与肺泡气之间的压力差,不仅克服胸廓和肺的弹性阻力以及气道与组织的非弹性阻力,还引起气体在肺与体外间的流动。呼气通常完全是一个被动过程,由呼吸系统的弹力使肺回到功能残气量(FRC)的静息位置。

二、气道阻力

肺通气的阻力有两种:弹性阻力(肺和胸廓的弹性阻力),是平静呼吸时的主要阻力,约占总阻力的 70%;非弹性阻力,包括气道阻力、惯性阻力和组织的黏滞阻力,约占总阻力的 30%,其中又以气道阻力为主。气道阻力指气体流经气道时,由气体分子之间及气流与气道管壁之间的摩擦力所形成,它占呼吸时非弹性阻力的 90%。可用单位流速(V)所需要的驱动压(ΔP)来表示:R=ΔP(kPa)/V(L/s)。正常成人全部气道的平均阻力为 1~3 cm H_2O/(L·s),也可用 0.1~0.3 kPa/(L·s)表示。女性的气道阻力比男性高 20%,可能与女性气道较狭窄有关。气道的阻力主要来自大气道,即大部分来自上呼吸道,包括鼻、口腔、咽喉和气管。用鼻呼吸时,鼻腔阻力占全部气道阻力的 50%,用口平静呼吸时,咽喉和气管阻力占全部阻力的 20%~30%。如剧烈活动而每分通气量增加时,阻力可增加 50%。

三、呼吸功

在呼吸过程中,呼吸肌为克服弹性阻力和非弹性阻力而实现肺通气所做的功为呼吸功。根据克服阻力的不同,可分为弹性功、气流阻力功和惯性功。呼吸功增加,见于胸壁顺应性下降、肺顺应性下降、气道阻力增加。呼吸功可用下式表达:呼吸功=胸腔压力差×肺容量。

呼吸功可以通过压力-容量曲线测定(图 3-3)。在图 3-3 中,直线 AB 的斜率表示肺顺应性;AB 右侧椭圆形区域面积表示吸气时用以克服非弹性阻力的功;AB 左侧椭圆形区域面积表示呼气时用以克服非弹性阻力的功;三角形 ABC 去除椭圆形后所剩的面积表示吸气时克服弹性阻力的功。

正常情况下,平静呼吸时,呼吸功约为 0.5 kg/(m·min),呼吸耗能仅占全身总耗能的 3%。平静呼吸时,正常人体总的耗氧量为 200~300 ml/min,而呼吸器官耗氧量为 0.3~1.8 ml/min,约占总耗氧量的 5% 以下。每分钟通气量逐渐

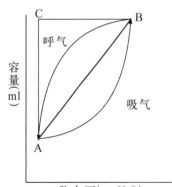

图 3-3 呼吸周期的呼吸功

增加时,呼吸器官耗氧量所占百分数可达 30%。哮喘病人平静呼吸时,呼吸器官氧耗量为正常人的 4～10 倍。通气量增加时,呼吸器官氧耗量即急剧增加,这是哮喘病人运动耐受性减少的主要原因。

四、肺循环生理

肺有双重供血系统。肺循环主要从右心向左心输送血液,并提供充分的空气与血的接触面,以便进行气体交换,还有一定程度的贮血作用,成人肺循环容纳总的血容量正常时为 400～600 ml,占总血容量的 8%～10%。支气管循环主要供应呼吸性小支气管以上的气道组织的营养物质。肺循环和支气管血管的末梢之间有吻合支沟通。因此,有一部分支气管静脉血液可经过这些吻合支进入肺静脉和左心房,使主动脉血液中掺入 1%～2% 的静脉血。

五、呼吸肌

呼吸中枢呼吸神经元的激活使得许多肌肉群收缩。肋间外肌和膈肌是静息时吸气的主要肌肉,而斜角肌和其他上胸部、颈部的肌肉只有在高度通气时是吸气的主要肌肉。肋间内肌和所有的腹肌是呼气肌,通常只在站立时或是分钟通气量是正常的数倍时才活动。

呼吸肌分为 I 型和 II 型纤维。I 型纤维主导呼吸和姿势的维持,而 II 型纤维主要参与快速运动和咳嗽、喷嚏时的肌肉收缩。不同类型的肌纤维由人类 14 和 17 号染色体上的独立基因家族编码。呼吸肌除了有大量肌纤维外,还有梭形肌。肌梭位于肌纤维之间,由一束特化的肌肉纤维(梭内肌)、神经末梢和囊泡组成。梭外肌由 α 神经支配,梭内肌受 γ 运动神经纤维支配。吸气时,脑干呼吸中枢向相应脊髓运动神经元发放冲动,兴奋 α 及 γ 神经元,引起吸气肌及其梭内肌收缩,而梭内肌的传出冲动通过对 α 神经元的兴奋作用,使吸气肌的收缩力量不断加强,直至抬起胸廓或使膈肌下降,产生吸气。一旦产生吸气动作,呼吸肌的长度缩短,梭内肌的长度随之缩短,向中枢发放的冲动减少而停止吸气肌的收缩,从而终止吸气。呼吸肌内肌梭所产生的牵张反射是维持呼吸运动的频率和深度的重要调节机制。

六、呼吸调节

人体通过中枢神经系统、神经反射和体液化学变化等三种途径进行呼吸调节。在不同的状态下,呼吸调节的目的在于较好地完成呼吸动作,为机体提供氧和排出二氧化碳,调控血液 pH 值,以保持内稳态的平衡。

呼吸中枢是指在中枢神经系统中产生和调节呼吸运动的神经细胞群,分布在大脑皮质、脑桥、延髓和脊髓等部位。脑的各级部位在呼吸节律产生和调节中所起作用不同。正常呼吸运动是在各级呼吸中枢调控与反馈机制下。其中延髓呼吸中枢分别管理吸气和呼气动作,是调控呼吸节律最基本的中枢。

(一) 神经反射

通气的神经反射常是为了防止气道梗阻的防御性反射。包括:

1. 吞咽或咽下动作 有舌咽和迷走神经的参与。刺激咽后部的前后咽弓能够产生吞咽动作。在吞咽时,吸气暂时停止,常继发一次深大呼吸,短期内增加通气量。协调呼吸和吞咽的通气中枢至今还不清楚。

2. 呕吐反射 明显地改变了正常的通气活动。在一个非常短的时间内,吞咽、流涎、胃肠反射、节律性阵发性通气运动和大幅度的膈肌和腹肌运动必须保持协调。因为有吸入胃内容物的危险,在呕吐期间吸气受到抑制。传入呼吸中枢的冲动来源于脑神经和脊髓神经。

3. 咳嗽反射 来源于气管上皮下层的刺激,尤其是气管后壁和隆突。咳嗽动作也需要气道和呼吸肌活动的协调来完成,有效的咳嗽需要深吸气,然后短暂的声门紧闭以增加胸腔内压力,强迫呼气,允许气流排出。

4. 牵张反射 继发于脑干呼吸控制中枢的起搏和调节作用,与肺脏内本体感受器有关。这些本体感受器位于气道的平滑肌内对气压变化敏感。牵张反射的重要作用在于减少潮气量,并代偿性增加呼吸频率,因此在上述情况下,多出现浅快呼吸。

(二) 化学反射

肺的正常通气和换气能维持动脉血中 PaO_2、$PaCO_2$ 和 pH 的相对稳定,而动脉血中 PaO_2、$PaCO_2$ 和 pH 的改变又可影响肺的通气功能,即呼吸的化学性调节。外周化学感受器的主要刺激因素是缺氧,中枢化学感受器主要是感受 $PaCO_2$、pH 变化和酸碱平衡失调。

1. 外周化学感受器 外周化学感受器有颈动脉体和主动脉体组成。颈动脉体位于颈总动脉的分叉处,有重要的呼吸调节功能。主动脉体聚集在主动脉弓及其分叉处,有重要的循环调节效应。有颈动脉体发出的神经冲动通过舌咽神经传入到达呼吸中枢。主动脉体发生的神经冲动通过迷走神经到达延髓中枢。当 PaO_2 下降时将引起颈动脉体和主动脉体的冲动,但对 SaO_2 或 CaO_2 的下降不敏感。当 PaO_2 下降至 100 mm Hg 以下时,这些感受器的神经冲动开始增加。只当 PaO_2 下降至 60～65 mm Hg 时,才能引起每分通气量增加。这种依赖于低氧来刺激通气的 PaO_2 值在 65 mm Hg 以下。一旦 PaO_2 值超过 60～65 mm Hg,则通气活动将趋于减少。

颈动脉体对 pH 和 $PaCO_2$ 的变化也很敏感,但是这种反应是次要的。这些感受器兴奋通气的效应是使通气频率和潮气量增加,同时发生血流动力学的变化包括心动过缓、高血压、细支气管紧张性增加和肾上腺分泌增加。

2. 中枢化学感受器 位于第四脑室侧壁和延髓表面腹外侧面,靠近或接触脑脊液,对

H^+浓度特别敏感。CO_2对中枢化学感受器的刺激作用,也是通过与H_2O反应形成碳酸,然后分解为H^+和HCO_3^-发挥效应,CO_2对这些化学感受器几乎无直接的刺激作用。

CO_2增加比代谢产生动脉血H^+浓度增加对通气刺激更为强烈。CO_2比H^+更容易通过血脑屏障和血—脑脊液屏障,脑脊液、脑组织和颈静脉血中的PCO_2会迅速增高到$PaCO_2$水平。一旦CO_2进入脑脊液中,即产生H^+,使脑脊液H^+浓度升高,因为H^+不易通过血脑屏障,导致脑脊液中H^+浓度明显高于血中浓度。

$PaCO_2$的升高通气的效应在$1\sim2$ min之内即可达到高峰。对相同浓度的CO_2刺激引起的通气增加效应要经数小时之后才趋于下降,这可能是蛛网膜颗粒从血液主动转运HCO_3^-至脑脊液的结果。

第三节 气道的病理生理

病人患有其他合并疾病时产生病理生理学效应,可以分为局部反应和全身反应两部分。

一、心血管系统反应

(一)局部反应

局部反应又可以分为影响微循环(黏膜)和体循环(大血管)两个亚类。

1. 微循环 气管插管装置的套囊通过压迫气管黏膜或周围咽部黏膜导致血流减少。血流减少的程度取决于咽部血流灌注压力和气管插管装置套囊压力的差值。研究发现当平均黏膜压力从34 cm H_2O逐渐升高到80 cm H_2O时,黏膜内血管的直径随之减小,黏膜的颜色随之变浅。黏膜压力可以通过外部的微传感器进行测量,随套囊内容量的增加黏膜压力不断增高,但是压力改变形式和绝对值因套囊的位置及气管插管设备的不同而受到影响。绝大部分气管插管设备都可以通过黏膜压力减去黏膜的最低压力(代表黏膜灌注压)来反映黏膜的微循环是否正常,借以引导套囊内容量从低容量逐渐加到适当量。

2. 体循环 口咽腔被来自于头颈部的大血管所环绕,这些血管很容易受到压迫,甚至在压迫作用下扭曲变形。测试表明当气囊容量过大时,颈动脉的血流可减少10%。研究发现舌动脉和舌静脉最易受到压迫,颈内静脉在压迫下可能发生移位和变形。

(二)全身反应

喉镜引导下的气管插管(LG-TI)导致心率增快血压增高的比率为25%~50%,研究证实血流动力学骤然改变可对原有心血管疾病的病人造成损害。20世纪80年代早期的研究就发现喉部应对有害机械刺激的神经传入通路较多,而咽部较少。随后的研究发现插入喉罩(LMA)所引起的血流动力学应激反应较LG-TI的轻,原因主要包括:① 避免了使用咽喉镜,即减少了因过度牵拉咽壁所引起的反射;② 避免了刺激高度敏感的喉和气管。总的来讲 LMA 可以减轻对咽部刺激,而且对喉部和气管没有刺激。

二、呼吸系统反应

气道管理对呼吸系统的病理生理影响主要表现在以下几个方面:① 局部影响,如气道梗阻和口咽部漏气。② 全身影响,如气体交换、肺部机制的改变、气道保护机制的活化、肺部防御机制和术后喉部功能的改变以及肺的病理改变。

(一)气道梗阻

气道梗阻是一个较为宽泛的词汇,主要表示气流在上气道,即声门和气管受阻。可以是部分梗阻,也可以是完全阻塞。导致的气道梗阻主要发生在以下几个位置:① 声门上梗阻;② 声门口梗阻;③ 声门下梗阻;④ 通气管道梗阻等。

1. 舌后坠　重度镇静、昏迷病人或全麻后咬肌及下颌关节松弛,当平卧时常导致舌根后坠不同程度紧贴咽后壁使气道完全或部分阻塞,后者还出现鼾声而不能像睡眠中间断消除。应即托起下颌解除梗阻。深麻醉下也可置入口咽通气管或喉罩通气管解除梗阻。浅麻醉下特别在硫喷妥钠麻醉病人切忌置入通气管,以免诱发严重喉痉挛。

2. 误吸和窒息　全麻状态或基础麻醉下常抑制保护性气道反射,一旦胃内容物反流或呕吐易误吸入气管,可引起支气管痉挛或淹溺、缺氧、肺不张、呼吸增快、心动过速、低血压,严重时可导致窒息死亡,特别在肠梗阻或饱食病人诱导时更易发生。大咯血也可导致溺死。

3. 喉痉挛　喉痉挛是功能性上气道梗阻,也是麻醉中防止异物侵入气道的一种防御反射。其发生的原因均在麻醉过浅,未用肌松药及气管插管或用硫喷妥钠、氯胺酮等药诱导使咽喉部应激性增高状态下,直接刺激咽喉或间接刺激远隔部位引起喉痉挛,如早年应用开放滴醚、喉镜置入或口咽通气管直接刺激咽喉或间接牵拉直肠、肛门引起神经发射激发喉痉挛,在缺氧和二氧化碳蓄积时更易促成喉痉挛。

(1)轻度喉痉挛:吸气时声带紧张、声门裂变窄,发出高亢的喉鸣声。多发生于刺激性吸入麻醉药或静注氯胺酮时,刺激咽喉,加压面罩供氧多能解除。

(2)中度喉痉挛:由于保护性反射,呼气时假声带也紧张,气流受阻而发出粗糙的喉鸣,吸气时可有三凹体征。应立即托起下颌并用面罩加压供氧。

(3)严重喉痉挛:咽喉部肌肉皆进入痉挛状态,声带、假声带和勺状会厌襞完全内收,使气道完全梗阻,出现三凹体征及严重紫绀,应立即静脉注入琥珀胆碱及面罩加压给氧或气管插管等,紧急时可先用 16 号粗针穿刺环甲韧带,解除梗阻,挽救生命。

最近普遍应用肌松药及气管插管,以避免喉痉挛的发生。但未用气管插管的吸入或静脉麻醉的病人或病儿仍应警惕喉痉挛的发生并准备面罩给氧或气管插管用具。

4. 支气管痉挛 支气管痉挛也是下气道的一种保护性反射,有哮喘病史或过敏体质的病人,细胞内环磷腺苷(cAMP)水平往往低于环磷鸟苷(cGMP),以致不能抑制组胺等化学介质释放,促使支气管痉挛。这类病人,气道反应性也较正常人高 100～1 000 倍,一旦麻醉过程接触变应原,即可激发支气管痉挛,呈现可逆性呼气梗阻及喘鸣,人工呼吸挤压呼吸囊阻力很大,甚至不能进气呈现下呼吸道阻塞,也可并发大量黏稠痰液。出现哮喘严重状态时,1 s 用力呼吸量(FEV1)及最大呼气流率(FEV 25％～75％)往往分别小于 35％及 20％的预计值。$PaCO_2$ 急剧上升。

5. 通气管道梗阻 通气管道的梗阻可以发生在管道腔内或管道腔外。导管打折通气管道梗阻最常见原因,头端和相应颈部的位置是最容易弯曲打折的部位;分泌物、异物或导管损坏均可以导致通气导管腔内或腔外的气道梗阻;牙咬也是一个导致气道梗阻的原因,可以通过放置牙垫予以预防。

(二)口咽部漏气

口咽部漏气是当气道压力大于气囊封闭气道的压力时,气体漏入口腔。严格地说,漏气并不算是病理生理过程,但它可以导致通气不足。有气囊的气管插管口咽部漏气的发生率较低,但喉罩或无气囊的气管导管都有一定的发生口咽部漏气的概率。漏气可致胃扩张和肠胀气。气管食管瘘将在下面继续讨论。

(三)气体交换

影响气体交换的主要因素包括:吸入氧浓度、分钟潮气量以及病人心肺功能情况。从麻醉医生的角度来看在以上所有因素中最重要的是分钟通气量,因为吸入氧浓度较容易调节而病人的心肺功能基本是限定的。

(四)呼吸功和总吸入气阻力

自主呼吸或正压通气的病人,如果呼吸功(WOB)或总吸入气阻力(TIR)升高,都会影响到气体交换。WOB/TIR 共有三个组成部分:① 气管导管的阻力;② 声门或声门外结构的阻力;③ 肺阻力。

(五)气道保护性反射

共有 6 种反射保护气道:① 咳嗽;② 呃逆;③ 喷嚏;④ 短暂性声门闭合;⑤ 喉痉挛;⑥ 支气管痉挛。这些反射可以防止异物进入气道,亦可以将进入气道的异物再排出气道。所有的保护性反射都是通过咽部、喉部和气管支气管树的化学和机械受体而诱导的,但是咳嗽和呃逆同时还受到自主神经控制。另外,咽部是受体器最集中的部位。除非不敏感或麻醉后,刺激的强度决定了保护性反射是否被触发。当病人全麻后,仅存的反射是支气管痉挛。影响气道保护反射有以下因素。

1. 麻醉因素和肌肉松弛剂的使用 表面麻醉可以减少某些气管导管设备插入和拔除时气道保护性反射,异丙酚比硫喷妥钠更能有效地防止气道反射的活化;肌肉松弛剂,即使是微量的,也可以减轻气道保护性反射。

2. 插管技术和拔管的时机 目前没有研究报道插管技术对气道保护性反射的影响。当病人清醒时拔除 LMA 较在深麻醉下拔除咳嗽的发生率高。

3. 某些气道装置 如 LMA 套囊的容量、型号和大小等。目前有研究比较了不同套囊容量,不同型号的 LMA,不同大小的 LMA,结果发现拔除时咳嗽和呃逆的发生率与套囊内气体容量的多少并无关系。不同型号和大小的 LMA 咳嗽发生率也是相似的。

4. 外科手术刺激、麻醉深度、手术类型 在手术的刺激下更容易产生气道保护性反射。如果麻醉的深度变浅,气道保护性反射也会增强。口咽手术后拔除导管,气道保护性反射的发生率增高。

5. 麻醉的阶段和通气的模式 插管和维持较拔管时更容易引起气道保护性反射。目前还没有数据证明不同的通气模式是否影响气道保护性反射。

6. 病人因素和医生经验 上呼吸道感染和吸烟会增加拔管时发生气道保护性反射的概率。小儿较成人更容易触发气道保护性反射。随着医生插管技术和经验的丰富发生气道保护性反射的概率减低。

（六）呃逆

呃逆是膈痉挛性收缩导致的吸气过程当中声门突然关闭。因为其特征性的声音所以俗称“打嗝”。呃逆没有生理功能。虽然古老的希腊和罗马人就发现了呃逆这个现象,但直到目前我们仍然无法解释呃逆的病理学原因。呃逆反射包括膈神经、迷走神经以及 T6～T12 的交感链等传入神经。传出部分包括膈神经(C_3～C_5)加前斜角肌的运动神经元(C_5～C_7),肋间外肌(T1～T11)和喉返神经。反射弧的中枢可能是在 C_3～C_5 脊髓和脑干或中脑的复杂网状系统。呃逆可以被反射弧的任意部分的刺激所激活。目前将刺激分类如下:① 正压机械通气;② 碰触声门;③ 颈部伸展过度;④ 胃部注气;⑤ 静脉诱导剂。呃逆是非常有力的反射,可以导致胸内负压,胃内压力升高,同时减低食管下端括约肌张力。最终,呃逆可引起食管下端的胃液反流。研究证明约有 40％ 的呃逆病人发生胃食管反流。

（七）肺部防御机制

1. 黏膜纤毛清除率

(1) 生理学:黏膜纤毛清除率依靠气管支气管树的纤毛柱状细胞和支气管分泌物的黏弹性,两者复杂的相互作用。这个系统形成一个非常重要的保护机制,可以将吸入的颗粒物质和微生物从气管支气管树排出。如黏膜分泌停滞、肺膨胀不全和感染时,可以降低黏膜纤毛清除率。

(2) 病理学:影响黏膜纤毛清除率的因素有:原发性纤毛运动障碍,吸烟,药物(儿茶酚胺类,β 受体阻滞剂,茶碱,皮质激素,阿托品和高浓度的吸入麻醉剂),氧浓度过高,吸入气湿化不够,炎性介质的活化,气管黏膜外伤。有套囊的气管插管妨碍套囊以下部分的黏膜纤毛清除率,从而影响了整个气管支气管树。机制还不完全明确,可能原因包括:机械屏障的形成,套囊远端黏膜层的水肿和神经反射引起的气管张力减低及纤毛活性下降。相反,没有套囊的气管插管,或用塞防止漏气,对黏膜纤毛清除率的影响就很小了。原则上说,LMA 对黏膜纤毛清除率的影响应该较带套囊气管插管小,因为 LMA 不穿过声带。

2. 肺气道阻力　20 世纪 80 年代早期的研究发现气管插管可以导致肺气道阻力增加一倍,阻力增加的原因是声门和上气道受机械刺激导致的支气管反射性收缩引起的。LMA 不通过声门,也不用插入气管,所以 LMA 不会导致肺气道阻力升高。

（八）术后咽部功能

气管插管可以导致暂时的术后发声改变和部分病人气道防御反应。LMA 不穿过咽部,所以较少影响咽部功能。

（九）肺部病理

肺部病理与 LMA 导致的误吸有潜在的相关性,支气管痉挛,肺水肿和肺部气压伤。

1. 误吸　误吸是指液体或固体物质进入气管支气管树。绝大部分误吸物的来源是胃内容物,但有时也来源于鼻、嘴和口咽的分泌物。误吸的病理生理过程包括气道反射活化,气体交换障碍和肺部感染。误吸的严重程度主要取决于误吸的容量和 pH 值,以及病人本身的身体情况。小儿、老年病人、胃排空延迟病人、腹部手术病人、急诊手术病人以及困难气道病人发生率更高。

2. 负压肺水肿　负压肺水肿是在自主通气的病人急性气道梗阻时最常见的现象。病理情况可能是气管支气管血管在高度的负压下破裂所引起的。目前临床上报道的负压肺水肿发病率极低,约为 1∶10 000。根据诊断的不同,包括心源性肺水肿和误吸两种。治疗方法包括氧疗、让病人坐起来,如果气体交换不足可以使用正压通气。

3. 气压伤　气管导管低压气囊的一个优点就是保护病人不受气压伤。但在高正压通气时可造成气压伤。ProSeal-LMA 较经典的 LMA 密封性好也可增加病人气压伤的可能性。

四、消化系统

气道管理的病理生理学有以下几项与消化系统相关:食管气体漏,咽部液体漏,涎腺导管塌陷,以及食管功能紊乱、食管反流和消化保护性反射所导致的全身反应等。

（一）食管气体漏和咽部液体漏

有气囊的气管导管通常不会发生食管气体漏和咽部液体漏。如果 LMA 的位置正确,远端套囊将与下咽部形成密封,并将呼吸和消化道孤立起来,也不会发生气体液体漏。如果 LMA 位置不正,密封不严,病人就会有食管气体漏和咽部液体漏的危险。密封防止气体在食管气管间流动的有效压力为约 20～30 cm H_2O。密封防止液体从食管流入气管的有效压力为 50 cm H_2O 左右。临床上发生胃反流的比率较低,约为 0～0.3％。

（二）涎腺导管塌陷

腮腺和下颌下腺导管都很容易受损。目前已有研究发现应用 LMA 可使腮腺水肿和下颌下腺水肿,也有研究发现下颌下腺扭曲等。

（三）影响食管功能的因素

1. 麻醉期间　对小儿应用 LMA 的研究结果发现与 LMA 放置（0～5％）和麻醉维持（21％～23％）拔除 LMA（21％～68％）和 PACU（29％～43％）的时候反流的发生率。

2. 体位　研究发现仰卧位、头低位、截石位产生反流的发生率分别为:0、3％和 3％。近年的研究发现病人在仰卧位时食管和咽部反流的发生率分别为 38％和 0,病人在截石位时食管和咽部反流的发生率分别为 100％和 20％。这些数据证明在头低位和截石位时反流的发生率较高。

3. 通气模式　应用亚甲蓝胶囊研究发现咽部反流和气管误吸的发生率正压通气为 4％和 2％,自主呼吸的发生率为 4％和 0,两者发生相似,通气模式不会影响反流。

4. 气囊容量　研究发现套囊密封所要达到的压力为 7～14 cm H_2O,这个压力不会影响食管上段和下段的反流。食管下段括约肌张力不受套囊容量影响。

5. 腔镜手术　研究发现在气腹前、中、后都没有发现反流的证据。腔镜手术发生反流的概率是很低的。

6. 拔管的时机　总结目前大量研究发现,清醒拔管和深度麻醉下拔管,关于反流的发生频率的数据是矛盾的,但总的来说清醒拔管发生反流可能更常见。

（四）反流

反流是胃内容物被动流到食管和咽部,是导致全麻病人肺部误吸最常见的原因。在自主胃食管反流时,胃内压与食管压通常＜7 mm Hg,食管下段括约肌压力通常较高,为 15～25 mm Hg,但是全身麻醉可以减低食管下段括约肌张力至 7～14 mm Hg。任何可以增加胃内压、减低胸内压、减低食管上段和下段括约肌张力均会增加食管和咽部反流的可能性。导致反流最重要的原因是部分和完全性气道梗阻。

反流可以具有明显的临床表现或没有任何表现（静息反流）。研究证明全麻下静息反流的发生率为 4％～26％。这一点具有相当的临床意义,也是导致术后肺部感染的主要原因。

（五）保护性反射和消化道反射

通常气道管理可以触发的胃肠道反射包括:保护性反射,如恶心、干呕、呕吐;消化道反射,如多涎、吞咽。恶心、干呕保护气道的机制在前文已经讨论过。

1. 呕吐　呕吐是发自髓质网状结构的迷走神经（包括控制内脏的自主神经系统）反射所导致的。在清醒的病人,多涎和感觉恶心后会产生呕吐。关闭声门,可以防止呕吐物误吸进入气管。呼吸停止在吸气的过程当中。腹壁的肌肉收缩,而胸壁也停止在固定的位置,这些收缩会导致腹内压升高。胃内压升高甚至大于 45 mm Hg。食管下段和上段括约肌松弛,反向蠕动,胃内容喷射而出。从生理学上讲,呕吐和反流是不同的,呕吐是积极的反射且声门是关闭的,而误吸却不同。但是,在麻醉状态下时,积极呕吐声门可能不会关闭,此时就会产生误吸。术中呕吐时常发生在麻醉诱导阶段,且最常发生在急诊手术时,因为发射异常活跃。很多作者不能准确的区分反流和呕吐,因此很难定义反流的发生率。根据已经报道的研究围术期呕吐的发生率约为 0.18%。

2. 多涎 腮腺分泌由副交感神经系统控制,并且由口腔及食管远端的食物触发。多涎是腮腺病态大量分泌腮腺液,这也是插入 LMA 后最常见的问题,但与其说是分泌过度不如说是分泌物蓄积,且分泌物通常都会蓄积在套囊上端,所以一般不会引起严重问题。另外研究发现清醒较深度麻醉下更容易引起多涎($P<0.008$)。

3. 吞咽 吞咽的反射性反应主要由三叉神经、舌咽神经和迷走神经等传入冲动所触发产生。这些冲动主要在延髓的孤束和疑核整合。在清醒和部分麻醉时,咽部的操作可以触发吞咽反射。吞咽主要因咽部的机械感受器被触发引起,表面麻醉也不能抑制。如果麻醉过浅,在麻醉过程中就会产生吞咽,有时可以导致胃胀气。

五、神经系统反应

除了激发保护性反射外,神经系统的局部影响主要是脑神经受压所导致的,而神经系统的全身影响则主要是颅内压的改变、脑动电流描记法的反应,可能还和镇痛效应有关。

(一)脑神经受压

目前临床上发现包括舌神经损伤,舌下神经损伤和咽神经损伤等。

(二)颅内压

目前认为气管内插管可以引起颅内压增高,因为颅内压的改变与血流动力学的改变是平行的,而就血流动力学来说 LMA 的改变较低,因此 LMA 对颅内压的影响应该较 TT 小些。

(三)脑动电流描记法反应

研究发现大部分气管插管装置所诱发产生的 EEG 反应是相似的,但要排除随后的剧烈血流动力学应激反应。

六、眼内压和鼓室内压

(一)眼内压

软眼球是保证眶内手术成功的关键。LG-TI 和插管都可以导致眼内压升高(IOP),原因可能是在插管时动脉压升高或拔管时动静脉压升高有关。眼部有疾病的病人该反应趋势有夸大的迹象,例如青光眼。另外,气道梗阻相关的气道并发症,如低氧、高碳酸血症或用氯化琥珀胆碱后行气插,都会引起 IOP。可以减低由气管插管引起的 IOP 升高因素有:① 肌松药过量;② 非去极化肌松药替代去极化肌松药;③ 麻醉诱导药过量;④ 异丙酚替代硫喷妥纳和依托咪酯;⑤ 气体交换的维持。

(二)鼓室内压力

用 N_2O 麻醉进行时,N_2O 会弥散到鼓室内,导致鼓室内压力增高,鼓室内容量轻微增加以及鼓膜和咽鼓管膨出。前者可以导致术后耳痛且可能干扰手术野。鼓室内压力增高主要受以下几个因素影响:① N_2O 麻醉过程中;② N_2O 的浓度;③ 咽鼓管狭窄或阻断。

七、菌血症

口腔内操作可以引起短暂的菌血症,这也是感染心内膜炎的主要因素。报道说,鼻气管插管可以导致 $2\%\sim16\%$ 的病人短暂性菌血症。原则上说,LMA 较 TT 更容易引起菌血症,因为:① LMA 接触黏膜的面积较 TT 大;② 咽部的细菌菌群比气管部还要多;③ 黏膜损伤(与隐血的发生率相关)的发生率为 $78\%\sim94\%$。

(肖洁 王祥瑞 杭燕南)

参 考 文 献

1 Miller RD. Anesthesia. 5th ed. New York:Churchill Livingstone,2000:125～146;195～902;1255～1295;2403～2442.

2 Brimacombe JR. Laryngeal Mask Anesthesia Principles and Practice. 2nd ed. Australia,2005:105～136.

3 Cook TM,Lee G,Nolan JP. The ProSeal laryngeal mask airway:a review of the literature. Can J Anaesth,2005,52(7):739～760.

4 Grein AJ,Weiner GM. Laryngeal mask airway versus bag-mask ventilation or endotracheal intubation for neonatal resuscitation. Cochrane Database Syst Rev,2005,18:CD003314.

5 王祥瑞主编. 围手术期呼吸治疗学. 北京:中国协和医科大学出版社,2002:1～118;151～165.

6 王祥瑞,杭燕南主编. 急性肺损伤. 北京:中国协和医科大学出版社,2005:5～10;107～118.

7 杭燕南,庄心良,蒋豪主编. 当代麻醉学. 上海:上海科学技术出版社,2002:36～53;569～573;601～656;909～965.

8 庄心良主编. 现代麻醉学. 第 3 版. 北京:人民卫生出版社,2006:21～70;872～935;1011～1040.

第4章　无创面罩正压通气

无创通气是指无需建立人工气道的机械通气方式。广义的无创通气包括：无创正压通气、体外负压通气、高频通气、胸壁震荡通气、体外膈肌起搏等。近十几年所说的无创通气主要是指无创面罩正压通气（noninvasive positive-pressure ventilation，NPPV），是经鼻或口鼻面罩进行人-机相连，达到机械通气的目的（图4-1），此技术被认为是近十年来机械通气领域的重要进展，是目前治疗急性呼吸衰竭的首选方法之一。

面罩　　　　　呼吸机

图4-1　无创面罩与无创呼吸机

最早的无创通气是1838年躯体负压呼吸机，一种负压箱式呼吸机。1928年，波士顿医生 Philip Drinker 发明了第一台电动躯体负压呼吸机，当时被称作为"铁肺"。20世纪30～60年代"铁肺"发挥了重要的临床作用，但存在很多弱点，如无法解决气道护理、气道分泌物增多、气管切开等。1952年脊髓灰质炎大流行，用有创正压通气代替"铁肺"治疗，临床死亡率明显降低。此后，有创机械通气被广泛应用，成为重症呼吸衰竭病人的标准性治疗手段。但有创正压通气对呼吸衰竭早中期、神经肌肉疾病、慢性阻塞性肺疾病（COPD）所致的慢性呼吸衰竭、阻塞性睡眠呼吸暂停综合征（OSAS）的治疗作用小。直到20世纪80年代初期，澳大利亚 Sullivan 教授首次报道了持续气道正压通气（CPAP）成功治疗 OSAS 被认为是无创通气复兴的标志。目前 NPPV 应用日趋广泛，适应证扩展到各种原因所致的早中期急慢性呼吸衰竭、神经肌肉及营养不良所致的呼吸肌无力等。

第一节　生理作用和作用机制

一、NIPPV 的呼吸生理学基础

胸肺组织的压力-容积（P-V）曲线是合理选择机械通气的主要理论基础。正常 P-V

曲线分为二段一点,即陡直段和高位平坦段,二段交点为高位拐点(UIP)。在陡直段,压力和容量的变化呈线性关系,较小的压力变化即能引起较大的潮气量变化,若在该段进行 NPPV 则面罩的动态死腔小,漏气少,胃胀气的发生率低;反之在高位平坦段,较小的潮气量变化可引起压力的显著升高,出现相反的结果。因此高或低压力的选择应保障 VT 在陡直段。

二、工作原理

通过气道内正压产生吸气,并可以借助吸气压力触发装置,与自主呼吸协调。同时能在有漏气的情况下通过呼气流量调节及潮气量调节这两种机制对漏气进行识别,自动调节其触发与切换的计算法以保持最佳性能。需强调的是 NPPV 具有良好的同步性,与病人呼吸保持吸气触发同步、吸气过程同步、吸呼气转换同步。

三、作用机制

(一)改变呼吸方式

阻塞性肺病的病人发生呼吸衰竭的主要机制是动态的过度充气(dynamic hyperinflation),伴有气道阻力增加,阻止了完全的呼气。动态的过度充气改变了横膈的形态,降低其收缩力和耐力。当气道阻力轻度增加(气道分泌物或支气管痉挛),或通气需要量的增加(发热或感染)即可导致呼吸肌衰竭,产生浅快呼吸,伴有低肺泡通气、高碳酸血症和呼吸性酸中毒。病人吸气必须更加用力以克服吸气时的临界负荷(即内源性 PEEP),同时当气道阻力严重增加时,病人必须用力吸气以增加潮气量。

NPPV 可改变这类病人的呼吸方式,使病人较少用力即可进行深呼吸。虽然联合应用的 CPAP 可以克服内源性 PEEP(因此取消了吸气的附加负荷),显著降低吸气肌的做功,但似乎是正压通气如压力支持通气或辅助/控制通气改变了病人的呼吸方式。当给予合适的吸气压力后,潮气量增加,呼吸频率减少,迅速降低 $PaCO_2$,恢复正常的 pH。

(二)改善动脉血气

有文献报道对于伴有低氧性呼吸衰竭病人,NPPV 可改善氧合。但改善氧合的确切机制尚不清楚。事实上,许多病人的氧合改变仅仅只是由于吸入氧浓度的提高。部分病人由于使用 CPAP,增加了 FRC,可能也是氧合改善的一个原因。

Diaz 等研究了 NPPV 用于 COPD 急性发作病人对气体交换和血流动力学的作用,行 NPPV 时,PaO_2 轻微升高,而 $PaCO_2$ 显著降低,但肺泡-动脉氧分压差轻微增加,这表明通气/血流比值的改善并不是关键因素。因此 NPPV 时,为改善动脉血气,保持有效的呼吸方式应成为首要目的而不是保持高的吸气压力。

(三)降低呼吸做功

Brochard 等研究了经面罩 PSV 用于 COPD 急性发作病人降低病人呼吸做功的问题。

治疗前,所有病人的跨膈压均显著低于正常值,这表明易发生呼吸肌衰竭。使用 NPPV 过程中,这些病人的跨膈压均稳定上升,这表明该技术可用于改善或恢复呼吸功能。Appendini 等报道,就减少膈肌做功、预防呼吸肌衰竭而言,PSV 和 CPAP 联合应用于 COPD 病人较单独使用有效。

第二节　适应证与禁忌证

一、适应证

NPPV 应用于多种疾病引起的呼吸衰竭。主要应用于:① COPD 急性发作、Ⅰ型呼吸衰竭(心源性肺水肿、急性肺损伤、急性呼吸窘迫综合征)、手术后呼吸衰竭、神经肌肉疾病引起的较轻的呼吸衰竭的治疗。② 辅助脱机(序贯撤机)或拔管后的呼吸衰竭加重。③ 哮喘。④ 肥胖低通气综合征。⑤ 胸廓疾病引起的限制性通气功能障碍。⑥ 睡眠呼吸暂停综合征。⑦ 呼吸康复治疗(重症 COPD 稳定期)。

二、禁忌证

(一) 绝对禁忌证

包括:① 心跳呼吸停止。② 自主呼吸微弱、昏迷。③ 误吸可能性高。④ 合并其他器官功能衰竭(血流动力学不稳定、消化道大出血或穿孔、严重脑部疾病等)。⑤ 面部创伤、畸形。⑥ 不合作者。

(二) 相对禁忌证

包括:① 气道分泌物多,咳痰障碍。② 严重感染。③ 极度紧张。④ 严重低氧血症($PaO_2 < 45$ mm Hg/严重酸中毒 pH ≤ 7.20)。⑤ 近期上腹部手术后(尤其是需要严格胃肠减压者)。⑥ 严重肥胖。⑦ 上呼吸道机械性阻塞。

第三节　使用方法

一、面罩的选择

NPPV 可经面罩用于病人。面罩虽增加死腔,同时较难耐受,但漏气少,可用于严重呼吸失代偿的病人或鼻罩失败时。

面罩通过弹性头带固定于病人,为避免漏气,应密封固定。连接的舒适性、密封性和稳定性对疗效和病人的耐受性影响很大。由于不同病人的脸型不一样,应该提供不同大小和形状的连接装置给病人试用。这通常需要在病人床边花费一点时间以选择最合适的面罩。

急性呼衰病人在应用无创正压通气的初始阶段,应首先考虑选用面罩,病情改善 24 h 后还需较长时间应用者,可更换为鼻罩。

二、通气模式

(一)双水平正压通气(BiPAP)

BiPAP 有两种工作方式:自主呼吸通气模式(S 模式,相当于压力支持通气 PSV＋PEEP)和后备控制通气模式(T 模式,相当于压力控制通气 PCV＋PEEP)。因此 BiPAP 的参数设置包括吸气相气道压力(高水平正压,IPAP),呼气相气道压力(低水平正压,EPAP)及后备控制通气频率。当自主呼吸间隔时间低于设定值(由后备频率决定)时,即处于 S 模式;病人自主呼吸间隔时间超过设定值时,由 S 模式转向 T 模式,即启动时间切换的背景通气 PCV。BiPAP 模式在较高正压与较低正压循环中提供高流量的正压通气。根据病人自身呼吸流速和循环在吸气相给予高压,呼气相给予低压。可敏感地感知病人的呼吸做功以及气体渗漏。吸气相中 IPAP 转换为呼气相 EPAP 之一循环中,包括一段混合的时间:直到病人的吸气流速低于阈值,一般为呼出量的 25％,在这个点,气道正压呼气压力递送一个较低的正压来维持肺泡压力。除了支持自主呼吸做功,还可在病人呼吸频率低时给予补充的呼吸频率。EPAP 预防气道和肺泡的萎陷,预防肺不张,维持肺的功能残气量,IPAP 可增加潮气量,增加气道压力,减少呼吸肌疲劳,来维持氧合状况。虽然 BiPAP 与压力支持通气相似,但 BiPAP 模式,呼吸相压力等同于呼吸末气道正压和吸气压的总和。因此,BiPAP 模式如设为吸气压力 12 cm H_2O、呼气压力为 5 cm H_2O,等同于压力支持通气模式 7 cm H_2O 的压力支持、5 cm H_2O 的呼气末正压。在 BiPAP 模式中,补充供氧被高流量的空气通过系统而稀释。

(二)CPAP

CPAP 在呼吸循环中通过可移动的压缩机或流量发生器联合高压氧源提供持续的气道正压。CPAP 只对有自主呼吸的病人有效,对呼吸暂停的病人不适用。当病人使用鼻罩时,较低的压力(5 cm H_2O)可保持上呼吸道通畅,预防上呼吸道梗阻。CPAP 是通过对气道提供一个足够保持上呼吸道开放的压力来工作的,类似于夹板作用。

三、呼吸参数调节

无创通气的参数设置一般从较低水平开始,待病人能较好地耐受后再逐渐上调到达满意的通气和氧合水平或调至病人可能耐受的水平。BiPAP 模式通气参数设置的常用参考值见表 4－1。

表 4 - 1　BiPAP 模式参数设置的常用参考值

参　　数	常　用　值
潮气量(V_T)	$7\sim15$ ml/kg
吸气相压力(IPAP)	$10\sim25$ cm H_2O
呼气相压力(EPAP)	$3\sim5$ cm H_2O(Ⅰ型呼衰时用 $4\sim12$ cm H_2O)
后备控制通气频率(T模式)	$10\sim20$ 次/min
吸气时间	$0.8\sim1.2$ s
吸气流量	递减型,足够可变,峰值 $40\sim60$ L/min

近期亦有一些新的通气模式。主要目的是保留 PSV 的良好同步性的同时,增加通气量。这些通气模式包括有压力调控容量转换(PRVC)和压力增强通气(PAV)。另一种新的辅助通气模式为按比例辅助通气(proportional assisted ventilation),亦很受重视,但是目前尚缺乏系统的临床研究资料。

四、治疗时间

有关每天治疗的时间和疗程,目前尚没有明确的标准。多数文献报道每次用 $3\sim6$ h,每天 $1\sim3$ 次。也有报道夜间睡眠时应用。急性呼吸衰竭治疗 $3\sim7$ d,慢性呼吸衰竭每天治疗 >4 h,2 个月后做疗效评价。如果有效者,可以长期应用。也有文献报道 NIV 用于呼吸衰竭的早期,使用 $3\sim6$ h 后一般可中断 $10\sim20$ min。若病人情况严重,一般连续应用 $12\sim24$ h,只有在临床情况好转后可稍停一会。在 NPPV 暂停期间,须行进一步的物理治疗,且气管内插管必须始终准备好。

第四节　临床应用

一、COPD 病人

COPD 存在气道阻力增加,通气量不足,通气/血流比率异常,呼吸肌力量下降等生理改变,在选择模式时,应以 BiPAP 为主,以 S/T 模式为最佳,部分重叠综合征病人,经济条件不允许时,可考虑使用 CPAP,工作参数的设定应考虑以夜间治疗阻塞性睡眠呼吸暂停综合征(OSAS)为主。给予压力既不过低,能达到治疗作用,又不可过高,而使病人产生不适,影响依从性。

在病人处于病变的急性发作期时,给予的压力应高于缓解期水平,即初始吸气压的选择应达到有效通气,缓解呼吸肌疲劳或无力,要达到此目的的初始吸气压应在 $12\sim14$ cm H_2O,并在较短的时间里升至 $16\sim25$ cm H_2O。病人病情稳定好转后,可逐渐下调吸气压,将血气维持在缓解期水平的状态,间断脱机。

大量的研究表明 NPPV 减少 COPD 病人的气管插管,与传统治疗相比减少死亡率和住 ICU 时间。除有禁忌证者,NPPV 用于 COPD 急性加重期可改善病人动脉血氧水平,减少气管插管的概率和延长住院时间。目前还没有临床标准明确使用 NPPV 有利于呼吸衰竭病人。研究表明 NPPV 有利于 COPD 病人急性加重期的改善,病人使用 NPPV 1 h 后的动脉血 pH 得到改善,PCO_2 下降,意识状态改善。而 1 h 后这些参数未得到改善的病人呼吸状况恶化,呼吸衰竭导致气管插管、住院时间延长。尽管病人的第一秒用力呼气量和肺功能不同,但这不影响治疗。呼吸梗阻的本质似乎对选择病人使用 NPPV 并不重要。作用结果与病人的年龄、急性生理和慢性健康状况评分或起始的动脉血气无明显关系。NPPV 可用于既往患有肺部疾病而高碳酸血症病人的通气支持治疗。

COPD 稳定期病人和慢性高碳酸血症病人每天间断短时间使用 NPPV,可改善其呼吸状况、动脉血气。长期使用鼻罩 NPPV 对 COPD 病人的高碳酸血症有效。一项研究表明连续使用 NPPV3 个月后明显改善病人的生活质量、睡眠、PaO_2、$PaCO_2$。然而许多重度 COPD 病人无法耐受长时间 BiPAP。NPPV 也有利于顽固性呼吸困难。最后,NPPV 可应用于呼吸衰竭临界状态稳定的病人。重症病人如能耐受长时间 NPPV 也将获益。

NPPV 在 COPD 加重期的选用标准,至少符合以下其中 2 项:① 中至重度呼吸困难,伴辅助呼吸肌参与呼吸并出现胸腹矛盾运动。② 中至重度酸中毒(pH7.30～7.35)和高碳酸血症($PaCO_2$ 45～60 mm Hg)。③ 呼吸频率>25 次/min。

NPPV 在 COPD 加重期的排除标准,符合下列条件之一即可:① 呼吸抑制或停止。② 心血管系统功能不稳定(低血压、心律失常、心肌梗死)。③ 嗜睡,神志障碍及不合作者。④ 易误吸者(吞咽反射异常,严重上消化道出血)。⑤ 痰液黏稠或有大量气道分泌物。⑥ 近期曾行面部或胃食道手术。⑦ 极度肥胖。⑧ 严重的胃肠胀气。

稳定期 COPD 病人长期应用指征:① 有疲劳、嗜睡、呼吸困难等症状。② 气体交换障碍,$PaCO_2 \geqslant 55$ mm Hg 或 50 mm Hg$< PaCO_2 \leqslant 54$ mm Hg 伴 $SaO_2 < 88\%$ 且持续时间>10% 总监测时间(无论吸氧与否)。③ 其他治疗效果不佳,最大量支气管扩张剂和(或)激素、氧疗。④ 合并中重度 OSAS。

二、OSAS

OSAS 是一种威胁生命的疾病,具有睡眠时上呼吸道不稳定、气流的减弱或阻塞、白天嗜睡、氧饱和度下降、睡眠障碍等特点。OSAS 的发病率为男性 24%、女性 9%。OSAS 是心脑血管意外的危险因素之一,易引起高血压、慢性充血性心力衰竭(CHF)、心肌梗死和休克。

CPAP 已用于治疗 OSAS 有数十年的历史,OSAS 的发病机制仍不明。气道正压可对上呼吸道提供一个机械性支架。Sullivan 首先提出这种方法,观察到无论是否存在颏舌肌活性降低,经食管正压通气,与基线相比 CPAP 的吸入气流较大。一些研究者建议通过正压通气间接保持上呼吸道开放来增加肺容量。这种观点基于有资料表明 OSAS 病人较无呼吸暂停病人的肺更依赖咽的横断面积。换言之，通过听反射在觉醒状态测量所得，呼吸暂停病人的咽横断面积较正常人小。两种机械理论被提出来解释这种改变。一种理论指出 CPAP 增加肺容量引起上呼吸道扩张肌的紧张反射；另一种理论提出增加肺容量的力借由气道传到上呼吸道。结果是使上呼吸道拉升变硬，稳定性更好。

使病人接受与耐受 NPPV 是具有挑战性的。有症状的 OSAS 病人，呼吸暂停指数（apnea hyponea index，AHI）>5 应给予治疗。美国学会的睡眠治疗指南提出 CPAP 应用于 AHI 大于 20、AHI 或呼吸唤醒指数>10 的有症状的 OSAS 病人。

CPAP 的最优水平通过睡眠试验决定。通常头几天病人在家中睡眠时使用较低压力的 CPAP（5~7 cm H$_2$O）来适应睡眠治疗。足够的压力预防整个睡眠过程中的呼吸暂停，仰卧位或侧卧位较好。既能预防呼吸暂停和呼吸不全又能被接受最小的压力是可行的。最小的压力应能够消除 SO$_2$ 下降、打鼾和觉醒。较高的压力可导致睡眠不适，所以推荐使用能消除呼吸障碍的最低压。如用 AutoCPAP 压力调定，选择 90%~95% 可信的压力水平。通常情况下，病人仰卧位或在快眼运动期（REM）需要较高的压力。同时，饮酒可抑制上呼吸道肌紧张反射，因此酒醉状态需要较高的压力。初始压力的设定：可以从较低的压力开始，如 4~6 cm H$_2$O，多数病人可以耐受。观察病人是否有鼾声或呼吸不规律，或血氧监测有血氧饱和度下降、睡眠监测中发现呼吸暂停时，将 CPAP 压力上调 0.5~1.0 cm H$_2$O，在鼾声或呼吸暂停消失，血氧饱和度平稳后，保持 CPAP 压力或下调 0.5~1.0 cm H$_2$O，观察临床情况及血氧监测，反复此过程以获得最佳 CPAP 压力。有条件可应用自动调定压力的 CPAP（AutoCPAP）进行压力调定。大多数的病人所需要的气道压力为 7~15 cm H$_2$O。病人在家中和病房里使用的模式应相同以排除额外的变量。

OSAS 伴随的问题是使中枢性睡眠时发生的低氧和高碳酸血征病人的胸内压不稳。心脏压力变异，增加左心室内压和室壁紧张性，使左心室后负荷增加，对左心室收缩功能紊乱的病人有害。而且，肺间隙内压力增加容易引起肺水肿。左心室舒张末期压力增加和心衰病人，随着毛细血管流体静力压增加而肺毛细血管压力上升。

心衰病人的睡眠相关性疾病患病率的研究表明，至少 45% 的收缩性心力衰竭病人的 AHI>10，至少 40% 病人 AHI>15，为轻度~中度睡眠暂停综合征的临界状态。

心衰病人的睡眠性呼吸暂停的治疗决定于呼吸暂停绝大多数是梗阻还是中枢性的。心衰病人的 OSAS 治疗与无心衰病人的 OSAS 治疗相似。主要的不同是体重减轻和鼻罩正压通气装置。收缩性心力衰竭病人的中枢性睡眠呼吸暂停治疗与梗阻性睡眠性呼吸暂停不同。依照指南，对心衰病人进行创伤性治疗，可改善甚至消除周期性呼吸。可能与一些机制相关，包括肺毛细管楔压下降，PaCO$_2$ 正常化，心排血量增加，动脉循环时间改善，肺残余量功能的改善。心衰和睡眠性呼吸暂停病人长时间使用 CPAP 可使病人的 AHI 降低,唤醒指数和左心室射血分数增加。通过测量去甲肾上腺素水平和尿去甲肾上腺素代谢产物减少表明 CPAP 降低交感神经兴奋性。

无创正压通气应用于 OSAS 的适应证包括以下几点:① OSAS,特别是 AHI≥20 者。② 严重打鼾。③ 白天嗜睡而诊断不明者可进行试验性治疗。④ OSAS 合并慢性阻塞性肺病者,即"重叠综合征"。⑤ OSAHS 合并夜间哮喘。

OSAS 病人出现以下几点时应慎用无创正压通气:① 胸部 X 线或 CT 检查发现肺大疱。② 气胸或纵隔气肿。③ 血压明显降低(血压低于 90/60 mm Hg),或休克时。④ 急性心肌梗死病人血流动力学指标不稳定者。⑤ 脑脊液漏、颅脑外伤或颅内积气。⑥ 急性中耳炎、鼻炎、鼻窦炎感染未控制时。

三、充血性心力衰竭与急性心源性肺水肿

在充血性心衰的病人中常会发生中央型或阻塞性睡眠呼吸暂停。研究表明 NPPV 可增加急性心源性肺水肿病人的心排血量,快速改善气体交换,降低气管插管的发生率与院内的死亡率。在临床上更趋向使用 CPAP(10 mm H_2O)模式,虽然 BiPAP 模式能更好地、较快地降低 $PaCO_2$、收缩压、平均动脉压,纠正高碳酸血症,但同时心肌梗死的发生率也上升,更易引起病人胸壁疼痛,其气管插管的发生率、院内的死亡率较 CPAP 模式高。CPAP 改善充血性心力衰竭病人的心血管功能,与降低左室后负荷有关。给予 CPAP 5 cm H_2O 可增加心搏指数(40±5)~(51±8)ml/m^2。

慢性充血性心力衰竭(CHF)合并慢性疾病病人的呼吸紊乱指数(AHI)大于 26/h。CHF 病人常有 Cheyne-Stokes 呼吸音,在睡眠中发生中枢性窒息或混合性呼吸暂停,使氧饱和度下降。有 Cheyne-Stokes 呼吸音的 CHF 病人的死亡率增加。CPAP 是对患有睡眠紊乱的 CHF 病人的一个安全有效的通气支持方法。通过使肺泡复张改善氧合和通气/灌注比值,通过降低前后负荷改善左心功能,可增加肺容量,在呼吸暂停时稳定血氧容量。

并不是所有心源性肺水肿病人需要 NPPV,当病人动脉血 pH < 7.25、收缩压<180 mm Hg、药物治疗无明显效果时,NPPV 是可取的方法之一,同时需要严密的监测,30 min 后病人无明显改善时需立即予以气管插管。

四、急性肺损伤(ALS)和急性呼吸窘迫综合征(ARDS)

急性肺损伤进而发展为急性呼吸窘迫综合征是临床常见的急症。ALS/ARDS 病人的肺顺应性降低导致通气不足,给予机械通气时往往因过高的 FIO_2 导致氧中毒,压力过高引起气压伤,长期气管插管增加肺部感染的发生率,这些都可使病人撤机困难。所以对 ALS/ARDS 病人的辅助通气除保持足够的气体交换同时,应避免呼吸机相关性肺损伤。在临床应用中发现,对能很好耐受无创通气的早期 ALS/ARDS 病人,早期给予无创通气 BiPAP

模式,通过吸气相高压、呼吸相低压配合病人自主呼吸,能降低胸内压、改善通气/血流比率、增加心排出量,能积极地改善病人的通气不足症状(呼吸困难、日间嗜睡等)、减少合并症的发生、提高病人的生存率,但对于已有严重呼吸困难、呼吸衰竭病人不提倡使用无创通气,应积极给予气管插管。

五、神经肌肉疾病

神经肌肉疾病,如急性骨髓灰白质炎,以往通过负压通气来治疗呼吸衰竭。现在,由神经肌肉疾病引起的上呼吸道功能不全和慢性呼吸衰竭的首选机械通气支持方法为 NPPV,尤其是 BiPAP 和 CPAP。NPPV 能改善肺功能,促进气体交换和氧合,增加患有神经肌肉疾病病人的生存率。对于慢性进行性神经肌肉疾病,一般在晚上给予 6～8 h 的无创通气。随着呼吸肌功能逐渐恶化 NPPV 持续时间也延长。

六、有创-无创序贯通气

NPPV 也可用于气管插管病人撤机的序贯疗法,尤其是那些血流动力学快速达到稳定而气管插管控制性机械通气的病人。有创机械通气的一个重要问题是易引起下呼吸道感染和呼吸机相关性肺炎的发生,造成病情反复、机械通气时间延长和撤机困难,因此在充分引流痰液,有效改善通气状况和控制感染的情况下及时拔除人工气道,改为无创正压通气,继续给予通气支持。研究表明当呼吸衰竭的病人进行有创机械通气改善通气状况后,改为无创正压通气可给予病人良好的呼吸支持。

常规机械通气拔管和撤机的原则是:① 呼吸状况改善,动脉血气基本正常,生命体征稳定;② 感染控制;③ 适当的呼吸中枢功能;④ 足够的呼吸肌力量和耐力;⑤ 适当的残存肺功能;⑥ 足够的咳痰能力。其中在撤机条件不具备的情况下,只要病人的条件具备①、②、⑥,即可拔管,改用 NPPV。

七、术后病人

术后发生低氧血症、高碳酸血症的原因很多,包括:① 高龄:老年人的肺通气功能减退,需要更大的胸内压来增加同样多的潮气量,做功增加。同时老年人术后呼吸力学或呼吸运动能力恢复比中年人慢,代偿能力差。② 麻醉和手术:研究表明病人手术拔管后 20 min 呼吸力学变化最明显,食管内压、呼吸功、$P_{0.1}$高于术前,肺顺应性低于术前。原因有腹部手术使膈肌功能受损、局部肺不张、功能余气量减少、麻醉药使肺泡表面活性物质减少等。③ 疾病:伴有慢性阻塞性肺病的病人,肺顺应性下降,气道阻力增加,损害了肺的贮备能力,术后易发生 CO_2 潴留。④ 术后疼痛:疼痛限制了病人活动和咳嗽排痰,以及对镇痛药物的代谢慢。⑤ 过早地拔除气管导管。

上海交通大学医学院附属仁济医院外科监护病房对104例术后使用无创面罩者正压通气的病人进行了研究,结果表明NPPV对无慢性阻塞性肺病的病人术后发生急性低氧、高碳酸血症具有很好的辅助通气作用,成功率高,能较快地改善病人的通气与氧合,促进CO_2排出,减少呼吸肌做功,使局部肺不张的肺复张,降低再次气管插管的发生率。NPPV用于COPD病人术后的通气支持,能有效地降低PCO_2,增加肺泡通气量,改善病人通气和换气功能,减轻呼吸肌负荷,快速缓解病人呼吸困难,改善动脉血气指标和预后,研究发现COPD病人经过1～2 d持续NPPV辅助通气后PCO_2明显降低,呼吸频率明显减缓,血流动力学趋于稳定。在白天病人均能较好地经鼻吸氧或高浓度面罩通气,在晚上呼吸则浅而慢,仍需要NPPV辅助通气,经过3～4 d的呼吸辅助,当病人能耐受略高的高碳酸血症,即能成功撤机。研究也指出NPPV对重度呼吸衰竭病人的临床及预后效果不明显,可能与下列因素有关:① 病人病情重,不能与呼吸机配合,发生面罩漏气,甚至人-机对抗,产生无效通气。② COPD伴重度Ⅱ型呼吸衰竭病人常合并右心功能不全,过高的PEEP减少回心血量,正压通气增加了胸内压,使肺动脉压力升高。③ 重度Ⅱ型呼吸衰竭病人常有呼吸中枢兴奋性低下和严重的呼吸肌疲劳,自主呼吸浅慢,以致不能触发呼吸机。④ 肺部感染重,并发症多。本研究也发现重度呼吸衰竭病人使用NPPV后,短期内略降低了PCO_2,但长时间应用后反而不能及时地纠正高碳酸血症,甚至PCO_2进一步上升。

八、危重病晚期病人

在近几年,NPPV亦被应用于其他领域,重症疾病晚期病人往往发生呼吸困难,通过使用无创通气来辅助病人呼吸、改善病人晚期生活质量的方法越来越得到大家的关注。

九、长时间治疗的好处

除了消除鼾声、呼吸暂停和失眠,长期使用CPAP还有其他好处,情绪、心理功能和智力方面可得到改善,男性荷尔蒙以及促生长因子水平正常化,提高性功能。通过CPAP治疗可改善右心衰竭、高血压和左心功能不全。长期使用NPPV被证明对肺功能没有害处。尽管CPAP可大大降低OSA的严重度,但不是一个永久的治疗方法。睡眠性呼吸暂停在治疗3～12个月可得到缓解,肺功能有所改善,之后达到一个稳定水平。在治疗鼾声,改善上呼吸道尺寸中的机械效应可导致腹胀、红斑和水肿。除有利于睡眠,CPAP还用于促进颏下、上呼吸道肌肉的神经系统功能,促进呼吸驱动。CPAP方法可最终引起体重下降。多数病人发现使用CPAP后疲劳减少、日间活动增加而更易体重减轻。

第五节　注意事项

NPPV以面罩进行人-机连接,影响因素多,稳定性相对较差,如面罩是否合适,鼻腔是否通气,口腔的支撑力,头带固定的松紧度等均影响疗效。老年和无牙的病人口腔支撑能力较差,主张使用口鼻面罩。头带的松紧度对疗效及病人的耐受性亦起到重要的作用,应尽可能调整其舒适性,提高耐受性,同时使面罩与病人面部连接紧密,而不出现漏气。

注意事项包括以下几点。

1. 病人的教育　无创通气需要病人的合作,强调病人的舒适感,所以要向病人及病人家属讲述治疗的目的(缓解症状、帮助康复)、连接和拆除的方法,指导病人有规律地放松呼吸,消除恐惧心理,使病人能够配合和适应,也有利于紧急情况下(如咳嗽、吐痰、呕吐时)病人家属能够迅速帮助病人拆除连接,提高安全性和依从性。

2. 试用和适应连接方法　通常轻症的病人可先试用鼻罩、鼻囊管或接口器,比较严重的呼吸衰竭者多数需要面罩通气。在吸氧状态下将面罩或接口器连接稳固舒适后,再连接呼吸机管道。千万不能将呼吸机管道与接口器连接后再接到病人,使病人在连接过程中由于漏气而感到明显的不适。

3. 辅助通气的适应和调节　辅助通气必须从持续气道内正压(CPAP)或低压力水平开始。通常吸气相压力从 $4\sim8\ cm\ H_2O$、呼气相压力从 $2\sim3\ cm\ H_2O$ 开始,经过 $5\sim20\ min$ 逐渐增加到合适的治疗水平。

4. 密切监测　目的是观察治疗目标是否达到,通过密切的综合临床监测,判断疗效。监测的指标主要包括生命体征、血气、氧饱和度等,有条件时可选择具有监测呼气末潮气量功能的 NPPV 呼吸机,调整呼吸机治疗参数。在上机前一般应先了解未带机状态下的血气,在上机后 $1\sim2\ h$ 复查血气,了解通气效果,同时指导调整呼吸机参数。在治疗中应密切注意观察生命体征及血氧饱和度的变化,根据氧饱和度调整吸氧流量,NPPV 治疗中尤其应注意按需给氧。在伴有高碳酸血症的病人,氧流量的控制应使血氧饱和度保持在 $90\%\sim93\%$ 之间较为适宜。观察是否出现症状加重,分泌物增多,痰液堵塞气道,误吸或气胸等并发症。对于无法耐受 BiPAP 的病人、呼吸状况及动脉血气指标恶化、意识精神状态发生改变、家属要求改变治疗方法时应考虑更换机械通气方法。

5. 不良反应　常见不良反应包括以下几点:① 鼻咽症状:包括鼻咽部的充血、分泌物增多、口咽干燥,通过在呼吸回路中加用湿化器可减少这些症状,也可经鼻给予类固醇或支气管扩张剂。② 面罩压迫和鼻梁皮肤损伤:选用合适形状和大小的罩,摆好位置和调整合适的固定张力,间歇松开罩让病人休息或轮换使用不同类型的罩,均有利于减少压迫感和避免皮损。③ 恐惧(幽闭症):耐心的教育和解释通常能减轻或消除恐惧。④ 胃胀气:主要是由于反复吞气或者上气道内的压力超过食管贲门括约肌的压力,使气体直接进入胃。防治的方法是在保证疗效的前提下避免吸气压力过高($<25\ cm\ H_2O$)。有明显胃胀气者,可留置胃管持续开放或负压引流。⑤ 误吸:避免在反流、误吸可能性高的病人中使用 NPPV。

在 NPPV 治疗时,应避免饱餐后使用,适当的头高位或半卧位和应用促进胃动力的药物,有利于减少误吸的危险性。⑥ 排痰障碍:鼓励病人主动咳嗽排痰,必要时经鼻导管吸痰(清除口咽部分泌物和刺激咳嗽)或用纤维支气管镜吸痰后再进行 NPPV 治疗。⑦ 漏气。⑧ 睡眠性上气道阻塞:应对病人入睡后的呼吸情况进行观察,如有上气道阻塞,可采用侧卧位,增加 CPAP 水平(清醒后需要下调至基础的水平);也可用手提起下颌以减轻上气道阻塞,只是难以长时间实施。

第六节　疗效判断

NPPV 疗效的判断需要综合临床征象和动脉血气指标。

成功应用 NPPV 病人的特征是:病情较轻,应用 NPPV 后 SPO_2、$P_{ET}CO_2$ 在正常范围、动脉血气指标明显改善,呼吸频率下降,心率减慢,血压平稳。

当病人使用 NPPV 后的呼吸症状改善不明显,产生意识改变,X 线胸片提示肺部感染,呼吸道分泌物增多,呼吸困难,动脉血气指标恶化时为治疗失败应及时改为气管插管给予有创通气辅助。

治疗失败的原因,除治疗方法本身的局限性外,还包括如下几点。

1. 适应证掌握不合适　由于基础疾病严重或者一些特殊的基础疾病(如大气道阻塞等),无创通气的成功率比较低。

2. 通气模式和参数设定不合理　应用的潮气量和气道压力过低,无法达到理想的辅助通气效果。

3. 病人不能耐受　由于病人的不耐受(与罩的位置不合适、罩的大小形状不合适或头带固定过紧有关),使得治疗的时间过短或无效通气,造成治疗失败。

4. 罩和管道的重复呼吸　面罩本身可以产生死腔效应(目前常用的面罩的死腔量约为 $80\sim100$ ml),部分呼吸机存在管道的重复呼吸,影响 CO_2 的排出,使治疗失败。选用低死腔量的连接方法和避免管道重复呼吸,可以明显提高疗效。

5. 气道阻塞　由于痰液的阻塞、睡眠时的上呼吸道阻塞或使用鼻罩时的鼻塞,均可增加气道阻力,影响辅助通气的效果。经常鼓励或刺激咳嗽排痰和处理鼻塞等措施,有利于改善气道阻塞,提高疗效。

6. 漏气　罩与面部之间漏气或者使用鼻罩时口漏气,会明显影响辅助通气效果和同步性。调整罩的位置和固定带的张力减少漏气。用鼻罩时使用下颌托以减少口漏气。

(皋源　张艳　杭燕南)

参 考 文 献

1　Timothy JB,David JG. Noninvasive Ventilation. Critical Care Clinics,2007,23:201～222.

2 中华医学会重症医学分会. 机械通气临床应用指南(2006). 中国危重病急救医学,2007,19,2:65~72.

3 Sean M, Caples DO, Peter CG. Noninvasive positive pressure ventilation in the intensive care unit: A concise review. Crit Care Med, 2005, 33: 2651~2658.

4 Robert D Acton, Hotchkiss John R Jr, Dries David J. Trauma,2002,53:593~601.

5 Conti G, Costa R, Craba A, et al. Non-invasive ventilation in COPD patients. Terapia Intensive, 2004, 70:145~150.

6 洪涛,闻大翔,皋源等. 老年病人围术期呼吸力学变化与术后低氧血症的关系. 上海第二医科大学学报, 2004,24(11):919~922.

7 Winck JC, Azevedo LF, Costa-Pereira A, et al. Efficacy and safety of non-invasive ventilation in the treatment of acute cardiogenic pulmonary edema—a systematic review and meta-analysis. Crit Care, 2006,10(2):69.

8 Massa F, Gonsalez S, Laverty A, et al. The use of nasal continuous positive airway pressure to treat obstructive sleep apnea1. Arch Dis Child, 2002, 87: 438~443.

9 Brochard L,Mancebo J, Wysocki M, et al. Efficacy of non-invasive ventilation for treatment of acute exacerbations of chronic obstructive pulmonary disease. N Engl J Med,1995,333: 817~822.

第 5 章　喉罩通气

喉罩有五种类型,即普通型(经典型)喉罩、可曲喉罩、一次性喉罩、插管型喉罩和气道食管双管型喉罩。普通型喉罩是最早问世的喉罩,供一般病人应用。其余类型喉罩是根据不同病人的需要在普通型喉罩基础上设计改进而制成。可曲喉罩是头、颈、口腔耳鼻喉科手术而设计,插管型喉罩是为困难插管病人而设计,一次性喉罩便于复苏和避免疾病传播,气道食管双管型喉罩是为保护气道,防止胃内容物反流入气道和正压通气而设计,各有用途。此外,还有改良喉罩问世,以适应临床需要。

第一节　普通喉罩的结构和类型

普通型喉罩(classic laryngeal mask airway,CLMA)由医用硅橡胶制成,不含胶乳(latex)。由通气管、通气罩和充气管三部分组成(图 5-1)。

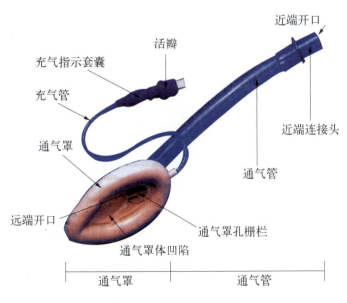

图 5-1　普通型喉罩的结构

通气管形状与气管导管相似,轻度弯曲以适应口腔解剖,通气管硬度适当有利于置入喉罩而无损伤,通气管呈半透明,如有任何异物清晰可见。通气管近端开口处有连接管,可与麻醉机或呼吸机相连接。远端开口进入通气罩,开口上方垂直方向有两条平行,有弹性的索条(栅栏),可预防会厌软骨堵塞开口。该索条不影响吸引管或器械(气管导管、纤维气管镜)通过通气管。通气管开口与通气罩背面以 30° 角附着,有利于气管导管置入。通气管后部弯曲处有一纵形黑线,有助于定位和识别通气导管的扭曲。通气罩呈椭圆形,近端较宽且圆,远端则较狭窄。通气罩由充气气囊和后板两部分组成,后板较硬,凹面似盾状,气囊位于后板的边缘,通过往充气管注气使气囊膨胀。充气后,罩的前面(面向喉的一面)呈凹陷,可紧贴喉部。充气管有指示气囊,并有单向阀。最初普通喉罩只有四种型号,即 1 号、2 号、3 号、4 号四种,1 号供 5 kg 以下新生儿及婴儿用,2 号供小儿用,3 号供女性成人,4 号供男性成人应用。其中 2 号喉罩供 1～12 岁(5～30 kg)共用,显然不可能适应临床要求。3 号和 4 号用于成人,有些体重身材高大的成人应用喉罩后仍然漏气,不能符合临床需要,因此增加了 1.5 号、2.5 号、5 号、6 号四种型号。现有 8 种型号的普通喉罩可供选用,6 号供 100 kg 以上人员使用,中国人需要者很少。各种喉罩(图 5-2)的规格见表 5-1,供应用时参考。

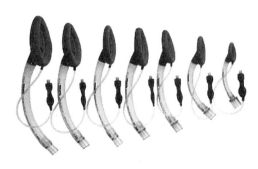

图 5-2 各种规格的喉罩

表 5-1 各种普通喉罩型号及规格

喉罩型号	体重 (kg)	内径 (mm)	外径 (mm)	通气管长度 (cm)	通气管厚度 (mm)	气囊最大容积 (ml)	气囊厚度 (mm)	最大气管导管内径(mm)	最大纤镜(外径 mm)
1	<5	5.25	8.0	10	1.50	4	0.46	3.5	2.7
1.5	5～10	6.1	9.6	11.5	1.75	7	0.46	4.3	3.0
2	10～20	7.0	11.0	13	2.00	10	0.50	4.5	4.7
2.5	20～30	8.4	13.0	14.5	2.30	14	0.60	5.0	5.3
3	30～50	10	15.0	18	2.50	20	0.64	6.0 有气囊	7.3
4	50～70	10	15.0	18	2.50	30	0.71	6.0 有气囊	7.3
5	70～100	11.5	16.5	20	2.50	40	0.80	7.5 有气囊	8.7
6	>100	11.5	16.5	20	2.50	50	0.90	7.5 有气囊	8.7

第二节　喉罩通气前准备

使用前准备包括术前对病人的病情估计,病人状况分析,术前用药,喉罩准备,麻醉方法、麻醉用药、监测设备的准备等,以确保使用安全。

一、应用前评估

与喉罩应用有关的病史和一些特殊检查,包括有无误吸危险、喉罩置入的难易程度以及喉罩置入后的通气效果等。

(一)误吸的危险

误吸的危险因素是确定是否使用喉罩和选择喉罩种类的决定性因素。询问病史时应着重注意病人是否有胃肠道疾病,尤其是目前存在的症状和正在进行的治疗。可能有反流危险的因素包括禁食时间、抑制胃动力药物的应用、有无疼痛及疼痛的程度、手术部位、手术体位和手术时间等。

(二)气道异常

对异常气道的估计是决定能否行喉罩麻醉和喉罩置入后功能是否完善的重要步骤。

1. 声门上异常 如张口受限、牙齿尖利、上腭高耸、腭上的异常突起、舌过度肥厚、口腔肿瘤或创伤、巨大的扁桃腺、会厌囊肿、咽部肿瘤或创伤、颈强直、颈椎不稳定、肥胖以及某些先天性畸形都会影响到喉罩的置入和置入后的功能。

2. 声门及声门下异常 如喉软化、声带肿瘤或损伤、声门下狭窄或声门下区肿瘤、肺纤维化、哮喘急性发作期、急性呼吸困难综合征和张力性气胸等,这些异常虽然不影响喉罩的置入过程,但可能严重影响喉罩的通气功能,而慢性阻塞性肺疾病和哮喘静止期对喉罩通气功能影响较小。

(三)检查

气道方面的检查主要包括以下一系列的评估。

1. 张口度 决定喉罩能否顺利进入口腔。

2. 舌和口腔 决定喉罩是否能准确地抵住上腭(注意病人上腭是否高耸,上腭有无极为突起的部位和有无牙齿矫形装置等)。

3. 齿列 尖的牙齿可能会损坏喉罩,松动的牙齿和牙套在喉罩置入和拔出时有牙齿脱落的危险。

4. 颈椎活动度 头和颈部的活动度决定了喉罩置入是否具有最佳位置。

预测插管困难的检查如 Mallampati 评分,寰枢关节活动度和甲颏距离,这些检查可以估计舌与咽的相对位置和大小;寰枢关节的伸展度以及下颌骨的大小也应分别进行认真的检查,因为一旦喉罩置入失败,直接喉镜下气管内插管也需要这些指标。这些指标也适用于预测面罩通气时是否会有泄漏。到目前为止还没有一个通过简单的测试预测喉罩置入是否困难的方法。应用鼻内镜对会厌软骨位置的估计可以预测喉罩置入后会厌的位置,但鼻内镜为有创检查,不能作为常规检查,且不能预测喉罩置入后的功能不全,因为会厌下垂而功能可以正常。

二、喉罩选择和准备

有五种喉罩可供临床选择,应用时必须根据病人的情况作出最佳选择,主要考虑的因素有:① 操作人员对应用每一款喉罩的熟练程度;② 手术部位、手术时间和手术时病人的体位;③ 术中是否采用机械通气;④ 是否存在误吸的危险因素;⑤ 手术中是否有仪器或手术器械需置入气道和胃肠道;⑥ 是否需要从鼻孔放置仪器;⑦ 病人是否处于感染状态。

目前喉罩已作为气管插管失败的必备器具。

（一）喉罩型号的选择

选择合适的喉罩是喉罩应用的关键步骤之一,可根据以下指标:① 喉罩置入是否容易;② 术中能否保持气道和胃肠道的正常功能;③ 对气道和胃肠道可能需要的操作是否有影响;④ 对周围组织结构有无影响;⑤ 是否影响手术操作;⑥ 是否会导致气道的并发症。

在实际应用时对喉罩大小的预测并不容易,因病人间的口咽部形状并不相同,体表面积指数的增加与咽腭弓高度的下降成正相关,即肥胖病人可能需要较小号码的喉罩。应注意不同号码的喉罩有着不同的用途;较小的喉罩有利于喉罩的置入,但容易出现漏气;虽然预测所需喉罩的大小可能较困难,但更换喉罩型号还是比较容易的。

选择喉罩以体重作为参考(表 5 - 1)。

（二）喉罩使用前的检测

喉罩使用前必须进行检查测试,并在喉罩应用前即刻进行。主要检测以下项目。

1. 查看通气管的内壁　应无阻塞和异物存在。

2. 检查通气管的弯曲度　将通气管弯曲到 180°时不应有打折梗阻,但弯曲不应超过 180°避免对喉罩的损伤。

3. 查看通气管的外观　管壁应透明,能看清污物和异物;外观变色说明此喉罩已长时间使用或已经过多次消毒;通气管背侧面的黑线也应清晰可见。

4. 检查接头并旋紧　并应与麻醉机的呼吸回路衔接良好。

5. 用手指轻轻地检查通气罩腹侧及栏栅　确保无损坏和无异物存在。

6. 通气罩检查　用注射器将通气罩内气体完全抽尽,使通气罩壁变扁平,相互贴紧。然后再慢慢注入气体,检查通气罩是否完整、活瓣功能是否完好和充气管、充气小囊是否完好无损。

7. 通气罩充气　将通气罩充气高出最大允许量的 50%气体,并保持其过度充气状态,观察通气罩是否有泄漏现象,喉罩的形态是否正常和喉罩壁是否均匀。

（三）通气罩放气

喉罩的外形在通气罩完全放气状态下呈平坦的楔形,边缘光滑并向上翘起形成一个凹面,从背侧看呈碟形。楔形边缘要保持光滑,使得通气罩能很顺利地通过舌面、会厌、杓状软骨到达声门口,而不致损伤这些组织。通气罩放气时要用干而有刻度的注射器。如果不能使通气罩完全放气,可将注射器接在充气小球囊上轻轻挤压,并将远端的开口提起使之与对侧分离,然后将通气罩完全放气。通气罩放气既可以徒手操作又可用人工工具来完成。

1. 徒手通气罩放气　徒手通气罩放气有三种方法。第一种方法就是直接使用注射器将通气罩充气然后再放气,一般不主张使用此方法;第二种方法是使通气罩部分充气,将腹侧平放于清洁平坦的桌面,用示指和中指压住顶端平面使通气罩放气;第三种方法同样是使通气罩部分充气,用拇指压住远端通气罩中部的背侧、示指和中指从腹侧压住远端罩囊中部的侧面,使罩囊放气。后两种方法可以控制罩囊的形态(图5-3,图5-4)。

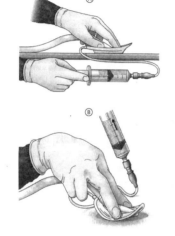
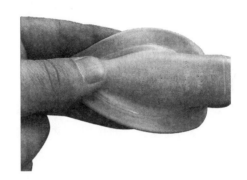

图5-3　利用桌面人工排气　　图5-4　用拇指示指和中指人工排气

2. 人工工具通气罩放气　目前有两种工具可使喉罩罩囊放气后成为最合适置入形状:模具式放气工具和装有弹簧的"鞋拔"样放气工具,这两种工具均可以高压消毒和重复使用。

(1) 模具式放气工具:它是一个由硅树脂塑型而成的模型,其内部形态与放气后的喉罩罩囊一致。模型的底座较厚重,形态似喉罩罩囊的腹侧面,模型的上半部较轻,形态似喉罩罩囊的背侧面,这两部分由一个硅胶制成的铰链相连接。在放气时上下合在一起,两侧有橡胶带固定。使用时首先将部分放气后的喉罩罩囊正确地放入模具中,盖上盖子然后将橡胶带卡紧,喉罩罩囊完全放气后将喉罩移出即可。这种放气工具适用于普通型、可弯曲型和插管型喉罩,并且配有三种规格,适用于不同大小的喉罩。小号黄色适用2号和2.5号;中号蓝色适用3号和4号;大号灰色适用5号(图5-5)。

图5-5　模具式放气工具

（2）弹簧"鞋拔"样放气工具：由两个塑料叶片组成：大片似鞋拔形状,小片较扁平且较窄与大片相对应。较小的叶片上装有弹簧,能被嵌入较大的"鞋拔"样叶片的凹面。操作时将部分放气后的罩囊放置于两个叶片之间,通气罩囊的背面朝向小叶片,两叶片靠弹力合拢后即可放气。人工通气罩放气后的外形优于徒手操作方式(图5-6)。

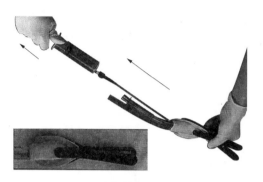

图5-6 弹簧"鞋拔"样放气工具

（四）润滑剂

使用润滑剂可减少喉罩置入时的摩擦力,减少对组织的损伤。现有润滑剂包括生理盐水,水解凝胶,水解的凝胶喷雾剂,水解的利多卡因喷雾剂,利多卡因凝胶和硅酮喷雾剂等。对于润滑剂中是否加局麻药目前还有争议,局麻药可使病人很好地耐受喉罩,但误吸的发生率增加、错位可能被掩盖以及病人醒后口部麻木不适。

液状的润滑剂应该在喉罩放置前即刻使用,凝胶状润滑剂因干得较慢,可以在放置前几分钟内使用。润滑剂主要涂抹于通气罩的背侧,因为背侧面是置入时的接触面,以避免在放置过程中阻力过大。润滑剂涂抹时应戴手指套直接涂抹。

第三节　喉罩的通透性、弹性、清洁和消毒

一、喉罩的通透性

硅橡胶制作的喉罩通气罩对大部分气体有通透性,通透性依据气体分压、气体在硅橡胶中溶解度和通气罩壁的厚度而有不同。当通气罩内外气体有分压差,通气罩内气体容量可根据压差而有增加或减少。当喉罩放置于空气中,已充气的通气罩可逐渐缓慢缩小,而未充气的通气罩可缓慢充气。氧化亚氮麻醉时,由于氧化亚氮分压高,充气的通气罩可很快膨胀。当高压蒸汽消毒前如通气罩未放气,由于通气罩自发充气,可造成气囊损伤。而气囊自发漏气可作为检验气囊的完整性指标。通气罩漏气越快,说明气囊通透性高。研究发现氧化亚氮和二氧化碳比氧和氮气易于透过。通气罩高压蒸汽消毒增加通气罩的通透

性,通气罩壁越厚,通透性越小。氧化亚氮麻醉期间硅橡胶制的喉罩通气罩充入空气后,其气囊内压增高,因氧化亚氮弥散入气囊所致,尤以麻醉后1～2h增高最多。氧化亚氮对聚氯乙烯制的喉罩气囊无通透性。

二、喉罩的弹性

硅胶制的喉罩通气罩充气时伸展,放气时回复原位。通气罩的压力改变除以容量改变即为通气罩的弹性。通气罩弹性可作为气囊完整性的指标。普通型喉罩型号越小,弹性越低,喉罩通气罩容量越大,弹性越大。而重复使用高压蒸汽喉罩80次后,喉罩弹性降低,是由于高温对硅的降解所致。如通气罩内有残余气体或液体,高压蒸汽消毒时气囊过多伸展,也引起硅降解而致气囊弹性降低,气囊内残留0.25～1ml液体,一次高压蒸汽消毒即可使气囊弹性明显降低。

三、喉罩的清洁和消毒

除一次性喉罩外,普通型喉罩、可曲喉罩、插管型喉罩、气道食管双管型喉罩因价格昂贵,都是重复使用的。一次性喉罩出厂时已消毒,包装拆除后可立即使用。而重复使用的喉罩出厂时未消毒,每次使用前均需清洗及消毒后方可使用,不仅可避免疾病传播,并可延长喉罩的使用次数。

(一)清洗

清洗时,不可使用化学药剂,因化学药剂可改变通气罩的物理性能,并对病人黏膜有刺激性。喉罩不能用甲醛、戊二醛溶液或环氧乙烷气体消毒,应避免喉罩长期浸泡于双氯苯双胍己烷(洗必泰)溶液中。含碘的消毒剂及含硅的润滑剂可损伤喉罩,均应避免使用。使用含溶剂的溶液洗涤或擦拭对硅及塑胶成分有损害作用,可导致部件碎裂。喉罩不能放在超声清洗机中清洗或应用γ射线照射消毒。化学药剂如醋酸和氯对聚丙烯活瓣,松节油、丙酮对聚硅连接管有害,均应避免使用。如喉罩已受化学药剂污染时应立即弃用。

喉罩使用完毕可用淡碳酸氢钠溶液(8%～10%w/w),肥皂水和不含皮肤黏膜刺激成分的清洁剂彻底清洗,用软刷去除喉罩内分泌物,注意不要伤及喉罩条状索,然后用温流动水冲洗去除残留物。如因故不能及时清洗,应将喉罩浸于皂液中以防止分泌物干燥结痂。喉罩清洗后应详细检查有无残留物,必要时应重复清洗。对气道食管双管型喉罩尤应注意,可用吸引管对通气管特别是引流管进行清洗。

(二)通气罩处理

在高压蒸汽消毒前,应将喉罩通气罩中的气体充分吸尽并保持干燥。因为任何残留气体或液体在高温或低压下均将扩张,使气囊受损甚至破坏。应在高压蒸汽消毒前即刻抽除气囊内气体,因为抽气后数小时可有自发性充气,应用干燥的注射器或特制抽气工具抽气。

干燥的注射器降低了液体污染,特殊抽气工具则增加了抽气效果。应注意注气管活瓣的进入处应干燥,因液体污染比空气更危险。当充气管远端与邻近的喉罩通气罩壁因抽气吸附而阻塞时,抽吸可受阻碍,此时应将充气管从通气罩壁推开,然后再抽吸。当注射器移除后,抽吸完的通气罩很快自动再充气,表明通气罩有缺陷,应该弃用。4 号喉罩内残余空气量不超过 2 ml 是安全的。残余液体对通气罩的损害比残余空气要大,因液体在高压蒸汽消毒时转化为蒸汽,高压蒸汽消毒时喉罩内残余液体 0.25 ml,可测得喉罩弹性降低,残留液体 1.0 ml,10% 的通气罩破裂,故通气罩内残留液体必须清除。

(三)消毒

喉罩经清洗及干燥后再高压蒸汽消毒,喉罩不能和其他消毒物品放在一起,以防尖锐物品损伤喉罩及异物进入通气管。消毒时温度不超过 135 ℃,否则喉罩材料的完整性将受影响。高压蒸汽消毒时间为 10 min(未包装)或 10~15 min(已包装)。消毒后待喉罩冷却后放置于清洁及消毒的容器内待用。

三、喉罩的使用寿命

喉罩由医用硅橡胶制成,耐热达 180 ℃,弹性良好,但重复高温消毒后硅橡胶可产生降解,强度减少,以致通气罩弹性降低,通透性增加,以致自发性充气及漏气增速,最后导致气囊容量不能维持正常。多次高温消毒后,通气管变硬,造成喉罩插入困难并易扭曲,甚至可导致通气管断裂或与通气罩分离。通气管变成不透明,难以发现管腔内异物,造成严重后果。但只要应用喉罩前详细检查,这些并发症是可以避免的。

喉罩的使用寿命与高压消毒次数、高压消毒的温度和时间、喉罩通气罩壁的厚度、喉罩受损害,通气罩内意外注入液体等因素有关。

为了延长喉罩使用寿命,插入喉罩时动作应轻柔,避免牙齿损伤喉罩通气罩,严格清洗和消毒程序,拔管时避免触及牙齿,避免液体进入通气罩。

临床经验表明硅橡胶喉罩可重复使用 40~80 次,甚至更多。当喉罩使用前发现有漏气,喉罩被不明化学物污染或已证实病人有传播性疾病时,应立即弃用喉罩。目前多数大医院使用一次性喉罩。

第四节　适应证和禁忌证

一、适应证

喉罩已在全世界广泛应用,尚未报道直接与应用喉罩有关的死亡病例。麻醉病人发生气管插管困难约占 1%~3%,插管失败率大约在 0.05%~0.2%。"无法插管、无法通气"的情况非常少(约 0.01% 的病人),但一旦发生将会酿成悲剧,在由麻醉引起的严重并发症和死亡病例中,此原因占了很大的比例。在处理困难气道中,不管是作为主要通气道还是作为插管引导,喉罩都起了很重要的作用。

应用喉罩适应证还没有完全统一,存在一定的争议。喉罩通气应达到以下要求:① 可靠而安全地维持气道的通畅;② 可行正压通气;③ 不影响外科手术野;④ 防止口内物质的误吸;⑤ 防止胃内容物反流、误吸。

在临床实践中,喉罩的适应证依使用每一种喉罩型号的经验水平、病人因素、手术种类、外科医生的合作水平和对其他气道处理技术优缺点的感觉而不同。当气管内插管不理想或不适合用面罩或两种操作都失败时,喉罩是较好的选择。

喉罩不仅可用于选择性病人也可用于急诊病人,因而可常用于:① 清醒病人辅助气管插管;② 择期手术中作为一个确切的气道通气;③ 麻醉病人辅助气管插管;④ 在急诊建立临时气道情况下辅助气管插管。对于那些由于声门上梗阻而不能进行肺通气和由于解剖异常不能行气管插管的病人也是喉罩很好的适应证。

二、禁忌证

(一)误吸的危险

有高度误吸危险的病人通常情况下是喉罩的禁忌证,如:① 肠梗阻;② 胃液排空延迟;③ 禁食时间不足;④ 有严重反流病史,但对于轻度或中度反流的病人仍可谨慎使用;⑤ 上腹部手术病人,麻醉诱导过程可能并没有很大风险,而手术过程中可能有发生误吸的危险,可考虑选用气道食管双管型喉罩。

(二)高气道正压通气

喉罩禁用于胸、肺顺应性很低或气道阻力很高需要高正压通气的病人,如急性支气管痉挛、肺水肿或肺纤维化、胸腔损伤、重度或病态肥胖;但这些病人如能保留自主呼吸,喉罩并不是绝对的禁忌证。

(三)病理性气道

有以下病理性气道的病人禁用喉罩:① 声门或声门下病理变化引起的气道梗阻因喉罩不能跨越梗阻部位;② 远端气道塌陷;③ 张口受限如张口度<12 mm,普通喉罩、一次性喉罩和可弯曲型喉罩几乎不能成功置入;而张口度<20 mm 时,气道食管双管型喉罩和经口气管插管也很难进行;④ 咽喉部病变影响喉罩的放置和置入后的功能,并可能加重原有的病变;⑤ 出血性体质的病人;出血对主气道造成的危害与气管插管并无很大区别,因为两者的操作过程均可能使病人引起大量出血。

(四)手术区域

喉罩的放置如果影响到手术区域或者是手术可能影响喉罩功能的均应列为喉罩使用

的相对禁忌证,例如耳鼻喉科、颈部以及口腔科手术等。

第五节　普通喉罩置管

普通喉罩置管包括从麻醉开始到建立有效通气道的过程,整个过程包括面罩吸氧、麻醉用药、喉罩置入、评估置入后解剖位置和通气功能、及时处理置管过程中发生的意外事件,确保病人安全。

一、麻醉诱导

(一)面罩给氧

病人在诱导之前先吸氧以防诱导后缺氧。面罩吸氧对于病人有很好耐受,有时放置口咽或鼻咽通气道来改善通气。有效的面罩给氧为吸入 10 L/min 的新鲜气流量,自主呼吸 3 min(有肺部疾患的需要更长时间);或 6 次达到肺活量的深呼吸;使呼气末氧浓度达到 90%～95%。

(二)表面麻醉和喉上神经阻滞

口咽喉部应用表面麻醉能够减少置管时的反应。表面麻醉一般通过喷雾、漱口等,宜在诱导前实施。

表面麻醉的缺点在于:① 味道比较苦,病人难以接受,用药后局部麻木,吞咽困难;② 应用过程中保护性反射被激活;③ 一旦保护性反射被抑制发生误吸的机会增大,表面麻醉对于喉罩置管条件的改善效果比静脉使用局麻药物更好。

喉上神经阻滞对清醒病人有预防喉罩置入时咳嗽和喉痉挛作用。但有误注入声门或颈动脉的危险性,应加于重视。

(三)常用麻醉诱导药物

理想的诱导药物使病人意识丧失快,下颌松弛,无气道反射,无心肺功能的副反应等。丙泊酚是喉罩置管合适的静脉诱导用药,而七氟醚是最佳的吸入麻醉药物。静脉注射丙泊酚成年剂量为 2 mg/kg,小儿为 3～4 mg/kg。但丙泊酚的用量还应根据病人的情况来调整。丙泊酚的靶控浓度成人为 6～10 μg/ml。小儿是 8～14 μg/ml。对 50% 和 95% 病人置入喉罩七氟醚的吸入最低肺泡有效浓度(MAC)分别为 1.5%～2.0% 和 2.0%～2.5%。联合使用 N_2O 时,吸入浓度应减低。其他静脉诱导药如氯胺酮 2～3.5 mg/kg,合用咪达唑仑(咪唑安定)0.05 mg/kg 或依托咪酯 0.3 mg/kg。

使用肌松药能够提供更好的置管条件,即使小剂量的非去极化肌松药也能提供良好的置管条件。

（四）喉罩置入时机

1. 麻醉深度的临床标志　推动下颌反应丧失是预测满意置入条件的可靠临床标志。其他如下颌松弛、呼吸暂停、易于置入口咽通气道、易于进行面罩通气等。

2. 静脉麻醉诱导下喉罩置入时机　静脉麻醉诱导下喉罩置入时机受到下列因素的影响：① 诱导用药的剂量和类型；② 注药速度；③ 臂-脑循环时间；④ 病人的年龄，体格状况；⑤ 面罩通气的难易程度；⑥ 联合使用吸入麻醉药；⑦ 麻醉深度的临床标志和监测。

应该在麻醉深度的峰值点喉罩置入，通常异丙酚注射后 2 min 后能达到峰值，在此期间同时应用面罩吸入无刺激性且血气分配系数低的吸入全麻药来加深麻醉。

3. 吸入麻醉诱导下喉罩置入的时机　吸入麻醉诱导下喉罩置入的时机主要取决于以下条件：① 吸入麻醉药浓度增加的速率；② 吸入形式（正常潮气量呼吸或深呼吸）；③ 吸入药物的类型；④ 是否混合 N_2O。

吸入麻醉诱导和静脉麻醉诱导不同，吸入麻醉诱导可维持一个较平稳的脑内药物浓度，一旦置入喉罩的条件具备，可随时置入，不会错过药物峰值。

4. 由于刺激的模式和强度不同，喉罩置入需要的麻醉深度和其他通气装置不同。喉罩置入时需达到的麻醉深度比带气囊的口咽通气道深，而比喉镜直视下气管插管浅。

二、喉罩置入的原理和方法

（一）喉罩置入的原理

喉罩置入的原理是充分利用人体的解剖结构知识通过吞咽机制来实行。与喉镜直视下行气管插管有显著差异。

在人体吞咽过程中，唾液包裹的食物被舌推向硬腭处，此处的食物已形成扁平的椭圆形。然后，舌将其向上，向后方进入口咽入口，同时通过咽部肌群的协同作用进入上端食管括约肌。在食物从口通向口咽部的运动过程中，软腭变硬，防止了食物在鼻咽部的反流，并使食物向下进入食管。在吞咽过程中，有以下几方面防止误吸：① 向后推动食团；② 食团通过时提高了声门的位置；③ 关闭声门入口；④ 会厌遮盖声门。轻度的屈颈和头后仰也有助于食物的吞咽。

喉罩置入和食团吞咽机制的相似点：① 已放气的通气罩的形状和食物一样都是扁平卵圆形；② 唾液包围了食物，润滑液涂布于通气罩，都减少对黏膜的摩擦；③ 舌体对食物起引导作用，而手指对通气罩起引导作用，使其向上经硬腭并沿腭咽部弯曲前进，减少了对前咽部组织的影响；④ 头部和颈部的位置相似；⑤ 食物和通气罩都是直接通向下咽部。

喉罩置入和食团吞咽机制的不同点：① 软腭无法使通气罩向下，也不能保护鼻咽部；② 喉罩置管时，会厌被推向咽后壁并能向下合拢；③ 喉罩置管时，声门提升但不紧闭，增加声门梗塞危险；④ 喉罩置管时，食管括约肌仍关闭状态，由于关闭的食管上端括约肌可预防通气罩进入食管,并提供了喉罩置入的最终位置;⑤ 舌被推向口咽部,有时候会影响置管;⑥ 放了气的通气罩的形状不易与口咽部形状的变化相适应,常使通气罩放于错误位置并引起损伤。

(二)喉罩置管步骤

喉罩置管分为四个步骤:① 调整头颈部的位置;② 调整口腔内喉罩位置;③ 进入咽喉部入口处;④ 推进喉罩至下咽部。

1. 调整头颈部的位置 颈部应该屈向胸部而头要后仰,这样可以:① 增加口咽的角度;② 自咽后壁提升舌和会厌;③ 增加咽部前后径,能减少口咽部前后壁组织阻塞的危险。

2. 调整口腔内喉罩位置 通气罩应该紧贴着硬腭进入口中,这是进入口咽部入口最合理的角度。但由于通气罩有弹性而常常不稳定,必须用手指持续将其压向硬腭方向才可维持喉罩在口内的正常位置。同时应保持充足的张口度通气罩的完全放气能使手指方便操作。

3. 喉罩进入口咽部入口处 如何避免口腔后部的阻力是这个步骤的关键。采取嗅花位增加口咽的角度有利于解决这个问题,手指持续向后加压时,可使通气罩紧贴于后腭咽弧度前进。

4. 推进喉罩至下咽部 要注意避免口中的阻力,放置到准确的位置。

(三)喉罩置入技术

目前对于置入技术仍有一定的争论。置入的方法也多种多样,下面列举常用的几种置入技术。

1. 标准技术 标准技术有正中进路、侧位进路和拇指技术三种不同的置入方法。喉罩置入过程中应戴手套,喉罩置入后将手套弃掉,防止交叉感染。

(1)正中置入(图5-7):第1步:用非操作手托病人后枕部,颈部屈向胸部,伸展头部,示指向前,拇指向后,拿住通气管与罩的结合处,就像执笔式握住喉罩,腕关节和指关节部

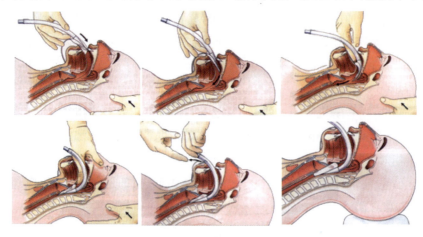

图5-7 正中置入技术

分屈曲,采取写字时的手势,这样能够更灵活地控制喉罩的运动。

第2、3步:轻轻将病人的口张开,或者让助手帮忙。用手指将口唇分开,以免牙齿阻挡喉罩进入。必要时可用非操作手打开口腔,将口唇分开,但必须在喉罩进入口咽前回到后枕部,以维持颈部屈曲和头部的伸展。将通气罩贴向硬腭,在进一步置入口咽部时,必须托住枕部伸展头部。影响置管的因素包括:病人牙齿的位置、张口度、舌的位置和大小、硬腭的形状以及喉罩气囊的大小。

操作者从正中将涂了润滑剂的气囊放入口中并紧贴硬腭。有两种置管方法:① 通气罩的末端抵在门牙后沿着硬腭的弧度置管;② 笔直将整个通气罩置入口中,再调整入位。在操作时必须小心,防止气囊在口中发生皱褶。一旦确定抵住了硬腭,就无需握着导管,仅靠示指抵住气囊边缘。在这一阶段,只有在松开示指的时候才需要固定导管。另外,示指应该从侧面移开,以免损伤下牙槽的牙齿。在进一步推送喉罩时,必须小心检查唇是否卡在导管和牙齿之间。

第4步:当病人的头、颈和通气罩的位置正确后,把喉罩沿着硬腭和咽部的弧度向前推进。在推进时候,应该用中指抵住腭部,轻施压力,并轻轻转动调整位置。如果需要,也可以用不置管的手轻推导管。当喉罩无法再向前推进时,抽出手指,并给通气罩注气,为了防止移动喉罩,应握住通气管末端,直到手指出口腔。

(2)侧位置入:侧位置管和正位置管的方法基本相似,但通气罩不是从正中硬腭,而是通过一个近似45°的夹角置入。通气罩的侧面先进入病人口中,当置入口咽部时再放正,由于通气罩的侧面比较硬,在置管时受到的阻力比较小。侧位置入的优点是可以避免损伤声门和会厌。缺点是容易损伤扁桃体,有时通气罩的位置不易放置正确。当正中置管受阻力较大时,不需从口腔拔出,改侧入置管是很好的选择。

(3)拇指技术:当病人头部正上方置管不方便(如病人戴着头盔)可应用拇指技术,通过使用拇指两种方式置管。一种方式是把拇指作为代替示指;另一种是仅仅把拇指作为引导。

1)拇指作为代替示指:医生站在病人的一侧,用拇指和示指握住喉罩气囊和导管的交接处,拇指在上端。然后将通气罩置于硬腭处,松开示指,用拇指推进通气罩,其余四指托住病人头部。遇到阻力时,停止推送。为了防止喉罩通气管的移位,喉罩置入过程中另一手必须握住候罩通气管尾部直到拇指撤出。这项技术缺点有:大拇指较示指短,在进一步送管时,无法有效用力;大拇指只有一个关节,灵活性较示指差;操作者的位置不方便。

2)拇指仅作为导引:拇指抵住导管和硬腭,作为引导,将喉罩置入咽喉部。当然,也可以用其他的手指来代替拇指。研究表明,拇指技术的置管成功率要低于传统的置管技术。

2. 喉镜引导置入技术　喉镜引导置入技术的优点有:① 操作简单;② 所用的喉镜技术早已被麻醉医师熟练掌握;③ 喉罩置入路径上舌体和会厌被提起升高;④ 可直视喉罩的置

入路径。缺点有：① 喉镜操作会诱发气道保护性发射，加重血流动力学应激反应，导致气道并发症。采用大剂量麻醉诱导药、肌松药以及轻柔的操作可减轻气道应激反应；② 一旦喉罩进入口腔，咽部的视野将被喉罩所阻挡，此时直视就变成了部分可视；③ 非操作手已用来持喉镜，无法对头、颈和喉罩的位置进行调整；④ 喉罩不能很好地沿着腭咽的弧度置入，因为操作者不方便将喉罩压向硬腭；⑤ 喉镜片减少手指在口腔内的操作空间；⑥ 喉镜柄与喉罩通气导管竞争空间。

3. 反转或 Guedel 技术　手执喉罩通气导管的中间，将通气罩腹侧面对正硬腭并置入口腔，在推向咽喉部的同时将通气管旋转 180°角，使通气罩面向声门与咽喉部对合良好。

反转技术最大的优点是将喉罩的凹面向着腭部，通气罩远端与口咽的后壁齐平抵住硬腭，可以避免喉罩嵌塞于口腔的后部。此外不需口腔内的手指操作。主要缺点是因为通气罩必须旋转进入合适位置。有引起潜在损伤的可能性，特别是牙齿损伤和杓状软骨脱位；过度旋转或旋转不到位会导致喉罩错位；喉罩的整个表面都要使用润滑剂（而不是背面部分），润滑剂就有可能滴入声门触发气道的防御反射；反复扭转通气管会缩短喉罩的使用寿命；喉罩在口腔内旋转增加牙齿损伤通气罩的危险。

4. 舌牵引技术　助手示指和拇指用干纱布捏住舌体沿下牙床拉出。这样移动舌体离开硬腭，使舌根从后咽壁提起，可以增加手指在口腔内的操作空间并降低舌阻塞口咽的可能性。喉罩置入等同于标准方法。舌是在咽前方能对喉罩产生阻碍的结构之一，如沿着后部的腭咽弧度前进，大多数情况可避免舌阻塞。如果舌在喉罩的置入过程中被向后推，会引起会厌的向下折叠。舌牵引技术的缺点：① 对病人刺激更强；② 如果舌体嵌在牙齿中会引起损伤的危险；③ 喉罩置入的空间较小。

舌牵引技术适用于舌体已陷入口咽入口而又不能翻转喉罩的情况使用。

5. 投矛技术　用拇指和中指捏住通气管的中间部分，就像握住微型的矛或标枪一样，将通气罩尖端对准口腔的后部。一旦完成与口腔的接触就直接插向咽喉部而不用紧贴硬腭。此方法的优点是操作简单且不需要口腔内的手指操作。主要缺点是咽前结构易嵌入和损伤。投矛技术常与通气罩充气和（或）喉镜引导技术相结合应用以减少损伤。如果采用头过度嗅花位可能会增加投矛技术置入的成功率，但可能使术后颈部不适增多。不推荐常规应用。

6. 提拉下颌技术　在喉罩置入过程中使用提拉下颌可将会厌从后咽壁处抬高，以减少会厌压迫的发生率。缺点有：对病人刺激较大，但可作为麻醉深度是否合适的临床标志；可能导致术后颌部疼痛；此方法需要双手完成操作，需要一位助手帮助置入喉罩或调整头和颈。

7. 过度张口技术　通常由助手用手指向下轻压下颌做到张口。手指给予更大的力量使其过度张口，或者用双手示指提拉下颌并用双拇指张口。此操作的优点是可以得到更好的口腔内视野并且有更多的手指操作空间。缺点为：如用力过大，咽将被压，但可以通过提拉下颌抵消，或者在通气罩放入咽喉部之前保持口腔过度张口可避免咽喉部受压；过度张口对会病人刺激更大。研究表明过度张口可以减少会厌反折的发生率；过度张口合用通气罩部分充气的置入成功率高于标准方法。

8. 人工腭操作技术　人体硬腭有着完美的形状和连贯性主要适应于清醒状态下食物团块的吞咽，对于麻醉病人来说硬腭过于靠前，软腭太柔软，在置入喉罩过程中通气罩在后口腔发生偏斜。不能进入咽喉部。解决此问题的方法是用一个有形状和连续性的人工腭帮助置入喉罩。人工腭与硬腭的形状相似，但向后下伸展以补偿在麻醉状态下软腭功能的不足。无论哪种人工腭，使用方法是相似的，先将人工腭置于口腔的顶部，然后用其引导喉罩置入到咽喉部。优点有：在置入通气罩时不接触黏膜而且降低了损伤的发生率；避免喉罩嵌入口咽壁。缺点有：口腔中手指的可操作空间减小；由于人工腭占据了舌后部的空间，通气罩将会紧贴舌增加了损伤的可能；人工腭置入和取出过程中会引起损伤；在移除人工腭时可能影响通气罩的位置。临床上不常使用。

9. 管内外辅助工具技术　应用通气管内或外工具进行喉罩置入是：① 沿着通气管进行力的传递；② 将通气管塑成不同的形状；③ 在咽喉部操作喉罩。优点是避免了手指在口内操作。缺点为可能引起损伤。

管内工具常用有管芯和探条，管外工具常用改良 Magill 钳和 J 形钳。但管内外辅助工具不常用。

总之，无论采用什么置入技术，临床医师都应该以喉罩置入的基本理论为依据。根据病人的不同情况以及掌握熟练程度选择不同的置入技术。没有证据证明哪种技术是最好的，也没有一种技术是适用于所有的病人和临床医师。

三、通气罩充气和导管固定

"恰当密闭容量"是指通气罩充气后能保持呼吸道和胃肠道密闭所需要的最小气体容量。通过给通气罩充气后再放气时出现口咽部轻微漏气后再充气，至漏气正好消失得到呼吸道密闭且可进行正压通气。但一般都是使用最大的推荐容量。成人 3 号喉罩使用容量为15～35 ml，4 号喉罩为 25～60 ml。恰当密闭容量为最大推荐容量的 25％。少充气或过度充气都会引起临床问题。

（一）过度充气问题

过度充气牵涉到对呼吸道和消化道的密闭效果，增加咽喉部并发症的发生率，干扰部分外科视野，扭曲局部解剖，降低食管括约肌张力，激活气道防御反射。

1. 呼吸道的密闭效果　最有效的密闭容量是最大推荐容量的三分之一或三分之二。当充气量超过这一范围时，会略增封闭效果，有时反而降低。如果通气罩持续充气超过最大推荐容量时,最终会从咽部溢出。

2. 消化道的封闭效果　最有效的消化道密闭是给予比呼吸道密闭更高容积的气体。当充气量超过最大推荐量时,胃胀气的风险性增高。

3. 咽喉部并发症的发生率　咽痛和吞咽困难的发病率会随着通气罩容积的增大而增加,可能与通气罩对黏膜的压力有关。

4. 干扰外科手术野　如果通气罩过度充气,其近端接近扁桃体,将会干扰扁桃体手术。

5. 局部解剖变异　如果通气罩过度充气会引起:① 压迫颈静脉;② 颈内静脉置管困难;③ 外科误诊;④ 解剖学上的移位。

6. 减少食管括约肌张力　通气罩容量不会影响食管下括约肌张力,但可以减少食管上括约肌的收缩性。

（二）充气不足问题

通气罩充气不足不常见。但低通气罩容量对呼吸道的封闭可能不能满足正压通气时对气道充分的密闭,也对胃肠道的密闭效果不佳可能引起胃胀气和反流误吸。研究发现当通气罩压力降到 22 cm H_2O 时,对自主呼吸的潮气量没有影响,但完全放气后将会减少潮气量。当通气罩密闭压力小于 10～15 cm H_2O 时,将不能使用正压通气。当通气罩密闭压力小于 15 cm H_2O 时,通气罩对气道的防御作用将丧失。当通气罩容量小于最大推荐容量的四分之一时,就不能封闭食管上括约肌。

（三）防咬装置

一旦通气罩充气后,就必须放入一个合适的防咬装置,防止通气管被压和对牙齿的损伤。当防咬牙垫妨碍外科手术时可在术后苏醒之前放入。咬合常不会影响喉罩位置,但会引起致命的气道梗阻、通气罩充气失败和损伤喉罩导管。防咬装置最好放在后牙,因为前排牙齿容易受伤,特别是在拔除喉罩时发生咬合。对无牙的病人,需要改进防咬装置的稳定性。防咬装置应根据病人牙齿的状况,手术的过程和固定方法的变化而变化。

理想的防咬装置是:① 防止导管闭合和牙齿损伤;② 便于放置和取出;③ 对病人没有刺激和损伤;④ 不影响喉罩的位置和功能。最常用的是圆柱形纱布。将其放在白齿之间的合适位置,露出足够的长度用于带子或胶布固定。

（四）喉罩固定

喉罩置入到位后放入防咬装置并应固定,固定喉罩是很重要的一步。恰当的固定不但可以减少移位而且可以增加呼吸道和消化道密闭效果的稳定性。普通喉罩、一次性喉罩和气道食管双管型喉罩都相似。理想的固定应很好地满足病人和外科手术的要求。

1. 与面部固定　黏胶带是理想的固定工具,棉带遇到湿硅油打结可能会滑脱,但棉带对有胡子和油性皮肤病人是首选。黏胶带适用于手术时麻醉医师可以接近头和颈部的手术,高强度的黏胶带也应用于麻醉医师不能接近头颈或是侧卧位和俯卧位的手术。

胶带应该有 2~3 cm 宽,一端粘于上颌骨上,然后绕住导管和防咬装置所下方伸出在撕断前固定于另一侧的上颌骨。导管的近端应固定于离颏前下方 5 cm 处。再用一条胶布对称地压住喉罩通气管,并固定在两侧的下颌。重要的是不能完全包裹导管,应留出一部分导管用于观察液体反流情况。

2. 与麻醉机呼吸回路系统固定 麻醉机呼吸系统应与喉罩通气管的近端末梢固定,这样可以保持通气管其弯曲度,可避免过大的内部力或外部力沿导管传送。过大的向内部力会增加黏膜压力并有可能影响食管上括约肌功能。过大的向外部力会使通气罩移位或脱出。常用的方法是将麻醉机呼吸回路的吸气和呼气回路管分别沿病人的两侧绕过头部,两条回路管交接部的连接头在离颏前下 5 cm 处与喉罩通气管近端末梢相连接,被称为公羊角的固定技术。

四、喉罩位置的判断

(一) 置入过程

喉罩置入过程:① 没有口腔后壁的阻力;② 通气罩顺利地滑入咽喉近端;③ 感受到咽喉部远端特征性的阻力,通常提示喉罩置入的解剖位置是基本准确。来自口腔后部的阻力通常提示通气罩远端有折叠(多数情况)或置入鼻咽部(很少发生)。如阻力来自咽喉近端,有可能是舌或会厌入口发生阻塞。如果没有特征性的阻力出现,可能喉罩没有插到足够的深度。

(二) 通气管的长度,方向和移动

喉罩通气管在口腔外的长度,方向和充气过程中的向外移动都能间接反映通气罩的解剖位置。

1. 长度 如果喉罩通气管在口腔外太长可能通气罩太大和或插得不够深。如通气管在口腔外太短可能通气罩太小或远端通气罩折叠。通常成人普通喉罩通气管应在口腔外 8 cm。

2. 方向 如果喉罩通气管方向不正确则通气管黑线没在中线,通气罩有可能旋转不良。有时少量旋转不良通气罩位置也可能正确,因为通气管本身可以调节少量的扭转力。

3. 移动 如果通气罩置入正确,在通气罩充气时,导管可以从口中向外伸出 1 cm。如果通气罩是部分充气或在置入前已充气,这一现象不明显。

(三) 口腔和颈部的观察

1. 口腔 如果通气管沿着腭弯度并消失在咽喉的下部,通气罩的位置可能是正确的。如果通气导管向上消失在鼻咽部很可能通气罩误入鼻咽部。极少时口腔的后部见到远端通气罩,表明通气罩完全折叠。在口腔内见到更多的近端通气罩,很可能远端通气罩没有进入咽下部。在口咽入口的下部分看见近端通气罩可能位置正确,特别是使用大号的喉罩时。

2. 颈 如果通气罩位置正确,喉/甲状软骨将会在充气时向前移动。在通气罩部分充气或在置入前已充气,这一现象不明显。

（四）其他判断方法

1. 光棒 光棒进入喉罩通气管至咽喉部时,通过观察颈前部闪光亮点的位置可确定其在咽部的位置。此方法已成功用于普通型喉罩和插管型喉罩的定位。可提高插管成功率,是一种可靠的定位工具。

2. 光纤镜评估位置 用光纤镜进入通气管观察解剖结构,可提供会厌的位置,声带是开放、关闭还是变形,是否可见食管。喉罩位置正确应能直接看到声带,有时能见会厌软骨后表面的情况。虽然光纤镜不能直接提供通气罩表面的解剖关系,但光纤镜位置好,提示通气罩位置也好,至少位置是适当的。

第六节 置管并发症

在置管阶段出现的问题可分为向咽部置入喉罩失败（置入失败）；进入咽部但无通气功能（通气失败）；病理生理问题,如咳嗽、作呕、喉痉挛、暂时的声门关闭、呃逆、咬合、支气管痉挛、反流/误吸、血流动力学改变等。

一、并发症发生率

（一）置入/通气失败发生率

置入/通气失败的发生率主要与下列因素有关：① 操作者的技巧；② 置入技术；③ 麻醉技术；④ 使用的喉罩类型；⑤ 病人因素如年龄,头、颈的位置,切牙间的距离,口咽的病理情况,喉通畅度和肺顺应性而不同。总的失败率为0~5％。

（二）其他并发症

在置管阶段出现并发症的发生率要高于维持或苏醒阶段,在置管阶段咳嗽、呃逆、心动过缓、低血压比维持阶段多见,而喉罩移位则较少见；在置管阶段与苏醒阶段相比,胃充气、胃液反流、呃逆、心动过缓和低血压更常见；而喉罩移位、心动过速和高血压则较少见。

（三）置管阶段引起的其他问题

1. 通气罩充气失败 原因有：① 充气管被咬或在喉罩栅栏条上打折；② 充气管被牙撕裂；③ 充气管活瓣被异物堵塞。

2. 气道阻塞 原因有：① 喉罩通气道被异物阻塞；② 喉罩通气道被咬闭；③ 通气罩疝。

3. 损伤 唇,牙齿,软腭,腭垂,扁桃体,咽喉,会厌软骨,杓状软骨和声带等的损伤。

二、置入/通气失败的处理

（一）置入失败

1. 原因　置入失败最常见的原因是：① 麻醉深度不够；② 喉罩置入技术操作失误；③ 使用了不恰当的置入改良技术。病人解剖结构不佳引起置入失败是相对不常见的原因。当置管失败时，在考虑失败原因的同时应给予面罩吸氧，维持麻醉或加深麻醉。

2. 处理　置管失败的处理取决于失败的原因，置入时的机械原因需用其他方法置入，对置入的病理生理反应应加深麻醉等。

（二）通气失败

通气失败是由于：① 通气罩和咽喉部的位置不符；② 通气罩与声门入口错位；③ 通气罩在咽部受压；④ 严重的会厌软骨反折；⑤ 声门关闭；⑥ 肺顺应性降低。

1. 病因

（1）通气罩与咽喉部的形状不符：是由于通气罩充气不足和选择不适当的喉罩号码及错位引起。

（2）通气罩与声门入口不配：是选择了不适当的喉罩号码及错位引起。

（3）通气罩在咽部受压：由于过度张口、不合适的头/颈位置、环状软骨受压及向后推下颌引起。

（4）严重的会厌软骨反折：由于置入技术不当或是会厌软骨肥厚引起。

（5）声门关闭：由于通气罩错位（远端通气罩和声门入口抵触），机械压迫，不适当的麻醉深度，肌松不足和误吸引起。

（6）肺顺应性降低：肺的病理改变，如肺纤维化和支气管痉挛引起，但临床上最常见的原因是肥胖、头低位和腹腔内充气。

2. 处理　通气失败的处理要看是机械原因还是病理生理的因素。当发生通气失败时首先要决定将喉罩放在原处还是将它移走。应依据失败的程度，问题的原因和是否有错位存在作出相应的决定。如是暂时性的声门关闭引起的部分性通气失败并且喉罩位置正确应使喉罩保持原位。如是喉痉挛引起的完全性的通气失败且有错位，应该移去喉罩。

（三）减少喉罩置管问题的技术

（1）优选标准置入技术：采用标准置入方法失败的常见原因：① 未能采取嗅花位；② 未能充分张口；③ 未检查腭部；④ 未能将通气罩平贴上腭；⑤ 未能沿着腭咽弯度前进；⑥ 遇到口腔后壁阻力时未能采用侧入法；⑦ 口中的手指过早地移除；⑧ 在咽部的手指过早地移除。

（2）使用标准方法失败后，可使用其他的置入技术。

（3）增加麻醉深度：增加麻醉深度可以抑制气道保护性反应。最好是采用静脉麻醉，因吸入麻醉起效慢且如果通气受损则无法起效。如气道保护性反射未被抑制,应拔除喉罩或使用肌松剂。造成气道保护性反射未被抑制可能为麻醉药剂量不够和通气罩远端触及声门。

(4)应用肌松药:肌松剂可抑制气道保护性反射。当增加麻醉深度不能抑制气道保护性反射且喉罩位置正确时可使用肌松药。

(5)调整通气罩容积:调整通气罩容积可以解决很多问题。① 增加(或较少见的减少)通气罩容积可以改善密闭效果;② 如遇到口腔后壁的阻碍,通过通气罩充气可以得到柔软的边缘,便于进入咽喉部;③ 如通气罩错位,通气罩充气和放气,特别是合用头颈操作可以改善通气罩的位置;④ 如远端通气罩位于声门入口,放气可以改善气流;⑤ 如充气远端通气罩引起机械性的声带关闭,放气可以增加空间并使声带开放。如通气罩的远端向后发生折叠,充气和放气可能松开折叠。

(6)调整头和颈的位置:置入失败可采用嗅花位纠正;气道梗阻引起的通气失败也可采用嗅花位纠正。喉罩封闭不佳可以通过采用颏-胸位纠正。嗅花位纠正置入失败是通过增加口咽角和减少咽喉部压力。纠正因气道梗阻引起的通气失败是通过减少咽喉部压力而达到。颏-胸位纠正因密闭不佳引起的通气失败是通过对咽部加压。应用调整头和颈的位置,纠正了一个问题常会引起或加重另一个问题。

(7)提颏或推下颌:通过提高会厌软骨以及增加咽的前后径纠正置入失败。通过提高会厌软骨使其与声门入口提起和(或)减少声带的压力纠正因气道梗阻引起的通气失败。

(8)压迫颈前部:应用压迫颈前部的方法可以使通气罩紧贴舌周组织并插入咽部周围的间隙,可纠正因密闭不佳引起的通气失败。对颈前部应逐渐加压。可使用 0.75 kg 的沙袋或液袋加压。加压力过大,可能引起喉罩移位,气道梗阻或压迫血管。环状软骨压迫不适用于增加通气的密闭效果,因为它只能压迫远端通气罩并可能引起移位。

(9)退回,推进和旋转通气罩

1)退回:如果使用了太小的喉罩,可能进入咽的深部并使近端的通气罩与声门入口相对。当发生置入容易但出现气道梗阻,并发现导管在口腔外很短时,将导管退回几厘米会有所改善。然后应考虑更换大的喉罩。

2)推进:如果喉罩没有置入足够的深度或喉罩太大,远端通气罩可能处于声门入口或进入声门。如成人导管在口腔外 8 cm 以上或在口腔后部见到通气罩就应考虑出现了错位。如在置入过程中感到阻力,有可能喉罩太大或者碰到了声门入口。如在置入过程中没有遇到阻力,可能喉罩没有置入足够深度。简单的检测方法是将喉罩再置入几厘米。如没将喉罩置入足够的深度,此方法可缓解气道梗阻。如果不能再置入,喉罩可能太大或者与声门入口相碰,这种情况下应该考虑选用小号喉罩再次插管。喉罩在置入时如遇阻力,不应强行用力以免引起损伤。

3) 退回和推进：退回和推进通气罩大约 5 cm，这种上下操作常使用于发生会厌折叠时。原理是退回通气罩时会将会厌拉回直立位，而推进通气罩不会再把会厌推回低位。如在退回时通气罩充气而推进时放气，此方法的成功率很高，因为这样可以降低重新将会厌推回折叠的危险性。

4) 旋转：旋转通气罩作为提起折叠会厌的方法。用示指和中指将舌和咽前方的提起，然后旋转通气罩 360°纠正会厌反折。原理是在最初旋转的 90°反折的会厌从下陷被转出，而在最后的 90°又未被转回凹面。此方法使病人有咽部受伤和杓状软骨脱位的风险。当遇到会厌反折时最好选用上—下操作，提拉下颌重新置入或喉镜引导置管。

（10）再次重置喉罩：重置喉罩不但可以纠正置入失败而且可以纠正通气失败，因为重置后可放入更好的位置。重置成功率也高。

（11）更改喉罩大小：一般来讲，小号喉罩可以解决置入大号喉罩的通气问题。喉罩太小最明显的表现是密闭不佳，而喉罩太大时不能被完全地置入咽深部，而且增加少量容积后即从咽部弹出。如果在置入时遇到口腔后壁的阻力，临床上常错误地认为喉罩太大。喉罩的更换主要依据最初选用喉罩时使用的标准、使用者的技巧和是否需要正压通气。需要改用大号喉罩的发生率要高于改用小号喉罩。虽然减小喉罩号码在正压通气时可能会引起密闭不全，但可以解决张口受限的问题。小号喉罩有利于置入，大号喉罩有利于改善通气。

（12）更换不同类型的喉罩：更换不同类型的喉罩可以纠正置入和通气问题。因为不同号的喉罩有很多不同点，当一种失败时另一种有可能成功。应依据失败的原因选择备用喉罩。如果置入可曲喉罩或气道食管双管型喉罩遇到困难时，选用有硬性导管的普通型喉罩或插管型喉罩可能会是合适的选择。如果在中间位置入普通型、可曲喉罩或者气道食管双管型喉罩失败时，插管型喉罩将是合适的选择。如果置入普通型或可弯曲型喉罩后产生密闭不佳，选用插管型喉罩或气道食管双管型喉罩，因为其良好的舌周组织密闭效果将是合适的选择。

（13）通气失败有时会自动改善：最常见的原因是有些通气失败是因为暂时性的声门关闭引起的，偶尔在置入后几分钟以后密闭效果得到改善，可能是由于咽部组织与通气罩形状相适应而产生的结果。在这两种情况中解决问题最好的办法是严密观察，暂不采取措施。

置管阶段是短暂的，但是喉罩麻醉最重要的阶段并起着承前启后的作用。在放置的 5 min 里，麻醉医师需要为喉罩的置入完成麻醉，将喉罩放入正确的位置并防止损伤周围组织，还需建立有效的气道。要很好地完成此过程需要对麻醉药物有彻底的了解，仔细评估麻醉深度，选用明智的置管、充气和固定操作，置入后精确的功能评估和解剖位置评估，并使用合理操作解决问题。

第七节　喉罩通气期间的麻醉管理

喉罩麻醉通气期间维持麻醉和心肺功能的稳定、减少并发症、提供最佳手术环境是麻醉维持期的基本任务。

麻醉维持常用静脉麻醉药和吸入麻醉药。麻醉维持的麻醉深度取决于手术刺激,耐受喉罩的最小抑制浓度或最小肺泡气有效浓度(MAC)。耐受喉罩的 MAC 明显低于手术刺激的 MAC。

一、静脉麻醉药

丙泊酚是麻醉维持最为常用的静脉麻醉药。全凭静脉麻醉(TIVA)可间断分次给药或持续输注给药。除了很短小的手术,持续输注能提供稳态的血浆药物浓度。可以人工调节输注泵的输注速率,或设定血浆靶控浓度,由计算机按药物代谢动力学参数和病人特征控制输注速率。大量研究证明,TIVA 能够安全有效地用于成人和小儿的各类外科手术的喉罩麻醉。

(一)持续输注

丙泊酚维持量取决于下列因素:① 诱导药物及其剂量;② 复合 N_2O、镇痛药和区域阻滞;③ 年龄与体格状况;④ 手术刺激的大小;⑤ 通气方式。丙泊酚维持用量的范围很广,从 $2 \sim 12 \, mg/(kg \cdot h)$,平均 $5 \, mg/(kg \cdot h)$。脑电双谱指数监测可减少丙泊酚用药量。

(二)靶控输注

1. 成人　成人病人中使用丙泊酚靶控浓度 $4.5 \, \mu g/ml$ 复合 $67\% N_2O$ 或阿芬太尼靶控浓度 $22 \, ng/ml$,能获得了满意的麻醉效果。

2. 小儿　13 个月~12 岁小儿中使用丙泊酚靶控浓度 $8 \sim 14 \, \mu g/ml$(不吸入 N_2O)能提供良好的手术条件,苏醒浓度约为 $1.5 \, \mu g/ml$。

3. 电脑监测的闭环输注系统　脑电监测仪、计算机和靶控输注泵构建成闭环输注系统,计算机每 5 s 接受一次来自电脑监测仪的参数,然后通过类比法计算调整丙泊酚血浆药物浓度,靶控输注系统重新调整丙泊酚输注速率。临床获得了满意效果。

(三)手控输注与靶控输注的比较

手控输注丙泊酚与靶控输注丙泊酚的麻醉效果比较,靶控输注术中躁动的发生率明显低于手控输注组。

二、吸入麻醉药

常用于喉罩麻醉维持的吸入麻醉药有七氟烷、地氟烷、异氟烷。吸入麻醉药的浓度主要取决于手术刺激的大小,一般维持喉罩麻醉在 1.5 MAC 以上。已经证明在麻醉维持期间,静脉麻醉与吸入麻醉对循环呼吸功能的影响及其并发症方面无明显的差别。

三、肌松药

喉罩麻醉维持可以不用肌松药,从而避免了使用肌松药可能带来的副作用。但是,在下列情况下常需使用肌松药:① 正压通气;② 避免气道保护性反应,如呃逆、喉痉挛;③ 胸腹部手术;④ 经声门的操作,如经喉罩激光刀切除气管内肿瘤或经喉罩插入气管内导管;⑤ 防止术中因病人突发呛咳引发的手术并发症,如眼内手术时眼内容物的突出;⑥ 防止术中因病人突然躁动引发的麻醉并发症。当然,加深麻醉也能达到上述目的,但是深麻醉可影响循环功能和苏醒延迟。

通常使用非去极化类肌松药,但需快速肌松者也可用去极化类肌松药。最好在肌松监测下使用肌松药。

四、通气方式

喉罩麻醉维持期选择何种通气方式(自主呼吸还是正压通气)应考虑以下几点:① 麻醉诱导:静脉麻醉诱导后病人多数无自主呼吸,而吸入麻醉诱导后病人多数保留自主呼吸;② 肌松药:使用了肌松药的病人采用正压通气;③ 手术种类:胸腹部手术用正压通气;④ 病人体位:头低位和俯卧位的病人宜采用正压通气;⑤ 病人状况:肥胖病人用正压通气。喉罩麻醉维持期大多数病人采用正压通气。

(一)自主呼吸

1. 自主呼吸的优点　① 对喉罩密闭压的要求较低;② 吸入麻醉时容易调节麻醉深度;③ 胃内充气的危险性下降。

2. 自主呼吸的缺点　① 有效气体交换的效果不足;② 不能使用肌松药;③ 阿片类等药物使用的剂量受限制;④ 长时间手术易发生呼吸疲劳。

在气道通畅的情况下喉罩自主呼吸与面罩自主呼吸的做功相似,但喉罩的低氧发生率低于面罩。但是,婴幼儿采用喉罩自主呼吸时气道方面的并发症明显高于面罩。

3. 自主呼吸的恢复　多数病人在喉罩置入后没有自主呼吸,尤其是静脉麻醉诱导的病人,需采用呼吸囊进行手控呼吸或呼吸机进行正压通气,等待自主呼吸的恢复,一般在麻醉诱导后 5～10 min 出现自主呼吸。手术刺激常能触发自主呼吸。也有些病人直至手术结束停用麻醉药后才恢复自主呼吸。没有必要通过减浅麻醉深度的方法来加速自主呼吸的恢复,因浅麻醉使病人对手术刺激产生不良反应。

4. 高碳酸血症的处理　自主呼吸期间呼气末 CO_2 浓度($P_{ET}CO_2$)取决于麻醉深度、手术刺激、呼吸抑制药物、病人年龄和身体状况等因素。在不同研究中 $P_{ET}CO_2$ 的水平有明显不同。一般认为,术中应维持 $P_{ET}CO_2$ 55 mm Hg 以下,一旦 $P_{ET}CO_2 > 55$ mm Hg 应行呼吸支持。

(二) 正压通气

1. 正压通气的优点 ① 保证气体交换的效果;② 允许使用肌松药和大剂量阿片类药物;③ 避免呼吸肌疲劳。

2. 正压通气的缺点 ① 口咽部漏气,影响通气效果;② 食管漏气,胃内过度充气。气道食管双管型喉罩提高喉罩的通气效果。

3. 不同方式的正压通气

(1) 呼气末正压通气(PEEP):Ilzuka 等在 24 例喉罩全麻肌松下行腹腔镜胆囊切除术病人中采用 20 cm H_2O 的压力控制通气和不同水平的 PEEP(3、5、7、10 cm H_2O),结果只有 1 例病人在 PEEP 为 10 cm H_2O 时出现口咽部漏气。

(2) 容量控制通气(VCV)与压力控制通气(PCV):VCV 以预定潮气量为目标,只要气道内压不超过漏气压,VCV 提供的潮气量不受肺顺应性的影响。PCV 以预定气道内压为目标,只要气道内压不超过漏气压,PCV 能防止漏气。当病人肺顺应性下降时,VCV 表现为气道内压升高和漏气增多,而 PCV 表现为潮气量减少。成人采用相同潮气量时,PCV 的气道峰压约低于 VCV 气道内压。以维持相同的 $P_{ET}CO_2$ 为目标,小儿 PCV 时的气道峰压约低于 VCV 2.5 cm H_2O 左右。

(3) 高频通气(HFV):经喉罩 HFV 已成功地用于气管切断吻合术、胸腔镜下交感神经节切除术、体外碎石术,以及新生儿严重透明膜病的治疗。

非肥胖且肺功能正常的病人可经喉罩实施机械正压通气,通气方式以 PCV 为首选。在严密的气道内压监测下也可进行 VCV。PCV 时气道内压不宜超过 20 cm H_2O,VCV 时潮气量不宜超过 12 ml/kg。通过调节呼吸频率,$P_{ET}CO_2$ 维持在正常水平。预计气道峰压超过 20 cm H_2O 的病人最好采用气道食管双通型喉罩。

五、镇痛

手术时镇痛的主要目的是减少疼痛,减少术中麻醉药用量,控制高血压和心动过速等。可通过全身用药,区域镇痛或局部浸润等方式为病人提供满意的镇痛效果。

(一) 全身用药

许多镇痛药物用于喉罩麻醉,如吗啡、哌替啶、芬太尼、阿芬太尼、雷米芬太尼和氯胺酮等。一般采用单次注射给药,但阿芬太尼和瑞芬太尼宜采用持续输注方式给药。镇痛药物能减少喉罩麻醉期间的麻醉药用量。阿芬太尼靶控浓度 22 ng/ml 相当于吸入 67% 的 N_2O。瑞芬太尼靶控浓度 0.5、2.5、10 ng/ml 有剂量依赖性产生催眠状态。喉罩麻醉期间使用镇痛药物即使发生呼吸抑制,也能方便实施正压通气。

（二）区域镇痛

与全身用药不同,区域镇痛具有下列特点:① 镇痛效果强,不需使用其他镇痛药;② 对中枢抑制较轻,容易维持自主呼吸;③ 具有超前镇痛作用,术后较少镇痛药。

浅全身麻醉复合区域镇痛的方法称为"平衡区域麻醉"。一般说来,喉罩较气管插管更容易实施平衡区域麻醉,因为病人更容易耐受喉罩。但应维持适当的麻醉深度,以阻止气道保护性反射的激活。曾有在平衡区域麻醉期间因病人反复吞咽活动导致胃胀、呕吐和误吸的报道。虽然 0.3MAC 的吸入麻醉下就能耐受喉罩,但术中麻醉深度宜维持 1MAC 以上。平衡区域麻醉可以不用肌松药保留自主呼吸,特别是那些怀疑恶性高热、重症肌无力、肺大泡、气胸等病人的麻醉。

六、体位

喉罩麻醉与病人体位的关系非常密切,当病人腹内压升高时容易发生反流;肺顺应性下降时造成正压通气困难;体位不稳定时喉罩位置容易发生移动;摆放体位时容易使病人发生刺激和损伤。病人体位变动时,呼吸道和胃肠道的密闭性常发生变化,可能与重力作用和颈部受力的方向有关。此外,还应注意循环功能的变化和组织受压损伤。

（一）侧卧位

多数麻醉医生习惯在病人平卧位时置入喉罩,然后再改为侧卧位。摆放体位时喉罩的位置容易发生变动。实际上,在侧卧时置入喉罩也是很方便的,可以减少损伤的发生。已证明喉罩麻醉能安全有效地用于侧卧手术。

（二）截石位

截石位常复合头低位。腹内压升高时反流的危险性增高。临床证明,喉罩麻醉也能安全有效地用于截石位手术。当截石位复合头低位($>15°$)时,推荐采用气道食管双管型喉罩。

（三）头高位

头高位时反流的危险性减低,通气效果提高。常用于腹腔镜胆囊切除术,但需用 CO_2 腹腔内充气,使腹内压升高影响通气效果。应用气道食管双管型喉罩效果更好。

（四）俯卧位

喉罩能否用于俯卧位手术有争议。不赞成使用喉罩者认为,俯卧位时喉罩容易滑出,喉罩下不宜正压通气,易发生反流等。而赞成使用喉罩者认为喉罩滑出的发生率极低,即使滑出,再次插入喉罩也很容易;喉罩下能进行正压通气;即使发生了反流,也不容易发生误吸,因重力作用使反流物不易进入肺内。通常喉罩能安全有效地用于俯卧位手术的麻醉。但俯卧位手术应采用气道食管双管型喉罩。

（五）坐位

坐位常用于肩部和颅后窝手术。术中头颈部覆盖手术巾,颅后窝手术还常需颈前倾

（颏胸位），普通型喉罩容易发生气道梗阻，不容易进行呼吸道的管理。因此，坐位手术主张使用气道食管双管型喉罩。

（六）体位变换

多数麻醉医生习惯在平卧下插入喉罩，然后再将病人摆放成符合手术要求的体位。用胶布固定喉罩的导管不能完全防止喉罩的移位。摆放体位时还应注意：不得推拉喉罩，颈部不得受压，尽量减少头颈部的活动，维持适宜的麻醉深度和肌松作用。一旦体位完成摆放，应对喉罩的密封性和气道的通畅性进行评估，必要时对喉罩位置进行调整。

七、通气罩内压

N_2O 容易扩散进入硅酮（silicone）材料制成的喉罩的通气罩中，引起麻醉维持期间通气罩压力逐渐升高。Maino 等在体外试验时发现，向硅酮材料制作的普通型喉罩通气罩内预充空气，使通气罩压力达到 40 cm H_2O，将通气罩暴露在含 66% N_2O 的氧中仅 5 min，通气罩压上升超过 250%。van Zundert 等于麻醉期间给 100 例使用普通型喉罩的病人吸入 66% N_2O，手术结束时，通气罩压从最初的 45 mm Hg 上升到 100.3 mm Hg。麻醉期间吸入的 N_2O 经弥散作用进入喉罩通气罩，因此有必要间歇地抽出部分通气罩内气体，防止通气罩内压升高。术中控制通气罩内压力能够明显降低术后喉痛等并发症的发生率。

应建立和加强麻醉期间对通气罩压力的持续监测，调控通气罩压在适当水平，防止过高的通气罩压造成咽部黏膜缺血性损害、舌充血和舌神经损伤。在保证喉罩通气罩有效密封的前提下，应尽可能采取低的通气罩内压（或容量），以防止黏膜损伤。控制通气罩内压力主要有以下方法。

1. 抽出通气罩内气体的方法　① 监测通气罩内压，间歇性地抽出部分通气罩内气体；② 如无条件监测通气罩内压，可间歇性地抽出部分通气罩内气体，直至喉罩出现少量漏气，然后再追加 1～2 ml 空气。③ 以喉罩插入后的通气罩指示小囊的手感压力为指标，间歇性地抽出部分通气罩内气体。④ 采用全自动压力监测和放气装置，维持通气罩内压在某一设定的水平。采用前三种手动抽气方法，间隔时间约为 10 min。

2. 通气罩内充入 N_2O　已经证实，喉罩通气罩充入与吸入麻醉气体相似的 O_2/N_2O 混合气，能明显减少麻醉期间喉罩通气罩内压的升高。

3. 通气罩内充入生理盐水　能使麻醉期间喉罩通气罩内压保持恒定。

4. 采用 N_2O 不易弥散的喉罩　用 PVC 材料制成的一次性喉罩的通气罩壁较常规硅胶的喉罩为厚，麻醉期间喉罩通气罩内压的变化较小。

5. 避免使用 N_2O　麻醉期间不用 N_2O，喉罩通气罩内压能保持恒定。

八、长期使用喉罩的问题

长时间麻醉采用气管插管基于以下考虑：① 便于正压通气，防止呼吸肌疲劳；② 便于气道保护，防止误吸的发生。一些人认为，在正压通气和气道保护方面喉罩不如气管插管，喉罩不适宜长时间麻醉，尤其是超过 2 h 的手术。

长时间麻醉采用喉罩通气具有以下优点：① 喉罩下呼吸做功减少有利于保留自主呼吸；② 病人对喉罩耐受好，允许不用肌松药实施正压通气；③ 喉罩不干扰气道纤毛活动，减少术后肺部感染。许多报道认为喉罩麻醉 2～4 h 内是安全的，部分报道认为喉罩麻醉 4～8 h 仍是安全的，＞8 h 有待研究。＞24 h 可能引起咽喉部损伤。

预计使用喉罩通气时间较长时（如＞2 h），应由有经验的麻醉医师进行麻醉。插入胃管，定时吸引，以减少胃内容量。喉罩通气罩内压不可太高。术中可以保留自主呼吸，尤其是复合区域麻醉，但正压通气更为适宜。保留自主呼吸者应维持足以耐受喉罩的麻醉深度。考虑较长时间使用喉罩时最好采用气道食管双管型喉罩。插管型喉罩不适宜长时间的麻醉，因为该型喉罩的通气罩内压力较高，可能压迫黏膜，导致并发症。

九、并发症

喉罩麻醉期间的主要并发症可分为机械性和病理生理性两大类。机械性并发症包括喉罩移位、导管阻塞、通气罩密闭性下降、胃胀气。病理生理性并发症包括呛咳、喉痉挛、反流误吸、循环功能变化。

（一）机械性原因

1. 喉罩移位　喉部受压、拖拉喉罩导管、通气罩充气过度等原因均可能导致喉罩移位，表现为喉罩向外移位和气道不通畅。处理可将喉罩推回原位或者拔出后重新插入。如果胃管尚在位，气道食管双管型喉罩很容易重新恢复到正常位置。

2. 喉罩通气导管阻塞　喉罩通气导管被咬、扭曲、异物可能引起通气导管阻塞。扁桃体手术时常发生开口器压迫喉罩通气导管导致阻塞。螺纹钢丝加固的可弯曲型喉罩和气道食管双管型喉罩较少发生导管阻塞。插管型喉罩不易发生阻塞。临床表现为呼吸道阻塞，应按原因分别处理。必要时，可用纤维镜观察以确定阻塞原因和部位。加深麻醉或使用肌松药能解除导管被咬引起的阻塞。导管扭曲者应解除导管的扭曲。开口器压迫者重新放置开口器。气道食管双管型喉罩通气罩前端卷曲易引起引流导管的阻塞，可拔出喉罩后重新插入。

3. 通气罩密闭性下降　头颈部移动或通气罩内充气减少是通气罩密闭性下降的主要原因。临床表现为无气道压升高的情况下出现明显漏气。按原因分别处理。将头颈部恢复至原始位置，通气罩加注气体，调整喉罩位置，拔出喉罩后重新插入。

4. 胃胀气

（1）原因和诊断：正压通气时气道内压力超过下咽部的密闭压,气体经食管入胃引起胃胀气。明显胃胀气的发生率在 0～3%。反复吞咽活动也可能引起胃胀气。气道食管双管型喉罩发生气道部分阻塞时也可能引起胃胀气。上腹部听诊可闻及气入胃声,腹围增大,或麻醉机呼吸回路表现明显漏气而无明显口咽部漏气。

（2）处理：调整喉罩位置,降低吸气峰压,改用自主呼吸,以防止胃胀气加剧。反复吞咽活动者可加深麻醉深度。必要时在喉罩置入后插入胃管减压,插胃管失败者应改用气道食管双管型喉罩或气管内插管。

（二）病理生理性原因

1. 诊断　呛咳、呃逆、喉鸣等临床表现明显。严重喉痉挛和支气管痉挛可闻及明显啰音,轻者仅表现为气道压升高或潮气量减少。轻度喉痉挛可在颈部听诊闻及啰音,或采用纤维镜观察声门。气道内或口内见反流物可确诊反流存在。纤维镜发现支气管内反流物时误吸诊断确立。突发支气管痉挛时应怀疑误吸的可能。

2. 处理　加深麻醉深度或加用肌松药能消除因刺激引发的气道反应性活动。注意清除刺激的原因,必要时拔出喉罩后重新插入或暂停手术操作。怀疑反流、误吸时,病人置头低位、吸纯氧、加深麻醉、吸引等措施。纤维镜有助于确定反流、误吸的严重程度。根据喉罩的状态和反流、误吸的严重程度决定是否继续使用喉罩通气或改换气管插管。拔除喉罩时有可能进一步发生反流、误吸,因此可考虑在纤维镜引导下经喉罩插入气管导管。

喉罩麻醉维持期间已大量临床研究证明：① 在全麻不用肌松药的情况下,喉罩较气管插管易被病人耐受；② 自主呼吸时喉罩比面罩能提供更好的氧合状态；③ 自主呼吸时,喉罩能提供与气管插管相似的氧合；④ 正压通气时,喉罩能提供与气管插管相似的气体交换,而保持较低的气道内压；⑤ 在设定潮气量的情况下,压力控制通气的气道峰压明显低于容量控制通气；⑥ 正压通气比自主呼吸提供更好的气体交换,而并发症发生率相似；⑦ 喉罩和气管插管都能进行低流量麻醉。

麻醉维持期间,麻醉医生应保持病人适当的麻醉深度,严防并发症的发生,为手术提供良好条件。注意事项：① 插入喉罩位置应良好；② 合理使用麻醉药、镇痛药和肌松药；③ 选择最恰当的通气方式；④ 了解头颈部位置变动、开口器等因素对喉罩性能的影响作用；⑤ 严密监测病人通气状况、喉罩位置和麻醉深度；⑥ 及时发现和处理并发症；⑦ 吸入 N_2O 时注意喉罩通气罩内压力的变化；⑧ 长时间手术和俯卧位手术最好选用气道食管双管型喉罩。

第八节　麻醉苏醒与拔除喉罩

苏醒期是指从停止麻醉到病人清醒和恢复意识。喉罩大多在此阶段拔除。因为喉罩的拔除较置入时简单,故拔除喉罩的难度不如麻醉诱导期,但在此时,喉部更容易发生保护性反射活动,因而在管理技巧上较维持期更富有挑战性。

苏醒期病人仍处于麻醉状态,呼吸肌功能尚未恢复;有时病人仍在接受机械通气,苏醒期病人将逐渐恢复自主呼吸至意识清醒。主要包括:① 停止麻醉;② 停肌松药必要时应用拮抗肌松药;③ 调整体位,确保呼吸道通畅;④ 诱发病人自主呼吸(如有必要);⑤ 病人意识恢复;⑥ 拔除喉罩。

一、终止麻醉

适时终止麻醉用药可降低苏醒期危险性。特别是选用七氟烷、地氟烷等起效快、苏醒迅速的麻醉药物时大多在手术停止后终止麻醉。某些情况下,如果麻醉过深或使用起效慢且作用时间长的药物,可在手术结束前逐渐减浅麻醉深度。

二、停用肌松药

停止肌松药的使用取决于为何要用肌松药。如是为了方便喉罩的置入,可在麻醉维持过程中停用肌松药;如是手术需要或实施正压通气需要,肌松药则应维持至手术结束。如眼科手术在眼球关闭后停用。腹腔镜手术气腹结束,手术床放平后不再需要正压通气时停用。苏醒期最大的危险可能是病人肌松药作用尚未消失时而病人已清醒,为防止此类事件的发生,应维持麻醉直至肌松作用消退、呼吸功能恢复。

三、拔除喉罩的地点

喉罩可在麻醉苏醒后选择在手术室内或在 PACU 拔除。在 PACU 拔除喉罩的优点主要是可以提高手术室的周转速度,但在 PACU 拔喉罩需要手术室转运尚处于麻醉状态的病人,一旦发生危急情况,可能会显得忙乱。故手术室距离 PACU 不要太远,使麻醉医师遇紧急情况时可在 30 s 内到达。

四、病人转运与体位

手术结束后,如需在手术室内苏醒,可将病人移至推车上观察,病人一旦醒来即可送至PACU。床间搬动时应在适当麻醉深度下进行(MAC>0.7),应将病人处于侧卧位,以防呕吐误吸。病人转运途中应有供氧装置和氧饱和度监测。

喉罩病人苏醒时应采取侧卧位还是仰卧位有争论。坚持侧卧位的认为可减少意外事件的发生。如果在深麻醉下拔除喉罩,采取侧卧位较为合适,可能有助于预防血液和分泌物的积聚,且不影响面罩通气。如在清醒状态下拔除喉罩,无论病人是处于仰卧位还是侧卧位,均应保持原体位避免搬动。如发生剧烈的呕吐或反流应紧急采取侧卧、头低位。口咽部手术术后建议于侧卧位拔喉罩或深麻醉下拔喉罩,放入口咽通气道,用面罩辅助通气。

五、自主呼吸的恢复

在苏醒期,应调整通气参数使 $P_{ET}CO_2$ 位于上限或略高于正常范围。虽然手控呼吸可以较早发觉自主呼吸的恢复,但如果在手术室内苏醒,正压通气可由呼吸机完成,不必改为手控呼吸。条件允许时,选用压力控制模式在过渡到自主呼吸时比采用容量控制模式更为合适,可避免过高的气道压力。当出现自主呼吸后,可以辅助手控呼吸或持续气道正压通气。根据临床观察,许多病人在没有自主呼吸前可能已对言语命令有反应,在这种情形下,应该在拔除喉罩前要求病人主动呼吸。

六、吸引、牙垫和通气罩内压力

(一)吸引

不必强调口咽部吸引,因为通气罩在声门上将喉隔离。如粗暴吸引会刺激病人触发气道保护性反射,并影响喉罩的封闭性有增加误吸的危险。如存在大量分泌物则应轻柔地进行口腔吸引,以预防拔管时污染。如分泌物存于喉罩通气管内且影响呼吸时应吸净,但要注意吸引导管长度不能伸出至喉罩密封口。因该处距离声门仅 3.5 cm,紧邻会厌,很容易触发气道保护性反射。如果必须将喉罩内分泌物吸除,应在纤维支气管镜引导下实施,不要盲插吸引管吸引,因操作成功率很低且有危险。

(二)牙垫

牙齿的咬合是苏醒期最常见的问题,有时可造成气道梗阻以及损坏喉罩。置入喉罩时如没有同时放置牙垫,在开始苏醒时必须放入牙垫,并且不要在拔除喉罩前取出。

(三)通气罩内压力

通气罩充气压力过高会增加喘鸣发生率,增加术后气道并发症,因而通气罩内压维持在能达到有效密闭最小压力即可。机械通气的病人,当自主呼吸恢复后,通气罩的充气压就可降低,因此时较低的充气压即能获有效的密闭,但不主张将罩囊内的气体完全排空,可能导致有效通气量的减少或造成喉以下密闭效果降低,也有可能引起喉罩上方的分泌物溅入声带而对病人产生刺激。

七、在麻醉状态或完全清醒时拔除喉罩

支持麻醉下拔喉罩的观点认为:可以避免气道反射性活动对喉部的刺激,减少误吸。赞同清醒拔喉罩的观点认为:只要放入的喉罩位置得当,对气道的保护性反射并不显著,喉罩比面罩更易维持呼吸道通畅。但不主张在介于这两者之间的情况下拔除喉罩。

临床研究证实清醒拔喉罩的气道梗阻发生率低。但咳嗽、低氧血症和咬合的发生率比

麻醉下拔喉罩发生率较高。儿童在深麻醉下拔喉罩的咳嗽和低氧血症发生率较低,而气道梗阻等其他变化无差别。小于 6 岁的儿童清醒拔喉罩后低氧血症发生率较高,无牙患儿深麻醉下拔喉罩后的气道梗阻更为多见。儿童清醒拔喉罩比深麻醉拔喉罩分泌物增加更多见。儿童采用逐渐减浅麻醉的方法拔喉罩时,50%患儿不咳嗽、不咬合、没有肢体大幅活动的 MAC 平均安氟烷浓度为 1.02%,七氟烷、氟烷、异氟烷和地氟烷的 MAC 平均浓度分别为 1.2%、0.49%、0.61% 和 3.66%。有研究显示合并区域麻醉时可降低安全拔喉罩的 MAC 平均浓度。清醒拔喉罩引起反流的发生率较低。

由此可见,对于成人和>6 岁儿童,首选清醒拔喉罩,小于 6 岁的儿童两者兼可。当面罩通气困难、咽喉部有血污染、无牙病人清醒拔管可能更为合适。喉罩位置不好或有上呼吸道感染适宜于麻醉下拔喉罩。

拔除喉罩时通气罩充气还是放气有争论。支持放气者认为:放气后拔喉罩时创伤小,且可避免对罩囊的损坏。反对者认为通气罩充气可以在完全拔除前保证有效的密闭和气道保护,且可以让分泌物带出到口外。有作者建议罩囊在拔过程中接近牙齿时放气,可保持拔除前气道的密闭性。气道食管双管型喉罩与普通型喉罩不同,应该放气后拔除。因为气道食管双管型喉罩罩囊大而易受损,即使全部放气后仍能充分保护气道的密闭性。

一旦拔除喉罩,应及时检查口、唇有无损伤。喉罩在拔除后数分钟内应及时清洗干净,此时喉罩上的分泌物尚未干结,如果不能及时处理喉罩,可暂时放在含有皂液或中性酶清洗液的容器内。病人离开 PACU 前,应询问有无咽喉疼痛、听力受损等问题。如症状较严重,应加强随访。

八、喉罩在苏醒期的特殊用途

苏醒期喉罩的特殊用途有:① 替换气管导管,使苏醒更为平稳;② 协助纤维支气管镜检查;③ 术后的短期呼吸支持;④ 呼吸道急救。

麻醉结束后由于气管导管对病人的刺激可出现咳嗽、恶心、呕吐,严重者可导致急性血流动力学变化,颅内压、眼压增高,支气管痉挛和反流等。合并心肺疾病、施行颅内、眼内手术以及头颈部大手术者在苏醒期更应避免这些反应。避免这些反应的方法包括使用阿片类药物、表面麻醉或在深麻醉下将气管导管换成面罩通气,另一个选择就是将气管导管换成喉罩。

喉罩换气管导管已被用于悬吊喉镜检查、眼科、甲状腺、神经外科、脊柱手术、颈动脉内膜剥离术、耳鼻喉科大手术和胸外科手术。

苏醒期将气管导管换成喉罩必须充分考虑其理由,因为换管过程存在风险,严重时可发生致命性误吸。因此,病人应处于深麻醉和肌松状态进行喉罩替换气管导管,如果有发生误吸或困难插管的危险则应避免尝试换管。换管前应充分供氧并做口咽喉部吸净分泌物。

喉罩替换气管导管有三种方法：① 拔除气管导管然后置入喉罩，优点是置入喉罩时无障碍物，但短时间内丧失对气道的控制且喉罩不能保证成功置入；② 喉罩置入后拔除气管导管，优点是先将喉罩置入适当位置后拔除气管导管即可通气，缺点是喉罩置入困难且会影响气管导管的位置；③ 应用细、长气管内插管，通过气管插管导管做导引插入喉罩至合适位置，但很少有病人使用细、长气管内导管插管。同时可将气管导管推入过深甚至进入支气管。

苏醒期应用纤维支气管镜观察声带和气管，可获得喉返神经损伤和气管软化等信息。现已应用于甲状腺切除术后、声带活检和诊断性喉纤维支气管镜检查等。

喉罩可用于术后呼吸支持和气道急救，喉罩用于拔管后因肌松作用对抗不全导致通气障碍的呼吸支持。可用于插管困难病人在苏醒期拔管后即刻发生喉痉挛等导致严重低氧血症，也可用于拔气管导管后由于会厌上部水肿致上气道梗阻的病人，还用于小儿扁桃体摘除术后因会厌下狭窄导致术后喘鸣等急救。

九、苏醒期常见问题

苏醒期意外情况的发生高于维持期但低于置管期，胃胀气、呃逆、心动过缓和低血压的发生并不普遍，而喉罩位置移动、心动过速和高血压的发生率苏醒期高于置管期；低氧血症、胃胀气、喉罩移位和低血压比维持期低，但咳嗽、咬管、心动过速和高血压的发生高于维持期。苏醒期各种问题的发生率大致为成人低于儿童，喉罩低于气管插管；喉罩与面罩相似；各种型号喉罩之间也相似；上呼吸道感染的儿童与成人吸烟者发生率较高。

苏醒期发生的问题有：① 反流和误吸；② 喉罩移位、咬管、上呼吸道梗阻、喉痉挛所致的负压性肺水肿；③ 转运过程中发生喉罩移位；④ 喉罩通气罩故障和头颈部水肿致气道梗阻；⑤ 拔除喉罩时的问题，如通气罩与通气管分离、通气管断裂、通气罩被牙齿撕破等。

麻醉苏醒期管理较喉罩置入期容易，但较麻醉维持期复杂。麻醉苏醒期应用喉罩优于应用气管内插管。拔除喉罩前必须放入牙垫防止气道阻塞、牙齿损伤和损毁通气罩。要有完善的供氧装置、口咽部手术采取侧卧位拔除喉罩为好。一旦发生问题及时处理保证病人安全。

（尤新民）

参 考 文 献

1　Brain AIJ. The laryngeal mask-a new concept in airway management. Brit J Anesth, 1983, 55：801～805.

2　Brimacombe JR. Laryngeal Mask Anesthesia, Principle and Practice. Singapore：Elsevier, 2005.

3　Epstein RH, Ferouz F, Jenkins MA. Airway sealing pressures of the laryngeal mask airway in pediatric patients. J Clin Anesth, 1996,8:93~98.

4　马家骏. 喉罩在小儿麻醉的应用. 中华麻醉学杂志,1994,14:138~139.

5　Bennett SR, Grace D, Griffin SC. Cardiovascular changes with the laryngeal mask airway in cardiac anaesthesia. Br J Anaesth, 2004, 92(6): 885~887.

6　Brain AI, McGhee TD, McAteer EJ, et al. The laryngeal mask airway. Development and preliminary trials of a new type of airway. Anaesthesia, 1985, 40: 356~361.

7　Campbell RL, Biddle C, Assudmi N, et al. Fiberoptic assessment of laryngeal mask airway placement: blind insertion versus direct visual epiglottoscopy. J Oral Maxillofac Surg, 2004, 62(9): 1108~1113.

8　Gustorff B, Lorenzl N, Aram L, et al. Environmental monitoring of sevoflurane and nitrous oxide using the cuffed oropharyngeal airway. Anesth Analg, 2002, 94: 1244~1248.

9　Kaplan A, Crosby GJ, Bhattacharyya N. Airway protection and the laryngeal mask airway in sinus and nasal surgery. Laryngoscope, 2004, 114(4): 652~655.

10　Keller C, Brimacombe J, Bittersohl J, et al. Aspiration and the laryngeal mask airway: three cases and a review of the literature. Br J Anaesth, 2004, 93(4): 579~582.

11　Maino P, Dullenkopf A, Bernet V, et al. Nitrous oxide diffusion into the cuffs of disposable laryngeal mask airways. Anaesthesia, 2005, 60(3): 278~282.

12　Viviabd X, Berdugo L, De LaNoe CA, et al. Target concentration of propofol required to insert the laryngeal mask airway in children. Paediatri Anaesth, 2003, 13: 217.

13　Wrobel M, Grundmann U, Wilhelm W, et al. Laryngeal tube versus laryngeal mask airway in anaesthetised non — paralysed patients: A comparison of handling and postoperative morbidity. Anaesthesist, 2004, 53(8): 702~708.

第6章 气管插管型喉罩

气管插管型喉罩(intubation laryngeal mask airway,ILMA,商品名:LMA-Fastrach™)是第二代喉罩(图6-1),由Brain根据生物医学工程学原理设计,可以用来气道置管,克服普通型喉罩的局限性,目的是为了解决困难气道病人的气管插管问题。

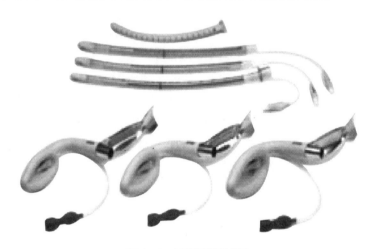

图6-1 气管插管型喉罩

第一节 ILMA 的结构

一、ILMA 的结构

ILMA用医用硅和不锈钢制成,可重复使用(图6-2)。它与普通型喉罩相比有以下不同和改进之处。

(1) 一个宽短有导引手柄的坚硬而有解剖曲度的通气导管。

(2) 导管由薄的医用不锈钢制成,可以提供最大的硬度。

(3) 导管插入硅鞘中,防止对牙齿的损伤。

（4）导管弯曲度更好，以适应中间位时的口咽解剖结构。

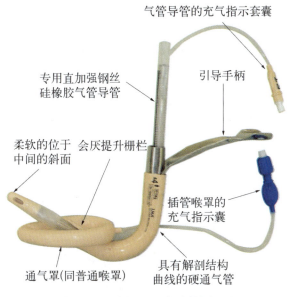

气管导管的充气指示套囊

专用直加强钢丝
硅橡胶气管导管

引导手柄

柔软的位于
中间的斜面

会厌提升栅栏

插管喉罩的
充气指示囊

通气罩(同普通喉罩)

具有解剖结构
曲线的硬通气管

图 6‑2　可重复使用气管插管型喉罩

（5）导管在背面每隔 1 cm 有标记，以提供放置深度的相关信息（图 6‑3）。

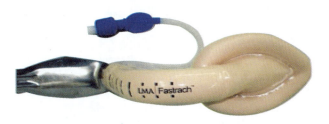

图 6‑3　导管背面每隔 1 cm 标记

（6）导管与一个医用不锈钢制成的鞋拔形状的导引手柄相连，可以调整在咽部的位置而不用手指插入。

（7）由一个可移动的会厌提升板替代两个面罩栅栏，防止会厌突入导管，减少阻挡气管导管的发生率，在插管时抬高会厌（图 6‑4）。

图 6‑4　ILMA 会厌提升板

（8）远端孔外侧弯曲处的 V 形导引斜坡，在插管时保持气管导管的中间位，导向进入声门入口。

通气罩、充气管和与普通型喉罩相同。目前 ILMA 有 3、4、5 号三种型号。在不同的型号中，有相应大小的通气罩，气管导管的号码和形状则相同。

ILMA 型号及特点见表 6-1。

表 6-1　ILMA 的型号及特点

号　　码	3	4	5
病人体重(kg)	30～50	50～70	＞70
内径(mm)	14.5	14.5	14.5
外径(mm)	18.5	18.5	18.5
导管长度(mm)	15.5	15.5	15.5
导管厚度(mm)	2.0	2.0	2.0
罩囊最大容积(ml)	20	30	40
罩囊壁厚度(mm)	0.64	0.71	0.80
最大气管导管(内径,mm)	8.0	8.0	8.0
最大纤维支气管镜(外径,mm)	9	9	9

二、ILMA 附属配件

（一）特制气管导管（图 6-5）

图 6-5　ILMA 特制气管导管

使用特制气管导管提高插管成功率及减小损伤，有以下特点。

（1）由可弯曲的金属丝制成的加强型导管，可以高压灭菌并重复使用。

（2）前端 1～2 cm 采用橡胶制成，呈轻微的锥形，并有一定的弧度，以减少损伤。

（3）导管足够长，确保可以通过声门。

（4）导管气囊紧贴导管外壁，减小外径（图 6-6）。

图 6-6　特制气管导管气囊

（5）充气管位于导管内侧面，可以减小外部直径，在喉罩移动时防止折叠。

（6）导管末端柔软的斜面，减小损伤并导引导管进入气管。

（7）导管充气指示气囊有不同的颜色，帮助与喉罩上的充气气囊相区别。

（8）一个直径 15 mm 易于分离的衔接管头，当气管插管成功后特制气管导管可以顺利通过 ILMA。

（9）在气管导管上有纵向经度背线，利于旋转调整。

（10）在气管导管中部有横向标志线，向操作者提示斜面末端到达了会厌提升板的位置。

特制气管导管有五个号码：内径分别为 6.0 mm、6.5 mm、7.0 mm、7.5 mm、8.0 mm。

（二）稳定杆（图 6-7）

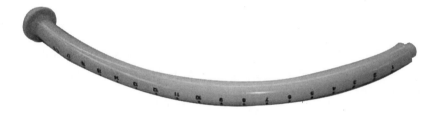

图 6-7　ILMA 用稳定杆

在拔除 ILMA 时稳定杆用来稳定气管导管的位置，是由硅制成，可重复使用。与特制气管导管的外径号码相同，有圆柱形的略有弯曲度的实心杆。大弯侧表面有间距为 1 cm 标志。其远端有个小的突起，当特制气管导管的近端衔接管移去时，可与气管导管的末端相连。其近端也是突起，像钉子的头部，使稳定杆易于控制，可防止稳定杆意外地进入 ILMA 的通气管中。ILMA 和普通喉罩比较见表 6-2。

表 6-2　ILMA 与普通型喉罩比较

优　点	缺　点
可以克服气管导管直径和长度的限制	不适合口咽部和脸部手术的使用
放置时不需要头、颈部特殊体位	可能引起会厌向下折叠
放置时操作者不需要将手指放入病人口中	头和颈部移动时可能引起损伤和错位
在咽部更容易调整气囊的位置	气道并发症的发病率较高
用相同的技术在任何位置都可以插入	齿间距离<20 mm 时无法插入
会厌被抬高并离开插管通路	纤维光导镜只能从会厌提升板侧面通过
可减少呼吸管理的工作量	只有成人号码
密闭性更好	
抬高手柄可以改善密闭性	
抬高手柄可以减小颈前部的压力	
盲插的成功率高	

第二节　ILMA 的定位与气道解剖的关系

ILMA 置管后的解剖位置与普通型喉罩相同,但错位更为常见,因为通气管固定的弯曲度限制了其到达咽部的深度。最常见有气囊远端在咽部位置不确切,前端压迫了杓状软骨。另外,通气管最宽的地方 2.0 cm,如果张口度小于 2.5 cm,会有置入困难,张口度小于 2.0 cm,则无法置入。通过观察导管可容易判断 ILMA 的位置,因为其相对位置是固定的。目前还没有关于其解剖位置的影像学研究,但有纤维支气管镜的研究。

一、纤维光学镜的研究

（一）ILMA 与其他喉罩的比较

使用肌松药的麻醉病人,发现在各种气囊容积下 ILMA 与普通型喉罩相比更易出现会厌向下折叠。在气囊内压力为 60 cm H_2O 时,ILMA 比普通型喉罩或可曲喉罩更易出现会厌向下折叠。会厌向下折叠的高发生率可能是由于其增加了前后径,和(或)在中间位较嗅花位减小了咽的前后径,使气囊和会厌发生碰撞。会厌向下折叠不会阻碍插管,因为在插管时会厌提升板会使会厌移位。也有研究发现即使 8 mm 的气管导管抬高了会厌提升板,会厌向下折叠仍比普通型喉罩常见。

（二）影响解剖位置的因素

1. 气囊容积　有研究发现纤支镜显示的位置并不由于气囊容积的不同而改变。

2. 喉罩号码　男性使用 3 号喉罩比 4 号、5 号喉罩正确的位置更少;女性使用各种型号的喉罩位置正确率相同;气管导管从气囊突出深入声门的总体平均距离男性为 8～13 cm,女性为 8～11 cm;ILMA 通气管的远端孔至声门之间的距离与病人身高、鼻至颏距离、甲颏距离和胸骨至颏距离成正相关。

二、颈椎段的活动

尽管放置 ILMA 不需要对头和颈部进行操作,但弯曲的金属导管放置在颈椎前部的黏膜上受到压力,会引起微小的颈椎移动。正常麻醉的成年病人使用 ILMA 通常会对颈椎前部产生持续高压(>157 cm H_2O)。在尸体也证实除了在放置时,其余操作时所产生的压力在 ILMA 比普通型喉罩都显著增高,颈椎向后移位 1～3 mm。

颈椎存在病理学改变而进行胸椎手术的麻醉病人,术前均存在神经系统的症状。研究发现 ILMA 会引起大约 2°的俯屈及 1 mm 向后移位。这种移动在上面的三节颈椎最大,而在使用直接喉镜下移动方向相反。这说明根据颈椎不稳定性的性质,用不同方法处理气道更为重要。

胸椎段正常的成年人,发现 ILMA 在 $C_1 \sim C_2$ 和 $C_2 \sim C_3$ 引起 $2°$ 的伸展,比在直接喉镜直视下行气管插管引起的 $C_1 \sim C_2$ 和 $C_2 \sim C_3$ 的 $7° \sim 9°$ 的伸展幅度小。对第三颈椎向后不稳定的尸体研究发现:使用面罩、喉镜直视下经口气管插管、ILMA 及普通型喉罩会引起受损节段的明显错位,而使用纤维支气管镜引导经鼻气管插管则不引起错位。因此颈椎损伤处理气道的安全方法是应用纤维支气管镜引导下经鼻气管插管。

ILMA 导致轻微的颈椎移位,其临床意义还不十分清楚。

第三节　置管时循环和呼吸的变化

一、心血管系统

ILMA 对局部微循环的影响还不明确,由于对黏膜的压力高于普通型喉罩,可能有黏膜缺血,气道问题的发病率可能会更高。气囊对周围大血管位置的影响,可能与普通型喉罩相同。

（一）ILMA 对心血管的影响

Shung 等研究了镇静和表面麻醉的病人,发现在放置 ILMA 和盲插气管导管时血压无显著变化,心率略有加快。应用丙泊酚和维库溴铵麻醉的成年病人,尽管有时需要多次气管插管,但血压并不升高,心率仅略有加快。使丙泊酚的靶浓度维持在 $5 \sim 7 \mu g/ml$,但未应用肌松药,放置 ILMA 和气管插管时血流动力学维持稳定。丙泊酚和瑞芬太尼诱导但不使用肌松药,在放置 ILMA 和气管插管时动脉血压下降 16%,但心率没变化。

丙泊酚、芬太尼和维库溴铵或阿曲库铵麻醉诱导,在放置 ILMA 和气管插管后心率和平均动脉压只有轻微变化。颈椎不稳定的病人,在清醒并镇静的情况下放置 ILMA 时血压和心率增加。移除 ILMA 心率和平均血压无显著变化。

总之:ILMA 在放置、气管插管或 ILMA 移除引起的血流动力学变化较小。发生血流动力学反应大多是气管插管引起而不是放置 ILMA。

（二）ILMA 和喉镜直视气管插管的比较

ILMA 进行的盲插或纤支镜引导的气管插管比喉镜直视气管插管的血流动力学反应小,也有 ILMA 盲插和喉镜直视下气管插管的血流动力学反应无差别的报道。

（三）ILMA 盲插与光探条盲插及纤支镜插管的比较

对 ILMA 盲插与光探条插管的比较发现:用 ILMA 进行盲插的血流动力学反应与用光探条引导的插管相似。用 ILMA 盲插与纤支镜引导的插管血流动力学反应没有差别。

（四）ILMA 拔除时对血流动力学影响很小

二、呼吸系统

（一）气道梗阻和气体交换

ILMA盲插和用光探条引导插管发生缺氧的均值分别为1%和3%。缺氧的发生率与喉镜直视下气管插管相似，但比用纤支镜引导下气道插管的发生低。低氧血症发生率不受硅橡胶气管导管斜面和插管技巧的影响。有报道认为ILMA作为通气工具的成功率＞99%，优于气管插管。未见通气罩密闭不好和气道梗阻导致的通气失败率之间的差异的报道。

（二）气道保护性反射

关于气道保护性反射的资料目前报道不多，主要是大部分病人都给予肌松药。有报道未使用肌松药进行子宫切除术的女性病人，在1～2 h的手术中，普通型喉罩与ILMA都没有出现气道反应活跃。也有报道ILMA引起呛咳的几率很低。

（三）其他

对气流阻力，肺保护和术后咽喉功能的研究不多。由于ILMA会厌向下折叠更常见，会厌提升板更多的遮盖远端开口，对气流的阻碍可能增加；但由于其通气管短而粗可降低气流阻力。因此，对气流影响不大。对肺保护和术后咽部功能的影响根据其使用情况而定，当作为通气装置时与普通型喉罩相似，当用作气管插管时与传统气管插管相似。

第四节　ILMA 的密闭性能

ILMA在呼吸道和胃肠道之间形成端对端的密闭管道。ILMA在声门周围和咽下部黏膜的压力较高，能提供更有效的呼吸道和胃肠道之间密闭效果。

一、呼吸道密闭

（一）密闭原理与通气罩容积之间的关系

ILMA形成密闭通道的原理是外形上的匹配和对黏膜形成一定压力的联合作用。研究发现，口咽漏气压（OLP）最初迅速增高，OLP在通气罩容积达最大推荐充气量的2/3时达到高峰，以后保持不变直到最大推荐充气量。ILMA达到最佳密闭的气囊容积要高于普通型喉罩。这反映了黏膜压在ILMA形成密闭的重要作用，外形上的匹配起到的作用则与普通型喉罩相同。

（二）密闭作用利于气体交换

1. ILMA与普通型喉罩比较　研究发现在通气罩容积范围内，ILMA比普通型喉罩的OLP要高（最大OLP为37 cm H_2O；27 cm H_2O）。研究未使用肌松药的成年女病人，发现在通气罩内压 60 cm H_2O 时,ILMA 的 OLP 要高于普通型喉罩(24 cm H_2O：19 cm H_2O)。麻醉病人与非麻醉病人比较,ILMA 的 OLP 比普通型喉罩高(34 cm H_2O：28 cm H_2O)。ILMA 对咽部黏膜产生更高的压力,其密闭性更好。因此,ILMA 比普通型喉罩对呼吸道能提供更有效的密闭性。

2. 抬高手柄　研究麻醉病人和尸体,发现抬高手柄 20～40 N 在不同的通气罩内压力下可以使 OLP 升高 4～18 cm H_2O。与气囊注气产生的效果类似。其机制可能与气囊膨胀一样,可以有效地增加对咽部黏膜的压力。但与通气罩注气产生的对黏膜放射状的压力分布不同,其压力分布主要是在前部。

在通气罩容积范围内,ILMA 的 OLP 随着通气罩内压力增高而增高。

ILMA 的密闭作用可防止通气罩上方部位引起的污染,其作用优于普通型喉罩。

二、胃肠道密闭

ILMA 在通气罩远端对咽下部黏膜的压力要高于普通型喉罩,会增加其对胃肠道密闭作用的效能;而 ILMA 坚硬的导管又使通气罩远端不能非常准确地放置于咽下部,使其效能降低;研究发现:ILMA 与普通型喉罩和可弯曲型喉罩食管压力相似。抬高手柄并不能阻止已反流入咽部液体的误吸。

第五节　ILMA 的置管方法

一、置管前准备

ILMA 置管前准备与普通型喉罩相似,其重点检查手柄、通气罩、稳定杆、气管导管的完整性及通畅性,并准备好纤支镜及光探条等引导设备。

（一）适应证与禁忌证

（1）ILMA 也可作为普通型喉罩进行常规通气,但损伤可能增加。

（2）困难气道病人在常规喉镜插管失败,但又必须在气管插管麻醉下手术的病人,如饱食、食管反流、单肺通气等。

（3）需在颈前施压的手术病人,如经皮气管造口术,可通过抬高 ILMA 的手柄来协助手术。

（4）气管内麻醉病人:虽然 ILMA 可作为普通型喉罩及气管内插管常规应用,但临床应用不多,主要问题是增加损伤和费用。对头、颈、五官科手术 ILMA 会影响手术视野,张口度≤2.5 cm,则不能置入 ILMA。

ILMA 引导气管插管的禁忌证主要是操作者缺乏临床使用经验和饱食病人或禁食不充

分的病人。

(二) ILMA 型号及气管导管的选择

目前 ILMA 的型号有 3 号、4 号、5 号三种，ILMA 的通气最佳型号和插管号码无关，前者取决于通气罩和咽部的界面，而后者取决于远侧孔与声门的排列关系。ILMA 型号选择可根据以下因素。

1. 以体重为标准 <50 kg 用 3 号；50～70 kg 用 4 号；>70 kg 用 5 号。

2. 以性别为标准 女性用 4 号；男性用 5 号。

3. 以身高为标准 <160 cm 用 3 号；160～170 cm 用 4 号；>170 cm 用 5 号。

4. 以鼻颏间距为标准 <6.5 cm 用 3 号；6.5～7.5 cm 用 4 号；>7.5 cm 用 5 号。

气管导管的选择目前大多应用特制可弯曲带金属加强型气管导管，导管末端呈圆锥形，光滑，导管的充气囊很薄且紧贴导管，容易进入气管内。特制可弯曲带金属的气管导管有 ID 6.0～8.0 mm，6.0～6.5 mm 适用于大龄儿童和瘦小女性；7.0 mm 适用于普通女性，7.5 mm 适用于较大女性和普通男性，8.0 mm 适用于体形较大的男性。

二、麻醉诱导

ILMA 麻醉诱导方法与普通型喉罩相似(见第 5 章普通喉罩置管)，但 ILMA 插气管导管时的麻醉深度要比普通型喉罩深，需要较大量的麻醉诱导药或增加肌松药。ILMA 用于困难气道病人时可采用轻度镇静或保持清醒状态。

三、ILMA 的置管方法

ILMA 的置管方法分为三步骤，一是 ILMA 置入咽喉部；二是将气管导管通过 ILMA 通气道插入气管内；三是拔除 ILMA。

(一) ILMA 置入咽喉部(图 6-8)

ILMA 置入原理和普通型喉罩大致相似，但置入的技术有较大的不同，因 ILMA 有固定的钢性呈弯形，同时病人的头颈处于正中位。一些普通型喉罩放置的技术也可用于 ILMA，如改变通气罩的容积形状、喉镜引导、反向操作、舌牵引等方法，但钢性硬质的导管以及手柄的影响使普通型喉罩置入的多数技术不适用于 ILMA。

ILMA 置入咽喉部的操作步骤：① 选择合适的 ILMA 及特制的气管导管；② ILMA 通气道内及气管导管外涂少许水溶性润滑剂，先将气管导管插入 ILMA 的通气道内能顺利通过，然后拔出气管导管备用；③ 操作者一手握持 ILMA 引导手柄，将病人头和颈放中间位；④ 置入开始时手柄与前胸壁平行并接近；⑤ 操作者另一手使病人口腔保持打开状态，ILMA 的通气罩自上切牙置入；⑥ 如通气罩不能用手柄放置于口中，可使用旋转移动通气罩矢状面，使其通气罩紧贴硬腭咽弯度推入咽喉部，但不能杠杆式的撬动；⑦ 置入成功通气罩囊充气,通气管连接麻醉机作控制或自主呼吸;⑧ 观察气道通畅性、胸廓活动、$P_{ET}CO_2$ 波形及听诊变化来判断 ILMA 的位置是否正确,如 ILMA 位置正确,在机械或人工通气后使病人保持正常的 $P_{ET}CO_2$、S_PO_2 的情况下,为第二步插入气管导管创造有利条件,并可提高病人的安全性。

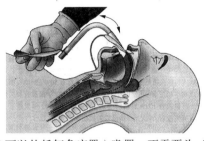

Ⓐ可以从任何角度置入喉罩—不需要头颈部的位置改变,但需要通过喉罩将硬腭前部进行润滑。　Ⓑ置入喉罩是紧贴硬腭并沿腭咽的曲线完成一弧形转动的过程。

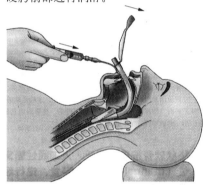
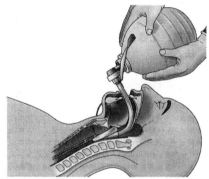

Ⓒ通气罩充气时不用握着通气管或手柄。在进行下一步操作之前,适当地给病人进行正压通气给氧。　Ⓓ像普通喉罩一样,通过插管喉罩本身可以进行通气。注意不要挪动通气管偏离正中位。

图 6-8　ILMA 置入咽喉部

(二) ILMA 置入气管导管

ILMA 置入气管导管有多种方法,常用盲插气管导管插管;纤支镜引导下气管插管;光探条引导下气管导管插管。

1. 盲插气管导管法(图 6-9)　ILMA 置入咽喉部后,操作者左手握住手柄固定 ILMA,右手持特制气管导管插入通气管内慢慢往内推进,当碰到会厌提升板时稍有阻力,一旦通过会厌提升板进入气道,有轻微的脱空感,然后气管导管充气接麻醉机作人工通气,如出现 $P_{ET}CO_2$ 波形,胸廓活动良好,通气阻力小,证明气管导管已进入气管内,表示插管成功。否则应拔出气管导管,再重新调整 ILMA 位置,再次插管,可反复多次,直至插管成功。临床分析结果表明,正常气道的一次和总体插管成功率分别为 91% 和 99%,困难气道的一次和总体插管成功率分别为 84% 和 98%;即使是第一次使用 ILMA 插管的医生一次和总体成功率分别为81%和98%;有经验的临床医生在尸体上一次和总体成功率分别为95%和100%,而第一次应用的医生在尸体上总体成功率为89%。上海交通大学医学院附属新华医院自2000年以来应用ILMA千余例,其总体成功率为99.5%,其中对60例存在气道困难的病人,行ILMA气管插管第一次成功率93%,第二次成功率98%,第三次成功率99.5%。正常气道和异常气道的病人中盲插成功率相似。

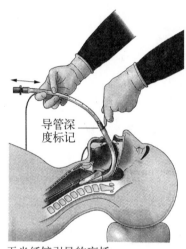

导管深度标记

无光纤镜引导的盲插
利用涂过润滑剂的气管导管在金属通气管内上下移动来润滑管壁时,要牢固握住手柄以稳定通气管。向下滑动时不要超过导管的深度标记,超过该标记表明导管已出通气管远端孔。

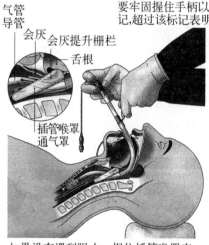

气管导管
会厌　会厌提升栅栏
舌根
插管喉罩通气罩

如果没有遇到阻力,握住插管喉罩直到将导管进一步推入完成插管。

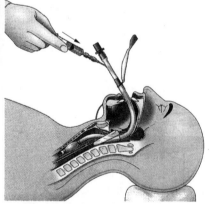

通过传统方法确定导管位置后将气管导管套囊充气。

图6-9　盲插气管导管法

增加盲插气管插管成功率的因素:① ILMA 置入咽喉部后,如人工通气时呼吸阻力低,胸廓活动好,$P_{ET}CO_2$ 波形正常,说明 ILMA 与声门对位好,插管成功率高;② 用手柄固定 ILMA,并向头侧牵拉金属手柄;③ 使用圆锥形而不是直斜面开口的气管导管,目前常用特制带金属的气管插管成功率高;④ ILMA 通气管内及气管导管外充分润滑;⑤ 操作者熟练并不能用力过猛。

盲插气管导管如出现置管有阻力时需调整操作方法,有利于插管成功:① 如果阻力出现 1.5 cm,可能原因是会厌提升板陷在环状软骨后方,解决的方法是使用更小号的 ILMA;② 如果阻力出现在 1.5～2 cm,可能原因是会厌向下折叠,解决的方法是上下调节;③ 如果阻力出现在 2～4 cm,可能的原因是会厌提升板位置太高,可能与会厌的头侧顶端相结合,解决的方法是使用更大号的 ILMA;④ 如果阻力出现在 4～6 cm,可能原因是气管导管的顶端嵌入充气罩顶端和环状软骨中间,解决的办法是使用更小号的 ILMA。

如 ILMA 型号选择不当、提升手柄、加压环状软骨、使用颈托和缺乏经验,均可降低盲插气管导管的成功率。

2. 纤支镜引导下气管导管插管法　纤支镜引导下气管导管插管法的优点是在可视下见到 ILMA 的通气管,通过会厌提升板见到咽喉部和声门的情况,发现异常可作调整 ILMA 的位置。

操作步骤:① 将纤支镜插入气管导管内,气管导管尽量放在纤支镜的近端,露出纤支镜的远端。② 助手握住 ILMA 手柄并固定。③ 操作者把远端纤支镜插入 ILMA 的通气管内,慢慢插入看到会厌提升板,通过会厌提升板可见到声门时,把纤支镜插入气管内。④ 将气管导管插入气管内,拔出纤支镜,气管导管气囊充气。⑤ 连接麻醉机作人工通气。

也可把纤支镜插入气管导管内一起进入 ILMA 通气道,当观察到气管导管准确对准声门入口时,拔出纤支镜,将气管导管单独置入气管内。当纤支镜进入观察到声门位置远端通气罩时或 ILMA 置入深度或型号错误时,先在纤支镜的引导下上下移动 ILMA 的位置,直到 ILMA 位置正确为止。如 ILMA 位置不能正确到位需更换 ILMA 号码。

纤支镜引导下气管导管插管的成功率,一次和总体成功率分别为 87% 和 96%,同时还表明:① 纤支镜引导下气管插管一次和总体插管成功率与常规使用咽喉镜气管插管相似;② 纤支镜引导下气管插管一次和总体插管成功率在正常气道和异常气道中也相似;③ 通过纤支镜引导下气管插管比盲插气管导管的一次和总体成功率稍高,但所费时间也长;④ 盲插气管导管失败后,可再用纤支镜引导下气管插管明显增加插管成功率。盲插气管导管失败后的纤支镜插管成功率为 86%～100%。

3. 光探条引导下插管法　先将 ILMA 置入咽喉部,充分润滑带金属的光探条,从 ILMA 的通气管中插入,直到在环甲膜处看到光束,拔出金属探条,而发光的探条向前推入直到胸骨切迹处看到光,说明光探条已进入气管,也证实通气罩已放置于喉部的理想位置,操作者握住手柄使通气罩的位置保持不变,拔出光探条,然后进行盲插,把气管导管置入气管内。

ILMA 置入咽喉部,充分润滑气管导管与没带金属引导的光探条固定在一起,光探条发光端位于气管导管远端前方的 0.5 cm,气管导管和光探条一起插入 ILMA 的通气管内,置入超出会厌提升板的位置,当看清亮点位于环甲膜的中央,说明通气罩放置入口的正确位置。如果没有看清亮点,或置入气管导管时有阻力,或亮点在侧面移动,需要重新调节位置,再次插管,光探条引导插管,失败的可能原因和用光束定位的解决方法见表 6-3。

表 6-3　光探条引导插管失败的可能原因和解决方法

光柱的位置	失败的可能原因	解决方法
在喉结上	会厌提升板在环状软骨或会厌后	前屈手柄 后展手柄 上下移动
位于中线	喉开口度小	使用小号气管导管
左侧或右侧	气管导管误入梨状窝	扭转手柄
喉结下	ILMA 置入太深	退出部分喉罩 牵伸手柄 退出部分喉罩/牵伸手柄
没有光柱	气管狭窄(少见) 灯泡电源切断 误入食管(常见)	使用小号气管导管 检查灯泡 退出重新调整再次插入

光探条气管插管成功率,一次和总体插管成功率分别为 84% 和 99.5%,同时也表明正常气道和异常气道的插管成功率相似。在事先已知和未知困难气道的插管成功率也相似,也显示在没有经验的操作者成功率也很高。

ILMA 很少用于麻醉维持和苏醒阶段,因为大多数是用于气管插管的过渡,然后就拔除。

(三) 拔除 ILMA(图 6-10)

1. 移去气管导管的衔接头。

2. 通气罩放气。

3. 把稳定杆的突出部分对准气管导管的远侧末端,并顶住。

4. 保持气管导管的位置,同时反向旋转移动 ILMA,退出咽喉部。

5. 一旦 ILMA 出口腔,气管导管暴出口腔时,立即握住气管导管,先拔除稳定杆后将 ILMA 拔出,让气管导管的充气管及小气囊从 ILMA 的通气管穿出。

6. 重新接上气管导管衔接头,确保气管导管的正确位置,接麻醉机作人工或机械通气,听诊两侧肺的呼吸音对称时固定气管导管。

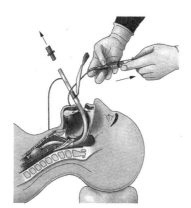 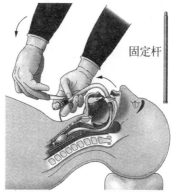

固定杆

插管完成后,插管喉罩可以留在原位或
拔除。若要留在原位则应将通气罩放气。
拔出插管喉罩
1. 确保病人已有良好的氧和
2. 拔除气管导管接头
3. 将通气罩放气(保持气管导管充气)

在插入固定杆之前,先用手指以气管导管反方向的力量
将通气罩从咽部退至口腔。
通过轻拍或晃动手柄,可以很容易将插管喉罩拔除。
在决定拔除喉罩前用固定杆便于测量气管导管在口外
的长度,以确保喉罩拔除后导管复位正确。

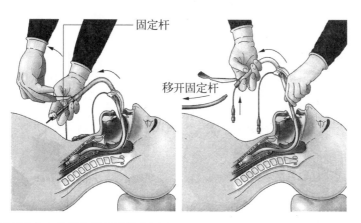

固定杆

移开固定杆

使用固定杆以保持气管导管的位置直
到喉罩完全从口中退出。

当喉罩完全从口中退出后再移开固定杆。
同时要固定气管导管以防止突然脱出。

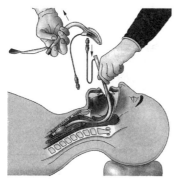 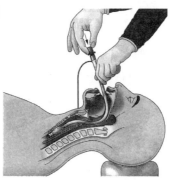

固定住气管导管轻轻的将充气指示套
囊及其充气管从插管喉罩中拉出。

将接头安好进行通气,确保导管的深
度和拔除插管喉罩之前一样。

图 6 - 10   拔除 ILMA

（四）固定 ILMA

由于 ILMA 在气管插管后通常要拔除,也可以保留原位,由于其较重,存在一定的稳定性,因此很少需要固定。如果需要固定,可以用胶布或系带。由于通气管是钢制的,所以也不必用牙垫来防止通气管被咬扁,但可以在磨牙处放置牙垫。

第六节 ILMA 的优缺点

一、ILMA 的优点

（1）无需暴露喉部,刺激反应小。

（2）ILMA 和声门更近似在一条直线上,降低了气管插管的难度。

（3）引导气管插管操作时如发生低氧血症可及时进行肺通气,而可反复多次插管从而提高了呼吸道的管理,使病人更安全,使操作者更从容。

（4）当病人的头部处于上中位时,无需移动颈椎即可顺利插入特制气管导管,从而适用于头颈部活动受限病人的气管插管。

（5）由于 ILMA 引导气管插管属盲探操作,不需要额外的设备,所以操作时不受呼吸道大量的分泌物和血液的影响。

（6）不必在病人头部的上方进行操作,因此适用于各种体位。

（7）粗短 ILMA 通气导管不仅可减少呼吸做功,而且能够插入更粗内径的特制气管导管。对气道有病变病人也可插入较细的特制气管导管。

（8）采用不锈钢手柄,可十分方便地调整 ILMA 至最佳位置,必要时也可加压声门周围组织,以暂时得到一个高地密闭压,如:经皮微创气管切开术。

（9）可在气管插管后重新插入 ILMA,以便解决拔管困难的病人。

（10）可以使用纤维支气管镜通过 ILMA 的通气导管作气管内检查、活检、肺部吸痰、冲洗等操作。

（11）常规喉镜气管插管时意外发生困难插管,病人发生严重低氧血症时,快速插入ILMA 作人工通气。不仅解决低氧血症,而且可以解决气管插管困难的病人。

二、ILMA 的缺点

（1）对大多数头部、颈部、耳鼻喉科、口腔科手术的病人,ILMA 占用的空间太大,不适合单独应用。

（2）当头部和颈部移动时,ILMA 可能不满意密闭咽喉周围组织。

（3）病人的张口度<3 cm 时,不能使用 ILMA。

（4）其硬质通气导管易损伤牙齿。

（5）其操作过程是一个盲探过程，如果动作粗暴可能会造成口腔、咽喉部组织损伤。

（尤新民）

参 考 文 献

1 Brain AIJ，Verghese C，Addy EV，et al. The intubation laryngeal mask：Development of a new device for intubation of the trachea. Brit J Anesth，1997，79：699～703.

2 Brimacombe JR. Laryngeal Mask Anesthesia，Principle and Practice Ind ed. Singapore：Elsevier，2005.

3 尤新民，韩玲，赵璇，等. 气管插管型喉罩通气在困难气管插管中的应用. 中华麻醉学杂志，2003，23（12）：930.

4 曾因明，邓小明主编. 麻醉学新进展. 北京：人民卫生出版社，2007：124～132.

5 Kundra P，Sujata N，Ravishankar M，et al. Conventional tracheal tubes for Intubation through the intubaing laryngeal mask airway. Anesth Analy，2005，100（1）：284～288.

6 Langeron O，Semjen F，Bourgain JL，et al. Comparison of the intubating laryngeal mask airway with the fiberoptic intubation in anticipated difficult airway management. Anesthesiology，2001，94：968～972.

7 Komatsu R，Nagata O，Sessler DI，et al. The intubating laryngeal mask airway facilitates tracheal intubation in the lateral position. Anesth Analg，2004，98（3）：858～861.

8 Kundra P，Sujata N，Ravishankar M. Conventional tracheal tubes for intubation through the intubating laryngeal mask airway. Anesth Analg，2005，100（1）：284～288.

9 Wedmore IS，Talbo TS，Cuenca PJ. Intubating laryngeal mask airway versus laryngoscopy and endotracheal intubation in the nuclear，biological，and chemical environment. Mil Med，2003，168（11）：876～879.

第7章　气道食管双管型喉罩

普通型喉罩由于口咽部的漏气压平均为 20 cm H_2O,用于正压通气时,一方面通气量不能保证,另一方面存在胃胀、反流和误吸的危险。为了使通过喉罩进行正压通气更为有效和安全,避免胃胀,特设计气道食管双管型喉罩(ProSeal laryneal mask airway,PLMA),于2000 年开始应用于临床,其主要的特征是通气罩改进和增加了引流管。PLMA 被临床使用以来,与普通型喉罩相比,其通气有效性和安全性明显提高,并在许多情况下可替代气管内插管,而且有逐渐取代普通型喉罩的趋势。

第一节　PLMA 的结构特点及性能

一、PLMA 的结构特征(图 7 - 1)

PLMA 由医用硅胶制成,可反复使用。PLMA 的结构比普通型喉罩有如下的改进:① 改进密闭性:通气罩背侧增加了第二个充气囊(图 7 - 2),当背侧第二充气囊充气时,第二充气囊紧贴咽后壁,将通气罩推向前,与喉周围的结构紧紧地贴在一起;通气罩面积增加,使其与喉周围的结构接触面积增加,通气罩远端呈圆锥状,与下咽部的解剖结构相似,圆锥状气囊可与食管上括约肌开口上方的结构紧紧地贴在一起;通气罩所形成的碗状空间加深。② 增加引流管(图 7 - 3):引流管是与通气管平行的一个管腔,穿过通气罩,远端开口于通气罩尖部并呈斜面,开口处有一硬硅胶称保护环,为防止通气罩在通气时引流管远端被挤压。③ 其他:通气管道使用钢丝螺纹管,中间一段变硬,具有保护管腔和起到牙垫的作用。由于引流管道具有保护会厌作用,PLMA 在通气管和通气罩连接处没有栅栏。

小儿用的 PLMA 不是成人用的缩小,其背部无套囊,但有一个相对较大的引流管。

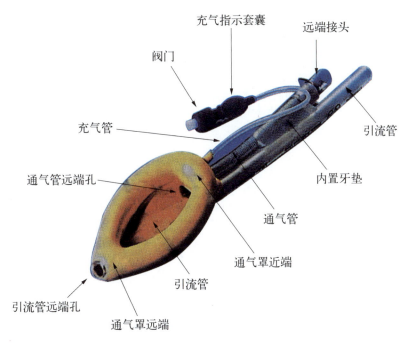

图 7-1　PLMA 的结构特征

图 7-2　腹面增加气囊

图 7-3　增加引流管

PLMA 改进后的特点和作用(表 7-1)。

表 7-1　PLMA 改进后的特点和作用

改进后的特点	作　　用
背面附加第二气囊	将腹侧面通气罩推向声门旁组织,从而加强密闭性
背面更柔软	降低僵硬度,提供背侧通气罩远端更多空间
腹面通气罩更大	填塞了咽部近端的空隙,密闭更好
通气罩远端呈大锥形	与咽部组织隔绝更好
通气罩内腔更深	与咽喉部更匹配

续表

改进后的特点	作　　用
平行双管构造	增加稳定性,使舌体形成有效的活塞作用,从而加强密闭性
可弯曲的钢丝螺纹通气管	降低双管的僵硬,减少对黏膜的压力
引流管	方便胃管插入,吸引分泌物和胃液,防止胃胀,了解喉罩位置,引导喉罩放置,插入各种生理监测器具
引流管远端开口前倾	有利于喉罩放置
引流管远端加强环	防止引流管塌陷
引流管从喉罩内部穿过	避免改变通气罩的外形
内部近端矩形凹陷	辅助通气管作用,防止分泌物在远端开口处积聚
内置咬口	防止咬合时损伤,观察喉罩置入深度,双管联体,防止梗阻
插入带	防止手指滑脱导管,金属辅助器嵌入点,保持通气罩位于中线

二、PLMA 的辅助装置

（一）喉罩插入引导器（图 7-4）

喉罩插入引导器由两部分组成:一为薄且弯曲可塑形的金属片;其二为与 ILMA 相似的引导握柄,其内层面和弯曲的尖端涂了一层透明硅胶,以防止损伤,远端有合适的插入片,近端夹住咬口以上的导管上。金属辅助器的主要作用是固定 PLMA,便于喉罩放置。

图 7-4　喉罩插入引导器

（二）其他辅助设备

1. 从引流管插入胃肠道的器具　其中包括:① 胃管;② 树脂弹性导引管或其他软条导引管;③ 温度探头;④ 经食管超声探头;⑤ 测压计;⑥ 光纤镜;⑦ 氧饱和度探头;⑧ 食管听诊器;⑨ 球囊胃管等。

2. 协助诊断喉罩位置不良的物品　通过引流管内压力变化来协助诊断 PLMA 位置不良的物品,如肥皂泡、线条、水溶性润滑剂。润滑剂应为管装以便挤入引流管内。

三、PLMA 透气性

通气罩内的压力应不超过 60 cm H_2O,当使用 N_2O 维持麻醉时,N_2O 可通过通气罩膜弥散进入通气罩内,使通气罩内压升高,与普通型喉罩相似。

四、PLMA 的清洁与灭菌

PLMA 的清洁与灭菌方法和普通型喉罩基本相同,只是 PLMA 的结构更复杂,清洁更应注意。特别是手指插入处呈袋状,易使分泌物积聚,因此一定要充分清洗,引流管内应用细的管条清洗,通气罩放气困难在背部套囊有积残气时,说明放气不充分,应检查排气阀及打开充气管上的红色塞,高压灭菌时通气罩内残气会造成真空状态,在高压灭菌过程中气体膨胀致压力过高损害通气罩,因此高压灭菌前打开排气阀。PLMA 一般可重复使用 40 次。目前一次性气道食管双管型喉罩已逐渐在临床上普及使用(图 7-5)。

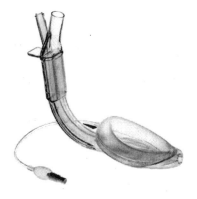

图 7-5　一次性气道食管双管型喉罩

第二节　PLMA 的结构与解剖位置

PLMA 置入后的解剖位置与普通型喉罩相似,但占据更广泛。与普通型喉罩相比,PLMA 较大的远端锥形通气罩更完全地填充了咽下结构,较大的近端楔状套囊更充分地填充了近端咽喉部,比普通型喉罩隔绝作用更好是由于:① 较深的罩腔及背部套囊、咽部前后径增大;② 较大的通气罩对会厌的挤压,增加了会厌反折的概率;③ 声门变形较普通,主要是较大的通气罩远端向前压迫,腹面通气罩向内压迫所致。

一、通气管

应用光纤镜进入通气管观察比较 PLMA 与普通型喉罩的位置,同时分别比较相同通气罩内压和相同容量或不同内压和容量下的 PLMA 位置。多因素分析表明:① 光纤镜下 PLMA 位置与手指插入和探条引导置入情况相似;② 光纤镜显示 PLMA 位置不因头或颈部体位变动或通气罩内容量改变而改变;③ 无论是 PLMA 还是普通型喉罩,从通气管看到食管的概率均较低;④ 肥胖病人和正常体重病人的喉罩位置相似;⑤ PLMA 比普通型喉罩更易发生轻度旋转不良,可能与矢状面残余旋转或大套囊引起声门变形有关。

二、引流管

引流管可了解通气罩远端的解剖位置,也可了解到食管上括约肌的开闭,光纤镜自引流管插入可了解到以下情况:① 黏膜堵住引流管口,提示远端通气罩位于咽下部远端;② 可见短或锥形黏膜,提示远端通气罩位于近端咽下部;③ 可见食管管腔,提示通气罩远端位于咽下部,且食管上括约肌开放;④ 可见声门、会厌或杓状软骨,显示通气罩远端位于咽喉部。另外,光纤镜能探查到引流管受压,判断通气罩远端是否发生反折等。

光纤镜插入引流管观察到 96% 的病人通气罩远端位于咽下部,2%～9% 的病人食管上括约肌开放,这可能与反射性松弛或是机械作用有关。4%～9%的病人通气罩前端发生轻微移位。不同头位、颈位不发生引流管位置的改变,且手指置入和导引管置入 PLMA 的对位相同。

三、机械性声门关闭

在 PLMA 应用中机械性声门关闭导致气道阻塞少见,但有 0.3%病人可发生严重的气道梗阻,原因可能是由于 PLMA 远端通气罩向前压迫声门和由于声带张力降低导致杓状软骨内旋有关。此时将通气罩抽气,将头放置嗅花位或托颌可能通过减少通气罩对声门的压力,从而解除声门关闭。普通型喉罩也可引起机械性声门关闭,可能是环状软骨受压引发。机械性压力导致气道阻塞,还可因杓状会厌襞或通气罩内折而引起。目前对声带、杓状会厌襞及通气罩内折在机械性气道阻塞的发生比例尚不明。

第三节　应用 PLMA 的病理生理变化

应用 PLMA 发生的病理生理反应大致与应用普通型喉罩相似。

一、心血管系统

PLMA 对咽喉部血流灌注的影响无法直接测量,但通气罩对黏膜产生的压力通常比咽喉部血流灌注压低,PLMA 对颈动脉和颈内静脉的影响不清,但较大通气罩可引起动静脉变形或受压。

使用喉镜直视和软树脂探条辅助插入 PLMA,心率和血压的变化不大,表明 PLMA 对血流动力学影响和普通型喉罩相似,而且不受通气罩内压和潮气量的影响。

二、呼吸系统

(一)气道阻塞

PLMA 的气道阻塞发生率和普通型喉罩相似,应用或不用肌松药也相似,都很低。如有发生也通常发生置入即刻或在第一次插入失败的病人。PLMA 在机械通气时发生气道阻塞为 0.3%。

(二)气体交换

PLMA 可以提供满意的气体交换,低氧血症($SpO_2 < 90\%$)和 $P_{ET}CO_2$ 升高的发生率低,可提供与气管内插管一样有效的气体交换。在需要高正压通气时,普通型喉罩通气可能因漏气增加降低通气功能,而 PLMA 比普通型喉罩有效。当潮气量为 8～12 ml/kg 时,PLMA 和其他喉罩均为有效通气。妇科腹腔镜气腹手术时应用 PLMA 与普通型喉罩病人

SpO_2 和 $P_{ET}CO_2$ 相似。腹腔镜胆囊切除术病人中,气腹后 $P_{ET}CO_2>45$ mm Hg,在普通型喉罩中占 20%,而 PLMA 无一例发生,可能与腹内压增高有关。严重或极度肥胖病人,PLMA 作为气管插管前临时通气时无缺氧病例。因而 PLMA 可耐受较高气道压通气。

（三）呼吸功,漏气和死腔量

PLMA 由于通气管比普通型喉罩细,会厌下垂也多见,可使呼吸做功、总吸气阻力比普通型喉罩高。但 PLMA 的位置是否良好决定其气道阻力大小,潮气量 12 ml/kg PLMA 比普通型喉罩漏气分数低 2%,PLMA 较细的通气道可使死腔量减少,但深罩腔可使死腔量增加。事实上,只要 $P_{ET}CO_2$ 在正常范围,死腔量的区别无临床意义。

（四）气道保护性反射

在应用肌松药的病人,气道保护性反射无临床意义。在未用肌松药的病人中,PLMA 诱发咳嗽反射,但比气管插管明显减少。普通型喉罩比 PLMA 容易发生呃逆,可能是普通型喉罩在使用中压力顺着僵硬的通气管传导,对下咽部软组织的牵拉较强烈所致。

三、胃肠道系统

（一）食管功能

普通型喉罩很难正确判断食管上端括约肌的功能,但 PLMA 通过食管引流管来判断食管上端括约肌功能。在麻醉状态病人中 3%～7%食管上括约肌开放,在非麻醉状态病人中为 9%。PLMA 在麻醉状态病人中可能引发食管上括约肌松弛,是通过反射和与大气压相通的机械性因素所致。PLMA 在清醒表面麻醉志愿者中未发现食管括约肌松弛。

（二）反流、误吸

反流、误吸是应用喉罩最主要的问题,但使用 PLMA 反流的发生率是 0.06%。一组 300 例病人对 PLMA 腔做石蕊试纸测试未发现反流,也有报道使用 PLMA 可发生反流,但无误吸。直到目前尚无在使用 PLMA 的过程中发生误吸的报道。

四、其他系统

尚无文献报道 PLMA 对颅内压、眼内压或鼓室内压的影响。对颅内压、眼内压等的影响是受血流动力学的变化而变化,而 PLMA 和普通型喉罩对血流动力学影响相似。PLMA 可使鼓室内压升高,可能原因为 PLMA 近端套囊更大,且靠近咽鼓管圆枕引起的。

五、生理监测

PLMA 的引流管通向胃肠道,通过放入各种仪器可监测到各项生理参数,放置食管超声多普勒连续监测心排血量、每搏输出量,诊断心肌功能和指导用药。从胃管中提供胃液容量和 pH 信息。使用热敏电阻探头插入食管,可监测中心体温。其他可监测:食管氧饱和度、右心室/左心室氧饱和度、食管压力、胃液 pH 等。

第四节　PLMA 密闭性能

由于 PLMA 的双管作用在呼吸道和胃肠道形成了良好的隔绝,起到通气和食管引流的双重功能。

一、PLMA 与呼吸道形成密封

密闭原理主要取决于由黏膜压力与口咽漏气压之间的关系。PLMA 密闭原理与普通型喉罩相似,低通气罩容量时,密闭的主要原理为通气罩形状与咽部结构相匹配。高通气罩容量时,黏膜压力起到一定的作用。随着通气罩容量增加,黏膜压力呈指数曲线上升,与普通型喉罩相似。当通气罩容量在推荐最大容积的 1/2～2/3 时,通气罩将会变的扁平,但与普通型喉罩相比整个曲线提高了约 10 cm H_2O,反映了 PLMA 形成了更佳的密闭状态。

研究显示,PLMA 平均口咽漏气压(OLP),比普通型喉罩高 10 cm H_2O,此密闭状态女性病人比男性病人更佳,而在肥胖病人中比普通型喉罩更好,使用肌松药病人更好,头/颈转动或弯曲时不受影响,即使通气罩不充气,OLP 也在 15 cm H_2O,密闭状态不受放置胃管的影响。总之,PLMA 与普通型喉罩相比,与呼吸道形成了更有效的密闭状态。

PLMA 形成更佳的密闭功能的原因有:① 楔形的近端通气罩在近端咽部形成紧密的结合;② 背面通气罩将腹面通气罩更紧地贴向声门周围组织;③ 通气管与引流管并行构造使通气罩近端能更有效覆盖舌根部加强密封功效;④ 锥形通气罩远端与咽下部形成更好的密封并防止经食管漏气。背部通气罩起到作用最小,因为即使背部通气罩不充气,PLMA 也能形成比普通型喉罩更密闭状态,同时小儿 PLMA 背部没有通气罩也起到良好的密闭功能。

二、PLMA 与胃肠道形成的密闭

理论上 PLMA 的通气罩远端和咽下部形成的密闭很简单,锥形通气罩恰好配合锥形咽下部,引流管和食管清晰地排成一对。但咽下部的密闭功能很复杂和很精细,很容易发生改变。原因是:① 此密封区很小,如通气罩轻微的近端移位(如 0.5 cm)也可导致密闭变差,中度的移位(如 2 cm)可导致此密闭完全无效;② 围绕着通气罩远端的咽下部是一个肌囊袋,容易发生张力的改变;③ 远端通气罩可能穿透食管上括约肌的上部肌纤维,也易发生肌张力的显著变化;④ 正压通气时梨状窝开放,自主呼吸时食管黏膜会离开引流管远端开口;⑤ 食管上端经引流管与大气相通,抵消了胸腔负压所致的加强密闭作用。⑥ 引流管与食管的对位并不一定完全正确。

（一）密闭机制

咽下部密闭机制是通气罩与下咽部结构匹配和对黏膜压力的相结合有关，由于咽下部黏膜压为（2～11 cm H_2O）低于胃液从食管流到咽部的压力（16～73 cm H_2O），且通气罩容量越大密闭效果越好。但食管压越来越高，但不发生于普通型喉罩使用时，提示在高通气罩容量的使用中，黏膜压力起到主要的作用。

（二）密闭的效率

咽下部漏气压是通过测量麻醉后病人气体漏入食管时的气道压，气体的密闭效率至少在 27～29 cm H_2O，液体压在 19～73 cm H_2O 时，都由通气罩容量决定。另外反映咽部密闭压的效果，可从引流管注入甲蓝染料，如 PLMA 腔内未有显示，提示咽下部密闭效率至少为 12 cm H_2O。

（三）胃充气和胃扩张

实验研究表明：① 胃充气发生率为 0.1％；② 高气道压通气时发生率也较低；③ 正常气道压通气中胃扩张发生率同普通型喉罩相似；④ 高气道压通气发生率较普通型喉罩低。

第五节　PLMA 的适应证、禁忌证与型号选择

一、适应证和禁忌证

PLMA 的适应证和禁忌证与普通型喉罩相同（见第 5 章），但 PLMA 更适用于需要较好的气道隔绝，更好的气道保护以及胃肠道置管的病人（表 7 - 2），由于这些优点 PLMA 都可替代普通型喉罩。

表 7 - 2　PLMA 的临床应用适应范围

对密闭性要求更高	加强气道保护	建立胃肠通道
肥胖	肥胖	胃内液体
限制性肺部疾病	胃、食管疾病	胃内气体
过度头低位	过度头低位	置入监测器具
俯卧位	腹腔镜手术	带球囊置管
腹腔镜手术	腹腔内手术	
上腹部手术	长时间麻醉	
开胸手术	胃扩张	
	非空腹	

口咽部疾病，解剖异常致置入喉罩困难的病人（张口度＜2 cm 难以置入）应是 PLMA 禁忌证。

PLMA 只要置入定位正确，并不禁用于诱导时有误吸的风险病人，相对禁用于口内手

术。因为 PLMA 不容易从一边移到另一边,张口器可能压迫引流管被堵塞,且近端大套囊会妨碍术野,这种情况下可应用可弯曲性喉罩(见第 8 章)。PLMA 相对不适用气管插管,因为通气管内径小。如需要气管内插管应改用插管型喉罩。

二、型号选择

PLMA 的型号与普通型喉罩相同(表 7 - 3)。

表 7 - 3 PLMA 型号和适用范围

喉罩型号	适用范围 (体重 kg)	通气罩最大充气量	引流管可通过的胃管外径 (mm)	引流管长度 (cm)
1.5	5~10	7	3.3(10F)	18.2
2	10~20	10	3.3(10F)	19
2.5	20~30	14	4.6(14F)	23
3	30~50	20	5.3(16F)	26.5
4	50~70	30	5.3(16F)	27.5
5	70~100	40	6.0(18F)	28.5

第六节　PLMA 置入期的管理

PLMA 的置入方法与普通型喉罩相似,所需器具包括辅助装置:弹性树脂探条、胃管、光纤镜、润滑油等,但 PLMA 置入技巧、位置不良的检查、胃管的置入与普通型喉罩有所不同。

一、麻醉诱导和深度

置入 PLMA 的麻醉诱导方法和麻醉深度通常与置入普通型喉罩相似,大多数病人采用联合用药麻醉诱导,如咪达唑仑、芬太尼、丙泊酚(异丙酚)、肌松药或七氟烷等吸入麻醉药。极少病人做喉部表面麻醉、喉上神经阻滞后置管。

二、置管方法

PLMA 置管原则与普通型喉罩相似,操作略有不同,PLMA 双管结构使其较硬,前后尚可弯曲,沿管道可传递力的大小介于普通型喉罩和可曲喉罩之间。

PLMA 的置管方法主要有三种:① 手指式置入法;② 应用喉罩插入器辅助引导置入;③ 应用喉镜在弹性树脂探条引导下置入。

(一)手指式置入法

PLMA 手指式置入法与普通型喉罩相似,但较常需要从旁侧略用力,且手指放在插入带下。

（二）喉罩插入器辅助引导置入法（图7-6，图7-7）

　　将辅助引导装置远端插入 PLMA 插入带中，将 PLMA 通气管、引流管沿辅助引导装置凸面弯曲，再将通气管按入辅助引导装置近端的嵌口中，即完成了两者的联结。插入方法与插管型喉罩相同，但头颈通常不放中立位而是处于嗅花位。此法优点是放置时不需用手指，协助者可从病人头前方位、侧方位置入。PLMA 放置后即将辅助引导装置嵌口与通气道分离，反向旋转移出咽喉部，并用另一手扶稳 PLMA，防止带出。

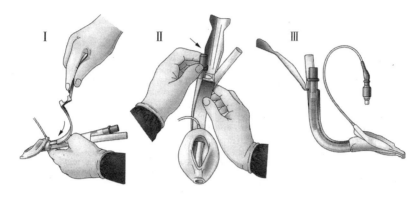

图7-6　喉罩插入引导器

Ⅰ. 将喉罩插入器的尖端放进插槽里。Ⅱ. 将管子紧贴在插入器上，通气管近端放进卡槽内。Ⅲ. 喉罩插入器安装完毕。

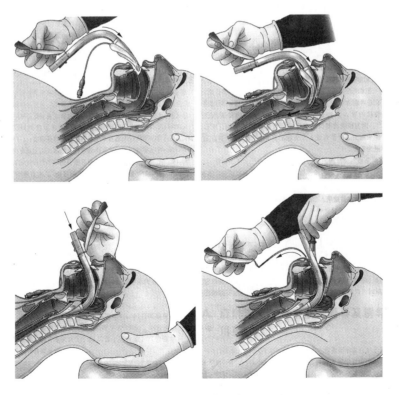

图7-7　喉罩插入器辅助引导置入法

（三）喉镜直视下弹性树脂探条引导置入法

喉镜直视下弹性树脂探条引导置入法，首先将弹性树脂探条插入 PLMA 引流管中（图 7-8），即沿着 PLMA 引流管插入弹性树脂探条向前滑动，在喉镜直视下将弹性树脂探条放入食管近端，然后置入 PLMA。

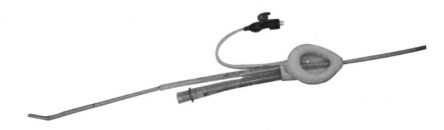

图 7-8　弹性树脂探条置入引流管

喉镜直视下弹性树脂探条引导置入法有以下优点。

（1）使远端通气罩引导至咽下部的正确位置上。

（2）PLMA 对口腔底部影响最小。

（3）不会发生通气罩折叠。

（4）不需要手指置入口内。

（5）明确未预见到的口咽病变。

（6）为喉镜气管插管提供临床判断。

（7）由于探条进入食管，PLMA 引流管与食管连接的位置正确无误，无需再做检查。

虽然喉镜直视下弹性树脂探条置管有以上优点，但也存在一些问题，如探条插入产生刺激、创伤，尤其食管上段有疾病病人为相对禁忌证。

临床也应用胃管和光纤镜引导下进行 PLMA 置管，胃管的优点是损伤较小，但硬度太软不足以引导 PLMA 置入口咽入口。光纤镜的优点是不必使用喉镜，又在明视下进行操作，但较硬易损伤。

弹性树脂探条置入 PLMA 的主要步骤如下。

（1）选择合适的弹性树脂探条，水溶性润滑油。

（2）将润滑油挤入 PLMA 的引流管少许，同时将探条外面涂些润滑油，以便插入。

（3）将探条从 PLMA 的引流管开口端插入直至出远端口25cm。近端留5cm，由助手扶住。

（4）操作者左手持咽喉镜轻轻置入口腔暴露咽喉，不必看到声门（需估计行气管插管的难易度除外）。

（5）右手将探条轻柔插入食管 5～10 cm，此时助手握住 PLMA 和探条的近端部分。

（6）操作者把咽喉镜取出，或不取出用手指法将 PLMA 置入咽喉部，助手扶稳探条，防止滑入食管。

（7）通气罩充气后把 PLMA 的通气管连接麻醉机作人工通气。

（8）固定 PLMA。

（9）PLMA 固定结束前不必拔出探条，而在拔出探条时必须扶住 PLMA，防止滑出。

上海交通大学医学院附属新华医院在临床实践中一般都不用咽喉镜暴露咽喉，直接把树脂探条从口腔插入食管，用手指法插入 PLMA，同样取得满意的效果，减少了咽喉镜对咽喉的刺激反应，心血管功能稳定。

（四）放置 PLMA 的成功率

PLMA 3 种插管方法成功置入所需的时间分别为 25 ± 14 s，33 ± 19 s，37 ± 25 s；三种插管方法发生口角、口腔出血的情况及术后气道并发症没有差别。

自 2000 年临床应用 PLMA 以来，已有不少的临床研究。结果表明：① 手指插入法首次置入平均成功率为 87%，但总的成功率 99%，与普通型喉罩置入成功率相似；② 建立有效气道所需时间比普通型喉罩长 5~10 s；③ 放置 PLMA 用或不用肌松药的成功率相似。大多数报道利用弹性树脂探条的置管成功率为 100%，置入后的位置极佳。上海交通大学医学院附属新华医院对 80 例腹腔镜胆囊切除和 40 例腹腔镜全子宫切除的临床应用中，不用喉镜直接弹性树脂探条引导下置入 PLMA 成功率达 100%。无论在清醒、志愿者以及极度肥胖病人置入 PLMA 都比较容易置入。

置入失败的重要原因是 PLMA 无法置入咽部和置入后漏气。如 PLMA 置管顺利，置入后位置正确，但仍因引流管漏气而失败，可换小一号 PLMA，可让远端套囊更深地进入咽下部，大多可解决问题，型号"越大越好"的原则有时不适用 PLMA。

（五）通气罩充气和 PLMA 固定

PLMA 对气道形成有效密闭的通气罩容量比普通型喉罩低，大多数应用 PLMA 的病人在通气罩不充气时即可建立有效的密闭，但通气罩至少应注入 25% 通气罩的容量，以确保胃肠道的密闭，防止误吸和胃充气。由于 PLMA 通气罩较大，达到通气罩相同内压所需气体量比普通型喉罩大，如 PLMA4 号用于女性病人，达到通气罩内 60 cm H_2O 的内压时，需通气罩平均注气 28 ml，如 PLAM5 号用于男性病人通气罩需注气 37 ml。

正确固定 PLMA 很重要，因 PLMA 轻微的近端移位即可影响远端套囊与咽下部间的密闭。常用的固定方法将宽胶布粘贴于 PLMA 并分别固定上、下颌骨，胶布再沿下颌粘贴向两侧往头顶拉紧，可提高咽下部的密闭。

第七节　PLMA 的定位

一、PLMA 正确位置的判断

（1）PLMA 置入是否顺利。

（2）将通气罩充气至内压为 60 cm H_2O 行正压通气阻力小且通畅，胸廓扩张，口咽部无漏气声。

（3）正压通气时能获得 85% 以上潮气量，气道压＜20 cm H_2O 时无气体从引流管内逸出；气道压正常波形。

（4）能顺利通过引流管放置胃管。

（5）PLMA 内嵌式牙垫的位置为病人切牙近端。

（6）需要时可用光纤镜检查。

二、PLMA 对位不当

初次置入 PLMA 约有 5%～15% 病人位置不佳，但大多数很容易被发现并纠正，常见 PLMA 对位不当有：① 远端通气罩位于咽喉部（7%）；② 通气罩远端位于声门入口处（3%）；③ 通气罩远端折叠（3.4%）；④ 严重的会厌下垂（＜0.5%）；⑤ 声门受压（0.3%）。

（一）远端套囊位于咽喉部或声门入口处

由于 PLMA 插入不够深，通气罩远端停留在咽喉部，处理办法是只需将 PLMA 进一步推入，若通气罩远端将抵触声门入口或停留在声门入口处，处理办法是拔出 PLMA 重新采用树脂探条置入。如为鉴别 PLMA 置入深度不够还是声门受压，可将 PLMA 进一步推入，前者即可纠正，后者情况变得更差，气道阻力增加，可用皂膜试验来鉴别是否存在 PLMA 位置错误。

（二）通气罩远端折叠

通气罩远端折叠常发生于通气罩远端抵触在口咽后壁受压，自通气罩远端边缘开始，在推进时通气罩向后向上发生折叠，直到因折叠的通气罩在口咽部隆起并将未折叠的通气罩近端向下固定于咽喉部为止。一旦通气罩折叠即被嵌在咽喉部，很难折回原形。通气罩折叠在普通型喉罩中也有报道，但 PLMA 更常发生，因为 PLMA 套囊后面更柔软。套囊折叠的主要风险是反流、误吸和胃充气。高气道压通气也有可能使误吸，胃充气发生增加。因此，使用 PLMA 的病人必须检查引流管通畅性来检测 PLMA 的位置是否正确，即使在不插胃管的情况下，仍可通过插入无损伤胃管至引流管末端，以检测其是否通畅。

远端套囊折叠的处理方法：① 采用侧路法重新放置；② 应用导引钢丝插入引流管使其坚硬后再放置 PLMA；③ 利用树脂探条引导下放置；④ 用手指伸入套囊下用力拔平折叠套囊。其中"①"和"③"最有效，应用树脂探条插入法不会发生套囊折叠。

（三）会厌严重下垂

会厌严重下垂发生在会厌被通气罩向下拖，完全阻挡声门入口处。容易发生在：① 置入 PLMA 前通气罩已充气；② 咽受压；③ 会厌肥大或下垂。

会厌严重下垂的处理方法是将头、颈置于过度的嗅花位，举颌或用喉镜将会厌挑起后再重新置入。

（四）声门受压

声门受压发生于通气罩远端机械性压迫所致，常发生于咽腔小，通气罩过度充气以及用力过度时将远端套囊挤入咽下部。

处理方法是通气罩放气，采用嗅花位增加咽部前后径，重新置入 PLMA 不一定能解决此问题。

第八节　PLMA 的引流管及置胃管

一、引流管漏气

PLMA 在正压通气中经引流管发生漏气时表明引流管与通气管相通，即胃肠道与呼吸道并未完全隔绝，发生漏气时的气道压是提示两者的隔绝度。如在高气道压通气的情况下，经引流管漏气也可能发生于 PLMA 位置良好的病人，但低气道压通气时发生漏气通常是 PLMA 位置不良或 PLMA 的型号选择有误。大量漏气可通过倾听引流管或用手感觉气流容易发现，但小量漏气有时较难发现，可通过引流管注入水溶性润滑剂，形成大于 1 cm 的水柱，使其密封住引流管，或在引流器近端放上一个肥皂泡来检查。在正压通气时，润滑剂或肥皂泡在引流管中上下移动，如不断有气泡冒出，则 PLMA 位置不正确，表明有漏气。有时也可用一细线放在引流管近端观察细线的活动来判断有否漏气。

偶见引流管漏气是有胃内气体释放，也可见于胸内压负增加时，如部分气道阻塞、呃逆等情况。

二、引流管通畅性

引流管的通畅对使用 PLMA 的安全很重要，若引流管不完全通畅，对应用 PLMA 可发生以下不良反应：① 不能有效防止胃充气及反流；② 不能放置胃管；③ 对判断检测 PLMA 位置是否正确的实验结果有误，将误导临床医生，认为一切安全，然而没有引流管漏气并不能保证引流管是通畅的，因为套囊可能折叠。虽然小量漏气可通过润滑剂、肥皂泡以及细线来判断，但有时也不能保证引流管完全通畅，因为这些试验均有局限性，只要有小部分引流管通畅也可出现上述试验结果阳性。当引流管有大量气体漏气时，意味着引流量通畅，但 PLMA 的位置肯定不佳。对检查 PLMA 引流管通畅的方法有以下三种方法：① 经引流管放置胃管；② 放置光纤镜检查；③ 胸骨上凹拍击试验。

（一）胃管和光纤镜

经引流管置入胃管是最简易可行的检查引流管通畅的方法，且无损伤性，正确性几乎达 100%，但应选择合适的胃管。放置光纤镜简单可靠，可在明视下慢慢插入，如成功进入引流管并能看到食管可确定引流管通畅。

（二）胸骨上凹拍击试验

胸骨上凹拍击试验包括叩击胸骨上凹或环状软骨，观察引流管内润滑剂或肥皂泡沫在引流管近端的移动情况。胸骨上凹和环状软骨与咽下部很近，也是 PLMA 正确位置的远端套囊所在。拍击试验阳性证明引流管自远端套囊至引流管近端口完全与大气相通并通畅。拍击机制是通过按压远端套囊使套囊内引流管受压，引流管内形成压力被推动润滑剂或肥皂泡上下移动。此试验也可出现假阳性，可能是引流管尾端 1~2 cm 折叠，但远端套囊内的引流管仍通畅所致，有时当食管开放时压力波减弱会出现假阴性。

三、置胃管

首先要了解放置胃管的优缺点，主要的优点为：① 便于引流胃内气体和液体；② 放置胃管过程中可了解到引流管位置及是否通畅；③ 胃管可在 PLMA 意外滑出时作重新插入时起引导作用。主要存在的缺点是：① 有置入气管的风险；② 产生损伤；③ 置入胃管后可能影响食管括约肌功能，诱发反流；④ 胃管可阻塞引流管，使气体液体无法流出食管。

大多数病人胃内有残余液，都应放置胃管，然而放置胃管也不能完全吸尽胃内液体。有PLMA 位置不正（胃管可进入声门）和食管上段有疾病（可加重病情）的病人不应置胃管。由于PLMA 引流管近端开口处不能通过胃管末端接口，当拔除 PLMA 时也同时必须把胃管一起拔出，因此术后需要留置胃管的病人还需重置置入鼻胃管。当然这些病人可在置入 PLMA 前或后置入鼻胃管，但由于胃管从 PLMA 套囊后进入食管，可影响咽下部套囊的密闭性。

从引流管置入胃管的成功率为 96%。

（一）置胃管方法

必须选择合适型号的胃管，PLMA 引流管与胃管型号的选择见表 7-3。

型号相同的胃管仍有可能外径、形状细微差别，因此，在 PLMA 插入前先用胃管试插入PLMA 引流管能否顺利通过。并不需要选择最大型号，相对较细的胃管可保留引流管于半通畅，使食管内液体、气体可安全有效的引流出。

（二）置入

首先在 PLMA 引流管注入水溶性润滑油约 2 cm 液柱，然后胃管外涂润滑油向引流管插入，当胃管在套囊内通过两个弯处会遇到轻微阻力，其一是进入 PLMA 腔中间部，其二是进入远端套囊腹面需向前弯曲。当插入推开咽下黏膜进入食管时也有轻微阻力，再就是胃管接触到胃壁时，遇到阻力不能用暴力。如遇有大量气体漏出，不该插入胃管。如遇明显阻力可能是引流管折叠或是抵在咽部。当发生阻力时应注意胃管的深度，可容易诊断阻力的原因。如有阻力太大不能进入，应拔出 PLMA，重新置入 PLMA 或用光纤镜检查阻力发生部位的原因。

胃管置入后首先吸引胃内容物，然后可保留胃管或当即拔除。保留胃管使 PLMA 引流管通畅，也能将远端套囊引至咽下部不会造成折叠。也可间断吸引胃液，但避免持续高压吸引，可能损伤黏膜，并因黏膜阻塞胃管远端失去胃管的作用。

拔胃管时应握住 PLMA 防止其随拔胃管而移出。拔胃管可在麻醉下和清醒时拔除，麻醉下拔胃管可减低诱发反流的危险，一旦发生反流，PLMA 的引流管仍通畅。清醒时拔管对急诊手术病人能更好地吸引胃内容物，同时拔除 PLMA 和胃管可清除口咽部的分泌物。

（尤新民）

参 考 文 献

1 Brimacombe JR. Laryngeal Mask Anesthesia, Principle and Practice Ind ed. Singapore：Elsevier，2005.

2 Brain AIJ，Verghese C，Sturbe PJ. The LMA 'Proseal'- a lazyngeal mask with an esophageal vent. Brit J Anesth，2000，84：650～654.

3 曾因明，邓小明，主编. 麻醉学新进展. 北京：人民卫生出版社，2007：124～132.

4 尤新民，赵璇，叶海蓉，等. 第三代喉罩用于腹腔镜胆囊切除术患者的效果. 中华麻醉学杂志，2006，26(8)：714～716.

5 蔡珺，黑子清，池信锦，等. Proseal 喉罩在妇科腹腔镜手术麻醉中的应用. 临床麻醉学杂志，2005，21：454～457.

6 Gaitini LA，Vaida SJ，Somri M，et al. A randomized controlled trial comparing the ProSeal laryngeal mask airway with the laryngeal tube suction in mechanically ventilated patients. Anesthesiology，2004，101(2)：316～320.

7 Lopez Gil M，Brimacombe J. The ProSeal laryngeal mask airway in children. Paediatric Anaesthesia，2005，15：229～234.

8 Nixon T，Brimacombe J，Goldrick P，et al. Airway rescue with the ProSeal laryngeal mask airway in the intensive care unit. Anaesth Intensive Care，2003，31(4)：475～476.

9 Roth H，Genzwuerker HV，Rothhaas A，et al. The ProSeal laryngeal mask airway and the laryngeal tube Suction for ventilation in gynaecological patients undergoing laparoscopic surgery. Eur J Anaesthesiol，2005，22(2)：117～122.

第8章　可曲喉罩与可视喉罩

将喉罩插入咽喉部，充气后其能在喉周围形成一个密封圈，既可让病人自主呼吸，又能施行正压通气，属介于气管插管与面罩之间的通气工具，目前已较广泛用于临床麻醉。但普通喉罩对于某些手术的应用有一定限制，如口腔内手术。遇到困难气道时只能暂时解决问题或不能解决。因此，喉罩在不断地改进和创新，新型喉罩不断出现，如插管型喉罩、可曲喉罩、可视喉罩等，各种特殊类型的喉罩在临床上适应于不同种类手术的要求。本章主要讨论可曲喉罩及可视喉罩的临床应用。

第一节　可曲喉罩的临床应用

可曲喉罩（flexible laryngeal mask airway，FLMA）由 Brain 设计，是第一种商业提供并应用的特殊喉罩。主要应用于口腔、咽喉、头、颈、上身等手术。FLMA 可改善手术进路，防止导管扭曲、梗阻、气囊移位等。它包括普通喉罩通气罩连接一个可曲的钢丝加强管，后者比普通喉罩细而长，长度延长允许麻醉呼吸管道远离手术区域。导管直径减小，口腔内手术操作空间更大，利于手术，钢丝加强能防止导管打折。与普通喉罩相比的优缺点见表 8-1。

表 8-1　可曲喉罩与普通喉罩优缺点比较

特　征	优　点	缺　点
管腔直径小 导管长	口内空间更大利于手术操作 麻醉呼吸回路可远离脸部	气流阻力大 气流阻力大，不宜用于困难气道
可曲，加强管	适合任何体位 防止打折和压疮	软管不易推进，插管较困难 通气罩不易准确到位

FLMA 目前应用详细情况不清，大约为总 LMA 用量第 1/25。在英国和澳大利亚扁桃体摘除术中 15%～60% 的麻醉医师应用 FLMA。

（一）基本结构

FLMA 由医用级硅胶制造,可以重复使用,也有一次性 FLMA(图 8-1)。由通气导管和通气罩两部分组成。通气导管口可与麻醉机或呼吸机相连接,导管为可曲钢丝加强管。通气罩呈椭圆形,周边隆起,其内为空腔,有两条栅栏,以防会厌阻塞管腔,通气罩充气后可在喉口周围形成通气道。FLMA 通气罩与 CLMA 一致。

FLMA 最初设计中有 1 号和 1.5 号,现主要设有 2、2.5、3、4、5、6 号六种。各种型号 FLMA 规格(表 8-2)。FLMA 基本结构(图 8-2,图 8-3)。

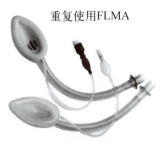

重复使用FLMA

一次性使用FLMA

图 8-1　重复和一次性使用 FLMA

表 8-2　各种型号 FLMA 规格

大小	病人体重 （kg）	内径 （mm）	外径 （mm）	导管长度 （cm）	导管厚度 （mm）	最大通气罩容积 （ml）	通气罩厚度 （mm）
2	10～20	5.1	8.25	18.5	1.58	10	0.50
2.5	20～30	6.1	9.7	20	1.58	14	0.60
3	30～50	7.6	11.0	21.5	1.7	20	0.64
4	50～70	7.6	11.0	21.5	1.7	30	0.71
5	70～100	8.7	12.5	24	1.9	40	0.80
6	＞100	8.7	12.5	24	1.9	50	0.90

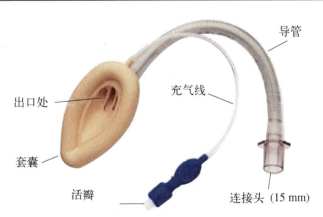

导管

出口处

充气线

套囊

活瓣

连接头 (15 mm)

图 8-2　可曲喉罩(FLMA)的结构

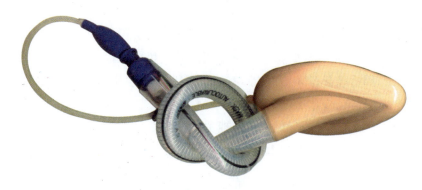

图 8-3 可曲喉罩(FLMA)螺纹管的弯曲示意图

（二）辅助装置

FLMA 使用时常需要辅助装置，一是管内硬管（图 8-4），管内硬管通常有三种型号，另一种为管外抓管，这两种辅助装置利于插管。另一辅助装置为口腔支撑器，用来提供手术进路，如 Boyle-Davis 扁桃体张口器，用于咽喉手术。

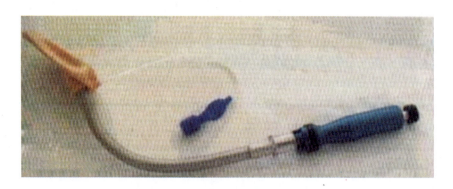

图 8-4 FLMA 管内硬管使用示意图

（三）其他特征

FLMA 可以耐受 CO_2\KTP、Nd-YAG 激光的产热，能安全地用于激光手术。由于导管中有金属丝，不能用于 MRI 检查中。气体的弥散性能可能与普通喉罩相似。通气罩的弹性与普通喉罩一致。消毒与清洁也和普通喉罩相同。

（四）适应证

（1）FLMA 主要为口腔和咽喉部手术麻醉需要而设计，因此可适合多数口腔、咽喉部手术。

（2）FLMA 也适合头颈部手术。

（3）经喉罩可施行纤维光束支气管镜激光烧灼声带、气管或支气管内小肿瘤手术。

（4）颈椎不稳定病人。

（5）眼科手术，较少引起眼压增高，术后较少咳呛、呕吐，喉罩拔除反应较轻，眼内压波动幅度小,利于保证眼科手术的疗效,尤其利于闭角型青光眼病人,喉罩可列为首选。

(6) 其他同普通喉罩适应证。

(五) 禁忌证

基本同普通喉罩。

(1) 饱食,腹内压过高,有呕吐、反流、误吸高度危险的病人。

(2) 有习惯性呕吐反流史病人。

(3) 咽喉部存在感染或其他病理改变的病人。

(4) 呼吸道出血的病人。

(5) 通气压力需大于 25 cm H_2O 的慢性呼吸道疾病病人。

如果不能判断是否需要呼吸道仪器操作,或病人需要高气道压通气,术中有误吸危险或需要长期自主通气时,不适合 FLMA。

(六) 优点

(1) FLMA 可采用高压蒸汽消毒,并可反复使用。

(2) 操作简单、容易,只要病人无张口困难,便能置入喉罩,且容易固定不易脱出。

(3) 无喉镜插入、显露声门、导管插过声门等机械刺激,不易出现喉头水肿、声带损伤、喉返神经麻痹等并发症。

(4) 无需使用肌松药,能保留自主呼吸,避免肌松药及拮抗药的副作用。

(5) 置入刺激轻,分泌物少,不影响气管纤毛活动,利于排痰,能维持气道的自洁作用;术后咳嗽、肺不张、肺炎等肺部并发症少。

(6) 所需的麻醉深度比气管插管者浅,麻醉药用量减少。在喉罩通气下,允许在短时间内复合使用较多种的麻醉药,必要时可以施行轻微的辅助呼吸。

(七) 缺点

(1) 气道的密闭性有时较差,导致正压通气时容易漏气,漏气程度与手术时间长短、病人体位、颈部紧张度、通气阻力、通气压力大小等因素有关。

(2) 术中可曲喉罩可能发生移位,喉罩与食管口之间的隔离不够充分,麻醉气体有可能进入胃,尤其当食管下段括约肌张力减退时,容易出现呕吐、反流、误吸等危险。

(3) 喉罩内的内嵴有时可阻挡吸痰管置入气管内,弯曲的导管有时影响吸痰管置入气管内,导致吸痰困难。

(4) 气流阻力较大。

(5) 插管时由于导管较软,用力不易传递,插管较困难,通气罩位置有时不易估计。

(八) 插管方法

1. 准备工作　与普通型喉罩插管前准备一样,插管前应仔细检查通气罩和通气导管;将通气罩充气,检查无漏气后尽可能抽尽通气罩内的气体,抽气后形成一个边缘向后翻的椭圆形,有利于其通过会厌下方,防止会厌下翻阻塞呼吸道。将通气罩正反面涂上润滑油。计划逆向鼻插时须评估鼻腔插管条件。FLMA 型号选择与普通喉罩型号选择一致,因为两种 LMA 通气罩大小一致。对于 FLMA 来说,型号选择的重要性较 LMA 更为显著,因为它与手术野大小密切相关。

2. 插管技术　FLMA 插管原则与普通喉罩一致,但准确的插管技术尤其重要。与普通喉罩不同,当通气罩进入咽喉部时,常需应用 FLMA 专用硬管推通气置入咽下。由于 FLMA 软管无法传递插管力量,插管到位需要远端操作。插管时紧握住通气罩与导管结合部(图 8-5)。FLMA 远端操作通常较普通喉罩容易,因为导管较细长且易活动,口腔操作空间更大。可用示指将 FLMA 推入最终位置(图 8-6~8),可并用手腕力量适当转动使示指进入更深位置。有人研究认为,对于扁桃体高度增生病人,应用 FLMA 有时需用咽喉镜明视定位。通常肥大的扁桃体很少影响置管,如果增大的扁桃体影响置管,如扁桃体增大超过中线可以通过旋转的方法通过狭窄部。如果 FLMA 通气罩不能旋转回自然状态,可能无法罩住咽喉部,导致漏气或梗阻。可通过明视定位,改变头位,或使用辅助装置等处理。由于用力方向不合适,拇指置入技术不适合 FLMA。

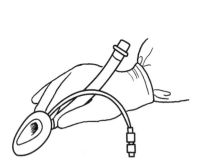

图 8-5　FLMA 插管时握管示意图

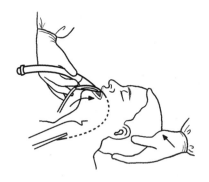

图 8-6　FLMA 插管示意图

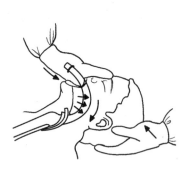

图 8-7　FLMA 插管示意图

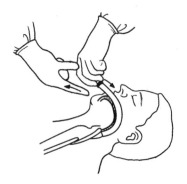

图 8-8　FLMA 插管示意图

有关普通喉罩与 FLMA 插管成功率的比较研究已有多个报道。研究显示 FLMA 首次插管成功率(91%)低于普通喉罩(98%),但总成功率(99%,100%)和插管时间(8～17 s,6～15 s)相似。也有首次插管成功率与总成功率无差异的报道。有趣的是有一研究显示用推荐的 FLMA 标准插管方法,无 FLMA 使用经验者较有普通喉罩插管经验者插管成功率更高。

3. FLMA 的固定　通常认为 FLMA 无需特殊的固定方法。可根据手术路径的需要直接将 FLMA 固定于病人的脸部,可用胶带固定于鼻、前额、下颌等。胶带的黏性要强且要防水,以确保术中使用消毒液等液体时仍固定良好。术中仔细察看导管位置,以防脱管。FLMA 能最大限度地弯曲,避免导管打折,但不能防咬,也不能耐受强大压力,特别是正面压力。术中要注意气道压的变化。张口器能起到固定作用,当使用扁桃体张口器时,FLMA 无需特别固定,但在使用张口器前后仍需固定 FLMA。松开张口器后应使用专用牙垫,以防牙咬。

4. 特殊插管

(1) 经鼻插管:首先由 Marchionni 等在 1997 年应用。方法如下:首先经口插入 FLMA,然后经鼻腔置入 10～12 号 Foley 管至口腔,用 Magill 钳将 Foley 管钳出。去除 FLMA 近端连接头,将 Foley 管的远端置入 FLMA。用生理盐水注入 Foley 管套囊,以紧紧撑住 FLMA。从鼻腔轻轻拉出 Foley 管,并用示指辅助引导 FLMA 进入口腔,当两管连接出到咽喉部时,用手指或 Magill 钳辅助引导,以利于 FLMA 拉出鼻腔。抽出 Foley 管套囊中生理盐水,去除 Foley 管,连接 FLMA 接头。手术结束后用 Magill 钳将 FLMA 从鼻腔拉至口腔。整个操作应在麻醉状态下进行。Marchionni 等认为该技术成功率 100%(5/5),从口腔置管到更换经鼻腔置管时间 20～70 s,从鼻腔更换为经口腔时间为 10～40 s。整个更换过程中 FLMA 通气罩无明显移位。经鼻 FLMA 插管优点是无需气管插管,缺点是技术复杂,可能发生导管移位,不能迅速拔除导管等。这一技术仅适用于麻醉状态下,操作者需有丰富的 FLMA 插管经验。

(2) 颌下插管:该技术首先由 Altemir 在 1996 年描述,严重颌面或需行复杂颌面手术气管切口术的替代方法。颌下 FLMA 插管也由 Altemir 在 2000 年描述。该技术先以传统方法经口插入 FLMA,然后用钳或 Foley 管从颌下手术切口处拉出,手术完成后再回入口腔。目前相关临床资料很少。

FLMA 插管变更技术包括应用管内硬装置技术,管外硬装置技术,也可应用双指插管技术等。

(九) 术中管理

FLMA 麻醉手术期间的管理较普通喉罩更具挑战,主要有以下几个方面。

(1) 气道常部分或完全被手术医师占据。

（2）FLMA 可能受到口腔撑开器、扁桃体张口器、吸引管、咽喉部挤压、头颈位置变化等影响。

（3）可能存在口腔污染，个别病人有误吸危险。

（4）FLMA 不适合长时间保留自主呼吸的病人。

目前尚无关于 FLMA 应用中麻醉药、肌松药、镇痛药、体位、通气形式、通气罩压力等影响的系统研究，但相信普通喉罩多数资料适合 FLMA。

手术医师也需了解 FLMA 的特殊性，术中需关注气道。插管完成后首先评估通气罩的有效性。成人应当维持口咽漏气压（OLP）15 cm H_2O 以上，以保护气道。即使口腔中充满血液也能防止误吸。如果 OLP 在 15 cm H_2O 以下，应当重新定位。应当标记导管平门牙的位置，以便更容易判断导管移位。

麻醉期间通气方式：FLMA 可用自主呼吸和正压通气。正压通气可用于：长时间手术，需要控制性降压、过度通气以减少出血，需要避免呼吸肌活动干扰手术，如激光咽成形术、开放眼手术，避免咳嗽防眼内容物脱出。

咽喉部填充物和咽部吸引：FLMA 插管后不需要传统喉部纱布填充，但牙科手术时，掉落的牙碎片可能导致通气罩破裂或咽喉部组织损伤，这种情况下咽喉部仍需用纱布填充。Glaisyer 等曾报道耳鼻喉科手术应用 FLMA 期间，喉部填充率为 46%。当喉部填充时，应当避免用力过大导致导管过深或通气罩位置易位，影响通气罩与咽喉部吻合。术中，手术医师应避免吸引 FLMA 通气罩，尤其避免吸引通气罩后方。

（十）紧急插管

FLMA 紧急插管较普通喉罩插管更难，可能存在口咽污染，口腔可能有填充物，上呼吸道手术后气道保护性反射活跃等问题。因此，紧急情况下不首先 FLMA 插管。Glaisyer 等观察 400 例耳鼻喉科病人急诊 FLMA 插管，91% 病人顺利插管，7% 病人有呛咳，2% 发生喉痉挛，1 例病人在运送途中 FLMA 吐出。虽然有研究认为扁桃体手术后需紧急控制气道时应用 FLMA 较气管插管更好，激光咽成型术后更多的气管插管病人需重新插管或面罩通气，耳鼻喉科手术后紧急情况用 FLMA 控制气道存在一定问题，慎重应用。

第二节　可视喉罩的临床应用

可视喉罩（Viewer LMA）由 Brain 设计，也是一种特殊喉罩。为新型的插管型喉罩（Fastrach TM 喉罩）连接一显示器，充分利用喉罩的优势并直视下引导气管导管插管，克服常规喉罩应用中遇到的技术困难。喉罩的金属轴可以容纳最粗直径 8.5 mm 的气管导管插入。除此之外，轴的长度也缩短了，这样对那些颈项较长的病人就不需要加长气管导管。插管过程中监视咽喉部结构并能观察气管内插管过程，是专为困难插管设计，也可作为普通喉罩使用。

（一）基本结构（图 8 - 9）

（1）显示器，完全无线，可卸装，携带方便。显示器可以调节焦距，调整图像，显示器电池可提供 30 min 不间断监视，也可以充电。显示器重约 250 g。

（2）预塑形的金属通气导管。

（3）手柄：调节前后左右方向，帮助插管。

（4）可视喉罩的通气导管粗，可以通过无创特殊专用导管。

（5）标准通气罩：通气罩内仅有一个类似三角形的活动性栅栏，当气管导管通过时，能相当容易地将它向上推开，有利于气管导管顺利通过而进入声门口。通气罩末端开口处有两束纤维光束，提供光源和不间断传输图像到监视器。

显示器

光源及图
像传感器

图 8 - 9 可视喉罩示意图

（二）适应证

VLMA 主要用于困难气道的处理，同样适用普通型喉罩适应病人。由于 VLMA 的通气罩及导管与插管型喉罩一致，对于张口困难的困难气道不适合。常可解决以下临床常见气道困难病例。

（1）肢端肥大症。

（2）强直性脊柱炎。

（3）类风湿关节炎。

（4）产科插管困难。

（5）硬纤支镜检查失败。

（6）下颌骨折。

（7）颞下颌关节疾病。

（8）张口受限（但不小于 15 mm）。

（9）小颌。

（10）颈挛缩、颈椎强直。

（11）后纵韧带骨化。

（12）特雷彻·科林综合征（下颌与面骨发育不全）。

（13）颈部不稳者。

（三）禁忌证

基本同插管型喉罩。

（四）优点

除了有插管型喉罩的优点外，VLMA 通过视屏使得气管内插管更易成功，一次成功率高达 90%～100%，定位更佳。由于减少盲探动作，插管成功率大大提高和试图固定气道花费时间明显缩短。咽喉部、声带、喉返神经等气道损伤的危险显著减少。由于可以明视，咽喉部分泌物更易及时清理，减少并发症。

（五）方法

1. 可视喉罩置入前的麻醉　虽然插入 LMA 时可不使用肌肉松弛药，但可视喉罩置入特别是需行气管内插管时麻醉深度应同气管内插管麻醉，并联用肌肉松弛药，以消除咽反射并使下颌松弛，利于 VLMA 置入，改善 LMA 的插入成功率。

2. 可视喉罩置入法　在病人适度麻醉诱导辅助通气后，病人头轻度后仰，操作者左手牵引下颌以展宽口腔间隙，右手持可视喉罩，罩口朝向下颌，沿舌正中线贴咽后壁向下置入，直至不能再推进为止。注意尽量把头伸直使气管导管的顶端进入前庭的机会尽可能增加。当导管顶端碰到喉前壁时会感到阻力（大约 3 cm），屈曲头和颈，使气管导管的折弯处和气管贴在一起。允许建立从咽插入喉的 S 形通道，而引起最小的损伤（图 8-10）。喉罩放至理想的位置（只有经常应用才能掌握）可以明显提高插管成功率。接上麻醉气体回路通气并初步判断通气罩定位情况（同普通喉罩定位判断方法）（图 8-11）。接上监视器并调节方向和位置，显示声门（图 8-12，图 8-13）。然后插入气管导管并定位，最后去除 VLMA 或保留 VLMA 但需将通气罩内适当抽气，减小压力，以避免对咽喉部压迫损伤（图 8-14，图 8-15）。当喉罩放在正确的位置时能很清楚地看到声带，这样在进行气管导管插管时也能保持良好的通气，安全性大大地提高。当插入气管导管时，先将气管导管充分润滑，事先标记到通气罩的栅栏和声门的距离，插入中如遇困难可调节喉罩或病人的头部位置，当插入超过声门位置而无阻力，可用听诊器听诊来判断是进入气管还是食管，当成功后可退出喉罩，也可先插入一个引导管。

如果需用较大号的导管，可先插入导管交换器或导芯后引导气管导管插入，这个技术要求拔出小号导管而没有气道风险。尽管如此，拔除较小的气管导管时仍有潜在气道关闭的可能。另一个被认为很重要的方面是应用喉罩引导气管插管时，对脖子较长的病人常规气管导管长度受限，甚至在气管导管完全进入喉罩时，导管的气囊可能在声带的水平，或者更上。为了避免这种情况，应该准备一些加长的导管备用。

图 8-10　可视喉罩的置入

图 8-11　利用喉罩通气

图 8-12　连接监视器

图 8-13　显示声门

图 8-14　插入气管导管

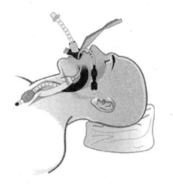

图 8-15　定位并准备退出 VLMA

3. 可视喉罩位置的评估　VLMA 可以鉴定喉罩位置正确与否。一般标准是：1级（看见声门）；2级（可见会厌和声门）；3级（可见会厌，即部分罩口已被会厌覆盖）；4级（看不见声门，或会厌向下折叠）。也可用普通喉罩评估方法，如通气满意、胸部起伏良好、肺顺应性正常、肺听诊呼吸音正常等。

可视喉罩插管时常遇到阻力。如果通气罩前端刚到舌根后即遇阻力，则可能是通气罩前部出现了折叠或遇到了肿块及不规则的咽后组织，如扁桃体肥大。当通气罩的前端紧贴食管上括约肌时，通常可感到阻力，如果未感到此阻力，则可能是 LMA 前端向后反折。在 LMA 前端将到达食管上端括约肌前通过杓状软骨后时，可有"咔嗒"样感觉。

（1）颈部隆起：当 LMA 的通气罩充气时，甲状腺和环状软骨上方的组织可稍隆起，颈前组织隆起应是对称性的。

（2）胸部起伏和听诊：如 LMA 位置正确，加压通气时呼吸道通畅且无漏气感，胸部可听到清晰的肺泡呼吸音，喉结两侧为清晰的管状呼吸音，无异常气流声。如果 LMA 阻塞呼吸道，人工通气困难。将听诊器放置在颈前区听诊呼吸音声，可听到喘鸣音，而加深麻醉不能使喘鸣消失。颈部听诊亦能发现 LMA 与咽部之间的漏气情况。

（六）临床应用

1. 在预见困难气道中的应用　可视喉罩主要用于预见困难气道病人。困难气道病人利用插管型喉罩（包括可视喉罩）引导行气管插管，具有很高的一次插管成功率。气道问题包括 Cormack 和 Lehane 评分为4级、颈项强直、气道受肿瘤破坏或外伤、放疗损伤气道和放置金属支架的气道等。可视喉罩气管导管插管的成功率几乎100%。因此，可视喉罩在困难气道处理中是一个重要的选择。

2. 在未预见困难气道中的应用　应用可视喉罩处理未预见困难气道能否成功主要与呼吸道本身及以下情况相关。操作者在常规临床操作中对设备的熟悉和专门知识的掌握，坚持插管失败后的基本处理原则，更重要的是经喉罩插管的经验。虽然可视喉罩并不能防止反流，但在紧急情况下，应用可视喉罩快速地建立一个开放的气道纠正低氧血症，并完成气管内插管，反流的发生率就会明显减少。Brain 在其综述 ASA 困难气道处理规则的喉罩中，阐述了环状软骨和喉罩的相互作用。为了使喉罩到达正确位置，把喉罩引导缘插入位于杓状突和环状软骨后的咽下部是很重要的。由于环状软骨压力，喉罩的插入和随后通过喉罩气管导管的插入可能很难或失败。如果血氧饱和度>95%，早期在环状软骨压力存在的情况下尝试插管是合理的。如果血氧饱和度较低（<95%）或早期插管就发生失败，环状软骨压力会一过性地降低。一般情况或在这种特殊情况下唯一可能使喉罩成功插入的方法是将喉罩中的气体完全抽空，形成一个光滑、细小的引导缘，再根据监视情况尝试插管。

在应用可视喉罩处理困难气道病人之前应该有普通喉罩使用经验，并有可视喉罩非困难气道插管经验。大多数学者支持对困难气道应广泛应用喉罩技术。但需要考虑的是，在美国也只有 87％的受训者有用喉罩处理困难气道插管的实际经验，另外，培训也很繁琐，而且目前操作方法也不正规。因此，可视喉罩的应用需进一步扩大临床应用范围，积累经验，以利于更好地处理困难气道。

（陈杰　杭燕南）

参 考 文 献

1 Brimacombe J，Keller C. Comparison of the flexible and standard laryngeal mask airways. Can J Anesth，1999，46：558～563.

2. Webster AC，Morley-Forster PK，Janzen V，et al. Anesthesia for intranasal surgery：a comparison between tracheal intubation and the flexible reinforced laryngeal mask airway. Anesth Analg，1999，88：421～425.

3 Chandu A，Smith AC，Gebert R. Submental intubation：an alternative to short-term tracheostomy. Anaesth Intens Care，2000，28：193～195.

4 Short JA. Laryngeal mask and tonsillectomy. Br J Anaesth，1998，81：996.

第9章 喉罩通气在各科手术和特殊病人中的应用

全身麻醉期间必须控制气道确保病人安全。术中气道管理应根据手术性质和不同病情外还应考虑下列因素:① 误吸的危险;② 是否需正压通气;③ 是否需用肌松药;④ 手术部位及手术时间;⑤ 术后是否需机械通气支持呼吸。

在临床麻醉中喉罩的角色介于面罩通气和气管插管之间的通气工具,合理选择喉罩必须了解麻醉手术病人发生胃内容物误吸的危险因素(表9-1)。

表9-1 胃内容物误吸的危险因素

饱胃(禁食<8 h)
创伤
腹内病变:
肠梗阻,胃肠扩张
胃麻痹(药物、糖尿病、尿毒症、严重感染)
腹压增高(腹水、腹腔巨大肿瘤)
食管疾病
胃食管反流
妊娠
肥胖
无法确定是否摄入食物或液体
特殊的手术体位
头低位
截石位

本章讨论不同手术和合并症病人以喉罩作为麻醉通气道的选择与处理。

第一节　眼科手术

眼科手术病人大多能在区域麻醉下(局麻＋球后神经阻滞麻醉)完成手术。全麻适应证包括:① 婴幼儿及不能合作的小儿;② 成人视网膜长时间手术;③ 不能合作或运动障碍病人(震颤、帕金森综合征);④ 不能平卧的病人;⑤ 要求眼肌完全松弛、制动的手术;⑥ 高度近视眼、凝血障碍等。

眼科手术全麻要求：① 诱导快而平顺；② 眼内压稳定；③ 术中制动；④ 苏醒快，避免恶心、呛咳与躁动；⑤ 避免麻醉气道呼吸装置对手术野的干扰。

喉罩麻醉对血流动力学、眼内压的影响小，且麻醉苏醒期呛咳、恶心反射少，适用于眼科手术麻醉。

喉罩可广泛用于各年龄组各种眼科全麻手术，眼外、眼内以至婴儿的视网膜等手术。据统计 5 678 例小儿及成人各种眼科手术，喉罩麻醉成功率 99％，失败主要原因是置管时气道保护性反射过分活跃或喉罩对气道气密性不够；喉罩麻醉时眼内压低于气管插管麻醉；通气效果与气管插管相似；喉罩有漏气时，吸入麻醉气体对大气污染超过气管插管麻醉；小儿喉罩置管吸入七氟醚诱导及苏醒较氟烷快；有一例因牵拉眼外肌发生短暂心搏骤停（眼心反射），及时急救恢复良好；所有病例均未发生误吸、喉罩移位或脱出。

一、眼外手术

喉罩麻醉较气管插管麻醉术中心动过缓发生率少，七氟醚麻醉心动过缓发生率低于氟烷；苏醒期呛咳较气管插管麻醉少，门诊/日间手术病人周转较气管插管麻醉快。

小儿斜视矫治术全麻应注意维持气道通畅、眼心反射和术后恶心、呕吐的防治，避免通气不足和低碳酸血症。喉罩麻醉术中可保留自主呼吸，有利术后早期苏醒拔管。对照观察喉罩-七氟醚-N_2O-O_2 吸入麻醉与不用喉罩丙泊酚-氯胺酮全凭静脉麻醉两组病人；喉罩吸入麻醉组无 1 例因手术刺激而发生肢体活动，全凭静脉麻醉组达 30％。由于喉罩吸入麻醉组可进行辅助呼吸，而全凭静脉麻醉组 SpO_2＜95％发生率 13％，明显高于喉罩吸入麻醉组。喉罩吸入麻醉组眼心反射发生率明显低于全凭静脉组，但术后呕吐发生率增高。

二、眼内手术

眼内手术喉罩通气麻醉比气管插管麻醉的优点是血流动力学稳定，眼内压变化小，且苏醒期呕吐发生率甚低等。

眼内手术应用丙泊酚全凭静脉麻醉结合球后阻滞下喉罩通气，维持气道通畅，辅用肌松药防止意外躁动和呛咳，能提供安全、舒适、完满的手术条件。术中应妥善固定喉罩，避免移位、滑出。

第二节　耳、鼻、咽喉科手术

耳、鼻、咽喉科手术应符合下列要求：① 保护气道不受来自口、咽分泌物及血液侵入；

② 在头颈位置活动时应能维持气道的解剖位置;③ 不干扰手术部位。④ 对血流动力学反应影响小;⑤ 拔管时不诱发呛咳反应;⑥ 可兼容扁桃体张口器及压舌板;⑦ 并发症要少,适宜病人快周转,尽早离院。

耳部手术用喉罩通气麻醉较气管插管的优点是血流动力学稳定,喉罩拔出时呛咳反射轻微,便于病人快速周转。

喉罩通气麻醉对腺样体扁桃体切除术、腭垂腭咽成形术、激光咽成形术以及声带手术都能适用。对鼾症伴有阻塞性睡眠呼吸暂停综合征(OSAS)病人施行腭垂腭咽成形术(UPPP),用气管插管型喉罩用于诱导时辅助通气和困难气管插管,有良好效果。咪达唑仑 2 mg,芬太尼 0.05 mg,丙泊酚 30~50 mg 诱导后置入 4 号或 5 号喉罩罩囊充气 30 ml后,接麻醉机正压通气,确定气道通畅后静注维库溴铵 0.1 mg/kg,固定喉罩手柄,插专用硅胶气管导管(ID 7.0 mm)至气管内,出现正常 $P_{ET}CO_2$ 波形,再退出喉罩,手术过程中行气管内麻醉,术后需带管进入 ICU。需注意,病人张口度应大于 2 cm,能使喉罩通过口腔。

喉罩用于耳鼻喉科手术麻醉成功率高达98%~99%。400 例耳鼻喉科手术使用可曲型喉罩麻醉中 8%病例曾出现气道梗阻,1%病例有口咽漏气,有 2.5%病人改行气管插管,出现问题大多由于扁桃体切除术时使用 Davis 张口器所致。苏醒时出现呛咳和恶心(7%)及喉痉挛(2%),在小儿耳鼻喉科手术中较其他手术更易发生不良反应和并发症。

喉罩麻醉用于鼻部手术成功率高,血液误吸发生率低于气管插管(5%:30%)。麻醉苏醒期并发气道梗阻少,缺氧及呛咳亦少,喉罩优于气管插管。麻醉要点是避免高血压、心动过速及高碳酸血症,否则影响手术暴露,必要时控制性降压便于手术暴露并止血(对内鼻手术只能压迫止血)。有时手术时间长可考虑用气道食管双管型喉罩行正压通气管理,术中术毕防止血液误吸,为保护气道,气囊压力至少应达 15 cm H_2O。术毕可考虑由手术医师用喉镜检查口鼻腔有无出血,如有出血,则需加深麻醉止血,同时手术医师应注意勿损伤喉罩气囊。

声带手术有经皮或经口手术,喉罩可用于经皮声带手术-甲状软骨成形术。手术在甲状软骨开窗用植入物纠正麻痹声带的中央位。

喉罩亦可用于经口在悬吊喉镜下声带活检术,术时声带尚需喉上神经阻滞或局部(表面喷雾)麻醉处理,用光纤镜手术操作,突出优点是麻醉苏醒平顺,并维持满意的氧合。喉部手术多数在可曲型喉罩麻醉下手术。耳、鼻、咽喉手术亦可用 Bain 回路维持麻醉,其优点是轻巧,减少回路对手术野干扰。

第三节　普外科手术

一、乳房手术

乳房手术应用喉罩麻醉较气管插管麻醉有突出优点,尤其适用肥胖、气道困难和不宜应用区域阻滞麻醉的病人。

注意事项:① 如喉罩导管段弯向额部对手术野会互有干扰,宜将病人头位侧转可避免这一问题,或考虑使用可曲型喉罩。② 手术无菌巾及众多敷料的重量可能使喉罩移位,故喉罩置管后应妥善固定严加观察。

二、腹部手术

(一)腹壁疝手术

普通型喉罩适用小型或下腹腹壁疝修补术。而巨大疝及上腹部疝全麻需辅用肌松药,有反流、误吸危险,宜选用气道食管双管型喉罩并通过食管引流管置入胃管吸引降低腹压。

(二)中下腹部腹腔手术

急腹症疑诊急性阑尾炎,需行探腹术亦可酌情选用喉罩全麻。

注意事项:① 为减少误吸可能,并为使用肌松药正压通气,宜选用气道食管双管型喉罩,必要时置胃管减压。② 腹腔大手术选用喉罩-硬膜外联合麻醉,可减少肌松药用量。

(三)上腹部腹腔手术

上腹部手术误吸危险性超过下腹部手术。在开腹胆囊切除术,喉罩麻醉有报道并发吸入性肺炎或并发声带麻痹 2 周后恢复。因此上腹部手术应斟酌喉罩利弊抉择。喉罩可以谨慎地使用于并有气道困难、肺大泡(喉罩-硬膜外联合麻醉-自主呼吸)等腹腔手术,甚至肠梗阻病人。对此气道食管双管型喉罩的优点显然胜于普通型喉罩。上海交通大学医学院附属新华医院 50 例腹腔手术(胃癌、结肠癌、直肠癌择期根治手术)用普通型喉罩-硬膜外阻滞联合麻醉,术前常规置入胃管引流,静脉快诱导盲插喉罩全部成功,术中硬膜外阻滞-静吸复合麻醉-肌松药维持。其中 7 例置喉罩有漏气调整位置及气囊注气量或调换喉罩型号(4 号→3 号)后漏气消失。全组循环稳定,无胃内容反流,术毕 10 min 拔管 46 例,20 min 拔管 4 例。

腹腔大手术选用气道食管双管型喉罩麻醉时能提高气密性,较普通型喉罩漏气压提高 8~11 cm H_2O,又能经引流管置胃管引流。比较气道食管双管型喉罩与普通型喉罩气道密封压,气道食管双管型喉罩 27.2±6.1(20~40) cm H_2O,普通型喉罩 18.0±5.1(8~26) cm H_2O,有明显差异,且普通型喉罩组气密压均<20 cm H_2O,气道食管双管型喉罩组>20 cm H_2O。

（四）腹腔镜手术

喉罩腹腔镜胆囊切除术（下称 LC）国内有多篇报道，分别有 1 800～2 683 例的临床经验资料，成功率为 98％～99.9％。反流发生率 0.1％。普通型喉罩在术前插胃管引流胃液，同时吸引口咽部分泌物，是防止反流、误吸的有效措施。气道食管双管型喉罩密封效果更好，又便于麻醉后经食管引流管插入胃管，术中术毕吸除胃液，减轻胃胀气，又可防止反流、误吸。

腹腔镜胆囊切除术手术时间短，微创手术周转快，气道食管双管型喉罩麻醉有其特定优点。用弹性树脂探条引导置管快，成功率高。腹腔镜气腹使腹内压增高，$P_{ET}CO_2$ 升高，气道峰压增加 50％～100％，可能引起反流、误吸，反流发生率 0.1％。气道食管双管型喉罩提高气道气密效果，经食管胃管引流，有利预防反流、误吸。气道食管双管型喉罩置管后气囊充气量 20～30 ml，术中间歇正压通气，气道峰压＜30 cm H_2O，初期通气应分别在气道峰压 30～40 cm H_2O 时检测口咽部漏气情况，气腹后视 $P_{ET}CO_2$ 调节通气时最佳气道峰压上限。

上海交通大学附属新华医院总结 80 例腹腔镜胆囊切除手术采用气道食管双管型喉罩通过弹性树脂探条引导置管成功率 100％，术中血流动力学、$P_{ET}CO_2$ 及 SpO_2 稳定。喉罩气囊不充气，气道峰压 20 cm H_2O 时 80％病例不漏气；充气 10 ml，气道峰压 20 cm H_2O 时，90％病例不漏气；充气 20 ml，气道峰压 30 cm H_2O 时，95％病例不漏气；充气 30 ml，气道峰压 30 cm H_2O 时，95％病例不漏气；气道峰压 40 cm H_2O 时，6％有漏气，气囊内至少应注入该喉罩的 25％气容量，以确保食管的密封。各种头位（头正中位、屈曲位、过伸位、侧头位）不影响气密效果。97.5％胃管一次置管成功，胃管引流通畅，纤支镜证实喉罩定位好。气道食管双管型喉罩应避免置管过深，否则套囊远端可能落在声门入口处，该处套囊折叠，会厌下垂以及声门受损可能。及时检查引流管的通畅性，用弹性树脂探条引导置管和改变头位，不难发现和解决气道通畅。气道食管双管型喉罩较普通型喉罩可更安全的用于腹腔镜胆囊切除术。

硬膜外阻滞复合喉罩浅全麻（咪达唑仑-芬太尼-丙泊酚-异氟醚 0.5％～2％）使全麻置喉罩、切皮、胆管探查时血流动力学波动小，苏醒时间短（平均 5 min），因阻断内脏牵拉反应效果较好，硬膜外阻滞又使肌松良好，可不需辅助肌松药而保留自主呼吸。

重度肥胖病人行腹腔镜胆囊切除术，用气管插管全麻通气效果优于气道食管双管型喉罩，但喉罩尤其是插管型喉罩可作为处理这类病人可能涉及气道困难开放气道的补充手段。

（五）肛直肠手术

截石位时手术，胃内容反流危险增加，喉罩很易移位甚至滑脱；手术刺激大，尤其在手术开始时更应保持足够的麻醉深度。宜选用气道食管双管型喉罩及胃管引流。

（六）甲状腺、甲状旁腺手术

（1）甲状腺及甲状旁腺手术应用喉罩麻醉可避免因气管插管所致的声门损伤、水肿等妨碍术后发音,对教师、歌唱家、节目主持人等特殊人群,尤为适用。

(2) 甲状腺巨大肿瘤切除术后可能出现气管软化征象。在甲状腺解剖和肿瘤切除过程中可能损伤喉返神经。出现明显的气道梗阻症状,常发生在气管内麻醉拔除气管导管后,有鉴于此可在较深麻醉下拔管,经喉镜检查声带及声门下情况,但镜检过程有碍通气氧合,并刺激咽喉反射,妨碍操作。喉罩可提供新的方法,当术毕麻醉较深状态时,将气管导管置换为喉罩,用光纤支气管镜通过喉罩检查声带及声门下气管。优点是:保持气道通畅,避免镜检时刺激咽喉反射(必要时尚可维持或加深麻醉),由于允许有足够时间检视,可以明确气道诊断,避免漏诊的危险性。

(3) 在喉罩麻醉下,术中通过喉罩用光纤镜在电视屏上持续监测声带对喉返神经电刺激(1 mV)的收缩活动情况,电刺激时正常声带呈眨眼样收缩可防止手术损伤喉返神经。国外资料巨大甲状腺手术喉返神经损伤发生率高约 4%,而喉罩麻醉-光纤镜-喉返神经电刺激监测使喉返神经损伤率降至 0.15%。

(4) 喉罩还适用于甲状腺肿瘤压迫气管移位或狭窄时全麻开放气道,可防止因气管插管进一步损伤气管。但在临床麻醉中依据术前 CT 评估气管受压移位、狭窄情况,多数选用合适口径的气管导管或金属螺纹管,对受压气管壁有支撑作用。

(5) 必须警惕喉罩的缺点,有时因喉罩置管诱发喉痉挛或因喉罩移位影响气道通畅和通气或引起漏气,当疑有气管软化的病人应禁忌喉罩麻醉,即使在喉罩麻醉甲状腺手术时仍应有气管插管作应变急救处理的准备。

(6) 注意事项:① 麻醉通气可能需用更高的气道压力,可用气道食管双管型喉罩,既减少漏气,又可插胃管避免胃胀气;② 喉罩置管前经喉镜检查,评估插管难易程度,插入气道食管双管型喉罩可用弹性探条导引;③ 颈部安置体位时应检查喉罩防漏效果;④ 用气道食管双管型喉罩时应选用定容型通气方式,使在气道阻力有变时仍能维持稳定的潮气量,同时又避免胃胀气;⑤ 光纤镜监测和检查时需加用防漏衔接器;⑥ 应用神经刺激器作喉返神经定位时,禁用肌松药;⑦ 麻醉通气受阻时,应分析原因针对性处理,如咽、气管因手术牵拉扭曲时,提请手术医师放松拉钩;如因喉痉挛发作时使用肌松药;⑧ 必需时改插气管导管。

第四节　妇科手术

一、经阴道手术

喉罩可用于宫颈扩张及刮宫术、宫颈电灼或活检术、宫腔镜诊治术、人工流产术、经阴道子宫切除术及经阴道膀胱颈修补术。

应警惕截石体位有反流、误吸的危险,对手术时间长的手术,宜选用气道食管双管型喉罩。在安置截石体位或变动体位时应防止麻醉呼吸回路对喉罩的牵拉。

二、妇科剖宫手术

喉罩麻醉与传统气管插管麻醉对照,两者并发症无明显差异。喉罩-硬膜外联合麻醉,丙泊酚 5 mg/(kg·h)维持全麻,用 SIMV 通气方式,保持自主呼吸,可以免用肌松药,突现联合麻醉的优点。

三、妇科腹腔镜手术

妇科腹腔镜手术时 CO_2 人工气腹和头低足高位+截石位对呼吸系统、胃内容物反流、误吸等均有较大的影响。

术前评估:因肺功能受损的 ASA Ⅲ-Ⅳ 级病人,术后可发生严重气道和通气功能并发症,在确保气道气密性前提下,喉罩麻醉对气道的影响小于气管插管。严重高血压、冠心病和过度肥胖病人能否接受腹腔镜手术应慎重考虑。对慢性阻塞性肺疾病的病人,喉罩比气管插管更有利维持术中肺功能的支持。

喉罩操作简单,置管拔管的应激反应小,术后咽痛、咳嗽、咳痰的副作用较小,适用于腹腔镜、内镜等手术。双管型喉罩经引流管置入胃管,调节最佳气道漏气压,提高气密性更能确保通气与换气功能,又能预防胃胀气和误吸。女性多数选用 3 号气道食管双管型喉罩,置管后避免套囊内过度充气,正确调整喉罩位置,用树脂探条引导气道食管双管型喉罩置管更有利于置管位置正确。

术毕清醒拔喉罩,因喉罩刺激会致屏气、喉痉挛、牙关紧闭、呛咳、分泌过多等气道反应,亦更易发生胃食管反流,故主张浅麻醉拔除喉罩,应加强麻醉后苏醒监护。

全麻期间用食管双探头 pH 监测仪连续监测下咽部和食管中上端 pH 变化,检测保留自主呼吸下芬太尼、丙泊酚全凭静脉麻醉时普通型喉罩与面罩通气两组的胃食管反流概率,喉罩组食管中上端反流率明显高于下咽部,而面罩组两点反流率无明显差别,下咽部反流发生率两组相似。最低 pH 值 3.5。在头低位尤其是气腹腹腔镜的妇科手术,选用喉罩麻醉时宜严格选择反流低危病人。选用气道食管双管型喉罩并予胃管引流,减少胃胀气、降低胃内压,有助降低反流、误吸的发生率。Jones 等认为妇科腹腔镜手术时腹内压增高,胃内压亦增高,因胃内压变化可引起食管下端括约肌张力产生快速的适应性反应,使括约肌屏障压无明显变化,反流率并不增加。

在严格选择反流低危病例的前提下,与气管插管相比喉罩全麻控制呼吸用于妇科腹腔镜手术并不增加下咽部及食管中段的反流率。有研究认为喉罩置入对食管上端及食管下端括约肌张力没有影响。1 469 例喉罩全麻妇科腹腔镜手术均未发现反流迹象。

妇科腹腔镜手术用丙泊酚(2～5 μg/ml)靶控浓度复合瑞芬太尼(3～4 ng/ml)并辅用肌

松药维持麻醉,术毕常规新斯的明拮抗肌松可使术后清醒快,恢复迅速。

注意事项:① 气道食管双管型喉罩优于普通型喉罩。② 对短小手术(<15 min),术中气腹腹内压低于 15 cm H_2O,手术截石位取中度头低位($<15°$),可用普通型喉罩。③ 针对头低位与腹压增高宜用正压过度通气。④ 通常不需使用肌松药。⑤ 麻醉维持短小手术可用全凭静脉,而较长时间手术可辅用吸入麻醉药。

第五节　产科手术

对选择性产科麻醉,为保护母婴安全,区域麻醉是剖宫产国内外目前通用的金标准,为避免全麻的呕吐、反流、误吸、气道困难等高危因素,应严格控制全麻;但一旦区域麻醉失败或因禁忌证及急救手术(如羊水栓塞)时,仍需选用全麻。应高度警惕全麻诱导及苏醒期误吸、反流危险,孕产妇腹压增高需用正压通气;可用静脉麻醉快诱导,面罩吸氧,助手按压环状软骨,喉镜窥视声门气管插管。

据围生期非剖宫产手术统计资料,未行气管插管的全麻误吸发生率为 0.053％。剖宫产择期和急诊手术气管内麻醉的误吸发生率为 0.15％～0.228％,其中择期手术气管插管麻醉病人误吸发生率较低,约 0.02％。

对择期手术喉罩的误吸危险性与气管插管麻醉发生率无明显差异,即使是反流高危病人麻醉,临床罕能检出反流症状。对腹压增高病人(如肥胖及剖宫产),只要喉罩麻醉实施适度通气,监测通气参数与 $P_{ET}CO_2$,很少有通气不足。

基于喉罩置管迅速减少诱导缺氧危险、麻醉苏醒恢复快以及术后呼吸道发病率低,喉罩麻醉对择期手术显示优于气管插管麻醉。对先兆子痫不能接受硬膜外麻醉需实施全麻的孕产妇,喉罩可以作为全麻优选方法,用气道食管双管型喉罩可供置胃管减压引流,更减少误吸、胃胀气的不良反应。

麻醉选择快诱导,压迫环状软骨至喉罩置管,有报道 1 067 例剖宫产,99.3％病例于 90 s 内完成喉罩置管,不致影响正压通气,置管后 2.1％病例有漏气或气道部分梗阻,有 7 例需要改行气管插管麻醉,全部病例无缺氧、误吸、反流、喉支气管痉挛或胃胀气,手术条件满意。临床应严格掌握剖宫产的全麻适应证。

第六节　神经外科手术

神经外科手术分为颅外手术、闭合性颅内手术和开颅手术三类。

一、颅外手术

颅外手术有脑室腹腔分流术、甘油注射(化学)脊神经切断术以及颅内动脉瘤栓塞术等。喉罩可用于不同年龄的颅外手术。脊神经根(化学)切断术手术时间短,俯卧体位亦适用喉罩麻醉。

二、闭合性颅内手术

动脉瘤栓塞术中,动脉瘤破裂出血是发生率最高的并发症,麻醉处理应避免增高动脉瘤的跨壁压,血压波动都将增加动脉瘤跨壁压力,增加动脉瘤破裂的危险。麻醉处理应力求平稳,减少麻醉操作(如气管插管、喉罩置管拔管)引起心血管不良反应。喉罩操作应激反应较轻微而且适用于远离手术室的介入治疗麻醉,可从容应对气道困难处理。丙泊酚及芬太尼、肌松药全凭静脉麻醉维持可控性高,有利于早期苏醒。

文献报道 69 例颅内动脉瘤栓塞术,24 例应用喉罩,45 例应用气管插管,均在芬太尼、丙泊酚、阿曲库铵诱导后置入喉罩或气管插管。喉罩组丙泊酚 TCI 靶控血药浓度 2.0 μg/ml,气管插管组丙泊酚恒速注入 6~8 mg/(kg・h),按需追加芬太尼、阿曲库铵。气管插管组困难插管 2 例,经反复插管后成功,喉罩组盲探置管顺利,仅 2 例需喉镜辅助。诱导期血流动力学喉罩组明显平稳,苏醒时间喉罩/气管插管分别为 7.5 min±2.5 min 与 16.05 min±3.5 min,喉罩组明显缩短。

三、开颅手术

开颅手术包括颅内肿瘤切除术、硬膜外血肿引流术、癫痫病灶切除术、颅脑损伤开颅术以及颅内动脉瘤手术等。传统的气管内麻醉后拔管和苏醒期出现呛咳、恶心、躁动使颅内压增高。当术中为评估脑神经定位功能行唤醒测试时这一问题更显突出。喉罩麻醉处理有下列优点:① 侧头位时,喉罩置管成功率达 100%;② 麻醉平顺不增高颅内压,提供满意的手术条件;③ 在术中维持浅麻醉能及时唤醒,必要时可拔管,使应答履行指令,以便完成病灶定位后,继续麻醉置管至手术结束;④ 不发生呛咳或高血压,亦未有因喉罩移位需重新置管的情况;⑤ 气管内麻醉手术病人苏醒期,在浅麻醉状态时用喉罩置换气管导管能有效减少呛咳和高血压的概率。

注意事项有:① 长时间手术者宜用气道食管双管型喉罩;② 开颅时防止突然出现呛咳或躁动,宜用肌松药及正压通气;③ 维持 $P_{ET}CO_2$ 及 SpO_2 正常范围;④ 如手术使用立体定位架,必须考虑留有气道管理置换的操作径路,应设定能否在手术需要时方便迅速地移除立体定位架;⑤ 使术中唤醒时生理指标减少波动,喉罩拔管时病人能对指令张嘴;⑥ 气管插管/喉罩置换时麻醉深度须相当于吸入麻醉浓度 MAC>0.7。

第七节　心血管检查和手术

一、心血管诊断性检查术

成人心脏诊断性介入检查可在局麻清醒或镇静状态下实施,多数小儿需全麻,喉罩用于小儿导管诊断性检查术及导管介入治疗术,有效且安全。如应用经气道食管双管型喉罩的引流管,提供食管超声心动图检查。对幼儿胆管闭锁肝血管造影术喉罩麻醉苏醒时间(4 min)早于气管插管(14 min),手术及麻醉医师对喉罩麻醉更为满意。

二、颈动脉内膜切除术

颈动脉内膜切除术病人应避免高血压,以免诱发脑水肿,尤其对伴有脑血流自动调节障碍的脑组织病变区域。有 60%～80% 病人已有慢性高血压,术中易出现动脉血压波动,对有冠心病者更加剧心肌缺血,故麻醉处理关键是维持血液动力学的稳定,气管插管时心率与血压可能骤增 25%～50%。气管导管拔管过程常出现呛咳,促使动静脉压急骤变化,影响手术部位。对此可用利多卡因气道喷雾,静注降压药或于深麻醉下拔管藉面罩支持通气。喉罩的优点是置管和拔管时血液动力学影响少,拔管时很少出现呛咳或恶心,尽管拔管时血液动力学较基础值波动±15%,都不需要应用降压药,喉罩不影响手术部位(选用可曲型喉罩),亦不出现围术期血管系统并发症。

置管后喉罩套囊应避免使用高容量以防压迫颈动脉。应妥善固定喉罩避免干扰外科手术部位。推荐使用气道食管双管型喉罩便于对长时间手术置胃管引流。

三、主动脉、股动脉血管手术

Brain 首先将喉罩用于腋-股动脉转流,实施主动脉手术。此后有 Agro 等报道 1 例 75 岁 ASA Ⅳ级未禁食的股动脉瘤急诊手术,用气道食管双管型喉罩清醒置管并插入胃管引流,围术期恢复平顺。Verghese 等报道 7 例喉罩麻醉成功实施选择性腹主动脉瘤手术。

第八节　内镜检查术

一、喉、气管、支气管镜诊治术

该项检查成人常规在局部黏膜麻醉及适量镇静药后经口/鼻实施光纤镜检查,有利于对咽喉局部检查,但可能并发鼻出血,尤其在多处组织活检时需反复插镜增加损害,亦不便实施呼吸通气支持。

高危病人为便于通气支持,避免鼻出血,供多次多处取组织活检,可经口气管插管全麻,但不能检查咽喉,并需较深的镇静或全麻处理,为此可用喉罩麻醉,喉罩较经口气管插管麻醉的优点是可通过口径较粗的内镜与通气道,使呼吸做功减少;对呼吸通气干扰较小;内镜通过咽及气管上段时无阻力;比气管插管可维持更浅的麻醉;手术条件优良,使手术时间缩短。

喉罩麻醉适应证包括:① 气管镜取异物;② 喉气管镜检查喉水肿原因;③ 经支气管镜肺支气管系统抗霉菌药治疗;④ 肺支气管灌洗;⑤ 支气管镜操作失败时改行纤支镜诊治;⑥ 开胸术前后的气道评估检查。

当光纤镜通过喉罩时通常不需移除喉罩开口上的栏栅,喉罩可供检查已经气管插管病人的喉部,可将喉罩插在气管导管后面。喉罩置管全麻诱导用常规方法,如未用肌松药,为防止保护性反射过分活跃,需维持较深麻醉,如辅用咽喉区域麻醉(喉上神经阻滞或环甲膜穿刺声门下麻醉)可维持较浅全麻深度。拔除喉罩宜在手术室内执行,防止气道梗阻等危象。如疑有声带损伤或气管软骨软化,拔管前可检查声带及近端气管。

二、胃镜诊治术

胃镜诊治术在有误吸高危因素时如急性上消化道出血、幽门梗阻。小儿常需应用气管内全麻,喉罩是相对禁忌。

采用带有大口径食管导引管的双管型喉罩供胃镜通过,置入喉罩后在套囊半充气的情况下,胃镜从套囊后方通过食管进入胃腔。由于胃镜通过使喉罩套囊更紧密压迫舌咽周围组织,进一步提高气囊防漏效果。据 32 例内镜逆行胰胆管造影术应用喉罩($n=20$)和气管插管($n=12$)回顾性研究发现:治疗性胃十二指肠光纤镜都能通畅地通过喉罩,但其中 1 例在术中需重新调整喉罩位置;6 例都能在俯卧位成功置入喉罩,拔管时间喉罩短于气管插管。

黏膜表面局麻清醒或全麻病人喉罩适用于胃镜诊治术。胃镜检查术都在仰卧或侧卧下操作,为手术医师操作方便并防止反流便于吸引,宜取侧卧位。喉罩套囊宜部分排气,以便胃镜通过。胃镜沿喉罩套囊后方,咽后壁的侧方经咽避免使用暴力进入食管开口,胃镜进入食管后,套囊应补充注气。该胃镜段的容积已部分置换套囊容积故套囊不需过多注气,胃镜越过喉罩后再评估漏气及定位情况,喉罩用胶布妥善固定于面颊部或以手法扶持固定。

第九节　磁共振、放射治疗及电休克治疗

小儿影像诊断及放射治疗需用全麻,常需多次接受全麻配合放疗,旨在制动,确保放疗

定位。如神经管细胞瘤(需俯卧位)及横纹肌肉瘤,术中不同体位影响麻醉气道管理。若多次反复气管插管可能诱发呼吸道远期并发症(如声门下损伤性狭窄)。用喉罩麻醉可避免此种并发症。

据 3 628 例喉罩麻醉用于 MRI、CT 及放疗(其中 170 例小儿放疗)统计并发症极少,未出现重大问题。麻醉期间如气道压高于 25 cm H_2O,常出现胃胀气。应注意避免使用对 MRI 成像有干扰效应的可曲型喉罩。

注意事项:① 常规应用无铁磁成分的普通型喉罩;② 多数病人可维持自主呼吸,当 $P_{ET}CO_2$ 偏高或在俯卧位时需用正压通气;③ 应高度关注并避免气道损伤,避免喉罩气囊高压对气道黏膜压迫损伤;④ 全麻应有足够深度使能耐受喉罩,小儿吸入麻醉浓度至少应在 0.7 MAC 以上。

精神病电休克治疗时间短促,多数病人用面罩氧疗,但有些临床医师则常规使用喉罩。如麻醉前评估气道困难可能,面罩不能保证满意通气,多数可选喉罩而免用气管插管。

操作指南:① 用小量琥珀胆碱为喉罩提供理想的置管条件;② 防咬肌抽搐时损伤牙齿和舌保护,应先置入"咬口器"或口咽通气道;③ 为防止胃内容反流,宜用气道食管双管型喉罩并由此置胃管,可避免苏醒期轻、中度反流时紧急气管插管。

第十节　喉罩应用于有合并症病人手术

一、心血管疾病

在麻醉状态下,心动过速增加心肌氧耗,其次是高血压和低血压。都是引起心肌缺血的主要原因,心动过速、高血压和术后心肌梗死有直接的关系。据 564 例观察资料,喉罩对血液动力学的应激反应较轻,有利降低围术期心肌梗死发生率。当喉罩气囊高容量时可使颈动脉血流减少 10%,但尚未证实有关不良反应。

二、呼吸系统疾病

声门上和大多数声门处的疾病直接干扰了喉罩的应用,而声门下的疾病并不妨碍应用喉罩。喉罩不增加气道阻力,不妨碍纤毛运动,可以提供更好的气体交换,并减少肺部感染的危险。对于有呼吸系统疾病的病人应用喉罩与气管插管相比,前者术后气道不良反应少而轻微,但喉罩不便吸除气管分泌物。

(一)声门上病变

如果因病损破坏咽部的解剖(如放疗后咽僵直)则降低喉罩置入成功率。有资料表明对于上呼吸道感染的小儿喉罩较气管插管的气道不良反应要小。对术前有过上呼吸道感染的小儿较无上呼吸道感染过去史的小儿实施喉罩麻醉后,前者麻醉时易出现喉痉挛及呛咳,且麻醉苏醒期亦有喉痉挛、呛咳及缺氧较高的发生率。

（二）声门部病变

喉罩可以用于不需要高气道压通气的声门疾病病人。声门处病变如双声带麻痹,声带小肿瘤等能被纤支镜检出,偶尔会影响使用喉罩。

（三）声门下病变

喉罩可以用于不需要高气道压通气的声门下疾病病人。声门下病变能被纤支镜看到,不容忽视。各种声门下病变的诊断性支气管镜检可适用喉罩麻醉,但应有防漏衔接管与麻醉呼吸装置衔接,供麻醉、手术过程中的呼吸管理。

因气管肿瘤而致高位气管狭窄行气管肿瘤狭窄段切除与气管置换术,无法行常规气管内插管,应用喉罩通气开始手术,术中待切断狭窄部下端总气管后,经术野向气管远端插入适当口径的消毒气管导管维持通气。

（四）支气管哮喘

多种因素可诱发哮喘发作,国内报道用咪达唑仑（咪唑安定）、芬太尼、丙泊酚、维库溴铵诱导置入普通型或双管型喉罩,静吸复合麻醉维持。

三、胃肠道疾病

大多数麻醉医师认为对于胃食管反流者禁忌使用喉罩,麻醉期间反流的危险与其本身症状的严重程度相关。资料显示,术前有反流症状的病人术中发生反流的概率很小。喉罩能影响食管括约肌的功能和食管的生理运动,但是麻醉状态下反流的危险因素主要表现为气道反射性保护作用活跃和气道阻塞。因肥胖、禁食时间不足（而又急需手术的）有误吸危险,可在麻醉前置入气囊型胃管,堵塞贲门食管后消除反流危险再实施麻醉诱导。

四、中枢神经系统疾病

中枢神经系统疾病有引起颅高压、增加误吸的危险。使用喉罩与气管插管相比,前者更利于降低颅高压,尤其在诱导期与苏醒期。

五、肌肉与骨骼疾病

有些骨关节疾病影响颈椎和颞颌关节的活动度。有些肌肉疾病会影响肌紧张,易发恶性高热。喉罩可用于颈椎疾病或损伤病人开放气道和引导气管插管,也可以为那些应避免使用肌松药的肌肉疾病病人开放气道。

双管型喉罩用于颈部瘢痕挛缩或颈部扩张器植入等颈部活动受碍的整形手术病人,其置管时间短,气道密封压好。

六、皮肤疾病

皮肤疾病应用喉罩大多数是烧伤及胎痣的小儿手术。对于急诊烧伤病人和焦痂切除术,应用喉罩可以避免反复气管插管和使用琥珀胆碱。喉罩已成功应用于处理气道困难的烧伤病人。喉罩与面罩麻醉相比其优点是减少了与面部皮肤的接触,也就减少了接触性皮炎或坏死的风险。喉罩可用于面部皮肤有病变的病人,以避免使用面罩的相关损伤。

七、肾脏疾病

喉罩在肾结石碎石术使用时成功率很高,并且比气管插管更具优点。慢性肾衰病人在静注丙泊酚(异丙酚)和插入喉罩后,低血压的发生较常见。

八、出血性疾病和抗凝治疗

应用喉罩可减少气道出血风险和避免气道损伤,应是出血性疾病病人的全麻优选,但是事先围手术前应积极纠治出血性疾病,并尽量减少操作时的损伤。

九、内分泌疾病

相关的内分泌疾病指那些可能改变气道解剖或胃运动的疾病。包括甲状腺或甲状旁腺手术、肢端肥大症或糖尿病,可能有气道困难问题。喉罩也是很好的选择。

十、肥胖

肥胖病人因解剖和生理功能的改变而影响麻醉处理。与气道管理有关的影响因素包括:① 限制性通气障碍;② 低氧血症;③ 增加胃酸的反流危险;④ 喉镜暴露插管困难;⑤ 难以保证面罩通气。这些风险随体重指数的增加而增高,但也不能完全依靠体重指数来预先评估这些风险。

据 954 例肥胖病人使用喉罩麻醉发现喉罩适用于气道困难的肥胖病人,肥胖病人发生误吸可能增多,喉罩麻醉辅用带气囊的堵塞胃管可预防误吸。肥胖病人可使用插管型喉罩引导气管插管,重度和病态肥胖病人用双管型喉罩开放气道成功率高;肥胖病人的妇科腹腔镜手术用双管型喉罩与气管插管通气效果相似,亦不致出现胃胀气。

十一、老年病人

器官功能会因年龄增长而有所退化,表现为储备功能的下降。各主要器官的功能随着年龄以每年 $1\%\sim1.5\%$ 的速度减退。到 80 岁时与 30 岁相比,基础代谢率、心脏指数、肺活量和最大通气量分别减少 85%、65%、60% 和 45%。随着年龄增长动脉血氧分压亦有下降。在药物动力学(药物排除半衰期延长)和药效学(药物与受体结合力和数量减少)也有所改变。高龄常和某些疾病并存,如高血压、缺血性心脏病、心脏传导阻滞、充血性心力衰竭、脑血管疾病、慢性阻塞性肺病、糖尿病、亚临床甲状腺功能减退、风湿性关节炎、骨关节病和睡眠呼吸暂停综合征。药物的不良反应发生率亦有所增加。老年病人可由于上呼吸道保护性反射减弱和食管裂孔疝的高发率而增加误吸的风险,同时也有胃排空延迟的情况。

喉罩和气管插管相比用于老年病人的主要优点是心肺功能影响小,易于置管,比较面罩的主要优点是对于很多缺齿没牙的老年人更易于有效的密封通气。临床经验和研究结果显示:探腹术、股骨颈手术宜用喉罩全麻-硬膜外联合麻醉有利于循环呼吸功能的维持,有全麻适应证(如老年痴呆、高龄、ASA Ⅲ级老年病人等)的泌尿科短小手术喉罩全麻常优于重比重脊麻。

第十一节　喉罩通气道在急救复苏和重危病人中的应用

一、喉罩通气道在急救复苏时应用

喉罩通气道在 1987 年应用于急救复苏。喉罩通气道用于复苏的优点是容易快速插入喉部进行通气,不需太多的培训,且无插入食管或右侧支气管的可能,但喉罩通气道对呕吐、误吸的气道保护作用差。急救复苏时除应用普通喉罩外,最好应用一次性喉罩以避免疾病传播。为加强气密性、预防误吸也可应用插管型喉罩或双管型喉罩。

(一)喉罩用于急救复苏的适应证和注意点

目前认为喉罩用于急救复苏的适应证是:① 病人昏迷但仍有呼吸;② 气管插管失败的复苏病人;③ 面部损伤引起解剖异常,气管插管困难的病人。对半清醒病人及呼吸道保护反射完好的病人,不适宜应用喉罩。

(二)插入喉罩应注意以下几点

① 不应对环状软骨施压,因妨碍喉罩插入和人工通气。② 怀疑病人有颈椎损伤时,应在中间位置入喉罩。③ 喉罩插入后先注入最大推荐注气量的 2/3 量,用潮气量 10 ml/kg 和较低的气道压作轻度手法通气。

二、喉罩通气道在重危病人中的应用

重危病人大部分入住重症监护病房,重危病人常需气管插管(经口或经鼻)或作气管造口术,以保证通气效果和保护呼吸道免受胃内容物反流和误吸,因此重危病人应用喉罩通气的机会较少。但在某些情况,仍可应用喉罩通气治疗。

（一）应用于有自主呼吸的半昏迷病人

避免气管插管。曾报道急性乙醇中毒病人因半昏迷呼吸道部分阻塞而行气管插管，因病人不能耐受气管导管而被迫拔管，拔管后呼吸仍不能维持通畅，改用喉罩插入，病人自主呼吸，数小时后完全清醒。

（二）避免心血管和呼吸系统不良反应

急性脑血管疾病伴神志障碍应用喉罩插入，可避免气管插管导致的应激反应和血液动力学改变，并可作短期呼吸支持。

（三）术后呼吸支持

对肥胖病人、老年人、心肺手术后病人应用喉罩通气，进行呼吸支持，病人较气管插管易于耐受，可避免术后呼吸并发症，喉罩通气时间自数小时至数天不等，最后可顺利康复出院。

（四）撤离呼吸机

有些病人不能耐受气管插管，需要镇静药，造成脱离呼吸机困难，用喉罩替代气管导管进行呼吸支持后，可顺利脱离呼吸机。

（五）喉气管支气管镜检查

通过喉罩进行喉气管支气管镜检查，效果良好，尤其对术后肺不张用支气管镜检查吸除分泌物，肺可再扩张。

（六）其他

困难气道，重危病人气管插管困难，应用喉罩作为应急开放气道进行通气急救，可获得良好效果。

三、喉罩用于新生儿复苏

喉罩还可应用于产房内新生儿复苏，据统计产房内新生儿 6.1% 需进行复苏。新生儿复苏主要是呼吸复苏。与面罩给氧相比，喉罩置入可避免面罩压迫新生儿眼球，不需要托起下颌和保持面罩与面部密闭，有利于急救者可以进行心脏按压和应用药物，同时氧合效果也较好。与气管插管相比，喉罩置入较容易，对肺的生理干扰小，不会发生支气管插管或误入食管。喉罩的血流动力学应激反应比气管插管小，可预防新生儿脑室内出血。喉罩插入可避免喉水肿，新生儿黏膜如水肿 1 mm，可减少喉声门截面积 65%。但与气管插管相比，新生儿喉罩最大缺点是不利于气管内黏液特别是胎粪样物质的吸引，较难进行气管内给药，且气道的通气压较高，对某些先天性呼吸道疾病如喉闭锁不适宜应用喉罩插入。虽然新生儿复苏应用喉罩是有效的，但对呼吸道分泌物多需吸引的新生儿，仍以气管插管为首选。

新生儿复苏时喉罩置入平均费时 9 s，插入喉罩后易于进行手法人工通气。达到呼吸道通畅,心率大于 100 次/min,躯体红润,呼吸规律的效果。

(蔡英　鲍泽民)

参 考 文 献

1　Verghese C,Brimacombe J. Survey of laryngeal mask airway usage in 11910 patients:safety and efficacy for conventional and nonconventional usage. Anesth Analg,1996,82:129~133.

2　Jones MJ,Mitchell RW,Hindocha V. Effect of increased intraabdomnal pressure during laparoscopy on the lower esophageal sphincter. Anesth Analg,1989,68:63~65.

3　史东平,祝义罩,封卫征,等. 食管引流形喉罩在腹腔镜胆囊手术麻醉中的应用. 临床麻醉学杂志,2006, 22:511~513.

4　蔡珺,黑子清,池信锦,等. Proseal 喉罩在妇科腹腔镜手术麻醉中的应用. 临床麻醉学杂志,2005,21: 454~457.

5　田斌斌,顾卫华,刘惠,等. 气管插管型喉罩在悬雍垂腭咽成形术中的应用. 临床麻醉学杂志,2007,23 (6):513.

6　Evano VR,Gardner SV,James MF, et al. The Proseallaryngeal mask:results of a descriptive trial with experience of 300 cases. Br J Anaesth,2002,88:534~539.

7　毛鹏,薛富善,李成文,等. 食管引流型与标准型喉罩通气道在全身麻醉患者的应用. 临床麻醉学杂志, 2006,22(9):643~645.

8　王振华. 腹腔镜胆囊切除术中不同麻醉方法对应激反应的影响. 临床麻醉学杂志,2006,22(12): 922~923.

9　王凤学,任敦吉,西志梦,等. 喉罩在高位气管狭窄切除中的应用. 临床麻醉学杂志,1999,15(6):332.

10　尤新民,赵璇,叶海蓉,等. 第三代喉罩用于腹腔镜胆囊切除术患者的效果. 中华麻醉学杂志,2006,26 (8):714~716.

11　许奕,刘建民,洪波,等. 颅内动脉瘤 GDC 栓塞术中破裂的原因分析及处理. 中国神经精神病杂志, 2001,27:440~441.

12　尤新民,赵璇,叶海蓉,等. 气管食管双通喉罩在妇科腹腔镜全子宫切除术中的临床观察. 中国内镜杂 志,2007,13(1):36~38.

13　尤新民,韩玲,赵璇,等. 气管插管型喉罩通气在困难气管插管中的应用. 中华麻醉学杂志,2003, 23(12):930.

14　陈红,尤新民,鲍泽民. 喉罩全麻复合硬膜外麻醉在胃肠道手术中的临床应用. 临床麻醉学杂志,2000, 16:152~153.

15　陈锡明,周泓,白洁. 小儿喉罩通气时压力控制通气和容量控制通气的比较. 临床麻醉学杂志,2005, 21(3):154~155.

16　陈彦青,郑澍. 喉罩通气道与气管内插管在急救复苏中重建有效通气道的对比研究. 中国误诊学杂志, 2001,1:1149~1150.

17　Paterson SJ,Byrne PJ,Molesky MG, et al. Neonatal nesuscitation using the laryngeal mask airway.

Anesthesiology,1994,80:1248~1254.

18 Brimacombe J. The use of the laryngeal mask airway in very small neonates. Anesthesiology,1994,81:1302.

19 Sabib YM. The use of the laryngeal mask airway in intensive care. Today's Anesthetist,1989,4:268.

第 *10* 章 喉罩通气的问题及并发症处理

数以亿计的临床应用经验证明喉罩使用是安全可靠的,但仍有问题存在和发生。与喉罩相关的问题可以分为:① 功能性问题即喉罩不能正常发挥功能;② 病理生理性问题;③ 气道病变(咽喉部不适、组织损伤以及对血管、管道和神经的压迫);④ 术后恶心、呕吐;⑤ 疾病的传播;⑥ 环境污染;⑦ 喉罩损坏等。绝大多数的问题与喉罩使用不当有关,有了经验的积累,出现这些问题的数量明显减少。问题的发生主要与下列因素有关:① 麻醉的阶段;② 使用的麻醉药物;③ 是在全麻还是在表面麻醉下置入喉罩;④ 喉罩是作为通气装置还是作为插管设备;⑤ 喉罩的类型;⑥ 通气模式;⑦ 病人年龄;⑧ 手术类型和时间。

第一节　喉罩不能发挥正常功能

一、控制或辅助通气失败和喉罩移位

普通型、可弯曲型、插管型和气道食管双管型喉罩各数千~数万病例的观察发现,失败率分别为2%、2%、1%和1%。只是很少有研究对下列情况做进一步的细分:① 置入失败;② 呼吸道梗阻;③ 声门周围封闭失败。然而,区分这些情况的研究资料提示导致通气失败时这三者发生的比例相似。在使用扁桃体开口器或拔牙等口内操作手术时,呼吸道梗阻是通气失败的常见原因。在非头颈部手术时,喉罩移位的发生率约为0.1%,而口内手术则增至5%左右。

采用 Brain 提出的标准方法可减少喉罩插入困难及位置不当的发生率。尽管已提出许多其他的喉罩插入方法,包括旋转法、侧路法、喉罩部分充气法、提颌法或直接喉镜法,但是与标准方法相比,仍未证实这些方法具有更多的优点,有时更容易造成喉罩位置不当。合适的麻醉深度、良好的润滑以及恰当的体位都有助于喉罩的正确置入。此外,选择大小合适的喉罩,必要时采用一些辅助插入装置不仅有利于喉罩的顺利插入,并可使会厌处于正确的位置。

二、未能预防气囊之上的分泌物漏入气道、胃充气、反流及误吸

喉罩正常充气后一般能有效减少口咽部分泌物流入气管,但对预防气囊之上分泌物泄漏的失败率为 0.5% 左右,如果分泌物过多聚集,失败率更高。胃充气的发生率在气道峰值 15 cm H_2O 或 20 cm H_2O 时为 0~2%,气道峰值 25 cm H_2O 时为 0~5%,气道峰值 30 cm H_2O 时为 5%~50%。但有明显临床征象的胃充气发生率为 0~0.3%,术中发生呕吐的比例约为 0.2%(0.02%~4.0%)。多涎的病人约 9%(0~33%),多涎发生的比例高低还与麻醉药物种类和麻醉深度有关,清醒病人用喉罩术中反复吞咽的比例较高,可达 4%~18%,反复吞咽可能会增加术后咽痛的发生率。咽部反流的发生率在使用食管内 pH 探头检测时可达 5%,但有临床表现的反流发生率仅为 0.07%。空腹病人胃内容物误吸的发生率为 0.012%。

三、未能成功引导气管插管或其他器械的功能

喉罩置入后不仅可以进行通气,还可以引导气管导管或其他器械进入呼吸道或消化道。不过无论是呼吸道还是消化道,喉罩的引导作用总有一定的失败率,普通型喉罩用于直接盲探气管内插管首次失败率高达 50% 左右,总体失败率也超过三分之一,使用光杖或纤维光索引导可使总体成功率提高到 80% 以上,若用纤支镜引导失败率仅 1% 左右。经插管型喉罩进行气管插管的成功率显著提高,直接盲探的首次失败率 27%,总体失败率 10% 左右,使用光杖或纤维光索引导可使总体成功率提高到 99%。

导管等器械进入胃肠道的失败率在使用经典型喉罩时很高,虽然胃镜可以 100% 进入,但胃管插入的成功率仅 55%。气道食管双管型喉罩有专用插胃管通道,插入胃管的成功率超过 95%,有报道插入胃肠压力计、TEE 探头、热敏电阻等器械也几乎全部成功。

第二节　喉罩通气引起的病理生理改变

严重心血管事件的发生率随不同的麻醉期而变化:心动过缓在置入期最常见(8.2%);心动过速常见于拔除期(2.7%);低血压常见于麻醉维持期(12.6%);而高血压也常见于麻醉维持期(7.7%)。有研究报道恶性心律失常和心肌缺血的发生率分别为 0.09% 和 0。尽管不能完全避免严重心血管事件的发生,但只要给予适当的麻醉和处理,因局部刺激或反射引起的问题在喉罩麻醉明显低于气管内插管。血流动力学紊乱和呼吸系统问题的发生率见表 10-1。

非口腔内手术使用喉罩时呼吸道梗阻的发生率约为 1.5%(0~24%);而拔牙手术时呼吸道梗阻可达 6%~31%,但通过调整喉罩均能解除气道梗阻;使用扁桃体开口器者气道梗

阻发生率 4%～17%，但部分病人通过调整喉罩无法完全解除梗阻。咳嗽、干呕、恶心的发生率平均为 4% 左右，喉痉挛约 1.5%，而支气管痉挛的发生率极低，小于 0.1%。呃逆约 1.4%。喉罩虽然对气道的保护性反应影响较轻且时间短暂，但术后 30 min 内气道保护受损的发生率仍有约四分之一，所以即使术后清醒良好，术后早期仍应加强气道管理和监护。菌血症的发生率为 0，负压性肺水肿仅见个案病例报道。

表 10 - 1　喉罩使用不同阶段并发症的发生率

	置入期(%)	维持期(%)	拔除期(%)
气道和呼吸			
使用失败	0.2	0.35	0.35
反流/误吸	0.04	0.04	0.04
缺氧	0.6	1.1	0.04
支气管痉挛	0.02	0.04	0.24
声门闭合	1	0.74	0.67
胃充气	0.16	0.16	0
咳嗽/作呕/恶心	1.9	0.16	1.3
呃逆	2.9	0.18	0.36
牙咬	0	0.3	1.7
位置不当	0.08	1.3	0
血流动力学			
心动过缓	8.2	3.3	1.6
心动过速	0	0.55	2.7
节律不齐	0	0.3	0
低血压	9.3	12.6	0.18
高血压	0	7.7	6

第三节　喉罩通气并发的气道病变

气道病变的原因基本上可分为：① 在喉罩插入、拔除以及调整操作时的组织创伤；② 在将一些器械置入呼吸道或胃肠道时的组织创伤；③ 黏膜受压过重和压迫时间过久导致的缺血；④ 咽喉部反射和感觉的改变。创伤和缺血性损伤对气道原有病变的相关促进作用尚不清楚。

一、咽喉部不适

术后咽喉部不适往往是轻微和一过性的，但有时也会很严重并持续一段时间。症状包括咽喉痛，吞咽困难，构音障碍，口、颈、下颌疼痛，咽部感觉迟钝，口、喉咙干，耳痛、听力受损以及舌部感觉异常。绝大多数的这些症状并非与特定部位的气道损伤相对应。

（一）普通型喉罩

1. 咽喉痛　Brain 等在 1985 年首次发表了判断咽喉痛发生率的研究（通常定义为持续痛且与吞咽无关）：发生率为 6.8%（8/118），明显低于采用相似过程进行气管插管的 70 例平行对照（29%）。8 763 例非口内手术的研究统计出咽喉痛的平均发生率为 13.0%。疼痛在 50%～100% 的病人是轻度和一过性的，疼痛评分在术后第二天有所降低。

2. 吞咽困难　1 050 例非口内手术的研究报道了吞咽困难（吞咽时困难/疼痛）的发生率为 11.5%。吞咽困难在 60%～100% 的病人是轻度和一过性的，术后第二天发生率减少 50%。

3. 构音障碍　2 009 例行非口内手术的研究报道了构音障碍（说话困难/疼痛）的发生率，平均值为 5.3%。构音障碍在大约三分之二的病人为轻度。

4. 口腔、颈部、下颌疼痛　有研究统计，口、颈和下颌疼痛的发生率分别为 1%～8%、2%～7% 和 1%～3%。Brimacombe 等发现成年颈部疼痛和下颌疼痛的发生率分别为 2%～4% 和 1%～2%，均为轻度。

5. 咽部感觉迟钝　Daum 等发现有 23% 的病人称在使用喉罩后口内有一种"发胀的感觉"。Klockgether-Radke 等发现 8% 的斜视患儿称在使用喉罩后有喉部异物感。

6. 口干、喉咙干　在术后即刻，口和喉咙干的发生率为 62%～64%。O'Neil 等发现从成年病人麻醉后恢复室出室时及次日喉咙干的发生率分别为 62% 和 55%。而 Rieger 等发现，术后第 1、2、3 天咽部干燥的发生率分别为 64%、19% 和 6%。使用时间越长，咽部干燥越严重。

7. 耳痛或听力受损及舌部感觉迟钝　Greenberg 等发现，153 例行非头/颈部手术的成年病人中，术后次日轻微耳痛和听力受损的发生率分别为 1.3% 和 2.7%。这可能与咽鼓管受到气囊的压迫同时伴有 N_2O 弥散入中耳鼓室有关。Keller 等报道，126 例行机械通气病人，使用利多卡因润滑凝胶，其术后舌部感觉迟钝的发生率为 2%，而不使用组则为 0。

（二）其他类型喉罩

使用可弯曲型和气道食管双管型喉罩时气道病变的发生率与普通型喉罩相似，而插管型喉罩则较高。这与其对黏膜的压力相一致。一次性与普通型喉罩对黏膜的压力和置入的容易度均相似，提示它们可能有相似的气道病变发生率。Verghese 等发现，咽喉痛的发生率在一次性和普通型喉罩之间相似，分别为 12% 和 10%。

（三）喉罩和其他通气设备

1. 喉罩和面罩（FM）的比较　根据 4 950 例病人进行的荟萃分析，333 例病人的非随机研究发现，咽喉痛的发生率在喉罩组和 FM 组之间相似（分别为 7% 和 10%）。

对 150 例妇科手术的研究发现，咽喉痛的发生率在喉罩组（28%）高于 FM 组（8%），若使用引导工具帮助喉罩置入，则咽喉痛的发生率有所下降（18%），而损伤出血的情况也有减少。Brimacombe 等发现 300 例成年喉罩比 FM 引起更多的咽喉痛（20％～42％：8％）和吞咽困难（1％～11％：1％），但下颌/颈部疼痛较少（3％～9％：11％～14％）。Higgins 等对 4 323 例行门诊手术病人的回顾性分析中发现，咽喉痛的发生率在喉罩比 FM 高（17.5％：3％）。

2. 喉罩与直接喉镜气管插管的比较　3 414 例病人的荟萃分析结果显示：喉罩与直接喉镜气管插管相比，其咽喉痛的发生率较低（17％：39％），吞咽困难的发生率较高（20％：10％），而构音障碍的发生率相似（15％：21％）。

3. 喉罩与带气囊的口咽通气道（COPA）的比较　研究结果显示，咽喉痛的发生率在喉罩比 COPA 高（20％：10％）。

4. 喉罩与食管气管联合管（ETC）的比较　Oczenski 等在 50 例成年病人的研究中比较了喉罩与食管气管联合管（ETC）引起的咽喉痛，发现咽喉痛的发生率分别为 12％：48％，吞咽困难 8％：68％，均以 ETC 显著为高，但构音障碍的发生率在两者间相似（均为 12％）。

5. 气道食管双管型喉罩和喉管通气道（LTA）的比较　Brimacombe 等发现气道食管双管型喉罩与 LTA 相比，咽喉痛的发生率为 12％：8％，吞咽困难为 10％：10％，构音障碍为 5％：10％，颈部痛为 3％：8％，下颌痛为 3％：8％，两组均相似；咽喉部不适也差异细微。

6. 插管型喉罩与直接喉镜下气管插管（LG-TI）的比较　通过插管型喉罩进行插管与 LG-TI 相比，两者的气道并发症相似。

（四）影响咽喉部不适发生率和严重程度的因素

1. 置入的难易程度和肌肉的松弛度　Keller 等发现多次试插有增加气道损伤的趋势，但无统计学意义。Nott 等发现咽喉痛的发生率随置入次数的增加而增加：在 1、2、3 和 4 次试插后，发生率分别为 10％、23％、43％和 50％。在诱导时使用小剂量的米库氯铵可以减少咽喉痛的发生率（24％～30％：53％），这可能与置入条件改善有关。

2. 插入喉罩的方法　绝大多数的研究称咽喉部不适的发生率在不同的置入技术间并无差别。研究发现气囊充气后置入比气囊不充气置入引起的咽喉痛更多（22％：7％）。另一项微创妇科手术的研究发现使用 Dingley 置入工具辅助，可以降低咽喉痛的发生率（18％：29％）。

3. 气囊容积　随着喉罩气囊容积增加将导致对黏膜的压力增加，可能增加咽喉部不适的发生率。通过 1 688 例病人的荟萃分析显示随着气囊容积的增加，咽喉痛（分别为 12％和 24％）和吞咽困难（分别为 9％和 17％）的发生率增加，但构音障碍的发生率并不增加。因为咽喉痛和吞咽困难主要是咽部症状，气囊压迫该处，而构音障碍则主要是喉部症状，该处无气囊压迫。有研究显示下颌和（或）颈部疼痛不受气囊容积的影响。Nott 等发现在女性病人中，若将气囊内压力尽量降至可进行有效封闭的最低压力时，咽喉痛发生率可由 12％降至 4％。

4. 喉罩型号　通常认为较小型号的喉罩引起的气道损害较少。Grady 等比较较小型号(男性 4 号,女性 3 号)与较大型号(男性 5 号,女性 4 号)喉罩的气道问题发生率,发现较大型号喉罩在男女病人中均与较高的咽喉痛发生率有关(男性中 20％∶7％,女性中 21％∶5％)。而在男性病人中它还与构音障碍发生率较高有关(21％∶9％),可能与较大型号的喉罩对黏膜产生更高的压力有关。然而,也有研究发现对黏膜的压力并不受喉罩型号的影响,可能的解释是在"刚够封闭的气囊内压力"时,大号喉罩需要充入的气体量少,而小号喉罩需要注入的气体量大。除非气囊内压力过高,导致咽喉痛的主要原因是置入时产生的口咽部的创伤而非对气囊对黏膜的压力。喉罩型号越大置入时越困难,故产生的创伤更大。

5. 润滑剂　润滑剂的类型对咽喉部不适的发生率并无影响。Keller 发现一次置入成功的病例中使用利多卡因凝胶组和生理盐水组咽喉痛的发生率相似。

6. 牙垫　咽喉部不适的发生率可能受所选择的不同牙垫的影响。使用 Guedel 通气道作为牙垫与卷好的纱布拭子比较,前者构音障碍(4％∶0)和咽喉痛(12％∶2％)的发生率均较高。这可能与 Guedel 通气道使气囊偏离了最佳位置,或部分由通气道直接造成的创伤有关。

7. 麻醉气体的湿化　O'Neill 等在应用喉罩的病人中发现,湿化组与未湿化比较咽喉痛 44％∶27％,构音障碍 28％∶23％,喉咙干 61％∶64％。该研究小组随后确认了主动湿化可以增加咽喉部不适的发生率,尤其是在喉罩使用时间较长之后。

8. 通气模式　咽喉部不适(咽喉痛和构音障碍)并不受通气模式的影响。不过在一项成年病人的研究中发现咽喉痛和吞咽困难的发生率相似,但与使用喉罩自主呼吸相比,构音障碍的发生率在机械通气后增加(17％∶5％)。可能是因为分钟通气量增加导致气管支气管黏膜的干燥,另一个原因是机械通气时为了形成封闭需要增加气囊的容积,继而增加对黏膜的压力。

9. 气管食管器械　Brimacombe 等发现经口将胃管从普通型喉罩的后面插入胃或通过气道食管双管型喉罩引流管插入,都不增加咽喉部不适的发生率。

10. 麻醉持续时间　Hamakawa 研究中发现麻醉持续超过 3 h,咽喉痛发生率增加。Foley 等发现麻醉持续时间和出 PACU 前咽喉部不适之间呈正相关,但次日两者间则无明显关系。Arndt 等以及 Kihara 等均发现咽喉痛和麻醉持续时间之间不相关。Kihara 的报道都使用 N_2O,只是后者对气囊内压力进行了限定。Brimacombe 发现,使用时间持续 4～8h,20％的病人出现了轻微的咽喉痛。

11. 麻醉医师的资历　Verghese 等和 Arndt 等发现咽喉痛和各级麻醉医师之间不存在相关。

12. 性别及其他人口统计学变量　在成年病人的研究中发现性别与咽喉部不适发生率之间不相关。但也有报道认为女性应用喉罩后咽喉部不适的发生率高于男性,有研究报道咽喉部不适在吸烟者和非吸烟者之间也相似。

13. 其他　调整气道的操作(如推下颌、提颏、头/颈位置的改变、上下调整、颈前压迫)、气道有关的不良事件(如咳嗽、干呕、呃逆)以及额外的口咽部器械操作(吸引管、扁桃体张口器以及牙科手术操作)一般都会引起喉罩气囊移动、黏膜的压力改变或直接创伤,从而增加咽喉部不适的发生率。Thoma 报道了 1 例男性在喉罩麻醉后可能由于对润滑剂过敏引起严重构音障碍。

二、组织创伤

轻微的组织创伤是常见的,往往可以在拔除喉罩时见到其表面沾血,而较大的创伤(包括术后严重的、持续性咽喉部不适或说话困难)则少见。

(一) 出血

以拔除喉罩时其表面沾血为依据,对 7 000 余例行非口内手术的研究总结出沾血的平均发生率为 5.3%。儿童组 2 300 例病人出血的发生率为 3.9%。但隐性出血或显微镜下出血的发生率要高出 20 倍以上。出血病人术后咽喉部不适发生率高,而且出血还与疾病的传播相关,也可能导致致命的并发症。

1. 影响出血发生的因素

(1) 气囊容积:Brimacombe 等发现出血发生率在喉罩气囊部分充气和完全充气时相似($6\% \sim 8\%$: $8\% \sim 14\%$)。这可能是因为即使气囊充气达到所推荐的最大容积,其对黏膜的压力仍低于黏膜的灌注压。在正常充气范围内,插管型喉罩对黏膜压力的基础值较高,气囊容积改变与出血的关系更密切。

(2) 气囊中充 N_2O:Algren 等发现气囊内充以 N_2O 者出血的发生率较低(3% : 19%),推测可能是由于气囊容积不会因为术中吸入 N_2O 而继续增加。

(3) 喉罩置入的难易程度:Logan 和 Morris 等儿童的研究中发现在多次试插后创伤的发生率明显较高(一次成功出血发生率为 3%,多次试插为 22%)。Keller 等成年病人的研究中发现 3 例出血的病人都发生在 $2 \sim 3$ 次试插之后,但因阳性病例数量太少没有统计意义。

(4) 置入方法:对各种改良的喉罩插入方法是否能减少出血的发生率仍有争议。Nagai 等在 30 例儿童中发现气囊半充满置入时,使用 90°侧转的方法比标准插入法出血的发生率减少(由 40% 减少到 0)。Dingley 等发现,使用 Dingley 置入工具时出血率比标准方法低(4% : 22%)。但也有不同的结果报道,Wakeling 等在 95 例儿科病人的研究中发现使用标准法时气囊完全充气(5/32)、完全不充气(1/32)或气囊内为大气压(4/32)时插入喉罩,出血的发生率并无差别。Brimacombe 等的研究发现出血率在：不充气、半充气、完全充气及反转法之间比较也相似。在出血率最低(0.7%)的报道是由熟练的使用者采用标准法完成喉罩插入，提示关于标准法出血率高的结果可能与插入技巧有关。

(5) 头/颈部体位：Brimacombe 等研究了喉罩插入时体位与损伤的关系，发现出血率在嗅物位和头中间位之间相似。

(6) 牙垫：Keller 等发现使用 Guedel 通气道作为牙垫比使用卷好的纱布拭子时出血更常见(13%：0)。这可能与 Guedel 通气道本身对口咽部的损伤有关。

(7) 麻醉医师的资历：Verghese 等发现出血率在接受训练者(20%～25%)和指导医师(20%～25%)之间相似。

2. 不同类型喉罩之间的出血率比较　研究提示各种喉罩之间出血发生率相似。普通型和一次性喉罩普通型和插管型喉罩、普通型和气道食管双管型喉罩之间出血发生率均相似。

3. 与其他通气设备之间出血率的比较

(1) 与直接喉镜下气管插管(LG-TI)的比较：研究发现隐性出血(76%：78%)和肉眼出血(12%：16%)的发生率在喉罩和 LG-TI 之间相似。

(2) 与喉管通气道(LTA)：研究发现出血率在气道食管双管型喉罩(7%)和 LTA(7%)相似。

(3) 与食管气管联合管(ETC)：研究发现出血率在 ETC 比喉罩高(36%：4%)。

(二) 口唇损伤

喉罩引起口唇损伤的发生率很低，大约为 0.2%。口唇损伤往往发生在置入时下唇或上唇被卷在喉罩和牙齿之间。通过在插入喉罩前拉出口唇可以防止损伤的发生。固定导管时将口唇挤压在导管和牙齿之间时间过长也是导致口唇损伤的原因之一，注意观察均能有效预防。

(三) 牙齿和假牙的损伤

在使用喉罩时发生牙齿损伤非常罕见。Brimacombe 等报道了 1 例在喉罩置入过程中发生牙齿碎裂。牙齿损伤最有可能出现在拔除喉罩时病人的牙关紧闭，但在置入过程中也有可能发生。如果假牙在手术中未被取下，而拔除喉罩时用力过猛可能会损坏假牙。避免撞击牙齿、在磨牙间使用厚而软的牙垫、预先取出假牙等可以减少牙齿和假牙损伤的危险性。

(四) 软腭和腭垂的损伤

轻微的软腭和腭垂损伤的发生率在 3%～4%，但坏死和溃疡等严重损伤极少见。Shrestha 和 Basnyat 等发现软腭擦伤的发生率约为 3%。

Lee 报道 1 例喉罩置入困难的病例，发生腭垂损伤。Sanders 报道 1 例 32 岁男性在顺利置入 5 号喉罩行关节镜检查后出现腭垂坏死,数日后脱落。推测这个损伤是由于喉罩的尖端折叠压迫腭垂造成。腭垂水肿和坏死也已有报道。

（五）扁桃体损伤

扁桃体损伤较罕见,Van Heerden 等报道 1 例体重 80 kg 成人伴有扁桃体肥大,在喉罩放置困难后出现了扁桃体损伤,所以建议如果怀疑有扁桃体肥大者在放置喉罩时可使用喉镜。扁桃体损伤更易发生在扁桃体肥大或有病变时,或者是所采用的置入方法容易使扁桃体被碰伤。

（六）咽后壁损伤

咽后壁的轻微损伤是比较常见的,因为喉罩置入过程中在此处往往会遇到阻力,无论是喉罩置入过程中或者留置期间,该处对黏膜的压力最高。

（七）上呼吸道水肿和坏死

Nakazawa 等在 40 例行颈椎手术的成年病人中使用插管型喉罩进行盲插,发现在手术持续 4 h 后有 3 例影像学上出现了喉水肿。这可能与将插管型喉罩留在原位有关。Nishida 报道 1 例 3 岁儿童在 4 h 的手术中出现中度的颜面和呼吸道水肿,考虑为继发于喉罩位置不当引起静脉淤血或气囊污染所致。Kaylie 等报道了 1 例持续使用喉罩约 7 h 后出现单侧声门上水肿,表现为术后数小时后出现喘鸣,药物治疗有效,怀疑为喉罩位置不当所致。Brimacombe 等报道 1 例喉罩和胃管持续留置 8 d 的病人发生咽部坏死,经激素和清创后治愈。

（八）会厌损伤

尽管在喉罩放置和甚至存留期间会厌向下折叠是常见的,但其损伤少见,而会厌坏死则未见报道。可能因为人会厌已习惯在吞咽时形成折叠。Miller 等报道 1 例会厌陷入喉罩栅孔发生会厌水肿。McKinney 等报道了 1 例老年病人在使用喉罩行 50 min 的麻醉后出现会厌炎,表现为喘鸣,该病人放置过程顺利。喉镜检查见会厌和左侧声门上区肿胀有红斑,病人气管插管通气 2 d 后好转。在盲探插管后会厌损伤可能更常见。Takenaka 等报道了在使用插管型喉罩行盲插后出现会厌水肿。

（九）喉损伤

喉罩的气囊太大不可能穿过声带,但气囊远端对喉部的顶压经常发生,可表现为气道反射增强、呼吸道梗阻等。在使用喉罩后,约 5% 的病人发生构音障碍,而 4%～25% 出现轻微的声带功能障碍;Ragg 等报道 1 例病人在拔除喉罩后 6 h 出现喉水肿。Thompsett 等报道了 1 例有出血倾向的病人出现喉部血肿,可能与其他原因有关,但并不能完全排除由喉罩造成的损伤。

（十）杓状软骨损伤

杓状软骨损伤在使用喉罩中罕见。放置正确的喉罩应当对杓状软骨没有危险,因为远端气囊位于其后部,且只有当充气后才会向前轻微的移动。不过在有些病人气囊会有明显的移动,尤其是使用气道食管双管型喉罩,因为其远端气囊更大。下列情况可能发生杓状软骨损伤:① 置入时喉罩碰击杓状软骨;② 置入过程中或之后的喉罩旋转;③ 当使用喉镜帮助放置时伸入过深;④ 远端气囊放置在声门入口处,当充气或过度充气时,或剧烈吞咽/咳嗽时气囊被压向杓状软骨。Cros 等报道了 1 例 68 岁男性病人使用 4 号喉罩行 30 min 的肠切除手术后出现左杓状软骨脱位,表现为严重的发音困难。Rosenberg 等报道了 1 例 57 岁女性行 50 min 全髋置换术后出现右杓状软骨脱位,声嘶 4 周,在向甲杓肌和环杓侧肌注射肉毒杆菌素后进行外科复位得到纠正。

（十一）食管损伤

正常情况下,喉罩及其气囊体积太大不能进入食管,但从喉罩穿过的器械可以进入食管。损伤的危险性在于:① 器械的长度和锋利度;② 使用时的力度和使用频度;③ 是否有气囊;④ 食管有无病变和畸形;⑤ 置入是盲插还是在直视下进行。Branthwaite 报道了 1 例老年病人行白内障手术,在通过插管型喉罩行气管内插管较困难,8 周后死于纵隔炎,是与食管受损有关还是此病人本身有食管憩室尚不清楚。另一种损伤机制来自于活跃的呕吐反射引起食管内压力增高。不过这不大可能在普通型喉罩发生,因为其咽下部封闭的压力太低（$18 \sim 46$ cm H_2O）,而气道食管双管型喉罩尽管封闭压力高（$19 \sim 73$ cm H_2O）,但引流管防止了压力的累加。尽管软头器械对食管的损伤非常小,但在使用气道食管双管型喉罩的病人中常规盲探插入一根鼻胃管可能也会引起一些问题。

三、对血管、神经等的压迫

喉罩可以压迫到呼吸道周围的血管、神经。理论上,避免置入损伤、使用合适型号的喉罩、尽量减小气囊的容积、对位置不当的早期判断以及对舌的观察,可减少压迫性损伤。

（一）血管

颈动脉、颈内静脉、舌动脉、舌静脉靠近喉罩的气囊,可能受到压迫。颈内动脉和颈内静脉在侧咽部;舌动脉和静脉在舌根部。

资料提示在喉罩气囊容积过高时颈部血流可减少约 10%。Colbert 等在研究中发现:① 如果气囊完全充气,颈动脉窦横断面面积减少;② 颈动脉血流速度有轻微但无统计学意义的增加;③ 颈部血流从 74 ± 6 ml/s 减少到 66 ± 6 ml/s。与此相反,Nandwani 等在 8 例成人的研究中发现,如果适当减少气囊内充气量,不会增加喉罩位置不当的发生率,也不会对颈动脉和颈内静脉产生压迫。

Wynn 等报道 1 例 40 岁、55 kg 女性病人,由于舌动脉受压产生舌紫绀。Maltby 等报道 1 例 70 kg 男性,应用喉罩 30 min 后形成单侧舌静脉血栓引起舌肿胀,术后 2 h 被发现,约 10 h 后解除,舌下有小水疱。没有喉罩位置不当的证据。Twigg 等报道 1 例在喉罩麻醉中因舌静脉回流受阻导致舌急性肿胀,产生舌感觉异常。肿胀和紫绀在喉罩拔除后很快解除,但舌尖感觉异常持续了 2 周左右。

（二）咽喉周围的其他管道受压

腮腺管、颌下腺管以及咽鼓管都容易受到喉罩的压迫和挤压扭曲:① 腮腺管开口对着第二磨牙;② 下颌下腺管沿舌边缘行走在口底部的黏膜下,开口于舌系带的边缘;③ 咽鼓管开口于鼻咽部。

Harada 报道 1 例在喉罩麻醉下阴式子宫切除术后出现腮腺肿胀 60 h。Bermejo-Alvarez 等也报道 1 例乳房手术后出现急性短暂的腮腺炎。Hooda 等报道 1 例 44 岁男性行疝修补术,在拔除喉罩后颌下腺肿胀持续 15 min。Ogata 等报道 1 例 40 岁女性在子宫切除术中出现急性颌下腺肿胀。肿胀随着喉罩气囊充气而增加,在拔除喉罩后 5 min 消失。Ogata 等使用超声方法,发现随着气囊压力从 50 cm H_2O 到 100 cm H_2O 及从 100 cm H_2O 到 150 cm H_2O,颌下腺的宽度增加,表明有肿胀发生;但压力从 0 cm H_2O 到 50 cm H_2O,颌下腺的宽度没有变化,检查期间腺体的长度都没变化。Satoh 等发现鼓室压力在使用喉罩时增高,说明咽鼓管有阻塞的可能性存在。

（三）神经损伤

颅神经损伤是呼吸道管理中较多见的并发症,在面罩、气管内插管、带气囊的口咽通气道等呼吸道管理器具应用的情况下都有报道。舌神经、舌下神经、喉返神经及舌咽神经的走行都靠近喉罩,所以都有潜在受压迫的可能。舌神经损伤往往表现为舌前部失去味觉和感觉;舌下神经损伤表现为吞咽困难;喉返神经损伤表现为构音障碍或术后误吸。下列因素可能增加神经损伤的危险性,侧卧位应用喉罩麻醉、正在使用抗凝药、合并其他疾病疾病（如类风湿关节炎、强直性脊柱炎等）、喉罩气囊充气过度、利多卡因润滑剂、颈部硬膜外阻滞、喉罩置入操作不熟练、喉罩置入困难等。在所有神经损伤的病例中都存在:喉罩型号太小和麻醉中使用 N_2O。

绝大多数病例中最可能病因是气囊对神经的压力作用,其他可能的病因还包括:① 头、颈或身体位置的改变引起的神经牵张和扭曲性;② 使用错误的润滑剂或清洗液引起的化学性神经炎;③ 继发于喉罩置入损伤的局部炎症反应。

第四节　术后恶心呕吐

术后恶心和呕吐(PONV)受手术类型、是否急诊手术、麻醉药物以及预防性使用止吐剂等多种因素的影响。理论上,喉罩可能引起气体进入胃内,同时通过干扰咽部和食管神经功能,导致 PONV 发生率增加。

一、喉罩与气管导管或其他通气设备的比较

（一）喉罩与气管导管（TT）的比较

Swann 等在 120 例妇科腹腔镜手术病人中比较了使用喉罩保留自主呼吸和使用气管导管行正压通气术后恶心、呕吐的发生率，发现在术后最初的 4 h 内，使用喉罩技术的病人发生更多的 PONV，但此后两组则发生率相同。Kumagai 等在 80 例病人行较大妇科手术的研究中，发现在术后最初的 6 h 内，使用喉罩者 PONV 的发生率更高，之后则两组发生率相同。

Wulf 等在行机械通气的 84 例成人中发现 PONV 的发生率喉罩和气管导管两组相似。Joshi 等观察了 207 例成人主要在自主呼吸下行不同的门诊手术，以及 Anderson 等研究 351 例儿童主要在自主呼吸下行扁桃体切除术，均发现在使用喉罩和气管导管间 PONV 的发生率没有差别。

Klockgether-Radke 等在 100 例机械通气下行斜视手术的儿童研究中发现使用喉罩比气管导管组 PONV 的发生率为低（恶心发生率 16％：28％；呕吐 32％：48％）。

总体而言，随着麻醉时间的延长，PONV 的发生率在喉罩和气管导管之间并无明显差别。

（二）喉罩和带气囊的口咽通气道（COPA）的比较

Greenberg 等在 453 例成年病人使用全凭静脉麻醉保留自主呼吸行不同手术的研究中，发现无论是喉罩还是 COPA，两组 PONV 的发生率均较低，喉罩组为 8％，COPA 组为 5％。

二、与喉罩应用后 PONV 有关的影响因素

Keller 等发现使用 2％利多卡因作为润滑剂与生理盐水之间比较，PONV 有增加的趋势（3％：0），他们还发现 PONV 的发生率在保留自主呼吸与正压通气的病人中相似。

第五节　与喉罩应用有关的疾病传播

从病人到病人疾病传播可能的途径有：① 没有遵守正确的清洗和消毒程序；② 在患朊病毒（或称朊蛋白）病的病人中使用喉罩，虽经常规消毒处理，仍无法消除病毒传播；③ 从麻醉呼吸环路中吸入污染物。目前认为传播疾病属于第三种途径。

一、丙型肝炎

Chant 等描述 11 例来自同日同一手术室的喉罩病人中有 2 例在行小手术后 5 周和 7

周出现了急性丙肝。流行病学和实验室调查发现可能的原因是1例丙肝病人沾血的呼吸道分泌物对麻醉呼吸系统的交叉污染,该丙肝病人当日手术排在第五位。前四位病人术后都无丙肝,而排在其后面的六例病人中有四例术后抗 HCV 呈阳性,且属同一基因型。Y 形接头储存了病毒,通过口咽黏膜上的微小破口,病毒就被传播给其他病人。喉罩可能因为使气道更通畅而促进病毒传播,上述丙肝病人后有 1 例病人抗 HCV 保持阴性就是使用了面罩麻醉。调查的结果排除了通过外科器械、配药用的注射水、喉罩重复使用、喉镜或吸引设备传播的可能。

二、朊病毒病

朊病毒病为一组可致命的神经元退行性变疾病。这些疾病通过传染性朊病毒蛋白来传播,该蛋白质是由固有的朊病毒蛋白基因突变而来。具有传染性的朊病毒蛋白最常见于中枢神经系统、阑尾和淋巴组织。朊病毒携带者的数目,估计最多占人群的百万分之一。医源性传播的病例已有报道。朊病毒病的特征为潜伏期长,持续数月至数年,而一旦出现症状则往往致命。临床表现为快速进行性智力减退伴肌阵挛或运动不能性缄默症和皮质性盲。传统的清洗和消毒程序不能灭活朊病毒。

遵守正确的清洗和消毒程序并使用细菌、病毒过滤器,或者更换麻醉呼吸系统。置入喉罩时用的手套应当及时脱掉以防止其他设备被病人的分泌物所污染。拔除喉罩时须防止分泌物飞溅。如果喉罩给朊病毒病病人用过,应予以销毁。

第六节　使用喉罩的环境污染问题

手术室和麻醉后监护室(PACU)工作人员长期暴露麻醉废气中,这些废气对身体健康有一定影响,尤其是可能存在致基因突变的特性。美国职业安全卫生研究所(NIOSH)建议手术室内麻醉废气标准为:时间加权的 N_2O 平均浓度应低于 25 ppm,挥发性吸入麻醉药浓度应低于 2 ppm。

一、使用喉罩时不同通气模式对手术室麻醉废气污染的影响

多数资料提示在保留自主呼吸时手术室麻醉废气污染的程度一般都低于上述标准值,但在行正压通气时可能超过标准,正压通气的气道峰压越高,污染的程度越严重。Ponnudurai 等发现在麻醉维持期,离开病人口腔 25 cm 处 N_2O 的污染浓度已小于 25 ppm,但在拔除喉罩后有短暂的升高,主要是病人呼出 N_2O 所致。Pothmann 等发现正压通气峰压为 20 cm H_2O 和 30 cm H_2O 时,分别有 7% 和 22% 的病例在麻醉医师头部周围 N_2O 污染浓度超过50 ppm。但是 Lamber-Jensen 发现自主呼吸和正压通气时麻醉医师呼吸区域内

N_2O 污染程度相似,而且都低于标准值。

二、喉罩与其他通气设备的比较

(一)喉罩与面罩(FM)的比较

研究显示使用喉罩时麻醉废气污染较使用面罩为低。O'Hare 等在 50 例保留自主呼吸的成年人中发现,N_2O 的污染在应用喉罩时比 FM 低,且只有在喉罩置入前使用 N_2O 才会超过 NIOSH 的标准。Jenstrup 等在保留自主呼吸病人的研究中也发现病人口部上方 30 cm 处 N_2O 浓度在使用喉罩时比 FM 低(60 ppm：157 ppm)。Barnett 等发现麻醉机上方 N_2O 污染在喉罩低于 NIOSH 标准,而在 FM 则高于其标准。Gustorff 等在 22 例机械通气的麻醉病人中发现麻醉医师呼吸区域的七氟醚和 N_2O 浓度在喉罩(七氟醚 1.0 ppm±0.9 ppm;N_2O 12.2 ppm±14.3 ppm)比 FM(2.2 ppm±0.9 ppm;37.5 ppm±14.3 ppm)为低。

(二)喉罩与气管导管的比较

Barnett 等比较了喉罩保留自主呼吸通气和带气囊的气管导管正压通气,发现麻醉机上方的 N_2O 污染两组都低于标准。Pothmann 等在 250 例儿童行机械通气(峰压<20 cm H_2O)的研究中,发现麻醉医师头部周围测得的 N_2O 污染在喉罩、带气囊和不带气囊的气管导管三者之间相似。

大多数研究提示喉罩与气管导管之间比较,手术室麻醉废气污染程度相似,麻醉废气污染对喉罩而言绝大多数都低于 NIOSH 标准。

第七节 喉罩损坏等其他问题

一、气囊损坏

已有关于喉罩气囊壁的一部分变薄形成突起导致呼吸道堵塞的报道,其中 3 例发生在气囊充气时,而 2 例则发生在术中气囊位置改变时。气囊壁变薄与使用时间长和使用次数多有关,过度充气也是原因之一。高压消毒前没有排出气囊内空气或高压消毒前有液体污染,高压消毒导致气囊过度膨胀。

气囊破裂主要由牙齿或针头造成。喉罩置入过程中可能会被上切牙、残存的破损牙等损坏,尤其是喉罩置入时遇到困难,并采用了倒转的技术。气囊破裂往往就失去了密封气道的作用,但也有报道破裂的气囊仍能起到保证通气的作用。也有报道喉罩拔除时气囊损坏,此时不会导致影像病人安全的严重后果。

Patel 等报道了在置入颈外静脉导丝时将气囊远端扎破。Drolet 报道在行星状神经节阻滞时将气囊扎破。还有关于在针吸活检手术中将气囊扎破的报道。

二、测压囊和充气管的损坏

Biro 报道由于在高压消毒前未能将气囊内气体排出引起测压囊破裂和活门密封失灵。George 报道由于充气管卡在切牙上导致不能给气囊充气。Richards 则报道由于测压囊缠绕在罩孔栏导致气囊不能排气。Wat 等描述了测压囊被丙泊酚污染经高压消毒形成的残留物堵塞造成气囊不能充气。Singh 报道由于充气管嵌在磨牙之间导致不能排气。引起测压囊故障的其他原因包括金属活门的老化、测压囊脱离（对测压囊导管过度牵拉）、测压囊破裂漏气等。

三、通气道/食管引流管常出现的问题

管道破裂和变形梗阻是通气管和引流管常发生的主要问题。喉罩管道变形多是老化或被咬的，有 1 例报道是制造的问题。有关喉罩管道破裂的报道，多数为拔除过程中被病人咬住破裂；有 1 例在机械通气过程中有明显漏气，检查发现管道沿中轴破裂；有两例是在麻醉环路受牵拉时出现管道破裂。有 1 例在拔除过程中喉罩管道裂成碎片，需要用插管钳逐片取出。管道的损坏不会导致气囊自动排空，所以部分病人可以通过使用面罩进行机械通气，当然最佳处理方法仍是更换喉罩。

Shannon 等报道在可弯曲型喉罩的管道内有粉红色的坚硬小颗粒存在，是由于在首次使用前无意中用洗必泰清洗，后用高压消毒所致。Veith 等在使用插管型喉罩之前的测试中发现气管导管不能通过，检查发现生产过程中使用的一块抛光石卡在弯头处。Srikanth 报道在使用前检查时发现清洗喉罩的卷棉棒卡在通气管内。

四、其他问题

已有关于喉罩导致手术误诊误治，3 例是由于局部解剖结构的改变，导致喉罩的气囊被外科医师误认为是囊肿或淋巴结病变进行穿刺抽吸。1 例是喉罩引起的远端组织结构的改变。

Oyston 报道 1 例 79 岁女性在经尿道膀胱肿瘤切除术中，喉罩导致胃胀气，被误诊膀胱破裂而行膀胱造影。随后为了插胃管不得不拔除喉罩。

Riley 等报道 2 例由于喉罩气囊充气后引起解剖扭曲使得颈内静脉置管失败，在气囊放气后解剖结构得到改善才使置管成为可能。而 Mather 等的研究中显示，喉罩并不会妨碍对颈动脉的触诊。

大约在 1%～2% 的病人中，使用喉罩不能进行有效通气，原因包括不能置入、封闭不满意以及呼吸道梗阻，三者比例大致相似。作为气管内插管引导设备的失败率在 1%～36%，受所用的方法（盲插、光杖引导或纤维光导）以及喉罩类型（经典型或插管型）影响。胃管通

过气道食管双管型喉罩或从普通型喉罩后方进入的失败率分别为 4% 和 45%。最常见病理生理性问题是咳嗽/恶心(4%)、喉痉挛(1.5%)、打嗝(1.4%)和缺氧(1%)。PONV 的发生率在喉罩和气管导管之间相似。胃内容物的反流(0.07%)和误吸(0.012%)罕见。血液误吸的发生率约为 0.5%,低于无套囊的气管导管。咽喉痛的发生率为 13%,比面罩和带气囊口咽通气道高,但低于气管导管。其他咽喉部不适包括吞咽困难(11%)和构音障碍(5%)。喉罩表面染血的发生率为 4.3%,但隐性出血为 90% 左右。减少气囊内容积和在置入时避免损伤可以减少咽喉部不适和出血的发生率。严重的呼吸道创伤罕见,但咽部、声门以及脑神经的损伤均有报道。任何重复使用的设备都可能有传播疾病的危险,而朊病毒病的出现值得关注。对手术室空气环境的污染在使用喉罩时与气管导管相似,但少于面罩吸入麻醉。

(黄施伟　李士通)

参 考 文 献

1　Stillman PC. Lingual oedema associated with the prolonged use of an inappropriately large laryngeal mask airway(LMATM) in an infant. Paediatr Anaesth, 2003,13(7):637.

2　Twigg S, Brown JM, Williams R. Swelling and cyanosis of the tongue associated with use of a laryngeal mask airway. Anaesth Intensive Care, 2000,28(4):449.

3　Stillman PC. Lingual oedema associated with the prolonged use of an inappropriately large laryngeal mask airway(LMATM) in an infant. Paediatr Anaesth, 2003,13(7):637.

4　Brimacombe J, Clarke G, Keller C. Lingual nerve injury associated with the ProSeal laryngeal mask airway: a case report and review of the literature. Br J Anaesth, 2005,95(3):420.

5　Stewart A, Lindsay WA. Bilateral hypoglossal nerve injury following the use of the laryngeal mask airway. Anaesthesia, 2002,57(3):264.

6　Lowinger D, Benjamin B, Gadd L. Recurrent laryngeal nerve injury caused by a laryngeal mask airway. Anaesth Intensive Care, 1999,27(2):202.

7　Ong M, Chambers NA, Hullet B, et al. Laryngeal mask airway and tracheal tube cuff pressures in children: are clinical endpoints valuable for guiding inflation? Anaesthesia, 2008,63(7):738.

8　Rieger A, Brunne B, Hass I, et al. Laryngo-pharyngeal complaints following laryngeal mask airway and endotracheal intubation. J Clin Anesth, 1997,9(1):42.

9　Greenberg RS, Brimacombe J, Berry A, et al. A randomized controlled trial comparing the cuffed oropharyngeal airway and the laryngeal mask airway in spontaneously breathing anesthetized adults. Anesthesiology, 1998,88(4):970.

10　Keller C, Sparr HJ, Brimacombe JR. Laryngeal mask lubrication. A comparative study of saline versus 2% lignocaine gel with cuff pressure control. Anaesthesia, 1997,52(6):592.

11　Cook TM, Nolan JP, Verghese C, et al. Randomized crossover comparison of the proseal with the classic laryngeal mask airway in unparalysed anaesthetized patients. Br J Anaesth，2002,88(4):527.

12 Brimacombe JR，Berry A．The incidence of aspiration associated with the laryngeal mask airway：a meta-analysis of published literature．J Clin Anesth，1995,7(4):297.

13 Divatia J V，Bhowmick K．Complications of endotracheal intubation and other airway managent procedures．Indian J Anaesth，2005,49(4):308.

第*11*章 气管插管术

气管插管可以建立人工气道,保障呼吸道通畅,为机体氧合和通气的需求创造条件,是现代麻醉学与现代急救医学必不可缺的基本技术,是通气支持与呼吸治疗的重要措施,气管插管不仅广泛地被应用于全身麻醉的手术病人,而且在危重疑难病人与心肺复苏抢救及治疗中也发挥着关键作用。因此,建立有效人工气道(气管插管)是麻醉科与急诊科及重症监护病房(ICU)医师必须掌握的技术。

第一节 气管导管

一、气管导管发展史

早在 1878 年,苏格兰外科医师 William Macewan 对一位口腔肿物的病人行清醒气管插管,这是气管插管在麻醉中使用的最早记载。最早使用的气管导管是一种可以弯曲的金属管,这就是气管导管的诞生与气管插管的开端。1917 年英国的麻醉医师 Ivan Magill 爵士采用红色橡胶管作为气管插管的导管,使导管具有一定弧度、硬度与弹性,增加了导管的柔软性,降低了气管插管的并发症。第二次世界大战期间,推崇大单腔的橡胶导管受到推崇,使橡胶气管导管得到逐步完善,并广泛地应用于临床。随后加带气囊的气管导管被提倡使用,使气管插管技术更加安全。由于橡胶材料制作的气管导管存在着许多缺陷,从临床角度需求寻找更为适合人体的材料。随着塑料工业的发展与进步,聚氯乙烯被用以制作气管导管的材料,1964 年聚乙烯气囊的问世,将气管导管的精密度、工艺、一次性使用都更上升了档次,比橡胶导管更为理想。气管导管自橡胶导管过渡到聚乙烯导管后,气管导管已研制与发展为多种类型,可分为口腔插入气管导管、鼻腔插入气管导管、特殊应用气管导管与气管切开用气管导管以及双腔支气管导管等,可满足不同手术的全身麻醉病人与抢救危重病人的需求。

二、气管导管的基本结构与特点

气管导管有经口或经鼻气管导管两类,有带套囊或无套囊导管之分。此外,还有各种特殊型的气管导管,以方便安全使用于某些特殊场合。

（一）制作材料

当今用于制作气管导管的材料以聚氯乙烯最为常用,由于聚氯乙烯原材料的质地较脆,易碎,不能弯曲,半透明,遇热容易降解,因此需要在其中加入其他化学成分,以达到可屈性和稳定性的目的。

（二）结构与规格（图 11-1）

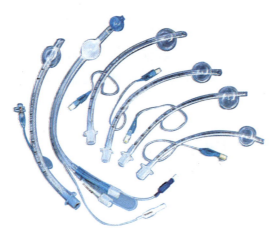

图 11-1　各种类型的气管导管

1. 标准的气管导管　标准的气管导管包括以下组成:① 导气管:是气管导管的主体,其管腔呈圆形,可起到加固导管的作用,防止扭曲或压瘪。导气管前端呈斜状面向左侧开口,边缘呈圆钝状,无锐利边缘,既利于插入声门,又可减少摩擦阻力,进声门时还不致妨碍视野,还能降低或避免声带损伤;② 气囊:远端附有袖套状充气套囊;③ 衔接管:近端有与呼吸器连接的衔接管,其直径统一为 15 mm;④ 注气阀:导管尾端有一充气小囊,其开口端设有弹性阀门,可与注射器连接,并可通过此小囊了解导管气囊内气体充盈情况及压力大小;⑤ Murphy 侧孔:此孔位在气管导管远端套囊远方的侧壁上,其用途是当气管导管斜口发生粘贴于气管壁时,呼吸气体可改经此侧孔进出。但有的气管导管无此项设计。

2. 导管的直径与弯度

（1）气管导管的直径有内径与外径（mm）之分,内径介于 2.5～11 mm。经口或经鼻气管导管都有相应的弯度;弯度与导管内径有关,鼻腔气管导管内径<6 mm 者则无弯度。

（2）气管导管的标号通常有两类:① 按导管的内径（ID）标号,各号之间相差 0.5 mm,均印在导管的外壁上;② 按导管的法制（F）标号:F 为导管的外周径值,F＝导管外径（mm）×3.14。F 在导管外壁上均用双号数字 10、12、14、16 直至 42 编号标记。

3. 气管导管选择

（1）口腔径路插管型号的选择国人成年男性多用 7.5～8.0 ID,女性多用 7.0～7.5 ID。此外,当遭遇插管困难病人,则应选择小一型号的导管为佳,以利于插入气管内。

（2）鼻腔径路插管型号的选择需经鼻腔插管的病人，鼻腔导管的选择一般较口腔插管小 1 号或 2 号，通常情况下，成年男性多选用 7.0～7.5 ID 导管，女性多选用 6.5～7.0 ID 导管。除根据病人年龄（详见表 11 - 1）与身高外，还应以体重决定气管导管型号的增减。对于小儿可用如下方法推算：（年龄＋16）÷4＝插管型号，小儿的小指末节宽度＝插管的外径，根据小儿的身高或身长计算法（详见表 11 - 2）。

表 11 - 1　气管导管型号及选择

年　龄 （岁）	口腔插管内径 ID(mm)	鼻腔插管内径 ID(mm)
13～14	6.0～6.5	5.0～5.5
15～17	6.5～7.5	5.5～6.5
>18	7.0～8.5	6.5～7.5

表 11 - 2　小儿选择气管导管的常用方法

年　龄	选择内径 ID(mm)	体　重	选择内径 ID(mm)
1～12 岁	（年龄＋16）÷4	大于 3 kg 婴儿	4.0
6 个月～1 岁	3.5～4.5	2～3 kg 婴儿	3.5
小于 6 个月	3.0～4.0	1～2 kg 婴儿	3.0
早产儿	（孕周÷10）＋0.5	小于 1 kg 婴儿	2.5

（三）套囊

气管导管套囊（cuff）是气管导管的防漏气装置。临床上有带套囊导管（cuff tube）与不带套囊导管（plain tube）两类。

1. 套囊的结构　由充气套囊、套囊细导管及套囊内压测试小囊三部分组成，套囊均设于导管的前端，其长度因导管长度不同而有区别，一般为 2～4.5 cm，与导管前端的距离为 1 cm。套囊导管一般仅适用于成人和 6 岁以上的较大儿童，此与套囊可增加导管外径有关。因此，套囊导管不适用于声门、气管内径细小的新生儿及婴幼儿和 6 岁以内的小儿童，此类小儿只能使用不带套囊的平管。

2. 套囊的作用　① 能实施正压控制通气或辅助呼吸不至于使进入肺内的气体外溢而影响肺膨胀；② 防止呕吐物等沿气管导管与气管壁之间的缝隙流入下呼吸道（误吸）；③ 防止吸入麻醉气体从麻醉通气系统外逸，维持麻醉平稳，避免空气污染。

3. 套囊的充气技术　充气量应适中，合理的充气量应是既能防漏，又能有效地防止咽腔内分泌物反流、误吸，囊内压最好不超过 30 mmHg。控制呼吸时若观察胸廓起伏满意，即使细听口腔中有微弱漏气也无妨。充气量过大，气囊内压超过气管黏膜毛细血管正常平均动脉压（32 mmHg）时，可导致局部气管黏膜和纤毛压迫性缺血，拔管后可致气管黏膜坏死脱落，纤毛活动停止 3～5 d，甚至形成局部溃疡，痊愈后可致气管环形瘢痕性狭窄。

4. 应用注意事项　① 重视经常检查套囊内压，套囊一般都与测试小囊相连接，触诊测试小囊张力可随时粗略了解套囊的充气程度或漏气情况。尽管使用低压套囊,其囊内压也可能小于 25 mmHg,但气管黏膜结构与功能仍可能出现某些影响,表现为局部组织学损伤和纤毛活动受抑制,其影响程度与套囊与气管壁的接触范围与时间长短有密切关系。② 对肺顺应性小和气道阻力大的病人,需要较高的套囊内压才能达到密封气道的目的,此时低压高容量套囊可能已不适用,需要采用高压容量套囊。③ 长时间插管后囊内压可逐渐降低,但其降低程度与时间无相关性,可能与注入囊内的空气缓慢弥出塑料薄膜有关,需随时检查补注气体。④ 施行正压通气期间,当气道压超过囊内压时,囊内压可出现间断性增高;在呛咳、过度通气或病人的自主呼吸与通气机拮抗时,可见囊内压暂时性增高。

三、特殊气管导管

（一）带金属螺旋丝增强型气管导管（图 11-2）

其管壁内镶有螺旋形金属圈或尼龙螺旋形丝圈,其特点起支撑作用,防止导管折屈或压扁。适用于头过度屈曲的坐位手术,或俯卧位手术,也适用于气管造口插管病人。此导管内在的增强型螺旋并未延伸至气管导管的近端和远端,而且自然弧度小,气管插管时常需采用插管芯协助。金属螺旋导管分为有囊和无囊型两种,即规格 3.0～4.5 的气管插管无囊,规格 5.0～9.0 的气管插管分为有囊和无囊两种。

图 11-2　增强型气管导管

（二）预塑形气管导管（ring-adair elwyn, RAE）

有经口或经鼻两种（图 11-3,图 11-4）,比大部分其他类型的气管导管长,导管插入后的口或鼻部位呈直角型弯度,此型导管容易固定,可方便应用于颌面外科、头部手术,可将通气系统置放在远离手术野的部位,不被手术者或手术敷料所压扁或折曲。

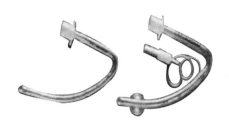

图 11-3　经口异型气管导管

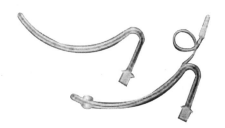

图 11-4　经鼻异型气管导管

（三）Endotrol 导引式气管导管（图11-5）

此导管为一次性使用的气管导管,可通过位于近段的拉环来控制气管导管前端的方向。牵拉金属环可使气管导管的远端翘起,藉此加大导管前端的弯度,以利于导插入声门。Endotrol 导管主要适用于高突喉结或宽长肥厚会厌的困难插管病例,也可用于经口或经鼻盲探插管。

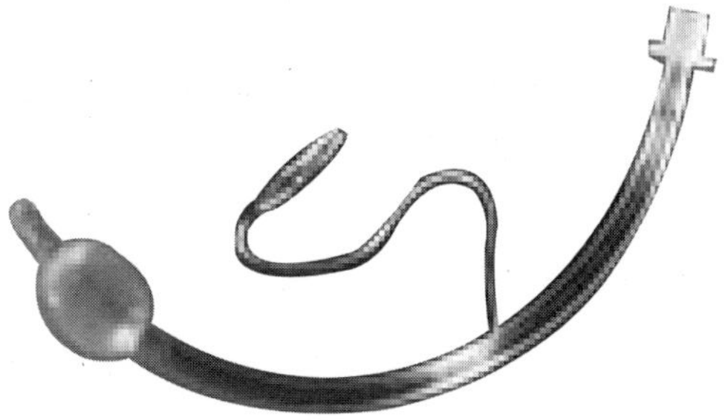

图 11-5　导引式气管导管

（四）呼吸道激光手术用气管导管

专门为激光手术中保护气管导管和病人免受激光伤害而设计。此导管在制作中添加了金属合成材料,具有不可燃性,能耐受激光损害,可避免咽喉与气管内手术时发生导管碳化,但此类导管也不宜使用于 N_2O 麻醉。

（五）双腔导管

此导管用来越过气管,置入一侧支气管,而另一腔导管开口则对准右或左支气管口,可施行选择性单侧肺通气,或双肺气道分隔性通气保护（详见第 12 章）。

第二节　气管插管前检查与估计

一、鼻腔

拟经鼻插管者,需测试每侧鼻道在捏住对侧鼻孔后的通气状况,有无阻塞或不通畅,有无鼻中隔偏歪、鼻息肉或鼻甲肥大等病理改变,过去是否有鼻外伤史、鼻出血史、鼻病变史、鼻呼吸困难史以及鼻咽部手术史。

二、牙齿

包括以下几方面:有无松动牙齿,或新近长出的乳齿或恒齿,其齿根均浅,缺乏周围组织的有力支持,易被碰落;有无固定牙冠或牙桥,注意其部位,多数用瓷釉制作,质地较脆易碎,操作喉镜时要重点保护;有无活动性牙桥或假牙,操作前应提前摘下;有无异常牙齿,如上门齿外突或过长、上下齿列错位、碎牙或断牙等,注意其部位。异常牙齿易在喉镜操作过程中遭损伤（松动、折断或脱落）,应注意避免;共缺多少牙齿。⑥ 小儿乳齿与恒齿及其缺损情况。对松动的牙齿在插管前用丝线扎牢,以避免脱落时掉入口腔内。

三、张口度

正常最大张口时,上下门齿间距界于 $3.5\sim5.6$ cm,平均 4.5 cm（相当于 3 指宽）;如果仅约 2.5～3.0 cm(2 指宽),为Ⅰ度张口困难,但一般尚能置入喉镜接受慢诱导或快速诱导插管;如果为 1.2～2.0 cm(1 指宽)者,为Ⅱ度张口困难;小于 1 cm 者,为Ⅲ度张口困难。Ⅱ度以上张口困难者常无法置入喉镜,明视经口插管均属不可能,多数需采用经鼻盲探或其他方法插管。

四、颈部活动度

正常人颈部能随意前屈后仰左右旋转或侧弯。从上门齿到枕骨粗隆之间划连线,取其与身体纵轴线相交的夹角,正常前屈为 165°,后仰大于 90°。如果后仰不足 80°,提示颈部活动受限,插管可能遇到困难。此类病人可有正常的张口度,但不能充分显露声门,多采用盲探或其他插管方法。

五、甲颌间距

颈部完全伸展时,甲状软骨切迹至颏凸的距离。如果甲颌间距>6.5 cm,不会发生插管困难;如果甲颌间距为 6.0～6.5 cm,插管会有困难;如果甲颌间距<6.0 cm,不能经喉镜插管。

六、咽喉部情况

咽腔炎性肿物(扁桃体肥大、扁桃体周围脓肿、咽后壁脓肿)、喉病变(喉癌、喉狭窄、喉结核、声带息肉、会厌囊肿、喉外伤、喉水肿)及先天性畸形(喉结过高、喉蹼、喉头狭窄、漏斗喉)等病人,可有正常的张口度和颈部活动度,但因插管径路的显露有阻挡,无法经声门做气管插管,需考虑先做气管造口后插管。

七、Mallampati 分级(详见第 2 章)

气管插管困难是指声门不能完全显露或无法完成常规插管的情况。如果因估计不足而遇到困难,不仅会因插管失败而使某些手术无法进行,更有威胁病人生命甚至死亡的潜在危险。有时尽管检查都基本正常的病人,也可能出现意想不到的插管困难。"美国国家急诊气道处理指南"提出的"柠檬"法则(见表 11-3)基本涵盖了当前常用的气道评估的方法,在进行气道评估时可做参考。"3-3-2"法则是以病人的手指为标准,分别测量张口度(了解喉镜和气管导管置入是否困难)、颏骨-舌骨距离(评估下颌间隙是否足够)、舌骨-甲状软骨切迹距离(反映喉的位置是否足够低,以满足经口插管),能同时分别满足 3 指、3 指、2 指,则困难插管发生率低。

表 11 - 3　"柠檬"法则（The LEMON law）

外部特征推测通气和插管的难易	Look externally
"3 - 3 - 2"法则	Evaluate the 3 - 3 - 2 rule
Mallampati 分级	Mallampati
是否存在气道梗阻	Obstruction
评价颈部活动度	Neck mobility

第三节　经口腔气管插管

　　经口腔气管内插管法为临床最常用的插管方法，要求做到安全、正确、无损伤。因临床上经口腔气管插管操作简便、快捷且适用，故在全身麻醉手术与危重病人，以及心搏骤停病人的抢救中大都采用经口腔气管插管(图 11 - 6)。

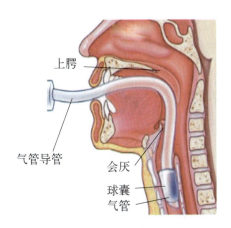

图 11 - 6　经口腔气管插管的解剖路径

一、经口腔气管插管的优点

　　(1) 插管径路较鼻腔短，经口腔直视下操作简便、容易、快捷，短时间内即建立人工呼吸道，尤其适用于现场急救。

　　(2) 插管操作引起的呼吸道黏膜损伤较鼻腔插管显著少。

　　(3) 建立人工呼吸道的管腔横截面积大，呼吸道阻力小，并有利于行气管内吸引。

　　(4) 呼吸道封闭严密，有利于实施机械控制通气。

二、经口腔气管插管的缺点

　　(1) 清醒病人非麻醉状态下插管，或麻醉结束后病人清醒状态下继续带管不适感难忍，痛苦较大。此外，长期带管不利于口腔卫生清洁与护理。

（2）下颌不能闭合，舌体活动受限，吞咽动作受影响。

（3）口腔内手术病人气管插管，其导管不宜固定牢靠，容易发生移位，如手术操作不当易引起导管移动过深或过浅。

（4）口腔气管插管引起的心血管应激反应较鼻腔插管显著。

三、适应证

（1）需全身麻醉手术病人。

（2）严重呼吸困难病人、危重病人与呼吸心搏骤停病人的抢救。

（3）呼吸衰竭病人（如重度低氧血症、高碳酸血症者）或其他原因需行呼吸机通气治疗者（如呼吸机麻痹病人），以及肺脏灌洗等。

（4）上消化道出血，随时存在误吸危险者。

（5）下呼吸道分泌物过多，建立气管插管有利于分泌物的清除。

（6）在紧急情况下，需建立人工呼吸道者，应首先经口腔气管插管，脱险后预计持续时间较长者可更换经鼻腔气管插管，时间更长者还可实施气管切开造口插管。

（7）临床麻醉时，只有当口腔插管困难（如颞颌关节强直、张口困难等）或经口腔插管有碍手术操作时，方可采用经鼻腔插管或气管切开造口插管，除此之外均是经口腔插管的适应证。

四、禁忌证

（一）绝对禁忌证

喉水肿、急性喉炎、喉头黏膜下血肿、插管创伤可引起严重出血，除非急救，禁忌气管内插管。

（二）相对禁忌证

呼吸道不全梗阻者有插管适应证，但禁忌快速诱导插管。合并出血性血液病（如血友病、血小板减少性紫癜症等）者，插管创伤易诱发喉头声门或气管黏膜下出血或血肿，继发呼吸道急性梗阻，因此宜列为相对禁忌证。主动脉瘤压迫气管者，插管可能导致动脉瘤破裂，均宜列为相对禁忌证。如果需要施行气管插管，动作需熟练、轻巧，避免意外创伤。

五、喉镜

喉镜是气管内插管时显露声门必备的器械，用金属制成，由喉镜柄、窥视片和光源三个基本部分组成。使用的喉镜主要有两种：Macintosh型（弯型）及Miller型（直型）。根据术者的经验和个人喜好选择镜身。3号或4号Macintosh型及2号或3号Miller型适用于大多数的成年病人。特殊喉镜见第16章。

（一）喉镜片

主要有三个结构：① 压舌板：为将舌体和口底软组织从视线中推开，以便于看见会厌和喉头的部件。压舌板大外形通常有直型、弯型和直弯混合型三种，前端都设有照明用的小灯泡，目前以使用弯型者较多。临床上习惯根据窥视片的外形将喉镜分别命名为弯型喉镜和直型喉镜。② 凸缘：为压舌板左缘向下突出的一个结构，其作用是保持口腔张开，并将舌体往口腔的左侧推移以进一步使视线无阻挡。③ 顶端：压舌板顶端起挑起或翘起会厌的作用，其形状有直形、弯形或钝钩形等设计，可根据病人气道不同的解剖特点进行选择。

（二）喉镜柄

喉镜柄内安置电池，它与喉镜片的连接为可卸开性质，连接后一般呈 90°角，为最常用型；为满足特殊困难插管病例的需要，有较多喉镜片与喉镜柄呈不同角度连接的改良型。咽喉镜柄及镜分大、中、小及新生儿四种型号（图 11-7）。

图 11-7　咽喉镜柄及镜

六、插管操作方法

插管前需要准备好以下器材：手套、口罩、吸引器（插管前检查是否正常）、球瓣面罩（连接好氧气源）、10 ml 注射器、通气道内导管夹（如果没有，就用布胶带代替）、呼气末二氧化碳检测器、气管插管及管芯、合适的喉镜。

（一）插管时的头位

插管前安置一定的头位，以使上呼吸道三轴线（口轴线、咽轴线和喉轴线）重叠成一条轴线，具体有两种头位：① 典式喉镜头位（Jackson 式）：又称悬挂式喉镜头位。病人取仰卧，肩部齐病床边缘，肩下垫沙袋，由助手支托枕部，达到头顶指向地、枕部低于颈椎水平线的程度，此时三条轴线的改变使舌部和会厌被推向前下，在上提喉镜的配合下，三条轴线较易重叠成一线。本体位的安置较费事、复杂，仅适用于颈项细长的病例，且门齿损伤的机会较多，今已罕用。② 修正式喉镜头位：头垫高 10 cm，肩部贴于床面，这样可使颈椎呈伸直位，颈部肌肉松弛，门齿与声门之间的距离缩短，咽轴线与喉轴线重叠成一线，有人称此头位为"嗅花位"。在此基础上再使寰枕关节部处于后伸位，利用弯型喉镜将舌根上提，即可使三条轴线重叠成一线而显露声门。本头位的安置较简单，轴线的重叠较理想，喉镜着力点在舌根会厌之间的脂肪组织，无需用门齿作支点，故较为通用。但如果怀疑颈椎损伤，插管时颈椎必须保持严格的线性固定。

（二）插管操作法

直型与弯型喉镜的操作法有所不同。

（1）使用弯型喉镜显露声门,应循序渐进、逐步深入的原则,以看清楚下列三个解剖标志为准则:第一标志为腭垂;第二标志为会厌的游离边缘;第三标志为双侧杓状软骨突的间隙。弯型喉镜片的着力点在喉镜片的顶端,并用"上提"喉镜的力量来达到显露声门的目的。切忌以上门齿作为喉镜片的着力点,用"撬"的力量去显露声门,否则极易造成门齿脱落损伤。① 术者调整身体位置,双眼与病人保持足够距离以便双目直视。左手握住喉镜,右手使病人口腔张开。有时为开大病人的口腔,需操作者施行一定的手法,将右手拇指深入病人口腔内的下臼齿部位,握住下颌向前推并向上提起下颌,即可使病人的口腔充分开大,同时拨开下唇。② 用左手持喉镜沿口角右侧置入口腔,逐渐移动镜身到口中央,把舌压到左侧。此时可见到腭垂(为显露声门的第一个标志),慢慢推进喉镜使其顶端抵达舌根,稍上提喉镜,可看到会厌的边缘(为显露声门的第二标志),进一步看到双侧杓状软骨突的间隙(为显露声门的第三个标志),可继续上提喉镜,即可看到声门裂隙;若一时仍看不到第三标志或声门,可请助手在喉结部位向下作适当按压,往往有助于看到第三标志及声门(图11-8)。如果在调整好喉镜镜身位置后,不能观察到声带或会厌,可能是由于镜身插入太深或未能将其精确地放置于正中线所致。慢慢地在正中线退出镜身,经常可以使声带或会厌跃然出现于视野中;用你的右手处理好喉头,或者让助手给喉头施加一个稳定的向后、向上、向右的压力,这样也可以更便于观察声带;助手可以轻轻地牵拉病人唇及颊的右侧缘,增加声门的可视度。如果你仍不能清晰地看到声带,助手应轻轻地缓解环状软骨的压力,因为此压迫有时会影响到观察。总之,在尝试气管插管前,你应当总是尽可能使声带调节到最佳的观察视野。

（2）直型喉镜片:可看到会厌边缘后应继续稍推进喉镜,使其顶端越过会厌的喉侧面,然后上提喉镜,以挑起会厌的方式显露声门。此与弯型喉镜片在其顶端抵达舌根与会厌交界处,用上提喉镜以"撬起"会厌而显露声门的方式完全不同。

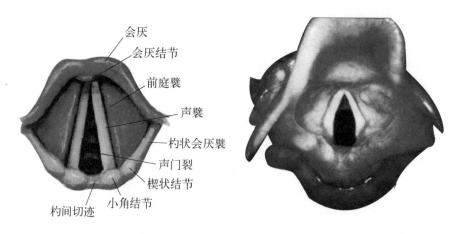

图 11-8　杓状软骨突间隙和声门

（3）右手以握毛笔式手势持气管导管,斜口端对准声门裂,如果病人存在自主呼吸,在病人吸气末（声门外展最大位）顺势将导管轻柔地插过声门而进入气管,此时应强调在直视下缓缓推入导管。导管插入气管内的长度,成人一般以见不到套囊后再往前推进 1~2 cm 即可（约 5 cm 长）；小儿插入长度以 2~3 cm 为准。如果使用导管芯,在导管斜口进入声门 1 cm 时,要及时抽出。

（4）导管插入气管后,要立即塞入牙垫,然后退出喉镜,充气套囊证实导管确在气管内后,将导管与牙垫一起妥加固定。如果出现呛咳或屏气,应将牙垫导管和颈部一并握住,以防脱管。需警惕导管误插入食管,或导管插入过深而误入一侧主支气管；并检查导管是否通畅,有无扭曲,随时吸出气管内分泌物,一次吸痰时间不应超过 20 s,吸痰应严格掌握无菌操作技术。

七、确诊导管在气管内的方法

气管导管末端应位于气管中段,隆突上 3~7 cm。一般来说,中等体形成年人,把气管导管的 22 cm 刻度对准前牙。儿童可用以下公式来估计插入所需深度：导管深度＝12＋年龄÷2。导管插入气管后,应立即确诊导管确实在气管内,而不会误插在食管内。通过呼吸囊压入气体,同时做如下观察即可做出确诊：① 听诊腋窝和剑突上的肺呼吸音,双侧肺应完全一致；② 观察胸廓起伏活动,双侧应均匀一致；③ 观察呼出气的 CO_2 参数,气管插管后,前 6 次呼吸能连续监测到呼出的二氧化碳。但某些心跳停止的病人中,由于没有气体交换,因此,即使导管在气管内,也不能显示二氧化碳。上述指标都属正常时,应进一步确定气管导管尖端在气管内的位置。气管导管被插入右侧主支气管,正压通气时只有一侧胸廓起伏和呼吸音,需及时拔出导管少许加以调整,直至双侧呼吸音恢复和双侧胸廓同时起伏方称满意。

八、注意事项

（1）显露声门是气管内插管术的关键,必须根据解剖标志循序推进喉镜片,防止顶端推进过深或太浅。

（2）气管导管插入声门时过于用力,造成病人术后声音嘶哑着较多,如导管尖端稍偏离声门口,而插向一侧声带处,声带被挤压损伤,或造成杓状软骨脱位等。

（3）应将喉镜的着力点始终放在喉镜片的顶端,并采用上提喉镜的手法,严禁将上门齿作为支点,利用"撬"的手法,否则极易碰落门齿。

（4）体肥、颈短或喉结过高的病人,有时喉头虽已显露,但无法看清声门,此时可请助手按压喉结部位,可能有助于看清声门,或利用导管芯将导管变成 L 形,用导管前端挑起会厌,施行盲探插管。

（5）必须有良好吸引器,减少误吸,插管中及后持续监测 SpO_2,以指导操作和插管后辨认插管位置。

第四节　经鼻腔气管插管

一、经鼻腔气管插管的优点

（1）经鼻腔插管较口腔痛苦小,尤其清醒病人长时间带管者容易接受。

（2）鼻腔插管不影响下颌骨运动、吞咽动作,舌体活动与咬合关系自如。

（3）张口困难的病人,经口腔无法气管插管者,可经鼻腔盲探插管,避免气管切开造口建立人工呼吸道所导致的器官损伤。

（4）鼻腔气管插管有利于实施口腔清洁与护理。

（5）气管导管容易固定牢靠,一般不宜滑脱或移位。

二、经鼻腔气管插管的缺点

（1）插管途径长,难度大:在成人年龄段,鼻孔至声门间距较上切牙至声门间距平均长约 4.5 cm,插管过程中需要借助专用插管钳经口腔直视下夹住导管前端经声门送入气管内,或盲探调整角度试探进行。

（2）固有鼻腔黏膜较薄,内有丰富的血管吻合丛,易导致出血,有文献报道经鼻盲探气管插管时间明显长于喉镜直视下经口气管插管,出血等并发症多。

（3）经鼻导管相对小而长,不利于引流和吸痰,易导致痰液堵塞。故经鼻气管插管者应注意加强气道湿化和积极吸痰等气道护理。

（4）有研究表明经鼻气管插管鼻窦炎发病率增加,也有呼吸机相关性肺炎发病率上升的报道。

三、适应证

（1）经口腔气管插管困难或无法插管者:此类病人则可选择经鼻腔气管插管,如张口困难、颞颌关节强直、颈椎损伤,以及口、颈、胸部联合瘢痕形成等。

（2）为手术操作提供便利条件。

（3）需长期机械通气者:如呼吸衰竭需长期带管行呼吸机治疗的清醒病人,经鼻腔插管较口腔插管舒适,且有利于张口、闭口运动和吞咽等。

四、禁忌证

经鼻插管禁用于颅底骨折、出血缺血、正在使用抗凝药、鼻腔闭锁、鼻骨骨折、菌血症倾向(如心脏置换或瓣膜病)等病人。

五、操作方法

本法可盲探插管,也可在喉镜或纤支镜明视下插管,基本上与明视经口插管法相同,但有下列几点不同之处。

(1) 插管前先滴液体石蜡入鼻腔,导管前端外涂以滑润剂。清醒插管者还需用表麻药(如 1‰丁卡因)喷雾鼻腔。

(2) 掌握导管沿下鼻道推进的操作要领,即必须将导管与面部作垂直的方向插入鼻孔,沿鼻底部出鼻后孔至咽腔,切忌将导管向头顶方向推进,否则极易引起严重出血。

(3) 鼻翼至耳垂的距离相当于鼻孔至咽后腔的距离。当导管推进至上述距离后,用左手持喉镜显露声门。右手继续推进导管入声门,如有困难,可用插管钳夹持导管前端送入声门。

(4) 经鼻导管容易在鼻后孔处受阻发生扭曲而插入困难。为此,对导管的质地应事先检查,选用坚韧而有弹性、不易折曲和压扁的导管。

第五节 气管导管拔管术

手术结束后的拔管术应持慎重态度,严格掌握拔管的适应证与禁忌证,因有可能发生拔管后窒息事故。

一、拔管条件与注意事项

拔除气管导管前必须具备下列条件:① 拔管前必须先吸尽残留于口、鼻、咽喉和气管内分泌物;拔管后应继续吸尽口咽腔内的分泌物;② 肌肉松弛药的残余作用已被满意逆转;③ 麻醉性镇痛药的呼吸抑制作用已消失;④ 咳嗽、吞咽反射活跃,自主呼吸气体交换量恢复正常。病人自主呼吸恢复稳定后,应带管脱氧 3～5 min,呼吸室内空气,当血氧饱和度大于 92% 以上,可考虑拔管。

二、拔管禁忌证与注意事项

下列情况需等待病人完全清醒,暂不宜拔管。

(1) 麻醉仍然较深,咳嗽、吞咽反射尚未恢复,潮气量没有达到正常水平,吸纯氧时脉搏氧饱和度<95%,不应拔管。

(2) 循环系统功能尚不稳定。

(3) 在拔管后可能发生面罩通气困难。

（4）手术涉及呼吸道而病人咽喉反射尚未满意恢复。

（5）饱胃病人，一般应继续留置气管导管直至病人完全清醒，且在拔管前先安置在侧卧头低位的条件下慎重拔管，以防止呕吐误吸。

（6）对颌、面、鼻腔手术涉及呼吸道者，尤其是呼吸交换量尚不足，或存在张口困难者，应继续留置导管并做辅助呼吸，等待病人完全清醒、呼吸交换量满意后才予拔管，并在拔管前做好施行选择性气管造口插管术的准备。

（7）颈部甲状腺手术有可能损伤喉返神经，或有气管萎陷，拔管后有可能需要紧急重新插管者，拔管应采取下列具体措施：拔管前先置入喉镜，在明视下将导管慢慢退出声门，一旦出现呼吸困难，可立即重新插入导管；或在拔管前先在气管导管内插入一根导引管直至气管隆突部，然后仅拔出气管导管至声门外，如果出现呼吸困难，可顺沿导引管再重新插管。

（8）拔管时如果麻醉过浅，偶尔可遇到喉痉挛不宜立即拔管，应在充分供氧的基础上待喉痉挛消失以后再予拔管。

三、拔管操作

除上述注意事项外，在具体拔管时应做到以下事项。

（一）气管内吸引与用氧并重

（1）在气管内吸引的前和后，应常规吸氧，以达到机体足够的氧储备。

（2）必须采用无菌吸引管，注意无菌操作。

（3）一旦病人出现持续呛咳和紫绀时，应暂停吸引，待吸氧后再继续吸引。

（4）拔出导管前先将套囊放气，并在导管内插入输氧管，以利于肺充氧。传统的拔管操作是先将吸引管留置在气管导管前端之外，然后一边吸引一边缓慢拔管。今认为无此必要，反会使肺泡内氧浓度降低，对防止误吸无效，且还有可能引起声带擦伤、出血和喉痉挛等并发症。

（二）导管困难拔出

拔管有时会遇到困难，甚至完全不能拔出。常见的原因是拔管前套囊尚未放气；在颌面口腔手术中手术缝线误将导管缝于组织中，几乎不可能拔除导管；也可能病人将导管咬住。

（三）拔管后呼吸管理

拔出气管导管后应继续面罩吸氧，必要时再次吸引口、鼻、咽腔分泌物。拔管后即刻可能出现呛咳和（或）喉痉挛，需加以预防。拔管宜在麻醉稍深（但自主呼吸交换量满意、咽喉防御反射恢复）的情况下进行。在拔管前 1～2 min 静脉注射利多卡因 50～100 mg，有助于减轻呛咳和喉痉挛。

第六节　气管内插管并发症及处理

气管插管可能引发多种并发症,可发生在插管期间、插管后、拔管期和拔管后的任何时候,因此,在选用前应考虑其利弊。

一、插管后呛咳

气管导管插入声门和气管期间可出现呛咳反应,与表面麻醉不完善、全身麻醉过浅或导管触到气管隆突部有关。轻微的呛咳可引起短暂的血压升高和心动过速;剧烈的呛咳则可引起胸壁肌肉强直和支气管痉挛,病人通气量骤减和缺氧。如果呛咳持续不解,可静脉注射小剂量利多卡因或肌松药,并继以控制呼吸,即可迅速解除胸壁肌强直。如果呛咳系导管触及隆突而引起者,应将气管导管退出至气管的中段部位。

二、杓状软骨脱位

气管插管过程中,喉镜置入咽腔过深,并用力牵拉声带,或导管尖端过度推挤杓状软骨均可造成杓状软骨脱位。病人在拔管后不久即出现喉部疼痛、声嘶及呛咳等症状。间接喉镜检查可见一侧声带运动受限,杓状软骨处及杓会厌皱襞水肿,严重者可掩盖声带突和声带,两侧杓状软骨明显不对称,受伤侧前倾并转向内,声带呈弓形,固定于中间位。杓状软骨脱位的治疗方法有杓状软骨拨动复位术及环杓关节固定术。由于杓状软骨脱位后,环杓关节随即出现炎症反应,24～48 h 即有固定粘连现象,因此脱位应在 24～48 h 内进行复位,越早复位的效果越好。

三、喉头、声门下水肿

主要因导管过粗或插管动作粗暴引起;也可因头颈部手术中不断变换头位,使导管与气管及喉头不断摩擦而产生。喉水肿较为常见,一般对成人仅表现声嘶、喉痛,往往两三天后可以自愈。由于婴幼儿的气管细、环状软骨部位呈瓶颈式缩窄,因此一旦发生喉水肿和声门下水肿,往往足以引起窒息致命。小儿拔管后声门下水肿,主要表现为拔管后30 min内出现,先为轻度喉鸣音,2～3 h 后逐渐明显,并出现呼吸困难征象。因小儿声门裂隙细小、水肿,呼吸困难征象发生较早,大多于拔管后即出现,如果处理不及时,可因严重缺氧而心搏骤停。关键在于预防,包括恰当选择气管导管尺寸、避用套囊插管、插入过程掌握毫无阻力的原则、手法轻巧温柔。一旦发生,应严密观察,并积极处理:① 吸氧;② 雾化吸入,每日3 次;③ 静脉滴入地塞米松 2.5～10 mg 或氢化可的松 50～100 mg;④ 应用抗生素以预防继发性肺部感染并发症;⑤ 病人烦躁不安时,可酌情应用适量镇静药,使病人安静,以减少氧耗量,如静注哌替啶 0.5 mg/kg,或咪达唑仑 0.03 mg/kg;⑥ 当喉水肿仍进行性加重,呼吸困难明显、血压升高、脉率增快、大量出汗或紫绀等呼吸道梗阻时,应立即做气管切开术。

四、心血管系应激反应

喉镜和插管操作期间几乎无例外地发生血压升高和心动过速反应,并可能诱发心律失常。气管导管拔管时也约有 70% 的病人出现心率和收缩压升高 20%,甚至更高。此类应激反应对循环系统正常的病人一般无大影响,对冠状动脉硬化、高血压和心动过速病人则有可能引起严重后果,例如心肌缺血和梗死、恶性心律失常(如多源性室性早搏和室性心动过速等),对心血管病病人需要重视插管应激反应的预防。预防的措施如下:① 局部用药 2%~4% 利多卡因,1% 丁卡因口、咽、喉表面喷雾麻醉,局麻药通过口、咽呼吸道及气管黏膜的吸收稳定神经细胞膜,抑制神经冲动的产生和传导,从根本上抑制心血管系交感反应。全身用药部分研究表明静脉利多卡因 1~2 mg/kg 在预防插管时心血管反应有一定的作用,但也有相关报道表明利多卡因在喉镜置入和插管期对缓解有害的高血压反应无影响。阿片类制剂由于其不抑制心血管功能和直接扩张外周血管作用,用其抑制气管插管时的心血管反应已有很多报道。舒芬太尼($0.5 \sim 0.8 \mu g/kg$)和芬太尼($5 \mu g/kg$)有相似的抑制气管插管的心血管反应,舒芬太尼($1 \mu g/kg$)静注有呼吸抑制。阿芬太尼($10 \sim 40 \mu g/kg$)用于插管观察,认为 $30 \mu g/kg$ 阿芬太尼静注既可抑制气管插管时血压升高,心率增快,又可保持心脏指数(CI)不变。芬太尼小剂量($5 \sim 8 \mu g/kg$)静注,不足以完全对抗插管反应,最好联合用药。由于单独用药各有利弊,联合用药可以取长补短。目前多主张"复合"诱导,预防插管反应。诱导时伍用芬太尼 $2 \mu g/kg$ + 丙泊酚 $2 \mu g/kg$ 或芬太尼 $5 \sim 10 \mu g/kg$ + 依托咪酯 $0.3 \mu g/kg$,能抑制插管反应。拔管前 2~5 min 静注 β-受体阻滞剂艾司洛尔 1.5 mg/kg 可起一定的预防作用,艾司洛尔通过抑制气管插管时外周交感神经的兴奋,直接减少血浆中肾上腺素和去甲肾上腺素的释放,从而抑制气管插管反应。其他的如拉贝洛尔、可乐定、维拉帕米、尼卡地平、地尔硫草等都被尝试用于抑制插管和拔管反应。

五、脊髓和脊柱损伤

对伴有颈椎骨折和脱位、骨质疏松、骨质溶解病变和先天性脊柱畸形病人,在喉镜插管期间,因采用过屈和过伸的头位,可能会引起脊髓和脊柱损伤,应注意防范。对此类病人应尽量选用纤维光束喉镜插管或盲探经鼻插管,插管期间切忌任意转动颈部。

六、气管导管误入食管

气管导管误插食管的第一个征象是听诊呼吸音消失和"呼出气"无 CO_2;施行控制呼吸时胃区呈连续不断地隆起(胃扩张);脉搏氧饱和度骤降;全身紫绀;同时在正压通气时,胃区可听到气泡咕噜声。一旦判断导管误入食管,应立即果断拔出导管,随即用麻醉面罩施行控制呼吸,以保证氧合和通气,在此基础上再试行重新插管。插管成功后要放置胃管抽出胃内积气。呼气末 CO_2 监测在判断气管导管位置有重要的意义,但 X 线透视检查对于鉴别是否插入食管并不可靠。

七、误吸胃内容物

对误吸并发症应引起高度重视。麻醉前应插胃管,并吸净胃内容物。清醒插管和快速诱导插管期间,伴用 Sellik 手法(将喉结往脊柱方向压迫,以压扁食管上口的手法)是最有用的防止措施。清醒插管时采用纤维光束喉镜可能有其实用价值。容易诱发胃内容物反流和误吸的因素较多,常见的有部分呼吸道阻塞、面罩麻醉时气体入胃、麻醉药的药理作用、喉防御反射尚未恢复前拔管等;术前饱食、胃肠道梗阻也是诱发误吸的危险因素。

八、喉痉挛

麻醉期间的疼痛刺激,浅麻醉下或不用肌肉松弛药的情况下试图气管插管,拔管后气道内仍存留血液或分泌物等因素,都容易诱发喉痉挛和支气管痉挛。拔管时也有可能发生。防治方法为充分面罩供氧,适当加深麻醉,严重时用肌松药快速完成气管插管。拔管时发生可用小剂量镇静药。

九、压迫性溃疡

插管后气囊过度充气压迫气管壁,致使黏膜缺血坏死,上皮脱落,均可导致溃疡形成。应注意气囊压力不可过高,一般不超过 $30\ cm\ H_2O$。

十、声带麻痹

插管后并发声带麻痹的原因尚不清楚。单侧性麻痹表现为声嘶;双侧性麻痹表现为吸气性呼吸困难或阻塞,系松弛的声带在吸气期向中线并拢所致。大多数的声带麻痹原因不清楚,通常都是暂时性麻痹。套囊充气过多可能导致喉返神经分支受压,被视作为一个诱因。

(陈治宇　尤新民)

参 考 文 献

1　Walls RM, Luten RC, Murphy MF, *et al*. Basic airway management. In: Manual of Emergency Airway Management. 2nd edition. Philadelphia: Lippincott Williams & Wilkins, 2004, 13~36.

2　Graham CA, Beard D, Oglesby AJ, *et al*. Rapid sequence intubation in Scottish urban emergency departments. Emerg Med J, 2003, 20(1): 3~5.

3　Reed MJ，Rennie LM，Dunn MJ，*et al*．Is the"LEMON"method an easily applied Emergency Airway assessment tool．Eur J Emerg Med，2004，11(3)：154～157．

4　Schlesinger S，Blanchfield D．Modified rapid-sequence induction of anesthesia：a survey of current clinical practice．AANAJ，2001，69(4)：291～298．

5　Morris IR．Pharmacologic aids to intubation and the rapid sequence induction．Emerg Med Clin North Am，1998，6(4)：753～7681．

6　Lev R，Rosen P．Prophylactic lidocaine use preintubation．J Emerg Med，1994，12：499～506．

7　Tanagawa K，Shigematsu A．Choice of airway device for 12 020 cases of nontraumatic cardiac arrest in Japan．Prehosp Emerg Care，1998，2：96～100．

8　Rodricks MB，Deutschman CS．Emergent airway management：indications and methods in the face of confounding conditions．Crit Care Clin，2000，16(3)：389～409．

9　Stuart F，Reynolds MD，John Hoffner MD．Airway management of the critically ill patient．Chest，2005，127(4)：1397～1412．

10　梁根强，靳三庆，黄宏辉．芬太尼不同诱导剂量对气管插管时心血管反应的影响．广东医学，2003，24(10)：1119～1120．

11　徐红梅，张国庆，来庆阁．长期气管插管呼吸支持抢救呼吸衰竭危重病人48例．中国危重急救医学，2002，14(3)：170～171．

12　黄祖佑．经鼻和经口气管插管抢救呼吸衰竭的比较．中国危重急救医学，1998，10(2)：105～106．

第12章 双腔气管插管和单肺通气

单肺通气(one lung ventilation，OLV)是指在开胸手术时，选择性地进行健侧肺通气，患侧肺不通气或肺萎陷，以防止血液分泌物流向健侧肺或者为外科手术操作提供一个相对静止的术野，有利于手术进行。但是，单肺通气时灌注无通气肺的血液未经氧合就回到左心，造成静脉血掺杂，从而使动脉氧分压(PaO_2)降低，无通气肺泡低氧时产生的低氧性肺血管收缩(hypoxic pulmonary vasoconstriction，HPV)，使无通气肺血流减少并转向通气肺，以减少肺内分流，但仍有约10%病人发生严重低氧血症，危及病人生命安全。如何降低OLV时肺内分流和提高PaO_2是单肺通气中的关键问题。

第一节 外科手术对呼吸生理的影响

一、开胸后对肺泡通气与血流灌注比率(V/Q)的影响

当一侧开胸后，由于开胸侧大气进入，使原来处于负压的胸腔变为正压，出现一侧肺萎陷，肺泡通气面积锐减(甚至减少50%左右)造成肺泡通气不足，通气/灌注比异常，而肺循环阻力升高，出现明显低氧血症。

二、体位对呼吸的影响

麻醉后腹腔内脏器将膈肌推向胸内使之上升约4 cm，功能残气量(FRC)减少约0.8L。当开胸病人采用肌松药和进行人工呼吸时，理论上，上侧肺通气比下侧肺好，而肺血流相对减少，形成通气良好、血流不足；下侧肺因体位、腹内压的增加，使通气量和FRC进一步减少，而血流在下侧肺较多，形成通气不足、血流过多。然而，由于上侧开胸时的手术操作及压迫常造成肺膨胀不全、通气不足，而血流相对过多。因此，呼吸功能主要依赖于下侧肺的适当通气才能避免低氧和二氧化碳潴留。在临床实践中，开胸侧肺(上侧肺)的通气不足、血流过多是造成低氧血症的主要原因；对于下侧肺来说，一般维持轻度的过度通气，就可以

避免低氧与二氧化碳潴留的发生。

第二节　单肺通气的适应证

一、双肺隔离（绝对适应证）

双肺隔离可以防止一侧肺的分泌物、感染源、血液或肿瘤细胞进入另一侧肺内，达到保护健肺的目的。这种情况多见于肺脓肿或者患有支气管扩张等"湿肺"病人。

二、双肺独立通气（绝对适应证）

对于肺通气分布不正常的病人，如存在明显的支气管胸膜瘘，支气管破裂，单侧肺大泡或双肺顺应性不同等，单肺通气可以控制通气的分布。对那些伴有支气管破裂、支气管胸膜瘘的病人，假如病变肺没有被隔离，自主呼吸往往无效，从而导致通气量下降。肺大泡病人或未引流气胸病人，由于存在空腔，致使患侧胸腔内压力增高和纵隔摆动，这种情况持续存在将会减少回心血量，最终导致循环衰竭。

三、支气管肺泡灌洗（绝对适应证）

肺泡蛋白沉积症可通过支气管肺泡灌洗进行治疗。一侧肺灌洗时，需要保护另一侧肺有效通气。

四、使术侧肺萎陷（相对适应证）

肺、食管手术需要术侧肺萎陷，以便于外科手术操作。微创手术如胸腔镜或小切口的心、肺、食管手术，以提供清晰的术野，缩短手术时间，减少不必要的组织损伤。

表 12-1　单肺通气适应证和禁忌证

适　应　证		禁　忌　证
绝　　对	相　　对	
1. 肺隔离，防止倒灌，确保通气 感染(肺脓肿、感染性肺囊肿 大咯血) 2. 控制通气分布 支气管胸膜瘘 肺挫裂伤 巨大肺囊肿或肺大泡 气管破裂 3. 单侧肺灌洗	1. 外科暴露-首选 胸主动脉瘤 全肺切除 上叶切除 肺袖形切除 支气管 2. 外科暴露-次选 食管手术 中、下肺叶切除术 胸腔镜手术	大气道阻塞 困难插管 低年资麻醉医生 颈椎不稳定或限制活动 饱胃 儿童(相对) 左主支气管呈帐篷式抬高， 且与总气管呈 90°以上角

单肺通气适应证分为绝对适应证和相对适应证。对每一个病人来讲,在决定是否行单肺通气前必须考虑病人因素、手术特点和麻醉医生的技术因素。

第三节　单肺通气方法

通常采用以下的肺隔离技术以提供单肺通气:① 支气管堵塞(BB);② 单腔支气管插管(ET),在早期胸科手术中应用较多,现已较少使用;③ 双腔支气管插管(DLT),已成为提供单肺通气的最主要方法,用于绝大多数胸内手术。

一、支气管堵塞

在纤维支气管镜(纤支镜)下,向患侧的支气管内插入带有气囊的支气管堵塞导管,使患侧肺不能通气,且经堵塞导管的内腔能进行远端气道的吸引。然后,插入普通的气管导管。该方法可在小于 12 岁的儿童使用,但支气管堵塞导管容易发生移位。

(一)支气管堵塞导管

支气管堵塞管外径 2 mm(6F),气囊部直径 2.75 mm,可通过管道为直径2.8 mm以上的纤支镜,或通过 1.8 mm 密封口的与麻醉回路相连的直角接头。气囊属高张低容式,有 3 ml 或 5 ml 两种规格。支气管堵塞导管的缺点是气囊不易长久固定,在机械通气期间,堵塞导管容易滑出支气管到达气管内。此外,肺手术时堵塞气囊下方容易形成血块,堵塞下一级支气管,而堵塞气囊上方容易积聚分泌物。因此,使用支气管堵塞导管时,应注意下列问题:① 术前应给予足量阿托品;② 堵塞气囊不能涂石蜡油;③ 放气囊时用纤支镜吸净分泌物。

支气管气囊堵塞法较为适合于小儿、气管造口、气管支气管狭窄或已放置气管支架的肺手术病人,也可以用于常规肺、食管等手术以替代双腔插管。插管方法简单,组织损伤少。通过调节气囊的大小,克服因年龄和狭窄程度不同所致的气管支气管解剖上的变异。不增加气道阻力,不影响通气功能。

(二)Univent 导管(Univent tube,单腔双囊支气管插管)

Univent 导管是将支气管堵塞导管与单腔管结合在一起,堵塞导管可以自由伸缩,且前端成角,详见第六节。

(三)Arndt 支气管堵塞导管(表 12 - 2)

Arndt 支气管堵塞导管(图 12 - 1)是一种有引导线的堵塞导管(wire-guided endobroncheal blocker,WEB)。远端气囊为低压高容型。7F、9F 型号的堵塞导管长度分别为 65 cm 和 78 cm。堵塞导管腔内有一根柔软的尼龙丝,从近端开口进远端开口出,且形成一个柔软的圈套。置入导管时可套在纤维支气管镜上,在纤维支气管镜引导下插入目标支气管内。定位准确后将引导线退出,其管腔可用于吸痰及加速肺萎陷,还可用于术中CPAP。

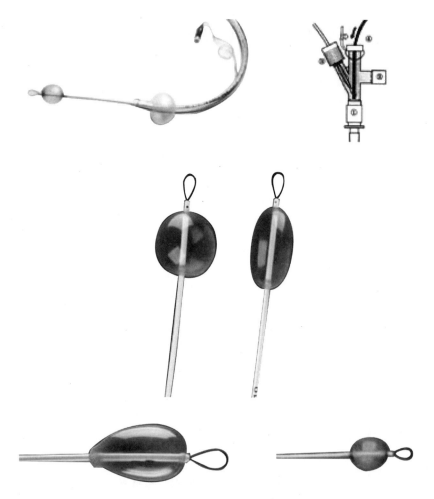

图 12-1　Arndt 支气管堵塞导管

表 12-2　Arndt 支气管堵塞导管

型　　号	9	7	5
可用的最细气管导管内径(mm)	7.5	6.0	4.5
长度	78	65	65
套囊形状	椭圆/球形	球形	球形
套囊充气量(ml)	6~8/4~8	2~6	0.5~2.0

(四) Coopdech 支气管堵塞导管

Coopdech 支气管堵塞导管的外形与 Arndt 导管相似,但导管的材质较 Arndt 导管硬,特点是导管远端设计成弯角,可顺利地将导管插入目标支气管。Coopdech 导管的气囊采用硅材料制成,与支气管组织的接触面大,在同等条件下气囊内压力明显小于 Univent 导管和 Arndt 导管,以减小支气管黏膜的损伤。

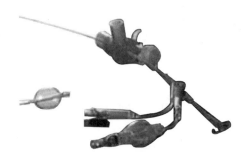

图 12－2　Coopdech 支气管堵塞导管

（五）Cohen Flexitip 支气管堵塞导管（图 12－3）

Cohen Flexitip 支气管堵塞导管是一种前端可旋转的支气管堵塞导管,导管 62 cm,外径为 9F,内径 1.6 cm,前端为 3 cm 长的软尼龙制的可旋转头部;远端有一可旋转小轮。逆时针旋转小轮可使其头部弯曲 90°以上。在插管操作时,通过调节小轮的方向就可将堵塞导管顺利地插入目标支气管。其内腔可用于吸引分泌物,还可用于对萎陷肺进行吹氧以纠正术中低氧血症。

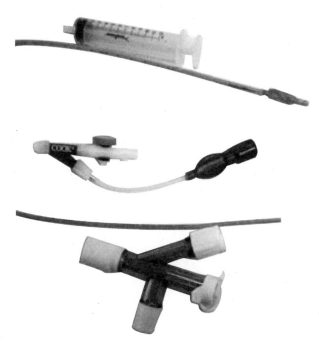

图 12－3　Cohen Flexitip 支气管堵塞导管

二、单腔支气管导管

导管有左侧型及右侧型，导管较长，可插入健侧主支气管内，套囊充气后进行健侧通气，操作有一定的盲目性。随着 DLT 的改进及广泛应用，该法在临床上已很少使用。

三、双腔支气管导管

双腔支气管导管（double-lumen endobronchial tube，DLT）系由两根一左一右的导管并列为一体而构成，现已在临床广泛使用。DLT 一侧为长管，前端弯向一侧（弯向右侧者称"右侧管"，为插入右主支气管用；弯向左侧者称"左侧管"，为插入左主支气管用）；另一侧管为短管，其前端无弯曲，开口位于总气管内。不论右侧管或左侧管，共同特点是都设有两个套囊。一个套囊设在弯曲长管的上方，为总气管的套囊；另一个套囊设在弯曲管上，为主支气管的套囊。两个套囊各自分别与其远端的测试小气囊相连接，并标以"T"（气管内导管）和"B"（支气管内导管）字样。

（一）卡伦双腔导管（Carlens DLT）和怀特双腔导管（White DLT）

Carlens DLT 是左侧型，可插入左主支气管，而 White DLT 是右侧型，插入右主支气管，用软橡胶或塑料制成（图 12-4）。管腔截面呈"D"字形，带有隆突钩（carinal hook），藉以限制导管向远侧推进，起定位作用。各有四种型号：F35、F36、F39 和 F41，其内径分别相当于 5.0 mm、5.5 mm、6.0 mm 和 6.5 mm。但由于管腔小，带有隆突钩，插管操作不当可能引起声门损伤、小钩断裂或脱落，也可能干扰全肺切除术和隆突部位手术的操作等缺点，目前已很少应用。

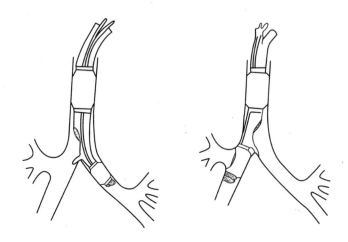

图 12-4　左侧型的 Carlens DLT（左图）和右侧型的 White DLT（右图）

（二）布赖斯-斯密司双腔导管（Bryce-Smith DLT）

该 DLT 的前端同时设有右侧长管和左侧长管，分别插入右侧和左侧主支气管；在右侧管套囊中带有裂隙,以保证右肺上叶通气。

(三)罗伯修双腔导管(Robertshaw DLT)

是无毒透明塑料(PVC)制造的一次性使用导管,有右侧型管和左侧型管两种(图12-5)。型号有F28、F35、F36、F39和F41,内径分别为4.5 mm、5.0 mm、5.5 mm、6.0 mm和6.5 mm。其中F28管只有左侧型管,可用于儿童。该导管的特点有:① 无隆突钩,导管容易插入,也有利于全肺切除术或靠近隆突部位的手术操作;② 管腔比较大,可降低气流阻力和方便于支气管内吸引;③ 套囊呈明亮的蓝色,便于纤支镜的识别和定位;④ 左右侧导管的前端都带有黑色标记,可在X线下显影;⑤ 透过透明塑料管可观察湿化的呼吸气体在管腔内的来回移动;⑥ 右侧型管前端的套囊中间带有裂隙,而左侧型管前端的套囊具有限制充气套囊过大的作用,以保证右肺的有效通气。

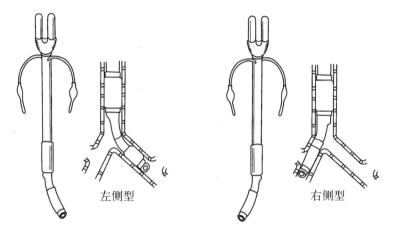

左侧型   右侧型

图12-5   Robertshaw DLT

第四节   DLT插管方法及定位

一、插管方法

(一)导管的选择

理想的导管应是插管易于到位,插管后主管和支气管部分与气管和支气管匹配良好,套囊少量充气即能形成良好的分隔,支气管端位于上叶支气管口近侧缘,小套囊位于上叶支气管口近侧缘与隆突之间,DLT侧孔正对另一侧主支气管口。临床上有部分病人难以达到上述的理想状态,因为:① 病人的气管、支气管内径难以精确测量,气管、支气管径值及支气管径值/气管径值比值变异很大;② 左或右上叶支气管开口离隆突的距离变异很大;③ 常用的DLT品牌均系进口,其设计并非基于国人。因此,DLT的选择很大程度上取决于我们对 DLT 的掌握和对病人气道的了解程度、有无气道狭窄、外压、气道扭曲与成角等，关键是对病人气道的了解程度。下列术前检查可为我们提供帮助：① 纤支镜检：可了解气管、支气管的通畅及隆突、上叶支气管开口情况，测定左或右上叶支气管口离隆突的距离。② 胸部 X 片和隆突分层片：可了解气道通畅情况及有无扭曲与成角改变，可用于测量气管径值，部分病例尚可测量支气管径值。③ 胸部 CT 片、磁共振片或 CT 三维重建图形：可提供较精确的插管所需的信息。胸部 CT 片可以提供如下信息：① 气管、支气管内径值和通畅情况、内径变化情况以及是否有狭窄、外压、扭曲与成角改变；② 隆突是否有向左或向右偏移，左和右支气管所在平面是否与冠状面一致及其偏移情况；③ 上叶支气管开口的位置，与隆突的距离；④ 双侧肺特别是拟通气侧肺、肺血管的情况等。CT 测定的气道径线值亦有一定偏差。

1. 左、右侧 DLT 的选择　右侧开胸手术选择左 DLT，左侧开胸手术选择右侧 DLT，能更好地防止误吸和分泌物的污染，使单肺通气更安全。由于右侧 DLT 插管时常因解剖关系使右上叶通气不良或双肺不能有效分隔，故左侧开胸在不涉及左支气管时仍可选左侧 DLT。因为左侧 DLT 比右侧 DLT 更容易固定且不易堵塞上叶支气管开口，亦可以避开右上叶支气管开口变异多的情况。即使手术涉及左支气管，部分病例仍可选左侧 DLT（如左全肺切除选左侧 DLT，在离断左支气管时注意避免伤及 DLT，处理残端和残端吻合前将DLT 退至气管内，残端吻合时注意清理气道，缩短开放时间）。

气管、支气管的通畅程度、狭窄、外压、成角等改变对 DLT 的选择有重要影响，当发现下列情况宜改用另一侧 DLT：① 拟插侧支气管狭窄；② 拟插侧的支气管与气管出现明显的成角改变（如部分病人主气管与支气管几乎成直角，插管时常易反向）；③ 拟插侧支气管偏移明显；④ 拟插侧的上叶支气管口离隆突的距离太近，不足以使拟插侧 DLT 插管后有效分隔双肺和安全固定；⑤ 拟插侧 DLT 插管后反向错位且难于调整到位。

2. 导管大小的选择　DLT 选择中，气管内径和拟插侧支气管内径值起着重要作用。临床上常选用较大型号的 DLT，以降低气道阻力，减少导管扭曲的发生率，提高肺隔离的成功率。身材较高大的成年男性可使用 F39 的 DLT，身材矮小的男性和一般身高的女性可使用 F37 或 F35 的 DLT。

3. DLT 选择步骤　DLT 的选择步骤如下。

（1）从病人 CT 片等术前检查获取较精确的插管所需信息。

（2）按左右支气管径值、上叶支气管开口位置、是否有气管支气管堵塞、狭窄、外压、扭曲与成角改变结合疾病情况选择左侧或右侧支气管导管。

（3）据拟插侧支气管的径值和气管径值（主要看拟插侧支气管的径值，兼顾主气管径值）结合 DLT 主管和支气管部分外径选择 DLT 的大小。

（4）据上叶支气管口离隆突的距离结合不同品牌导管的套囊位置、长度、大小、支气管部分长短等设计特点选择 DLT 的品牌。目前多采用无隆突钩 DLT。

（二）基本方法与步骤

1. 麻醉方法

（1）清醒插管法：采用左侧双腔支气管插管者，在气管内注入 1‰丁卡因之前，应将手术床头端升高 15°，并向左侧偏斜 20°（即右侧在上方），以使丁卡因较多地进入左总支气管。若采用右侧双腔支气管插管者，注药前的体位适相反。

（2）快速诱导插管法：肌松药用量宜稍加大，以使插管操作有较好的肌松条件。

2. 插管前准备　DLT 插管一般都在普通喉镜显露声门后在盲探下完成，但最好在纤支镜直视下进行。① 采用普通喉镜盲探插管时，应选用弯型窥视片，因其弯度与导管的弯度相匹配；② 一般均需用充分润滑的可塑性管芯插入长管腔内，使长管构成到达声门所需的弯度；③ DLT 的前端外壁及舌状小钩涂以 1‰丁卡因或 4%利多卡因的润滑膏。

3. 插管步骤　以 Robertshaw DLT 为例。

在插入 Robertshaw DLT 前要检查套囊有无漏气，气管套囊可注气 10～15 ml，支气管套囊可注气 3～6 ml 进行检查，套囊内压力不应超过 30 cm H_2O。置入管芯，将 DLT 弯曲至所需角度。插管步骤为：① 充分暴露声门；② 右手握导管，并使导管远端开口的斜面向上，指向会厌，将 DLT 插入气管，约至声门下 6 cm 后，将支气管芯拔除；③ 导管进入声门后将导芯移去，并将导管向左（左侧型）或向右（右侧型）90°转动，徐徐推进导管，直至轻度有阻力，提示导管尖端进入左或右主支气管，插入深度为 29～31 cm。在插入声门后亦可不转动导管，如为左侧 DLT，将病人头部转向右侧后，徐徐推下 DLT，以使 DLT 沿气管壁的左侧滑入左主支气管，直至遇上轻度阻力，右侧 DLT 则反之。

二、DLT 的定位

（一）听诊法

1. 核对气管导管位置（图 12 - 6A）　① DLT 插入后，将导管套囊充气。② 正压通气下，可见呼吸气 CO_2 波形，两侧胸廓活动良好，两肺呼吸音清晰。③ 如果发现两侧肺呼吸音不一致，气道阻力大，估计 DLT 插入过深，DLT 的气管腔开口可能在主气管或隆凸部，可将导管后退 2～3 cm。④ 初步确认导管位置后，临时阻断一侧通气以作鉴别：阻断侧应该听不到呼吸音和无胸廓抬起动作；而通气侧的呼吸音正常和胸廓抬起明显；如果阻断侧仍有呼吸音或通气侧的通气不够顺畅、呼吸音也异常，提示 DLT 前端可能发生折曲或 DLT 插入过深，可后退 DLT 少许以作调整。

2. 核对左侧支气管导管的位置（图 12 - 6B）　① 钳夹右侧接口通气连接管，并移去帽盖。② 支气管套囊缓慢注气，直至左肺不出现漏气，注气量一般不超过 3 ml。③ 重新松开右侧钳夹，盖好帽盖。④ 听诊两肺呼吸音清晰，吸气压不超过 20 mm H_2O，表示支气管套囊无部分或全部堵塞对侧气管、主支气管腔。

3. 核对双侧通气情况(图12-6C) ① 钳夹右侧连接管,应显示左肺呼吸音良好,右肺无呼吸音,且气道压不超过 40 mm H_2O。② 钳闭左侧通气连接管,情况反之。

4. 听诊法确认 DLT 管端正确到位的条件 ① 双肺通气时,两肺通气呼吸音与插管前相同;② 单肺通气时,通气侧上、下胸部呼吸音与插管前相同,非通气侧胸部呼吸音消失;③ 单肺通气时,打开对侧接头,余气排空后,没有多余的气体排出。

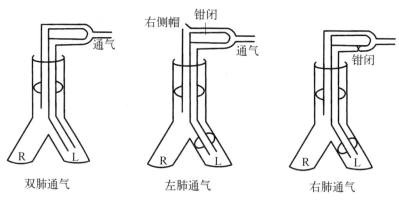

图 12-6　DLT 的定位方法

5. 听诊法的 DLT 管端位置的可信度 听诊法是判断 DLT 管端位置的准确率有限。有报道在听诊确认管端已处于最佳位置后,再用纤支镜检查,结果发现 78% 左 DLT 管端和 83% 右 DLT 管端位置需要调整。Hurford 等发现听诊确认后管端错位率占 44%,侧卧位后术中需再次调整占 30%。右 DLT 管端错位率更高是由于右上肺叶的呼吸音可以从同侧的下肺叶传导或由对侧肺经纵隔传导,单凭听诊几乎无法判断出右上肺叶支气管开口堵塞引起的右上肺呼吸音减弱或消失。右上肺开口离隆突只有 2 cm 左右,而左上肺离隆突有 5~6 cm 左右。即使听诊法认为管端位置正确的,经纤克镜检查,经常发现 DLT 插入偏浅。因为当支气管套囊虽未完全进入一侧主支气管,但只要没有堵塞对侧的支气管时,听诊往往认为管端位置正确。因此,仅用听诊法判断 DLT 管端位置的准确率低,可靠性差。

(二) 纤维支气管镜(纤支镜)定位

施行纤支镜检查是确定导管移位和避免并发症和意外的有效措施。

临床实际操作推荐如下方法:① 除左上肺叶切除或左支气管病变外一律采用左 DLT 插管;② 用临床方法确定导管位置;③ 临床方法定位失败,则采用纤支镜定位。④ 所有右 DLT 插管,都需要纤支镜定位。

纤支镜有多种型号,外径在 5.6 mm、4.9 mm 和 3.6 mm。4.9 mm 外径的纤支镜可通过 37F 的 DLT,而 3.6 mm 可通过所有管径的 DLT。一般尽量采用较细号的纤支镜,分别插入一侧支气管导管腔,检查导管前端开口的所在位置、与隆突的距离、蓝色套囊的充张情况、套囊与右上肺支气管开口的关系以及是否存在开口堵塞、套囊充气过多而疝入隆突以上等异常情况(图 12 - 7)。

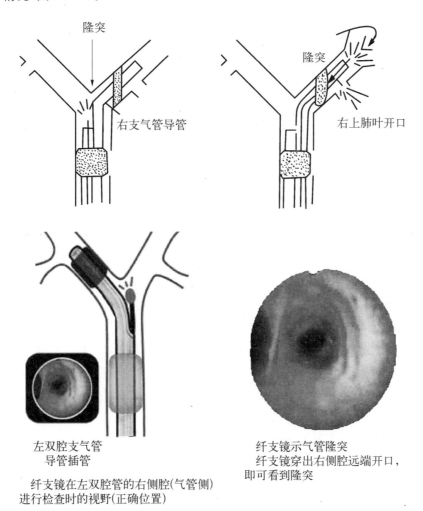

左双腔支气管
导管插管

纤支镜在左双腔管的右侧腔(气管侧)
进行检查时的视野(正确位置)

纤支镜示气管隆突
纤支镜穿出右侧腔远端开口,
即可看到隆突

图 12 - 7 纤维支气管镜在 DLT 的应用

如使用左侧型 DLT,在按常规方法插入后,再将纤支镜引入气管腔,可见到隆突部,蓝色的支气管套囊上缘正在隆突之下见到,并无支气管套囊"疝"见到。然后纤支镜通过支气管检查,应见到左肺上叶开口。当使用右侧型 DLT 时,一定要注意右上叶开口,以保证右上叶通气。

纤支镜对 DLT 位置的修正方法如下。

1. 左 DLT 先将纤支镜送入气管腔,通过气管侧开口直视导管情况,理想的位置应该是导管的气管开口端在隆突上 1~2 cm,支气管套囊(蓝色)上端在隆突水平稍下方。如果从气管开口端未窥见隆突,有 3 种可能性:① DLT 部分或完全进入左主支气管(插管过深)；② 支气管腔远端未进入左主支气管或部分进入左主支气管而蓝色套囊跨骑于隆突上（插管过浅）；③ 左 DLT 的左侧腔完全或部分进入右主支气管。再从左 DLT 的左侧腔（支气管侧）进行检查，纤支镜越出左侧管腔开口，应该看到第二级隆突，从左侧腔开口到左上肺叶开口的距离约 2 cm，如果大于 2 cm，支气管套囊上缘有可能高出隆突，从而影响右主支气管的通气。另外，左侧腔过浅有可能使支气管导管滑出主支气管，此时纤支镜将出现隆突视野。而左侧管腔开口在左主支气管最大的深度以不超越左上肺叶开口为界，否则会影响左上肺叶的通气，而且有可能使右侧腔（气管侧）开口部分或全部进入左主支气管。如果以左侧腔开口到左上肺叶开口的距离作为判断导管深度的标准，那么，这段距离必须落在 0～2 cm 范围，右侧气管腔开口的位置允许在该范围内进行调整。

2. 右 DLT 先将纤支镜送入左侧腔，通过左侧管腔开口观察导管位置，如果导管到位，应看到隆突及左主支气管开口，右侧管远端进入右主支气管，支气管套囊位于隆突下方。如果导管过深，纤支镜可见到左侧腔开口紧贴隆突或部分伸入右主支气管，此时纤支镜无法推进。如果导管过浅，在左侧腔开口处只见到气管侧壁，继续送入纤支镜可以看到隆突及导管的右侧腔套囊（蓝色），此时的套囊可能部分伸入右主支气管或根本没有进入右主支气管，根据导管错位情况，在镜下作适当调整。再从右侧腔（支气管侧）进行检查：可选取导管的右上叶通气孔或右侧腔远端开口进行检查。右 DLT 的错位情况，通过上述对左侧腔检查和调整，应该得到基本的纠正，这时应重点调整导管上的右上叶通气孔与右上叶开口的位置，如果导管位置正确，通气孔和右上肺叶开口正好重叠，没有支气管黏膜覆盖通气孔。如果通气孔被部分支气管黏膜覆盖，应调整 DLT（稍作前移或退后），使通气孔与右上肺开口重叠。

双腔支气管插管后，即使临床体征提示导管位置已正确，仍可进行纤支镜检查，这样可以及时纠正可能潜在错位的现象，如导管偏浅使右上肺叶开口与导管的上叶通气孔存在部分对位情况，临床征依然正常，但体位改变易使支气管侧套囊滑出到气管内。文献报道双腔支气管插管病人（临床征评估位置正确），纤支镜发现错位的占 20%～40%。即使 DLT 位置正确，纤支镜检查可了解病人的气管、支气管解剖情况，以便术中出现导管移位时，能迅速给予纠正。

纤支镜定位后，应记录上切齿水平的导管刻度，并用胶布固定好导管，避免手术期间该数值的改变；同时头部保持略为前倾位置，因头部过伸将增加导管移位的机会；当改变体位时，用手保护好导管，并使头颈保持正常生理位置，可以减少 DLT 再移位的机会。

（三）顺应性环与阻力环对 DLT 定位的价值

当 DLT 位置不正确时，可引起呼气流量受限，吸呼阻力增加。这是由于管腔堵塞和延迟排气或肺的排空不完全所致。Bardoozky 介绍了 49 例采用双腔支气管插管以顺应性环与阻力环进行观察的研究结果。在采用盲探法插管后以纤支镜进行观察的 49 例病人中位置不良的有 19 例(38.7%)。在这 19 例中 12 例(63%)出现压力-容量环和流量-容量环的波形变化。Simon 等发现 DLT 置入过深或管端贴住气道壁时,尽管双侧肺通气时压力-容量(P-V)环可无明显改变,但该侧行单肺通气时吸气压力明显增高,使 P-V 环增大,上升支右移,由此提示管端可能错位。

（四）$P_{ET}CO_2$ 定位法

插管后,套囊分别充气后行单肺通气,以非通气侧不能检测到呼吸 $P_{ET}CO_2$,即呼吸气 CO_2 波形呈一直线说明 DLT 位置准确。Shafieha 等认为,当两侧肺的通气-灌流比率基本相同时,两侧肺所测定的 $P_{ET}CO_2$ 波形、高度和节律是相同的。用两台 $P_{ET}CO_2$ 监测仪分别与 DLT 的气管导管和支气管导管连接,双肺通气时同步监测两侧肺的 $P_{ET}CO_2$ 波形,如一侧波形变小,高度变低,提示该侧管端对位不良。

（五）吸气峰压监测法

插管后行双侧肺通气,分别监测左、右侧的气道峰压。DLT 到位满意时,两侧的气道峰压差小于 3.8 cm H_2O,两侧的顺应性比值接近 1。当 DLT 错位时,两侧的气道峰压差大于 6.8 cm H_2O,两侧的顺应性比值小于 0.59。张俊刚等发现,采用吸气峰压监测法,DLT 管端到位率达 97.5%。

（六）气泡溢出法

Hannallah 等置入左 DLT 后,将一条细管的一端经右侧的气管腔置入到隆突部位,细管的另一端浸入盛水的烧杯中。当左侧单肺通气气道峰压达到 30 cm H_2O 时,烧杯中未见气泡溢出为两肺隔离完善。

三、DLT 位置错位的常见状态（表 12-3）

（一）置管过深

DLT 过深进入一侧的主支气管,堵塞右或左上叶开口;另一侧支气管开口可能贴住气管壁,在钳闭支气管导管一侧时,出现阻力很大,此时应将 DLT 退出 2～3 cm,重新调整位置。选用 DLT 偏细时容易发生置管过深。

1. 右侧型 DLT 堵塞右上叶开口　右侧 DLT 置管过深时管端可进入右下肺叶支气管内,支气管套囊堵塞右上肺叶支气管开口,气管套囊堵塞部分左支气管开口。造成单侧肺通气时肺泡通气面积减少,容易发生缺氧。从隆突至右肺上叶开口平均距离男性为 2.3 cm ±0.7 cm,女性为 2.1 cm±0.7 cm。设计上右侧型在右前端有小口,允许右上叶通气,但安全范围较窄,范围在 1～8mm。因此,要保证右肺上叶良好通气,有相当难度,尤其在手术操作时,容易因牵拉而发生移位。

2. 左侧型 DLT 堵塞左上叶开口　隆突至左上叶开口距离男性为 5.4 cm±0.7 cm,女性为 5.0 cm±0.7 cm。可弃性左侧型 DLT,左右管腔开口的平均距离为 6.9 cm。左侧

DLT 置管过深时管端可处在左下肺叶支气管开口处,甚至管端已置入左下肺叶支气管内,充气的支气管套囊将堵塞左上肺叶支气管开口,气管套囊则堵塞部分右支气管开口。

（二）置管过浅

DLT 过粗,往往在管端未进入（或刚进入）支气管时已无法继续向前推进,DLT 位于隆突之上,未进入主支气管,或者管端进入支气管不够深,充气的支气管套囊可将管端"挤出"支气管或部分堵塞对侧支气管开口。因此,在支气管腔通气时两侧均闻及呼吸音。由于充气的支气管腔的套囊堵塞了来自气管腔的气流,经气管腔通气时,无呼吸音闻及。置管过浅时管端容易发生脱位,失去肺隔离的作用。尽管选用导管适宜,套囊应放气,并转动 DLT 推至一侧的主支气管。

（三）管端发生旋转

置入右侧 DLT 尽管深度合适,但因导管的支气管端发生旋转,使其侧孔无法与右上肺叶支气管开口对准而造成管端错位。Sheridan 右侧型 DLT 的支气管套囊是双囊式,如置管深度合适,仅管端发生旋转不会引起右上肺叶通气障碍。其他类型导管管端旋转达 90° 时,侧孔两侧的支气管套囊正好堵塞右上肺叶支气管开口,阻断右上肺叶通气。

（四）DLT 误入对侧的主支气管

即发生完全性错位。钳夹同侧支气管连接管时,对侧肺发生萎缩。常见左侧型 DLT 误入右侧支气管时,可发生右上叶开口的堵塞,必须立即纠正。因解剖变异或右肺病变使纵隔发生移位或左上肺病变牵拉左支气管时,左支气管与气管的夹角可加大到 55° 以上,左 DLT 管端容易滑入右支气管。左聚氯乙烯 DLT 管端误入右支气管的发生率比橡胶类 DLT 明显升高。

（五）右上肺叶支气管开口位置异常

正常右上肺叶支气管开口位于距隆突 2 cm 的右主支气管壁上,先天性异常时此开口距隆突可不足 2 cm,或直接开口在气管壁上。置入右侧 DLT 尽管"深度合适",但导管支气管端的侧孔无法与右上肺叶支气管开口对准,使右侧单肺通气时缺少右上肺叶的气体交换。

（六）改变体位或手术操作引起 DLT 管端错位

已正确到位的 DLT,因改变体位或手术牵拉肺脏时可引起管端错位。已固定妥善的 DLT 可因病人头低位使管端向前推进 2.7 cm,亦可因头部后仰使管端退出 2.8 cm,从而造成管端过深或过浅。

欧阳葆怡等观察 688 例胸科麻醉病人用 DLT 于平卧位行非术侧肺单肺通气获得满意肺隔离和有效通气效果（$SpO_2 > 96\%$）,且纤支镜观察 DLT 管端均正确到位。将体位转变成侧卧位时,112 例 DLT 管端发生错位（占 16.3%）。此 112 例经纤支镜调整管端位置,术中仍有 14 例（12.5%）再次发生管端错位。侧卧位时未发生 DLT 管端错位的 576 例中,术中有 9 例出现管端错位（1.6%）,明显比前者低（$P < 0.01$）。

表 12‐3　常见 DLT 错位的原因与处理

分　类	表　　现	原　　因	处　　理
置管过深	插管侧上肺因小套囊堵塞上叶支气管而无呼吸音,另一侧可能因导管侧孔贴于隆突或受大套囊堵塞不能实施控制呼吸	1. 导管选择过细 2. 定位操作导管未退到位 3. 体位改变	1. 重新定位 2. 如导管过细套囊不能有效分隔或过细管腔影响通气,应改插合适导管
置管过浅	小套囊部分或大部分在支气管外,可能部分或全部堵塞对侧支气管开口而使对侧通气不良或不能通气,插管侧通气好或有漏气,肺分隔不良	1. 导管过粗,难于完全进入支气管 2. 定位时退管过多 3. 术中体位改变或手术牵拉	1. 改插合适的导管 2. 重新定位
导管扭曲	对侧通气不良或难于通气,插右侧管右上肺不良(导管侧孔与对侧支气管对位不良,右侧管右上支气管口导管对位不良)	插管时在推入支气管前导管未正确回位	1. 纤支镜指导下旋转导管回位 2. 重新插管
反向错位	导管左侧腔通气时右肺张缩,右侧腔通气时左肺胀缩(左双腔管插入右侧支气管或右双腔管插入左侧支气管)	1. 导管选择不当(未据支气管管径、成角改变、隆突偏移等选择合适导管) 2. 插管操作不当,在进入支气管前导管未正确回位	3. 纤支镜引导下纠正错位 4. 导管退至隆突上回位后推进 5. 改插对侧双腔管

第五节　Univent 导管的临床应用

Univent 单腔双囊支气管堵塞导管(下称 Univent 导管)1981 年应用于临床。

一、Univent 导管的结构

Univent 导管由硅胶制成,软光洁,结构形状与普通的单腔气管导管基本相同。但其导管中附有可移动的支气管堵塞导管,将其送到左或右主支气管,套囊注气后进行单肺通气(图 12‐8)。Univent 导管与单腔双囊支气管堵塞导管,即在单腔主导管内侧壁附加一根细的活动性内套管,内套管顶部有一个蓝色硅胶套囊,可注气 5～6 ml,内套管可伸缩范围为 11 cm,内套管末端不透 X 线,并标有刻度,可清楚了解内套管插入主支气管的深度。中间细管腔可作吸引供氧和高频通气。内套管外有一固定帽、指标气球和连接帽,分别起到固定、判断套囊内压和连接作用。Univent 导管的型号有 ID4.5～9.0 mm 不等。

二、插管方法

插管前先将活动性内套管完全回缩至导管主体内,导管进入声门后向手术侧胸旋转 90°。也可以通过旋转病人头部来完成。然后检查导管旋转角度以及明确导管进入方向后,

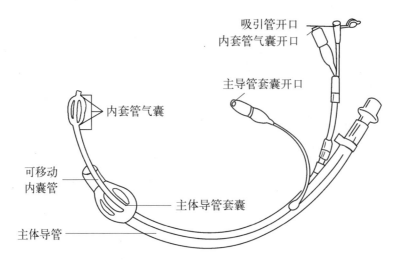

图 12-8 Univent 管

将导管推进至遇有阻力即可,再向下推动活动性内套管沿着气管侧壁进入术侧支气管。内套管必须深入主支气管以防止气囊压迫隆突。进入右侧支气管的深度为 5 cm 左右,进入左侧支气管的深度为 6 cm 左右。内套管气囊注气 5~6 ml,并检查气囊压力。用听诊法判断堵塞侧肺是否完全堵塞。如堵塞侧呼吸音消失,气囊放气后呼吸音恢复。证明内套管气囊位量正确,否则须再次调整。如病人手术已进入胸腔,由手术医师挤出肺部气体,然后内套管气囊充气或通过开放性内套管吸引堵塞侧肺来完成肺萎陷。在确定内套管位置后,把内套管外管固定帽移动至外管末端,内套管固定在主管的固定带上。

纤支镜引导操作法,可把纤支镜插入主导管,并通过导管腔将纤支镜插入左侧或右侧的支气管,以纤支镜当导引把主导管插入与纤支镜同一侧的支气管,再把内套管推入,并尽可能深一些。纤支镜与主导管退至气道所需要的位置,拔出纤支镜,固定内套管。

三、注意事项

(1) 主支气管堵塞的病人最好在放好体位、手术已经开始、胸膜腔已经打开后才开始单肺通气。

(2) 经常检查内套管气囊防止气囊充气不足或过度。

(3) 术中应常规监测 SpO_2、$P_{ET}CO_2$、ECG、血压等。

(4) 内套管气囊充气后有时会发生通气量减少和气道压升高,可能是内套管已疝出至气管腔内,使气道部分或全部堵塞。预防气囊疝出的方法是内套管放置应足够深,使内套管气囊末端尽可能远离气管;有条件的话,应在内套管气囊充气后再用纤支镜确认其位置,导管固定要牢靠,防止活动。

（5）术中术侧肺膨胀：常见原因是内套管气囊在体位改变及牵拉术侧肺时脱出至气道腔内，导致单向活瓣所致。因此，在牵拉术侧肺时，内套管气囊应放气，牵拉结束后在纤支镜直接观察下再次充气。

（6）低氧血症的防治：单肺通气时，通气侧 $FiO_2 > 70\%$，MV $100 \sim 120$ ml/kg，RR 12 次/min。非通气侧可从吸引管开口吹入 O_2 1～2 L/min，必要时行高频通气。经上述处理仍不能纠正低氧血症时，应作双肺通气。

四、优点

Univent 导管临床应用的优点如下。

（1）插管简便：Univent 导管像普通单腔气管导管插管一样方便，尤其适用于术前临床评估插 DLT 有困难者。

（2）年龄适应范围大：由于其 ID 从 4.0～9.0 mm 的不同规格，可适用相应年龄的病人。

（3）开放性内套管可作术中吸引、吹氧，最突出的优点是可进行高频通气，改善单肺通气时低氧血症，有独特的效果。

（4）可用于长期通气：手术结束病人回 ICU 仍需进行机械通气时，DLT 常须调换单腔导管。由于 Univent 管是由硅胶材料制成的，软而光滑，对黏膜损伤小，而且管腔与普通单腔导管相同，吸引也方便，因此无需调换导管。

（5）活动性内套管根据手术要求，可随意插入左或右支气管。

（6）蓝色内套管可为纤维支镜提供良好的显示。

（7）从双肺通气向单肺通气或反之转换，只需使内套管气囊充气或放气即可，操作很简便。

五、存在问题

（1）影响全肺切除的操作　由于内套管气囊堵塞支气管，当作全肺切除时，在切开结扎支气管残端前，必须将内套管回缩至气道，才能进行术侧支气管切开缝扎，因此在切开缝扎支气管时有漏气。

（2）不宜用于湿肺病人的手术，如肺脓肿、支气管扩张、肺结核大咯血病人手术时，常需及时快速吸引。由于 Univent 导管活动性内套管的管腔小，不能及时有效地吸引，如把内套管气囊放气退回到主导管内，再从主导管吸引，就失去双肺隔离的作用，因此对全肺切除和湿肺病人手术时采用 DLT 为好。

（3）内套管异位及堵塞不全的发生率分别为 17％和 20％。与 DLT 相比，随着手术时间延长，异位及堵塞不全的发生率比 DLT 高。

（4）价格较昂贵。

Univent 管的使用限制和处理见表 12-4。

表 12-4 Univent 管的使用限制和处理

限　　制	处　　理
放气时间长	1. 气管阻塞气囊放气,通过主要的单一管腔挤压抽吸肺 2. 提供气管阻塞腔的吸引
再充气时间长	1. 气管阻塞气囊放气,通过主要的单一管腔正压通气 2. 手控大潮气量通气数次
血、脓等阻塞管腔	吸引
气囊高压	使用适当量的气体
术中气管阻塞气囊漏气	确定气管阻塞气囊位于隆突下,增加气囊充气量

六、最佳适应证

Univent 导管临床应用的适应证与 DIT 相向,但最佳适应证为:① 胸腔镜手术;② 开胸需肺萎陷的肺外手术;③ 单纯肺叶切除术。

第六节　单肺通气的低氧血症机制

单肺通气期间低氧血症的发生率为 9%～21%,其主要机制如下。

一、通气/灌注

开胸侧萎陷的肺无通气,而肺血流灌注未相应减少。在单肺通气期间,通过非通气肺的血液分流约为心排出量的 20%～25%。单侧萎陷肺的血流未经氧合而进入体循环,造成静脉血掺杂,肺内分流(Q_s/Q_t)增加,PaO_2 下降。这种情况在单肺通气 20～30 min 时最为明显,肺内分流量可达 40%～50%。之后因低性肺血管收缩(HPV),使非通气侧血流减少.静脉掺杂缓解,非通气侧肺内分流可减少至 20%～25%。HPV 反应可在低氧后 5 min 发生,60 min 时达最大限度,持续约 4h。吸入挥发性麻醉药、扩血管药均可抑制 HPV 反应。反复的低氧刺激并不会增加 HPV 反应机制,也就是说,发生低氧血症后,并不会随低氧血症时间延长而改善。临床上,有时低氧血症难以纠治,直至一侧肺动脉结扎后,PaO_2 才见迅速改善。

二、HPV 的机制

非通气肺低氧而产生的 HPV 增加了非通气肺的灌注压,使血流向通气肺转移,可保持最适 V_A/Q 比值和提高气体交换的效率。因此,HPV 对降低单肺通气的低氧血症,提高病人的安全性具有十分重要的意义。HPV 反应的确切机制至今尚未完全阐明,就目前的研究 HPV 机制主要归为介质学说及直接机制两大学说。

介质学说认为低氧直接或间接作用于多种肺组织细胞,如血管内皮细胞、肥大细胞、血小板等,它们合成和释放的多种血管活性物质相互协同、相互拮抗共同完成肺血管张力的调节。在这些血管活性物质中,白三烯(LTs)是强大的缩血管物质,可促进或增强 HPV 反应。前列环素(PGI_2)是一种扩血管物质,有限制 HPV 过强的调控作用,抑制 LTs 的缩血管效应。血栓烷 A_2(TXA_2)具有很强的促血小板聚集和激活作用,使血小板释放活性物质,增强缩血管效应。TXA_2 与 LTs 协同介导 HPV 反应。血小板激活因子(PAF)主要来源于血小板,也产生于白细胞和内皮细胞,能激活和促进血小板释放,也有较强的缩血管活性。PAF 间接通过血小板释放 TXA_2 引起肺动脉收缩。低氧和肺动脉高压可促使心脏释放心房利钠肽(ANP)。ANP 有选样性的舒张肺动脉的作用。ANP 对 HPV 起负性调控作用。内皮细胞依赖松弛因子(EDRF)由内皮细胞生成,在减轻 HPV 中起重要作用。内皮细胞依赖收缩因子(EDCF)有极强的缩血管特性,是 HPV 的重要物质。肺是合成和释放内皮素(ET)的重要器官,而 ET 是已知的作用最强的缩血管肽。ET 可能介导 HPV,参与肺动脉高压的病理过程。

直接机制认为,低氧直接刺激肺血管平滑肌细胞代谢活动,加速 ATP 的产生,用以维持肺小血管的收缩。低氧张力还可使肺血管平滑肌的细胞膜处于去极化状态,使细胞膜对 Ca^{2+} 通透性增加,从而使肺血管平滑肌收缩。

此外,神经因素在 HPV 机制中也起一定的作用。

三、影响 HPV 的因素

(一)机体方面的因素

HPV 反应主要发生在直径 200 μm 以内的肺小动脉。这些血管在解剖上十分接近小支气管和肺泡,因而可直接迅速地感受到肺泡低氧,而不与肺组织直接接触的肺动脉并不收缩。

1. 肺泡气氧分压(P_AO_2) P_AO_2 是影响 HPV 的最主要因素;某些血管在 PaO_2 130 mmHg 时即开始收缩,随着 P_AO_2 降低而收缩加强,降至 40 mmHg 时达最强程度。

2. 混合静脉血氧分压($P\bar{v}O_2$) $P\bar{v}O_2$ 过高和过低均可使 HPV 效应减弱;过高时氧从血液扩散至管壁、间质和肺泡,超过 HPV 阈值,使 HPV 效应消失;过低则使肺泡氧张力下降。若降至足以使非低氧区肺血管发生 HPV 时,就能对抗和抵消原低氧区的 HPV 效应。

3. 肺血管压力 肺血管压力过高时,低氧区肺血管平滑肌难以对抗升向的血管压力,而使这一区域血流量增加。肺血管压力过低时,肺泡压大于肺毛细血管压,正常肺区血管受压,血管阻力增加,迫使血液流向低氧区。

4. 低 CO_2 血症 局部低 CO_2 血症对 HPV 有直接抑制作用。过度通气可导致低 CO_2 血症外,还使气道压和肺泡压升高,肺血管阻力增加,从而影响低氧区血液流出。但高 CO_2 血症能直接增强 HPV 效应。

5. 酸碱平衡　代谢性或呼吸性碱中毒均可抑制甚至逆转 HPV。代谢性酸中毒增强 HPV,呼吸性酸中毒直接增强 HPV 效应。

6. 肺低氧区域所占比值　当低氧区域不大时,低氧区域 70% 血液流向含氧量正常的肺,肺动脉压可无明显的变化。当整个肺内氧张力降低时,HPV 表现为肺动脉压增高,达正常值 2 倍。肺内就没有可接受血液转移的区域。当低氧区域介于两者之间时,HPV 和肺动脉压的变化程度取决于低氧区域的大小。

7. 慢性肺疾患　病理早期,肺血管结构在还没有发生广泛改变之前,血管的反应性保持不变,HPV 反应仍很灵活,随着病程的进展,肺血管"改建",血管平滑肌肥厚,阻力持续增加,对低氧的变化失去反应性。减弱 HPV 效应还有低温、血流加快及某些肺内感染所致的肺不张等。

（二）药物

在单肺通气时,血管舒张药使肺血管阻力和肺动脉压下降,抑制 HPV 效应,增加静脉血掺杂。血管收缩药首先收缩正常肺区血管的作用,不均衡地增加正常肺区血管阻力,使低氧区血流增多,但在单肺通气期间,当动脉血压降低至正常值的 80% 时,用麻黄碱 0.35 mg/kg 或去氧肾上腺素(新福林)2 μg/kg 静注,在麻黄碱组 PaO_2 明显增加,而在去氧肾上腺素组 PaO_2 不变,可以认为在单肺通气期间使用以上剂量的麻黄碱或去氧肾上腺素来处理低血压是安全的。吲哚美辛(消炎痛)抑制前列腺素生成可增强由低氧引起的肺血管增阻反应;用乙胺嗪以抑制白三烯生成则可抑制 HPV 反应和降低肺血管阻力。临床实验也表明,吲哚美辛能显著降低 Qs/Qt,提高 PaO_2。但有的个别病人因用吲哚美辛和阿司匹林后支气管哮喘发作致死的报道,可能与环氧合酶受抑制,增加花生四烯酸经脂氧合酶途径生成白三烯的量,使支气管痉挛所致。

氯胺酮、地西泮、硫喷妥钠、芬太尼、利多卡因、氟哌利多、吗啡等对 HPV 无影响。但巴比妥类如戊巴比妥可抑制 HPV,阿芬太尼也可抑制 HPV,与剂量相关。卤族吸入性麻醉药对 HPV 抑制程度与浓度成正比。其对 HPV 抑制强弱分别为氟烷＞恩氟烷＞异氟烷。七氟烷也能增加单肺通气期间的 Qs/Qt,抑制 HPV,抑制程度明显小于氟烷而与异氟烷相当。地氟烷对 HPV 的影响尚未见报道。氧化亚氮具有轻度的 HPV 抑制作用。

胸段硬膜外麻醉对单肺通气时 HPV 的影响尚有争议。Maseda 认为胸段硬膜外麻醉可能使单肺通气时肺内分流增加和降低 PaO_2,但 Matasashita 等认为胸段硬膜外麻醉不会削弱 HPV 的反应。肺内手术操作也明显地增加肺内分流,可能与手术操作使术通气肺释放扩血管物质使 HPV 减弱有关。麻醉中所采取的不同通气方式对 HPV 效应也有一定影响。在单肺通气时通气量＞14 ml/kg 或行 PEFP 时压力＞10 cm H_2O,可使肺泡壁内小血管受压,阻力增加、血液流向非通气肺,致使 PaO_2 下降。

四、通气侧 V/Q 比值异常

侧卧位时,受动力影响,下肺血流多于上肺,对改善低氧有利。但剖胸后,下肺受纵隔与心脏重力所压,加上横膈抬高,下肺顺应性比上肺差,形成通气不足,血流偏多,V/Q<0.8,导致 PaO_2 下降。因此在单肺通气时,必须给予充足的通气量,以改善 V/Q 异常之比。

五、心排出量减少

开胸后胸腔负压消失,回心血量减少,手术操作压迫,低血容量、心律失常等因素使心排出量减少。

第七节　单肺通气期间呼吸管理

单肺通气的管理应优先考虑肺内的气体血流分布。单肺通气病人的最佳通气参数难以预测,最好能将通气肺 FRC 保持正常,使该肺血管阻力达到最小。在病人侧卧位后,DLT 的位置必须重新审核,并予以纠正。

单肺通气不仅要求能进行功能性的隔离,还需保证适当的通气氧合。单肺通气的临床状况和处理见图 12-9 和表 12-5。这些临床状况可出现各种重叠。

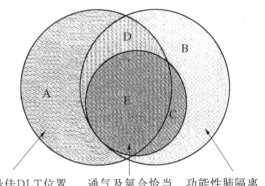

最佳DLT位置　　通气及氧合恰当　　功能性肺隔离

图 12-9　单肺通气的临床状况

表 12-5　单肺通气的临床状况及处理

位　　置	实　　例	典型处理方法
A	套囊漏气	补充套囊气量或更换较大号的 DLT
B	左 DLT 插入过深堵塞左上叶支气管开口	调整 DLT 位置
C	右 DLT 套囊堵塞右上叶支气管开口	调整 DLT 位置
D	低氧 通气侧 DLT 堵塞	100%氧/CPAP/PEEP/双肺通气 考虑采用其他的单肺通气技术
E	无问题	—

一、吸入氧浓度(F_iO_2)

单肺通气期间,吸氧浓度降低,易出现 PaO_2 下降,而全身低氧血症的发展将刺激动脉化学感受器而间接抑制局部 HPV。但吸入纯氧 100% 超过 68 h 将会使全肺 HPV 反应迟钝。单肺通气在 F_iO_2 1.0 时,肺内分流为 5%～30%,平均 PaO_2 在 150～210 mmHg。但单肺期间吸入纯氧可减少低氧血症,产生的益处远大于不良效果(图 12 - 10)。

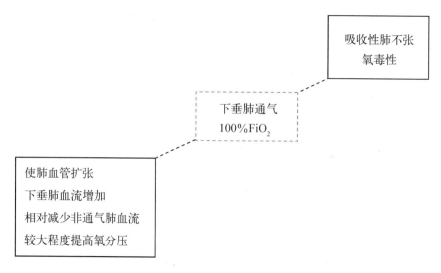

图 12 - 10　高浓度氧吸入产生的益处与不良反应

给予下侧肺高浓度氧至少可以使较低的氧分压提升到安全水平,高浓度氧使下侧肺的肺血管扩张,无疑增加了下垂肺肺血管接受血流的容量,改善通气侧肺的血流分布。而在一般的胸科手术的时间范围内,吸入 100% 氧气不会造成氧中毒,结合合适的潮气量及 IPPV 或低水平 PEEP,也可以防止通气侧肺出现吸收性肺不张的情况。目前认为,使用博来霉素治疗的病人,单肺通气时应适当降低吸入氧浓度,因博来霉素化疗的病人,会并发肺间质性疾病。这种情况下吸入高浓度氧是引起肺损伤的敏感因素。临床研究证实,$F_iO_2 < 0.5$ 时,$PaO_2 < 80$ mmHg,从提高麻醉安全度而言,如单肺通气不超过 2 h,以高浓度氧吸入为好。

二、潮气量(V_T)

采用 IPPV 通气可以满足大部分胸科手术的需要。在单肺通气时,通气侧的肺 V_T 应在 10～12 ml/kg。如果 V_T 长时间过小,下侧肺(通气侧)容易发生肺不张。V_T 过大(>15 ml/kg),会增加气道压力和血管阻力,使非通气侧肺血流量增加,削弱 HPV 效应。实际上,8～5 ml/kg 范围的改变,对动脉氧饱和度影响不大。如果单肺通气与双肺通气分钟通气量相等,通气侧肺能清除绝大部分的 CO_2,故 $PaCO_2$ 通常升高不快,使 $PaCO_2$、$PaCO_2$ 与呼吸末 CO_2 浓度($P_{ET}CO_2$)相差较小。

三、呼吸频率

维持 $PaCO_2$ 在 35 mmHg±3 mmHg 水平。在单肺通气时,如 DLT 位置正常,并不会影

响 CO_2 排出,重要的问题是不能过度通气。由于低碳酸血症将会增加通气肺的肺血管阻力,抑制非通气肺 HPV 机制,增加分流和降低 PaO_2。单肺通气期间监测动脉血气或氧饱和度,注意调节呼吸频率,维持适当 $P_{ET}CO_2$ 和气道压力。

四、监测

严密监测气道峰值压力,因其可很好反映 V_T。突然气道峰值压力增高,往往反映外科操作引起 DLT 移位,导致通气不足。另外,下肺呼吸音的听诊亦十分重要。

五、常见问题的识别和处理

(一)手术侧肺仍有通气

最常见于夹错 Y 形气管道管端,假如导管连接正确但非通气侧肺仍有通气,此时应考虑支气管套囊充盈不足或破裂。若不存在以上 2 个原因,则应检查导管的位置,因为其支气管端可能还在气管内或进入另一侧支气管内。必要时可借助于纤维支气管镜检查导管位置。

(二)非通气侧肺没有通气也没有萎陷

有病人方面的原因,也有导管方面的原因,不论是哪种原因,非通气侧肺气道肯定存在不同程度闭塞。

1. 病人因素 伴有哮喘或肺气肿的病人,其肺萎陷需要 5～15 min。另外,也有可能是支气管内有堵塞性病变而阻碍了肺快速萎陷,因此只有当肺泡内气体吸收后该肺才可萎陷。若肺发生炎症或感染,肺组织与胸壁粘连,导致肺部分萎陷或完全不能萎陷。

2. 导管因素 如果导管插入过浅,支气管套囊横跨于隆突上而堵塞了非通气侧肺支气管导管开口,结果影响肺萎陷;假如到位导管的支气管套囊过度充气,也可堵塞非通气侧肺支气管导管的开口。可用纤维支气管镜在直视下确定套囊位置和充盈程度。

(三)$P_{ET}CO_2$ 异常

当通气侧肺通气良好,非通气侧肺完全萎陷时,出现 $P_{ET}CO_2$ 过高与呼气潮气量不足或气道阻力过高有关。$P_{ET}CO_2$ 显著降低可能是因为呼气时间过短,CO_2 不能完全排出,最简单方法是延长呼气时间和降低呼吸频率,这样难免会降低分钟通气量。由于通气侧肺顺应性降低,故为了保证分钟通气量而增大潮气量,会导致已经升高的气道阻力进一步上升。此外,也有可能是支气管套囊漏气造成 $P_{ET}CO_2$ 降低,因此,通过气囊充气或调整导管位置可排除这方面原因。$P_{ET}CO_2$ 显著降低有时要考虑结果的准确性及影响因素,不一定真正反映肺泡 CO_2 浓度。

(四)低氧血症的治疗

见下本章第八节。

第八节　单肺通气期间低氧血症的治疗

一、单肺通气期间影响 PaO_2 的因素

(1) 手术部位:右肺体积较大,约接受肺血流灌注的 55%,故右侧开胸肺内分流量比左侧开胸时大,单肺通气时,PaO_2 约下降 70 mmHg。

(2) 如术前 V_A/Q 显示术侧肺血流灌注减少者,单肺通气期间 PaO_2 下降较少。

(3) 术前肺功能:术前 $PEV_1\%$ 和 FEV_1/VC 比值较好者,单肺通气期间易出现低氧血症,可能与通气肺 FRC 难以维持及 PHV 反应较弱有关。胸内非肺手术比肺手术病人容易出现低氧血症。

(4) 双肺氧合功能:侧卧位双肺通气 PaO_2 值较高者,单肺通气期间 PaO_2 值亦较满意。右侧开胸以 F_iO_2 为 1.0 行双肺通气时 $PaO_2 < 400$ mmHg 者,单肺通气可能会出现严重低氧血症。

(5) Slinger 提出单肺通气 10 min 预测 PaO_2 的公式为:$PaO_2 = 100 \sim 72$(手术侧)$\sim 1.86(FEV_1\%) + 0.75$(双肺)。$PaO_2$(手术侧:左侧 $= 0$,右侧 $= 1$)。该个公式虽然不能预测每个病人单肺通气时精确的 PaO_2 值,但在单肺通气前可估计病人在单肺通气期间 PaO_2 降低的大致程度。

二、减少单肺通气期间肺内分流或增加 PaO_2 的措施

单肺通气由于 HPV 抑制使 Qs/Qt 增加和 PaO_2 降低,单肺通气期间降至危险水平的发生率约为 10%。若病人术前无明显心肺功能障碍,F_iO_2 在 0.7 以上,通气量不变,麻醉管理适当,用 DLT 进行单肺通气 1 h 以内,能够维持正常的动脉血氧合和二氧化碳排出,无需用其他方法升高。单肺通气时低氧血症的处理策略见表 12-6。

(1) 首先排除供氧不足(低 F_iO_2)或通气障碍(DLT 移位堵塞叶支气管)等因素。

(2) 审核 DLT 位置,并以光纤维镜纠正。在右侧型 DLT 时,必须保证右上叶不堵塞,避免出现右肺通气时右上叶通气不足。

(3) 避免使用抑制 HPV 的麻醉药和麻醉措施:在麻醉药的选择中,应选用不抑制 HPV 的静脉麻醉药。当使用挥发性吸入麻醉药时,可选用对 HPV 抑制轻微的异氟烷。如单肺通气期间 F_iO_2 下降严重,应停止吸入吸入麻醉药。麻醉期间注意避免可能抑制 HPV 的因素,如呼吸性碱中毒、代谢性酸中毒等,提高病人麻醉中的安全性。

表 12-6　单肺通气时低氧血症的处理策略

处 理 策 略	具 体 方 法
检查监测指标	提高 F_iO_2 至 100%
	呼吸气 CO_2 波形
	呼气潮气量或分钟通气量
检查麻醉机及其回路	呼吸回路是否密封
	DLT 连接口导管是否脱漏或漏气
检查肺膨胀情况	听诊非手术侧肺呼吸音及吸痰
检查导管位置	纤维支气管镜检查导管位置
评价循环功能	保持或恢复循环血容量
	考虑使用强心药物
	考虑经食管超声波检查
肺内分流的情况	手术侧肺吹入氧气
	非手术侧肺使用 PEEP
	非手术侧肺使用 CPAP
	间歇性双肺通气
	肺动脉结扎术

(4) 提高 F_iO_2:单肺通气时,采用 F_iO_2 进行通气肺通气虽然在理论上有发生氧中毒和吸收性肺萎缩的可能性,但高 F_iO_2 仍利大于弊。若潮气量小于 10 ml/kg 则易发生膨胀不全,大于 10 ml/kg 可因过度通气增加通气肺的气道压和血管阻力而增加未通气肺血流。用 10 ml/kg 的潮气量进行单肺通气,既不会发生通气肺的吸收性膨胀不全,也不会减弱未通气肺的 HPV 效应。单肺通气时,如果吸纯氧,即使分流量按心排出量的 35% 的最低值计算,PaO_2 也只有 75～80 mmHg。F_iO_2 度为 50%,则 PaO_2 接近 60 mmHg。单肺通气期间吸入高氧浓度是必要的。

(5) 通气侧肺 PEEP:通气侧肺使用 PEEP 是纠正低氧血症的有效方法。通气侧肺通气血流不匹配很可能是由于低潮气量引起肺不张所致。正常人肺内动静脉血生理分流一般占心排出量的 2%～5%,单肺通气时 HPV 效应减弱,肺内分流比值加大。当肺内分流低于 20%～30% 时,吸入纯氧就能保持 PaO_2 在 100 mmHg。当 $F_iO_2 = 0.5$ 时,$PaO_2 <$ 80 mmHg 或术前存在功能残气量降低或通气肺存在区域性肺不张时可进行通气肺 PEEP。PEEP 值的从 5 cm H_2O 到 10 cm H_2O 范围选择,通过血气等参数选择最佳 PEEP 值。单肺通气对通气侧肺应用 PEEP 有利于改善低氧血症。PEEP 使通气肺的功能残气量增加,改善肺顺应性和减少低 V_A/Q 比值的区域;另外,PEEP 增加肺泡内压力,使血液流到无通气肺的比例增加,并使心排出量下降。PEEP 使呼气末的肺容量增加,减少不张区,防止气道和肺泡在呼气末关闭,有利于吸气期重新开放,使肺顺应性增加,通气和 V_A/Q 比值增加。为了提高 PaO_2 而又不增加肺内分流,选择合适的 PEEP 非常重要。一般认为,下侧通气肺采用 5～10 cm H_2O PEEP,不会增加肺血管阻力,有助于气体交换。

（6）非通气肺 CPAP：对无通气侧肺应用 5～10 cm H_2O 的 CPAP 有助于改善氧合，有效地纠正低氧血症。CPAP 可使无通气侧肺部分分流量得到氧合。CPAP 达 15 cm H_2O 时，将使非通气肺的血液转移到通气肺，这也将改善功脉的氧合，降低 Q_s/Q_t。因此，对无通气侧肺应用 CPAP 可达到两个目的：① 提高动脉血氧分压；② 减少无通气肺分流量。

CPAP 也是提高 PaO_2 的有效方法。例如，在使用平阳霉素（争光霉素）的病人，F_iO_2 大于 0.3 将会产生肺部并发症，如果低于 0.3 则单肺通气期间低 PaO_2 的危险性是非常大的。此时，在非通气肺用 CPAP 是提高 PaO_2 的好方法。CPAP 使非通气肺有不同程度的膨胀，以采用 5 cm H_2O 的 CPAP 为宜。CPAP 10 cm H_2O 时非通气肺明显膨胀，可能妨碍手术操作。

使用 CPAP 可采用一组简单系统，包括连续氧源至非通气侧连接管、减压阀和测压表等，见图 12 - 11。氧源流量为 5 L/min。使用 CPAP 需注意的情况：① CPAP＞5 cm H_2O 会使肺膨胀而影响手术操作；② CPAP＜2 cm H_2O 对提升 PaO_2 幅度不大；③ 在肺未萎陷时就要开始 CPAP；④ 支气管漏气或堵塞时用 CPAP 无效；⑤ 胸腔镜手术时不宜使用。

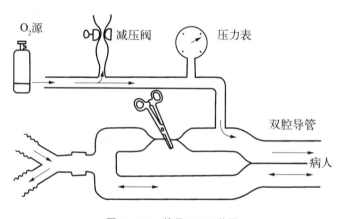

图 12 - 11　简易 CPAP 装置

（7）通气侧肺 PEEP 和非通气侧肺 CPAP 的复合使用：上下侧肺分别通气可以使上肺的分流量降低，下侧肺的 V_A/Q 比值正常，使血液氧合能力增加。下侧肺选用适当水平的 PEEP，上侧肺使用 CPAP，即使血流分配与单肺通气期间一样也可应用，因为无论血流经上肺或下肺，均有机会与含氧肺泡进行气体交换。上侧肺 10 cm H_2O 的 CPAP 给氧，下侧肺 5 cm H_2O 的 PEEP 通气是单肺通气较为理想的通气方式。

（8）高频通气（HFV）：对无通气侧肺应用 HFV 通气时，Q_s/Q_t 下降，PaO_2 明显提高，在改善低氧血症的同时对手术操作影响不大。HFV 可达到两个目的：① 提高动脉血氧分压；② 利于无通气肺 CO_2 的排出。非通气肺 HFV 与 CPAP 通气的比较见表 12 - 7。

表 12-7　非通气肺 HFV 与 CPAP 通气的比较

项　目	HFV	CPAP
支气管漏气	有效提高 PaO_2	提高 PaO_2 不明显
主支气管手术	可从术野置管通气	不能应用
非通气肺	CO_2 利于排出	排 CO_2 作用不明显
改善低氧血症	有效	有效

（9）间歇性双肺通气：为避免低氧血症，单肺通气时间应尽量缩短。当采取措施不能改善低氧血症时，应停止单肺通气，间歇性地使用双肺通气以提高动脉氧合。待情况改善后，再施行单肺。这个过程需要外科医生的配合，因为当麻醉医生难以保持正常动脉氧合时，外科医生手术操作也十分困难。另外在有些肺切除病例，即使应用 CPAP 和 PEEP 亦不能纠正。在此情况下，亦只能放弃单肺通气或尽快结扎处理肺动脉。

（10）其他方法：全肺切除时，尽早钳夹患侧肺动脉，能减少分流，改善 V/Q 之比。在不能进行 PEFP 通气的病人，患侧肺放置使用动脉气囊可能是一种有用的方法。在动物试验证实，在单肺通气期间经通气肺的肺动脉输注前列腺（PGE_1）是可行和有效改善动脉氧交换与减少静脉血掺杂的方法。

总之，单肺通气麻醉的应用，可以使下肺免于上肺污染，为外科操作提供一个良好的手术环境。单肺通气成功的关键是：① 掌握双腔管（DLT）和支气管堵塞导管的物理特性，作出合理的选择；② 使用纤支镜，优化使用条件（减少分泌物、吸引），了解气管、支气管解剖，然后实施；③ 进行气密性检查，避免或早期发现问题；④ 使用不同的方法提高 PaO_2，保证单肺通气麻醉病人的安全。

（陈锡明）

参 考 文 献

1　陈锋,刘勇,张宗泽,等. 开胸术病人不同参数单肺通气的效果. 中华麻醉学杂志,2006,26（9）：795～797.

2　陈士寿,陈燃,曾一平,等. 单肺通气期间体位对血液氧合的影响. 临床麻醉学杂志,2006,22（3）：193～195.

3　杭燕南,庄心良,蒋豪,等主编. 当代麻醉学. 第 1 版. 上海：上海科学技术出版社,2001:583～591.

4　李明星. 双腔支气管导管选择. 临床麻醉学杂志,2005,21（12）:866～867.

5　刘继,李杰胜. 单肺通气时气道压力变化及临床意义的探讨. 临床麻醉学杂志,2000,16（10）:486～487.

6　王云姣,程智刚,王锷. 开胸手术单肺通气期间非通气侧肺实施持续气道正压对肺内分流和氧合的影响. 医学临床研究,2006,23（9）:1406～1408.

7　俞卫锋主编. 麻醉与复苏新论. 第 1 版. 上海：第二军医大学出版社,2001:563～574.

8　尤新民,陈怡绮,沈赛娥,等. Univent-单腔双囊气管导管的临床应用. 中华麻醉学杂志,1998,18（7）:438～438.

9 尤新民,陈琦,鲍泽民,等.经胸腔镜肺大泡切除术中应用单肺通气对血气及血液动力学的影响.临床麻醉学杂志,2003,19(6):340~342.

10 张理宾,李淑琴,涂婵.非通气肺持续低压吹氧防治单肺通气中低氧血症效果观察.山东医药,2007,47(17):72~73.

11 Angie Ho CY, Chen CY, et al. Use of the Arndt wire-guided endobronchial blocker via nasal for one-lung ventilation in patient with anticipated restricted mouth opening for esophagectomy. Eur J Cardiothorac Surg, 2005, 28(1):174~175.

12 Campos JH, Hallam EA, Van Natta T, et al. Devices for lung isolation used by anesthesiologists with limited thoracic experience: comparison of double-lumen endotracheal tube, Univent torque control blocker, and Arndt wire-guided endobronchial blocker. Anesthesiology, 2006, 104(2):261~266.

13 Choudhry DK. Single-lung ventilation in pediatric anesthesia. Anesthesiol Clin North America, 2005, 23(4):693~708.

14 Cinnella G, Grasso S, Natale C, et al. Physiological effects of a lung-recruiting strategy applied during one-lung ventilation. Acta Anaesthesiol Scand, 2008, 52(6):766~775.

15 Cohen E. Management of one-lung ventilation. Anesthesiol Clin North America, 2001, 19(3):475~495.

16 Cohen E. Methods of lung separation. Curr Opin Anaesthesiol, 2002, 15(1):69~78.

17 Cohen E. The Cohen flexitip endobronchial blocker: an alternative to a double lumen tube. Anesth Analg, 2005, 101(6):1877~1979.

18 Dunn PF. Physiology of the lateral decubitus position and one-lung ventilation. Int Anesthesiol Clin, 2000, 38(1):25~53.

19 Gothard J. Lung injury after thoracic surgery and one-lung ventilation. Curr Opin Anaesthesiol, 2006, 19(1):5~10.

20 Hsu JY, Chen WT, Kao CC, et al. Ventilation-perfusion distribution and shunt fraction during one-lung ventilation: effect of different inhaled oxygen levels. Chin J Physiol, 2008, 51(1):48~53.

21 Knoll H, Ziegeler S, Schreiber JU, et al. Airway injuries after one-lung ventilation: a comparison between double-lumen tube and endobronchial blocker: a randomized, prospective, controlled trial. Anesthesiology, 2006, 105(3):471~477.

22 Lohser J. Evidence-based management of one-lung ventilation. Anesthesiol Clin, 2008, 26(2):241~272.

23 Levin AI, Coetzee JF, Coetzee A. Arterial oxygenation and one-lung anesthesia. Curr Opin Anaesthesiol, 2008, 21(1):28~36.

24 Sentürk M. New concepts of the management of one-lung ventilation. Curr Opin Anaesthesiol, 2006, 19(1):1~4.

第 *13* 章　上气道手术的气道管理

常见的上气道内病变包括气道先天性畸形、气道外伤、气道感染或特殊感染性疾病、气道内新生物或肿瘤、神经麻痹性疾病及气道异物等。上气道内手术常用的手术方式有直接喉镜、显微喉镜、硬支气管镜、纤维支气管镜、气管造口术、气道激光手术、支架置入术、喉裂开、喉或气管切除术以及各种气管成形手术等。上气道内手术麻醉最大的特点是术者和麻醉医师共享气道,且麻醉医师处于远离病人头部的位置,气道管理难度较大。由于病变常涉及气道,改变了气道的正常结构,往往病人术前就已存在不同程度的呼吸困难,加上肿瘤放疗后、多次手术瘢痕等因素,使得气管插管困难。此外,手术常需使用一些特殊器械,如:激光、内镜等,麻醉医生必须在确保气道通畅的同时,提供手术野清晰、静止、足够的操作空间,术中必须根据手术要求和病人条件随时调整通气方式和麻醉方案。术中需维持足够的麻醉深度,保持颞颌关节松弛、声带固定不动、消除喉部刺激引起的心血管反射,防止血液和组织碎片流入气道,手术结束要及时调整麻醉深度,让病人尽快苏醒和恢复气道保护性反射,把握拔管时机,避免术后气道梗阻。目前,气道内手术的麻醉通气方式有多种,包括保留自主呼吸和各种形式的控制通气,各有优缺点,尚未有定论。理想的气道内手术麻醉应该满足以下要求:① 简单易实施;② 完全控制气道,无误吸危险;③ 控制通气,提供合适的氧供和二氧化碳的清除;④ 诱导平稳、麻醉过程稳定;⑤ 为外科医生提供清晰、静止的视野,减少分泌物;⑥ 不限制手术操作时间;⑦ 在激光手术,需实施预防气道燃烧的措施;⑧ 苏醒快速平稳,无呛咳、屏气或喉痉挛;⑨ 苏醒后无痛、无烦躁。同时达到上述要求比较困难,需要根据手术类型、病人的气道情况、麻醉和外科医生的经验、可用的设备等因素综合考虑,选择合适的通气方式。

第一节　术前评估

一、气道内病变的范围

气道内病变的范围包括:异物或新生物的大小、位置;是否已有呼吸困难、吞咽困难;最佳呼吸体位;夜间呼吸模式;有无喉鸣、紫绀和三凹症;长期持续性气道梗阻可引起漏斗胸,甚至肺动脉高压、肺心病。判断喉阻塞程度非常重要,这是一组以呼吸困难为突出表现的症候群,原因是由于喉部或邻近器官的病变使喉部气道变窄,临床表现主要为吸气性呼吸困难、吸气性喉鸣(当声门下黏膜肿胀时,可产生犬吠样咳嗽)、吸气性软组织凹陷、声音嘶哑。

二、喉阻塞的分级

根据病情轻重,喉阻塞可分为四度。

Ⅰ度:平静时无症状,哭闹,活动时有轻度吸气性困难。

Ⅱ度:安静时有轻度吸气性呼吸困难,活动时加重,但不影响睡眠和进食,缺氧症状不明显。

Ⅲ度:吸气期呼吸困难明显,喉鸣声较响,胸骨上窝、锁骨上窝等软组织吸气期凹陷明显,因缺氧而出现烦躁不安、脉搏加快、血压升高,但循环系统代偿功能尚好。

Ⅳ度:极度呼吸困难,紫绀,脉搏细弱,心律不齐,血压下降,如不及时抢救,可因窒息或心力衰竭而死亡。

Ⅲ度以上应及时施行气管切开。

三、颌面或上气道问题

颌面或上呼吸道畸形或外伤、颈部或咽喉部肿瘤压迫或阻塞气道、放疗后面部或颈部纤维化、既往手术瘢痕等均可能导致气道解剖异常,造成麻醉诱导时面罩通气和气管插管困难。术前气道评估除常规的 Mallampati 分级、甲颏间距、胸颏间距、颈部活动度以外,颈部 X 线片、喉气管断层 CT、磁共振均有助于了解喉气管病变部位和气道阻塞情况,术前纤维喉镜检查咽和喉头的结构与活动状态能直观地反映气道通畅的程度。会厌上肿瘤常遮挡声门,而会厌下病变尽管不影响声门暴露,但可能妨碍气管导管通过。

对于术前评估怀疑有气道梗阻或肺功能障碍者,术前用药应避免使用镇静药和麻醉性镇痛药,抗胆碱能药会使呼吸道分泌物变干,黏稠的痰液可能使已狭窄的气道更趋阻塞,对于有严重气道梗阻或肺功能障碍者可以不用。应注意的是清醒时气道部分梗阻在麻醉后可能转变为完全梗阻,甚至无法维持面罩正压通气,因此麻醉诱导时务必做好气管切开的准备,必须要有经验的耳鼻喉科医师在场并备好气管切开器械。

第二节 常用通气方式

一、开放气道保留自主呼吸

保留自主呼吸的通气方式通常用于时间短、外科医师技术熟练的情况下,尤其是儿童。

优点在于不使用气管插管,手术视野不会受到干扰。特别适合气管镜检查(或取异物)和小儿喉乳头状瘤摘除术,避免诱导时使用肌松药发生已被部分阻塞的气道完全塌陷,造成威胁生命的气道梗阻。

(一)局麻或镇静下保留自主呼吸

常采用喉气管内表面麻醉,颈部局部浸润或喉上神经阻滞,可合并静注镇静药物,病人在手术过程中完全靠自主呼吸。优点是能保持各种气道保护性反射,若异物、血液或组织碎片流入气道易咳出;缺点是病人对手术的耐受度差,喉痉挛发生率高。局麻或镇静下保留自主呼吸,一般在已有严重喉阻塞呼吸极度困难的病人紧急抢救时使用。

(二)全麻下保留自主呼吸

保留自主呼吸的全麻方式,目前常见的有两种:一种是七氟醚吸入麻醉,另一种是丙泊酚复合麻醉性镇痛药行全凭静脉麻醉。优点是可提供不受干扰的手术视野,方便手术操作。缺点是麻醉深度较难控制,过浅易发生体动、呛咳、甚至气道痉挛,过深又易抑制呼吸,且不能避免血液和组织碎片流入气道。具体操作方法有:① 常规插管→移除导管→外科操作→重新插管;② 面罩通气→移除面罩→外科操作→重新面罩通气;③ 通过外科喉镜的侧孔持续吹入挥发性麻醉药;④ 通过放置在口腔或鼻咽腔的细导管维持吸入麻醉。尽管这些方法的安全性都已得到临床证实,但在实际应用中需要麻醉医师和外科医师的熟练配合,并可能对手术室的环境造成麻醉气体污染。

二、控制通气

(一)气管插管间歇正压通气

这种通气方式可用于直接喉镜、显微喉镜及各种喉气管肿瘤切除或成形手术。优点是不受手术范围和时间的限制,在常规麻醉设备条件下即可方便地控制气道,间歇正压通气可避免肺不张,确保氧供,能进行呼吸功能监测(如 $P_{ET}CO_2$、气道阻力等),能使用吸入麻醉药,麻醉深度稳定,术中体动、呛咳、室性心律失常、支气管痉挛和喉痉挛的发生率均较低,并且导管的气囊可避免血液和组织碎片流入气道;缺点是妨碍手术视野,特别是声带后联合部位。插管方式与途径应根据病人术前气道评估情况、喉阻塞程度及手术要求选择,但都应在明视下完成,且要求动作熟练轻柔,以免瘤体脱落后堵塞气道、或组织出血和水肿造成拔管后喉阻塞。术前评估无插管困难和严重喉阻塞的病人,可进行常规快速诱导插管;术前评估有明显插管困难病人,应采用光导纤维支气管镜引导下清醒插管;小儿或不配合病人可在吸入麻醉下,经插管面罩控制呼吸,光导纤维支气管镜引导插管;严重喉阻塞(Ⅲ度以上)病人,宜在局麻或吸入麻醉保留自主呼吸下行气管造口插管,人工气道建立后再行全麻诱导。

(二)术中经气管切开控制通气

术中气管切开常常是气管内肿瘤切除手术的一个重要步骤,需要麻醉医师将气管导管从经口插管改为经气管切开口插管。先吸清喉咽部和气管内分泌物,纯氧充分通气,气管壁切开后,将经口气管导管退至气管切开口上方但不要完全退出声门,让手术者经气管切开口放入气管导管,由 $P_{ET}CO_2$ 确认气管导管进入气管内,并听诊证实通气时两肺呼吸音对称,方能将经口气管导管完全拔出。必须注意的是从气管切开口到气管隆突的长度和从前切牙到隆突的长度,因为气管导管容易插入过深,手术操作也可能移动导管滑入一侧肺,因此必须反复检查双肺呼吸音并监测 $P_{ET}CO_2$ 和气道阻力,如气道阻力明显增大提示单侧肺通气或导管扭曲、受压、阻塞等。如手术在近期气管切开后(一周之内)进行,经气管切开口插管时应警惕造瘘口组织塌陷的危险,必须在有经验的耳鼻喉科医师在场并准备好所有手术器械条件下进行经造瘘口气管插管,同时麻醉医师也应做好经口气管插管的准备。

(三)经硬支气管镜控制通气

对于某些手术,如硬支气管镜气道异物取出术,气管内插管是不受欢迎的,因为气管导管和硬支气管镜无法在一个狭窄的气道内并存,此时可将呼吸回路连接硬支气管镜的侧支行控制通气(图13-1)。由于气体会从支气管镜的目镜端渗漏,因而必须使用较大的气流和气压。操作时应注意:在插镜和拔镜过程中有一个短暂的呼吸停止期,此时应在操作的间歇予以面罩辅助通气;在钳取支气管深部的异物过程中,硬支气管镜进入不通气的患侧支气管,同时压迫健侧支气管开口,造成双侧支气管均不能正常通气,此时应要求外科医生将硬支气管镜退至总气管内行控制通气,待缺氧纠正后方可继续手术;正压通气情况下,可能把气道内异物吹入支气管远端,造成活瓣性的阻塞;最严重的情况是在异物钳出声门的过程中发生脱落,异物嵌顿于声门,造成气道完全堵塞,或嵌顿于健侧支气管而只剩功能障碍的患侧支气管通气,即刻危及生命。因此,此类手术要求麻醉医生和外科医生密切配合,随时调整通气方式。

图13-1 经硬支气管镜通气示意图

A. 光源接口;B. 目镜口;C. 喷射通气接口;D. 麻醉机呼吸回路接口

三、喷射通气

1967年瑞典学者Sanders发明了喷射通气,1971年开始运用于喉部手术。基本设备是将氧和其他气体(空气、氧化亚氮、氦气等)分别从气源流入一混合器,经压力调节器输入一个可控制的阀门,再将气体经一细导管吹入病人气道。喷射通气的原理是由于喷头处气流压力较高,造成周围气流相对负压,这一压力梯度将周围气流随喷射气流一起卷吸入气道(venturi效应,图13-2)。喷射通气的优点是导管口径小,最细可允许1.5 mm内径的导管进行通气,提供不受妨碍的手术视野;缺点是难以进行$P_{ET}CO_2$和气道压力的监测,可能造成气压伤,包括皮下气肿、纵隔气肿和气胸,还有将血液和组织碎片吹入气道的可能。喷射通气方式有两种,手控喷射通气和机械喷射通气:手控喷射通气采用特殊装置将高压气流吹入气道,驱动压婴幼儿低于15 psi,儿童15~35 psi,成人35~60 psi,频率10~20次/min,不需要复杂的麻醉设备就可以进行(图13-3);机械喷射通气则使用呼吸机进行高频率低潮气量的脉冲式正压通气,潮气量小于生理死腔量,通过增强扩散、直流肺泡通气和对流气流等机制可获得足够的气体交换。驱动压在成年人控制呼吸时0.8~1.2 kg/cm²,辅助呼吸时0.5~0.6 kg/cm²,儿童控制呼吸时0.6~1.0 kg/cm²,辅助呼吸时0.3~0.5 kg/cm²,呼吸比为1:2。喷射通气时潮气量由喷气量和卷吸气量组成,当喷射口位于气管腔的一侧时,气流由层流变为湍流,使气道阻力增加,卷吸气量减少。喷射频率越高,每次卷吸气量就越少,潮气量也就越少。增加驱动压可使气流速度加快,从而增加卷吸气量,起到增加潮气量的作用,但驱动压增加会升高气道压力,可能造成气压伤。

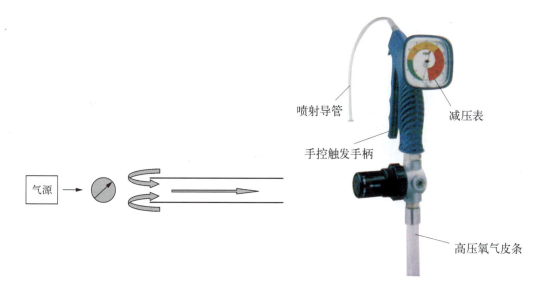

图13-2 喷射通气venturi效应示意图　　　图13-3 手控喷射通气装置

　　根据通气频率的高低又可分为高频喷射通气(60次/min以上,high-frequency jet ventilation, HFJV)和低频喷射通气(60次/min以下,low-frequency jet ventilation, LFJV)(图13-4)。HFJV的潮气量小,气道峰压和平均压均低于LFJV,气压伤的发生率也低于LFJV,且胸腔内压低,有利于静脉回流,并减少肺动脉压上升,对血流动力学影响小。但HFJV的分钟通气量很大,在气道开放状态下大量新鲜气流进出气道易导致气道黏膜干燥出血,需要对气体进行加温加湿。不主张使用过高频率通气(不超过150次/min),

呼气时间过短会造成 CO_2 蓄积。也不适用于时间较长的手术,因为高频喷射通气时,肺内气体分布不均匀,通气时间过长,会有肺泡萎陷的可能。

喷射通气途径也有两种,声门上喷射通气(supraglottical jet ventilation,SJV)和声门下喷射通气(又称气管内喷射通气,intratracheal jet ventilation,ITJV)。声门上喷射通气将一细导管(或导针)插入喉镜的侧孔,该方法操作简单,但声带随气流振动而影响手术,并有将血液和组织碎片吹入气道的可能(图13-4);声门下喷射通气是将喷射导管经口(或经鼻、经环甲膜穿刺)插入气管内,优点是通气不依赖气管镜独立进行,可避免声带震动,缺点是导管占据气道内一定空间,拔出气管镜时易带出导管(图13-5)。喷射通气时,吸入麻醉药会被喷射气流稀释而影响麻醉效果,并污染手术室空气,故应选择静脉麻醉,使用肌肉松弛药有利于喷射通气。其他注意事项包括:密切观察胸廓运动和喷射导管位置,避免导管过深致单肺通气或导管脱出致无效通气;气体流出道必须保持通畅,以免发生气压伤;过度肥胖和有肺大泡的病人禁用喷射通气;不要将导针紧贴气道黏膜,起始压力成人20 psi以下,儿童10 psi以下,逐渐升高至有足够的胸廓运动;术中注意保护下气道以免血液或组织碎片流入。

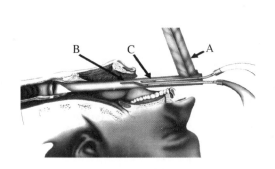

图13-4 直接喉镜声门上喷射通气示意图

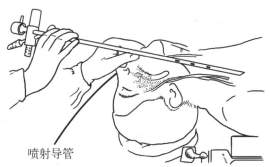

图13-5 硬支气管镜声门下喷射通气示意图

四、喉罩通气

喉罩(laryngeal mask airway,LMA)于1991年进入临床使用。LMA充气后在咽部形成一个低压的气囊密闭喉头,除能得到满意的通气外,还可以引导气管插管,因此已被ASA列为"无法通气无法插管"困难气道的急救方法。Okada最早报道在气道异物取出术中使用LMA,与气管导管相比,LMA的通气道口径较大,纤维支气管镜插入后对气道阻力的影响较小,必要时可连接麻醉机行控制通气,因而在喉罩通气下施行纤维支气管镜检查已经得到广泛应用。LMA的优势在于对气管及喉头的机械刺激小,无需窥喉,可盲探插入,可以在自主呼吸下维持麻醉,术后拔管时间相对较短;缺点是LMA与喉头的密闭性较气管插管差,发生胃食管反流及误吸的可能性较大,如定位不正确,甚至可能发生气道梗阻或食管通气等严重事件。

第三节　常见气道手术的麻醉管理

一、直接喉镜、显微喉镜

（一）麻醉特点

直接喉镜或显微喉镜主要用于声带病变和喉新生物手术,包括声带息肉、声带小结、声带白斑、会厌囊肿、乳头状瘤、恶性肿瘤等,有些需要同时应用激光。这类手术时间短,操作精细,刺激大。主要表现为心血管反应,有两种情况:一种是由于喉镜的强烈刺激,导致病人血压升高,心动过速,这对于冠心病和高血压病人有诱发心肌缺血、梗死和脑血管破裂出血的危险;另一种是由于喉镜刺激喉上神经引起的迷走神经反射导致心动过缓或血压骤降,这两种情况在浅麻醉下更易出现。因此,既要维持足够的麻醉深度,又要确保术后快速苏醒,喉部保护性反射尽快恢复。

如术中使用激光,主要危险在于激光导致的灼伤和燃烧:CO_2激光穿透力弱,仅损伤角膜,而 Nd:YAG 激光穿透力强,可造成视网膜永久性的伤害;激光汽化所致的烟雾吸入肺部会造成化学性炎症、支气管痉挛、气道水肿甚至呼吸衰竭;肿瘤碎片吸入肺部甚至可能造成下气道种植;最危险的是激光穿透气管导管引起气道燃烧,这种情况虽然罕见,但一旦发生,处理困难,后果严重,重在预防。

（二）麻醉方案

应做到起效快、深度足够、消退快。如采用静脉麻醉诱导,必须首先排除有否插管困难,术中保持足够的颞颌关节松弛、保证制动、降低咽喉反射、方便喉镜置入和气道内器械操作。一般采用强效、短效的麻醉药物组合,如:丙泊酚合并芬太尼(或瑞芬太尼),辅以合适的肌松药,可以提供稳定的麻醉效果和快速的复苏。气管插管病人,可以联合使用吸入麻醉药(七氟醚、地氟醚),时间较长的手术可以使用非去极化型肌松药如罗库溴铵、维库溴铵等。咽喉部刺激除引起心血管反应外,还有诱发喉痉挛的可能,给予喉部 2% 利多卡因喷雾或静脉注射利多卡因 1 mg/kg 可以减轻喉部刺激引起的反射并降低拔管时喉痉挛的发生率。应准备好相应的血管活性药物,如:超短效 α、β 受体阻滞剂、硝酸甘油、阿托品、麻黄碱等,以便及时处理心血管反应。

（三）通气方式的选择

最常用的方法是采用小口径导管气管插管控制通气,但需注意导管太细可能引起气道压力增高,通气不足,导管太粗则妨碍手术视野。一般使用较长的、有高容量低压气囊的导管(成人女性:5.0～5.5 mm 内径;男性:6.0～6.5 mm 内径)。为避免手术操作损伤气囊或头过伸位时拔出气管导管,插管的深度比正常要深 1～2 cm,并固定于一侧的口角,以便给术者留出手术视野。术中气管导管易被喉镜压迫、扭曲,因此气道压力和呼吸波型的监测非常重要,在固定喉镜后应再次听诊双肺确认气管导管位置防止移位和滑出。术毕需充分吸引咽喉部的分泌物和血液,以防误吸和诱发喉痉挛。

普通 PVC 导管无法抵抗激光的穿透,一旦导管被激光击穿,由于管内高浓度氧存在,与光束接触,会产生喷灯型火焰,并瞬间弥漫至整个导管。特制导管能抵抗 CO_2 激光烧灼,如:Laser-Trach 导管为红橡胶材质外包铜箔;Laser-Flex 导管是一种不锈钢可弯曲导管,有两个气囊起双重保护作用,但气囊仍由 PVC 制成,不能抵抗激光,而气囊恰恰是最易受损部位。这些特制导管都不能抵抗 Nd:YAG 激光,且金属导管体可能反射激光造成周围组织灼伤。如使用普通 PVC 导管,术中必须采取以下预防措施:① 使用氦氧混合或空氧混合气体,吸入气氧浓度30%以下;② 氧化亚氮是易燃气体,应避免使用;③ 气囊内注生理盐水,以便气囊打破时起到熄灭火焰的作用;④ 用盐水浸湿的棉片放置于导管套囊上方,但手术结束不要遗忘取出;⑤ 避免器械上沾染油渍;⑥ 采用最低功率激光,使用间断模式;⑦ 及时吸出激光造成的烟雾,以免下气道烫伤。一旦发生气道燃烧,处理措施为:① 立即停止通气,停止供氧;② 立即拔出气管导管,并与麻醉机呼吸回路分开;③ 用冰水或盐水湿化气道;④ 面罩通气,重新气管插管;⑤ 评估损伤情况,行支气管镜检查并取出导管碎片;⑥ 激素、抗生素治疗等;⑦ 必要时气管切开,控制通气。

喉部病变大多数位于声带前联合或前 2/3 部位,气管内导管的自然位置一般紧靠后联合,且导管将声门撑开,声带绷紧,因而有利于手术操作,但声带绷紧后,细小病变受到牵拉不易被发现;如病变位于后联合,可能恰好被导管阻挡,需移动导管位置清理病变;如病变较广泛涉及声带全长,气管导管妨碍视野,不利于彻底清除病灶,这种情况下喷射通气是较好的选择。如采用声门上途径,必须使用带通气侧孔的喉镜(图 13-6),需要操作熟练的耳鼻喉科医师配合。比较受外科医生欢迎的是经鼻插入喷射导管行声门下通气途径,由于喷气通路和手术入路不在一条通道内,可以提供手术医师从容的操作时间。尽管没有易燃物(气管导管)的存在,大大降低了气道燃烧的可能,但在高浓度氧气流喷射通气的情况下仍有气道燃烧的危险,必须使用空氧混合气体。

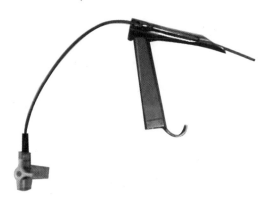

图 13-6 喷射通气导管插入直接喉镜侧孔

二、气道异物取出术

吸入异物是 5 岁以下儿童致死、致残的主要原因,最多发生于 1~3 岁的幼儿。吸入的异物可能嵌顿于肺的各级支气管,造成阻塞部位以下的肺叶或肺段不张和炎症。特别是有机异物(如:植物类种子)会释放花生四烯酸类物质,对气道造成的炎症刺激更大,导致气道黏膜充血水肿,肺炎和气道阻塞,增加手术的难度。硬支气管镜有视野佳,钳夹力好的优点,至今仍作为气道异物诊断和治疗的首选方法。除异物造成窒息需紧急处理外,所有异物取出术均应在全麻下进行,全麻下患儿相对安静,喉痉挛、气胸、纵隔或皮下气肿发生率也相对较低。

（一）麻醉方案

根据麻醉医师和手术医师的临床经验,以及病人气道梗阻情况选择麻醉方案,开放气道法可将狭窄的气道让给手术医师,因而更受欢迎。七氟醚吸入麻醉对于术前已有明显呼吸困难且异物梗阻部位不明确者,可避免突然失去对气道的控制,并且可减少正压通气将异物推向气道深处造成活瓣性堵塞的风险,是最安全的选择;一般使用8%七氟醚诱导,麻醉由浅到深平稳过渡,密切观察呼吸频率和幅度,及时调整七氟醚吸入浓度;缺点是会造成环境污染,需要手术室具备较好的层流条件。静脉麻醉可选择丙泊酚合并芬太尼或瑞芬太尼,明显缩短麻醉诱导时间;硫喷妥钠、氯胺酮喉痉挛发生率高,不单独用于硬支气管镜手术;羟丁酸钠有下颌松弛,咽反射抑制的作用,喉痉挛的发生率要明显低于氯胺酮,但舌根下坠且分泌物多,退镜后气道管理困难,已被逐渐淘汰。喉部和气管内1%丁卡因或2%利多卡因喷雾表面麻醉有利于减轻气道反应。是否使用肌松药则取决于所采用的通气方式。

（二）通气模式

1. 保留自主呼吸　可采用七氟醚吸入麻醉,或丙泊酚合并(瑞)芬太尼的静脉麻醉。优点是颞颌关节松弛,开放的气道有利手术操作;缺点是麻醉深度较难控制,过浅易发生气道痉挛,过深又易呼吸抑制。

2. 经硬支气管镜控制通气　可采用(瑞)芬太尼、丙泊酚和琥珀胆碱的静脉麻醉,术中根据病人呼吸状态辅助或控制呼吸。这种方式麻醉深度和通气量均容易控制,较少发生气道痉挛,术后复苏快,无舌根下坠,分泌物少,术后气道管理方便,但是需要耳鼻喉科医师和麻醉医师的熟练配合。

3. 喷射通气　麻醉诱导后,可经鼻或口插入一细的喷射导管进入气道内,也可将喷射导管接通硬支气管镜的侧支行喷射通气。优点是可提供手术者从容的、可控制的手术条件;可将导管尖端深入健侧支气管,进行健侧肺通气,因而可避免将异物或血液、组织碎片吹入支气管深处;在退出支气管镜后,仍可控制呼吸,提供病人足够的时间恢复自主呼吸,在复杂病例,可提供条件反复插入支气管镜。缺点是可能造成气压伤,对有肺部疾患、胸廓及肺顺应性差的患儿不适用。无论采取何种通气方式,必须达到足够的麻醉深度,因为手术时最大的危险不是呼吸抑制,而是气道痉挛。

三、喉乳头状瘤手术

喉乳头状瘤由人类乳头状瘤病毒引起,这是一种与尖锐状湿疣病毒同源的 DNA 病毒。好发于 10 岁以下儿童,更集中于 4 岁以下,极少恶变,易复发,至青春期后有自行消退倾向。好发部位依次为声带、会厌、室带、声门下区,呈乳头状或菜花状,向喉前庭或声门下蔓延,严重者可侵犯整个喉部、口咽、鼻咽、气管、支气管。间隔适当的时间对肿瘤反复摘除是目前最有效的治疗方法,手术治疗的目的不是根治肿瘤,而是维持气道通畅。可在直接喉镜或显微喉镜下用喉钳咬切肿瘤,也可在内镜下进行肿瘤旋切,或 CO_2 激光汽化肿瘤。

麻醉诱导的方案取决于气道梗阻的程度:如患儿无明显呼吸困难,可常规吸入或静脉麻醉诱导插管;如已存在呼吸困难,则麻醉诱导必须慎重,应采用七氟醚吸入慢诱导,保留患儿的自主呼吸,详细了解声门阻塞程度后再行插管,只有在能确保维持面罩正压通气的情况下才能使用肌松剂。必须注意的是清醒时气道部分梗阻在麻醉后可能转变为完全梗阻,甚至无法维持面罩正压通气,因此诱导时务必做好气管切开的准备,必须要有经验的耳鼻喉科医师在场并备好气管切开器械。如施行激光切除喉乳头状瘤,则应遵循激光手术的麻醉处理原则。术后大多数患儿由于梗阻解除拔管并不困难,但必须注意彻底清除咽喉部血块或肿瘤碎块以免流入气道再次造成梗阻或诱发喉痉挛。喷射通气在这类手术中不适用,一方面由于声门处瘤体可能堵住气体流出道,造成气压伤,另一方面会有将乳头状瘤喷入下气道种植的危险。

开放气道保留自主呼吸在Ⅱ度以下喉阻塞的喉乳头状瘤手术中备受外科医师青睐,麻醉方案同硬支气管镜。可以采用放置在口腔或鼻腔的通气导管进行七氟醚吸入麻醉维持,也可以使用静吸复合麻醉。在内镜下使用切割吸引器进行肿瘤旋切术可以及时吸出血液和组织碎片,有效降低误吸的危险。

四、喉气管狭窄手术

喉气管狭窄可分为先天性和后天性两类,前者属小儿先天性发育异常,后者多为喉气管内创伤或病变等原因引起肉芽及纤维组织过度增生造成喉气管内瘢痕形成,使喉腔变窄而导致呼吸发音功能障碍。喉气管狭窄常需多次手术,包括气管镜检查、探条扩张、激光及狭窄部位裂开切除或气管成型手术。这类手术术中通气的维持更为复杂,需根据气道狭窄程度和手术步骤随时改变通气方式。麻醉诱导时切忌贸然使用肌松下气管插管,最好的方式是开放气道保留自主呼吸下行气管镜检查,弄清气道狭窄的部位和严重程度,再和耳鼻喉科医师一起共同制定通气方案。如轻度狭窄能允许气管导管通过,可先经口气管插管控制通气,术中气管切开,再改为经气管切开口插管控制通气;如狭窄部位紧靠声门或严重狭窄无法通过气管导管,喷射通气可以成为较好的选择。喷射途径有三种:狭窄部位以上、穿越狭窄处和经气管穿刺在狭窄处以下。将喷射导管放置在狭窄部位上方行喷射通气是最简单的方法,但会产生较高的气道压力,有气压伤的危险,且仅在狭窄较轻时才可提供有效的通气,不适用于严重的气道狭窄;将喷射导管穿越狭窄处行喷射通气,产生的气道远端压力较低,不易发生气压伤,但狭窄处直径过小时不能使用,因为插入的喷射导管会造成气体流出道完全阻塞,肺内蓄积的巨大压力可造成严重气压伤和气胸;后者可以采用经气管穿刺在狭窄处以下行喷射通气,这种途径发生气压伤的危险性最高,使用时必须充分衡量其风险指数;在气管成形术放置 T 管后,可经鼻插入喷射导管经 T 管的横支行喷射通气。

五、小儿扁桃体/增殖体手术

(一) 术前评估

1. 气道评估 重点在于了解有无阻塞性睡眠呼吸暂停综合征(obstructive sleep apnea syndrome,OSAS),患儿呈肥胖、短脖子体征,舌体肥厚,咽部软组织累赘,有可能是先天畸形的一部分,常合并呼吸道解剖异常。因长期张口呼吸,导致面骨发育障碍,呈现所谓"腺样体面容",这些均是可能导致麻醉插管困难的因素。特别是使用肌松药后,喉部肌肉松弛、塌陷,与肿大的扁桃体一起,更加重气道阻塞,甚至无法维持面罩通气。术前评估怀疑有 OSAS 者,应避免使用镇静催眠类术前用药,可只给抗胆碱药,以减少呼吸道分泌物。

2. 上呼吸道感染(upper respiratory infection,URI) 在扁桃体/腺样体慢性炎症或肥大的小儿,发生 URI 的比例明显高。引起的相关风险主要包括两类病理生理的改变:外周气道异常及气道高反应性。这类患儿麻醉插管和拔管时均可能发生喉痉挛、支气管痉挛,出现插管或拔管后的低氧血症。URI 也可能累及下气道或肺部,尤其合并有肺部先天解剖异常、激素依赖性哮喘等,更容易导致低氧血症。但这类小儿长期经常有呼吸道感染症状如咳嗽、流涕等,扁桃体/腺样体摘除可能成为阻断呼吸道感染的唯一途径,因此如患儿有发热、流脓涕时应考虑暂缓手术,如仅有轻度咳嗽和流清涕,肺部听诊无明显下呼吸道感染的征象,仍应及时手术。

3. 凝血功能评估 术前询问病人有无血液病家族史,有无异常出血史,(如拔牙后出血不止、经常性皮肤青紫淤斑等);经常有上呼吸道感染的病人应询问有否近期服用乙酰水杨酸类药物(常存在于治疗感冒的药物中),如有服用,必须停药一周后再行手术,因为此类药物会影响凝血功能;术前应常规检查凝血功能指标,如凝血酶原时间、部分凝血活酶时间。

(二) 麻醉处理

1. 术前评估 无呼吸道梗阻病人,可采用快速静脉麻醉诱导,经口或鼻插管;估计有呼吸道梗阻者,应采用光导纤维支气管镜引导下插管,可在七氟醚吸入诱导并保持自主呼吸下插管。必须注意的是,术中放置张口器时,可能使导管受压、移位、扭曲甚至脱出,应在置入张口器后复查胸部呼吸音,并术中连续监测气道压力和 $P_{ET}CO_2$,一旦发现导管受压扭曲,立刻通知术者重新放置。采用异型导管（RAE导管）或钢丝加强导管可减少受压扭曲的情况发生,配合使用特制的扁桃体张口器可提供足够的手术空间。为避免血液和组织碎片流入气道,必须使用有气囊的导管。近年来,喉罩在扁桃体/腺样体手术中应用渐多,优点是可盲视插管,操作简单,不必使用肌松药;缺点是喉罩与喉头的密封性差,正压控制通气时,可能有气体流入食管、胃,致胃液反流,且可能有血液流入气道,避免方法是在喉罩外垫纱条。钢丝加强型可曲喉罩与喉头的密封性好,且不易被张口器压扁,更有利于提供完善的手术视野和可靠的气道保护。

麻醉维持无特殊,重点在于保持气道通畅。为减轻术后疼痛并减少扁桃体渗血,术中可在扁桃体隐窝注射加肾上腺素的局麻药。术后拔管前彻底清除咽喉部血液,以防血液刺激引起喉痉挛或拔管时血液误吸入气道。确定病人完全清醒,肌松药作用完全逆转,头低偏向一侧(扁桃体体位)拔管。

2. 术后处理 拔管后喉痉挛发生率较高,这是一种由喉上神经介导的反射性声门紧闭,在浅麻醉状态下喉部受到刺激(如:分泌物)最容易诱发,导致假声带和会厌挛缩,表现为严重的喘鸣、声嘶、呼吸困难,喉部刺激消除后痉挛可能依然存在。低氧和高碳酸血症降低脑干突触后电位从而减轻喉上神经反应性,因此喉痉挛可能随着缺氧和CO_2蓄积的加重而自动缓解。静注利多卡因、喉部地卡因喷雾均有预防喉痉挛的作用,芬太尼只能抑制喉部保护性反射而不能减轻喉痉挛。持续喉痉挛能造成缺氧和负压性肺水肿等严重后果,一旦发生必须紧急处理,主要措施为面罩加压给氧,加深麻醉深度,必要时静注氯化琥珀胆碱,控制通气。

术后病人应留察于麻醉恢复室,面罩纯氧通气,至呼吸功能完全恢复,并确认口咽部无活动性出血后才能送入病房。术后24h内恶心、呕吐发生率较高,可达70%。预防措施包括:避免使用哌替啶,排空胃,尽早停用N_2O,补足液体,预防性给予地塞米松、氟哌利多、5-羟色胺等。

术后出血是最主要的并发症,一般发生在两个高峰,一是术后4~6 h,大多为渗血,另一是术后5~10 d,多为感染所致,需再次进手术室止血的情况多以前者为主。由于血液大多数被咽入,往往难以估计出血量,诱导时易产生低血容量性休克,而且在胃内积存的血液反流,可能阻塞气道引起窒息或误吸。采用静脉快速诱导,同时环状软骨加压手法,头低位气管插管,诱导后插入粗胃管,排空胃内积血,以免苏醒拔管时反流误吸。

气道内手术通气方式的选择目前尚无统一标准。一些学者认为在一些特殊类型的手术(如:硬支气管镜气道异物取出术),保留自主呼吸或控制通气对于手术的进行及预后并没有造成关键性的影响,主要还是取决于麻醉医师和手术者的经验。喷射通气技术在气道内手术中的应用得到了充分肯定,可以在保证通气的同时提供手术者足够的操作空间。特别是气道内激光手术,由于Venturi效应,在开放的气道内喷射入氧气的同时带入一部分空气,降低了气道内氧浓度,而且没有易燃物气管导管的存在,有利于避免气道燃烧。至今为止 LMA 在气道内手术中的使用仍然局限于纤维支气管镜检查或取异物,特别是术前合并有上呼吸道感染而又无法推迟手术者。急诊饱胃病人、上呼吸道手术可能致大量出血等误吸风险较大者,行气管插管控制通气更安全。肥胖或各种原因导致胸肺顺应性差的病人也应选择气管插管控制通气以确保足够的通气量。总之,气道内手术通气方式的选择应同时考虑病人和手术两方面的因素,包括:气道内病变的性质及位置、拟施行的手术方式、术前气道困难的程度、呼吸功能状态、存在的合并症等,原则上应选择麻醉医生和手术者最熟悉且对病人最安全的通气方式,确保气道通畅和病人安全。

(陈莲华)

参 考 文 献

1　Weisberger E C, Miner J D. Apneic anesthesia for improved endoscopic removal of laryngeal papillomata. Laryngoscope, 1988, 98(7): 693~697.

2　Hawkins D B, Joseph MM. Avoiding a wrapped endotracheal tube in laser laryngeal surgery: experiences with apneic anesthesia and metal laser-flex endotracheal tubes. Laryngoscope, 1990, 100(12):1283~1287.

3　Sanders RD. Two ventilating attachments for bronchoscopes. Delaware M J, 1967, 192: 170~175.

4　Rezaie-Majdl A, Bigenzahn W, et al. Superimposed high-frequency jet ventilation (SHFJV) for endoscopic laryngotracheal surgery in more than 1500 patients. British Journal of Anaesthesia, 2006, 96(5):650~659.

5　Gerhard B. Complications and technical aspects of jet ventilation for endolaryngeal procedures. Acta Anaesthesiol Scand, 2000, 44: 1273~1274.

6　Handradeva K, Palin C, Ghosh SM, et al. Percutaneous transtracheal jet ventilation as a guide to tracheal intubation in severe upper airway obstruction from supraglottic oedema. Br J Anaesth, 2005, 94: 683~686.

7　Bourgain JL. Transtracheal high frequency jet ventilation for endoscopic airway surgery: A multicenter study. Br J Anaesth, 2001, 87:870~875.

8　Vanda G, Laryngeal mask airway for ventilation during diagnostic and interventional fibreoptic bronchoscopy in children. Paediatric Anaesthesia 2003,13: 691~694.

9　Unzueta M C, Casas I, Merten A, et al. Endobronchial high-frequency jet ventilation for endobronchial laser surgery: An alternative approach. Anesth Analg, 2003, 96:298~300.

10　Soodan A, Pawar D, Subramanium R. Anaesthesia for removal of inhaled foreign bodies in children. Pediatric Anaesth, 2004, 14:947~952.

第14章 下气道手术的气道管理

对行气道重建术的下气道病变病人实施麻醉和气道管理具有很大的挑战性,其主要的原因在于:① 病情复杂、准备时间有限:因气管肿瘤早期不易发现,病人往往是出现了严重的呼吸困难、喘鸣甚至生命处于危急状态时才就诊,而此时气管管腔多已严重阻塞,给麻醉和气道管理带来了困难;② 麻醉插管前评估有一定的局限性:病人的全身情况和气管病变类型(如气管病变的位置、范围、性质)均影响麻醉医生控制气道的决策。一般而言,对气道病变致呼吸道梗阻的病人,气管导管通过梗阻部位是控制气道最理想的方法,但术前评估不能做到精确,仍潜在有气管插管不能通过狭窄区域或气管插管造成肿瘤瘤体脱落、破碎、出血等进一步加重梗阻甚至窒息死亡的危险;③ 麻醉用药及剂量掌控困难:对于气道梗阻病人,在没有控制气道以前,所有的麻醉、镇静药物,都可进一步抑制病人维持自主通气的能力,但如果没有适宜的镇静,病人呼吸困难所致的焦虑、恐惧乃至濒死感不仅可增加病人的氧耗,还可加重气道的梗阻,因此,对此类病人的麻醉用药及管理十分困难;④ 目前尚无可参照的气管手术气道管理的标准操作规程:因此,对行气道重建术的气管病变病人的气道管理有待进一步积累经验。

气管重建手术麻醉管理的关键在于尽快重建通畅的气道,在整个围术期"以病人为中心"各专业学科共同研究、实施治疗方案,在没有完全控制气道以前,尽可能保留病人的自主呼吸,对于严重气道阻塞、麻醉后潜在完全不能通气者,应借助硬质支气管镜或在体外循环(CPB)下手术,以提高手术的安全性。

第一节 气道病变的病因

气道病变的原因很多,常见气管疾病的病因见表14-1。

224

表 14-1　气管病变的病因

先天性疾病	气管发育不良/闭锁	
	先天性气管狭窄	
	先天性软骨瘤病	
新生物疾病	原发性肿瘤	鳞状细胞癌
		囊腺癌
		良性腺瘤
		癌肉瘤-软骨肉瘤
	继发性肿瘤	支气管癌
		食管癌
		气管癌
		乳腺癌
		头/颈部癌
气管插管后损伤	喉部狭窄	
	气囊损伤	
	溃疡/瘘管	
	肉芽肿形成	
气管切开后损伤	气囊损伤	
	穿孔损伤	
创伤	穿透伤	
	钝性伤	颈部
感染		胸腔内

一、先天性疾病

先天性气管狭窄(多有其他部位异常如左肺动脉异常或肺动脉悬带,可对气管后壁产生压迫)。当左肺动脉起源于右肺动脉时,它必须经过气管的后壁进入左肺,在这种情况下较多见气管的完全缩窄。一般而言,外科修复儿童的气管异常应慎重考虑。在幼儿或儿童其气道狭小,可因水肿、分泌物阻塞气道而增加手术的风险。在这个年龄段手术和麻醉的风险增加,应尽可能避免手术。如果可能采用其他手术方式处理(如气管切开术)到成人后作进一步治疗。

二、新生物疾病

原发性新生物损害,虽然不多见,但可发生在气管内,其中最多见的是鳞状细胞癌和囊腺癌,其他罕见的气管肿瘤见表 14-2。

鳞状细胞癌多表现为外膜局灶性损害或溃烂,其第一播散途径是局部淋巴结转移,也可直接扩散侵犯其他纵隔结构。腺癌则以浸润气道黏膜下组织为特征,一些病变恶性程度甚高,往往在发现时已经直接侵犯进入胸膜或肺,在首次手术时如能广泛切除病变则仍有可能将肿瘤完全切除。

表 14 - 2　原发性气管肿瘤

良 性 肿 瘤	鳞状细胞性乳头状瘤	多发、单发
	多晶腺瘤	
	粒细胞肿瘤	
	纤维组织细胞瘤	
	平滑肌瘤	
	软骨瘤	
	软骨胚细胞瘤	
	神经鞘瘤	
	副神经节瘤	
	血管内皮瘤	
	血管畸形	
介于良性与恶性之间	类癌	
	黏膜表皮瘤	
	神经纤维瘤	
	假膜瘤	
恶性肿瘤	腺癌	
	鳞腺癌	
	小细胞癌	
	非典型类癌	
	黑色素瘤	
	软骨肉瘤	
	Spindle 细胞肉瘤	
	横纹肌肉瘤	

　　原发性气管肿瘤的主要症状包括：气短，尤其是运动时气短是常有的症状，随着肿瘤的生长，症状逐渐加重，最终运动受限；气喘，常与支气管哮喘混淆并误诊而进一步发展；喘鸣，通常是由于肿瘤和分泌物造成呼吸道梗阻所致，阻塞可发生在某一特殊的体位（如侧卧位时）而在其他体位得到缓解，麻醉前访视中获取这个信息是非常重要的，有助于麻醉中利用体位来保持呼吸道的通畅。

　　继发性肿瘤常发生在支气管树，周围组织肿瘤转移或直接侵犯气管并不少见，如喉癌、食管癌可直接侵犯气管和主支气管。一般而言，手术的目的是减轻气道梗阻症状。继发于甲状腺恶性肿瘤的气管肿瘤可在治疗中将甲状腺肿瘤切除与气管重建术同时进行。

三、外伤

　　颈部穿透伤和钝性伤可造成直接喉部或气管创伤，锐器伤（包括刀伤或子弹伤）造成的损伤和创伤的严重程度与并存其他重要脏器及组织的损伤程度如神经或血管有关。钝性伤对颈部气管可造成严重的损伤且表现复杂。颈部区域的直接打击可造成气管部分或完全断裂伤，如支撑组织同时受伤则病人往往因气道问题不能支撑到急诊救治；如果气道尚能维持，在临床评估和诊断性测试损伤的严重程度前暂时不要做任何操作[包括气管切开和(或)气管插管]。

对胸腔内气管和支气管损伤,犹如其他胸腔内脏器损伤,在直接闭合性损伤中可能造成直接破裂。破裂可以发生在气管支气管树的任何一个部位,但气管膜部是容易受损伤的部位,可以局限在垂直面也可向隆突部位扩展至右或左支气管,这种损伤常存在气胸,且对气管切开和分泌物吸净等处理无反应,萎陷的肺不能复张,或存在持续漏气,提示气管或主支气管破裂。

四、感染

罕见,但结核杆菌或其他感染性病源包括白喉、梅毒、伤寒等可侵袭气管结构。慢性炎症情况下也可造成气管狭窄。全身性疾病如 Wegener 肉芽肿增殖症或淀粉样病变也可造成气管结构的良性病变。

五、气管插管或气管切开术后的损伤

气管内插管或气管切开术后可产生不同程度的气管损伤,损伤可发生在经口或经鼻气管插管,也可发生在气管切开导管入口周围。主要是压迫所致坏死。在喉部水平,声带是主要的损伤部位。局部水肿和刺激可引起黏膜溃烂和腐蚀(常发生在后联合处),最终造成继发性瘢痕和(或)肉芽肿形成。虽然多数喉部损伤经过一定时间可以自然愈合,但是部分病人需要手术修复。最初的症状包括喉部发灰白、咽喉疼痛和喘鸣。如果因为水肿加重气道阻塞则需要重新插管,少数病人则需要气管切开。

声门下狭窄多发生在环状软骨水平黏膜下的腐烂,其真正的发生率并不清楚。声门下狭窄因外科手术修复技术的限制,其损伤严重时的处理较为困难。

气管插管或气管切开病人可因气囊引起气管损伤。虽然损伤有许多原因包括局部感染、套囊材料的毒性问题,但充气套囊对气管壁黏膜的直接压迫仍然是一个最重要的因素。损伤程度与下列因素包括压迫时间的长短、病人的康复能力、受损组织的范围大小有关。损伤可从黏膜表面溃疡留有轻微后遗症到广泛的溃烂软骨,甚至造成瘘管形成。损伤的自然进程围绕在气管周围,造成环形狭窄。

气囊损伤还可造成气管软化。多发生在套囊水平,套囊压迫气管壁,或局部炎症破坏软骨。气管软化也可发生在气管造口水平或套囊水平,炎性反应改变多为分泌物积聚或局部细菌感染,致使软骨结构变薄而对黏膜本身却无明显损害。节段性损伤产生功能性阻塞,尤其是在用力吸气或呼气过程中。气管造口处是经常发生狭窄的部位,主要是气管前壁的缺失及继发性环形愈合,引起气管前壁结构的改变,此外,气管前壁被手术切除、造口局部组织感染、通气管道的压迫均为造成损伤的促发因素。

肉芽肿容易发生在气管造口处、气管导管或气管切开管的头端(气管壁受到直接撞击

的缘故）。这种损伤可引起气道阻塞,可能与体位相关并可有活瓣现象。

威胁生命的气管损伤的并发症包括气管食管瘘和在气管与血管之间形成瘘。气管食管瘘常常有误吸发生,且与气管腔内分泌物的增加有关。在机械通气时提供的气体经瘘管进入胃肠系统和(或)不能维持适宜的潮气量和分钟通气量。气管-无名动脉瘘管应立即处理,经该口可引起突然、大量、威胁生命的出血。当溃烂最初开始进展时常有一些小出血发作的先兆。

第二节　气管病变所致气道狭窄的类型和特点

气管病变所致气道狭窄的类型主要分为两种:固定性狭窄和动力性狭窄。

一、固定性狭窄

许多疾病和损伤可造成气管的固定性狭窄,其特点是某一段气管在整个呼吸周期都狭窄,其狭窄程度不随体位而变。检查时发现吸气和呼气的流速均受限,并伴有喘鸣。流速容量环会显示出流量曲线的呼吸两相均衰减。胸部平片和 CT 片可显示某个狭窄的节段。但早期往往不易发现,一旦出现临床症状往往已经狭窄到一定的程度(成人气管狭窄至5~6 mm),此时如果伴有呼吸道感染、创伤、分泌物增加就会加重气管狭窄表现为呼吸困难而就诊。其他症状包括咯血、持续发作的支气管炎、甲状腺肿、颈部肿块或上腔静脉综合征等。

二、动力性狭窄

气管壁软化(包括某些外压性肿瘤)或随呼吸而运动的气管内肿瘤可造成动力性狭窄,其特点为气管的狭窄呈流量依赖性,出现在吸气相或呼气相中,其狭窄程度受体位的影响。一般而言,自主呼吸时胸腔外气道病变的气道梗阻表现在吸气相更为明显,而在胸腔内气道病变的气道梗阻表现在呼气相更为明显。

正常情况下,吸气时,胸腔和肺泡内压力低于周围环境,口腔内的压力相当于周围环境,气管和传导性气道介于两者之间;吸气时位于胸廓外的气管腔内压力低于外周组织,由于环状软骨几乎环绕整个气管,其弹性作用致使气管维持通畅而不塌陷。

一旦气管软骨环受损,气管将在吸气时趋于塌陷,如果压力梯度增加则塌陷更为明显;流速容量环显示在吸气相有一平台。呼气时,胸腔和肺泡内压力高于气管腔,而气管腔内压力又高于口腔;如果气道病变在胸腔内,呼气时狭窄加重,流量容量环在呼气相上出现一个平台。此外,值得注意的是前纵隔的巨大肿瘤可以使气管受压、扭曲,在一定程度上,呼吸肌的张力起着一定的支撑作用,如果应用肌肉松弛药可加重气道的阻塞;如果肿瘤侵犯血管结构,可出现上腔静脉综合征,此时往往也伴有气道肿胀。

第三节　手术前的评估和准备

一、术前评估

术前应明确气管病变的局部位置、需要重建气管的范围。评估术前气道受限的程度,既往存在的疾病(尤其是心、肺疾病)及术后可能潜在的问题。还应评估病人术中可能遇到的困难,包括与气道相关的困难和潜在的问题。在严重气道梗阻的病例,支气管镜检查宜在手术前进行。其优点有:① 手术需要麻醉用药;② 需要有创性监测;③ 支气管镜检后气道情况可能恶化,可进一步处理。术前主要评估以下方面。

(一)病史与症状

气道阻塞产生的信号和症状受病变局部位置、气道阻塞的程度及是否存在有心血管疾病的影响。临床症状包括呼吸困难、气喘(明显的喘鸣声)、分泌物咳出困难。还需注意病人有无近期气管插管和(或)气管切开史,继发于气管损伤的病人如出现上述症状应予以高度重视。既往已有心肺疾病的病人可能本身活动已经受限,因此在这些病人,如果气管狭窄不发展到一定的严重程度往往不被引起重视。

(二)体格检查

胸部听诊呈现弥散性吸气和呼气性哮鸣音,往往与典型的哮喘鉴别困难。颈部气道听诊在吸气和呼气音中可闻及高调特征性气流阻塞音。

(三)肺功能检查

固定性气道狭窄其流速容量环在吸气和呼气期均减慢。最大呼气和(或)吸气气流受影响的程度远大于最大呼气第 1 s 率(FEV_1)。呼气峰流量/FEV_1 可被用于评估气道阻塞,如果呼气峰流量/$FEV_1 \geqslant 10：1$,提示有呼吸道梗阻。在有固定的气道阻塞病例,呼气峰压明显降低,产生一特征性的平台。无论是胸腔内还是胸腔外的病变,吸气流量均有相同特征性平台。在不同的阻塞(如可见的气管软化),对吸气或呼气流速的影响与局部损伤程度相关。胸腔外或颈部的梗阻多在吸气产生一平台,而在呼气时则较少费力;而胸腔内病变(多为易变的)趋向于呼气流量曲线的改变,而对吸气影响较小或不影响。一般而言,环绕气道一周的狭窄,如套囊所致的损伤常是原发的。肺功能检查在诊断气管病变中的价值有限,因为气道狭窄病人出现症状时往往已无条件接受肺功能检查;对轻度气道狭窄病人流速容量环有一定的参考意义。

(四)放射影像学

标准的后前位和侧位胸部 X 片以外,增加斜位片是非常有用的,后者常能显示气管的全部范围,而将纵隔结构旋转至一侧。侧颈部位置可以详细观察到喉气管的关系及气管前壁和后壁是否有缺损。需要时应行支气管镜检查以确定病变的位置及是否有气管软化存在,并评估声门的功能。气管的直线X线扫描(前后位和侧位)和胸部CT有助于获得清晰的病变精确位置。计算机三维重建技术能够更形象地了解气管的具体状况,甚至是气管镜也达不到的狭窄远端。一般而言,不宜用造影剂以免产生气道梗阻。磁共振成像(MRI)对软组织和特征性的损害用矢状位和冠状位显示更为清楚。MRI检查对体位有要求,如病人已存在明显的症状则不能耐受检查。

（五）气管镜检查

目前医学影像技术的提高对气管疾病的诊治有了很大的帮助。对于严重气道梗阻的病人,一方面可能气管镜无法通过狭窄部位而无法了解病变远端的气道情况,另一方面气管镜检查的操作过程风险也很大。因此,对严重气道梗阻的病人,气管镜检查宜安排在手术前,在手术室内且在麻醉及外科医生就位后进行,这样可以根据检查结果作进一步的处理,以避免检查后气道梗阻加剧对病人的危害。

二、术前准备

（一）了解手术方案

麻醉医生应当参与手术计划的讨论,了解手术径路和过程。高位气管手术多采用颈部横切口;主动脉弓上主气管手术以胸骨正中切口;下段气管涉及隆突及支气管多采用右后外侧切口进胸。常见手术方式有:气管壁的切除与修补术、气管环形切除对端吻合术、隆突切除和成形术、支气管袖形切除术等。

（二）气道管理物品的准备

根据病人和手术情况制定完善的麻醉方案,重点在于手术各阶段的通气方案和应急准备。完善术前物品的准备,重点是各种型号的气管导管、可供手术台上使用的灭菌导管、通气延长管和接口;此外,应备有两套通气回路、各种型号纤维或电子支气管镜、负压吸引装置必要时硬质气管镜及通气装置如高频通气机等等。

（三）术前辅导与用药

术前对病人进行心理疏导和安慰以缓解病人的紧张情绪,介绍镇静、镇痛药物的利弊,术后体位的不适及必要性,以争取得到病人的积极配合。对气道阻塞较轻的病人,镇静和(或)抑制分泌药不受限制,对气管狭窄(其直径<5~6 mm)的病人,在未控制呼吸道之前不可使用镇静药,避免过度镇静和中枢性呼吸抑制药,也不宜用使气道干燥的抗胆碱能药物,以免分泌物吸出困难阻塞狭窄部位的气道致气道狭窄部位闭合。

当术前存在严重气道恶化,应采取预防性措施。包括增加吸入氧浓度、湿化、局部用激素或 β_2 肾上腺素能受体兴奋药。

（四）监测

标准的监测准备包括心电图、血压、脉搏血氧饱和度、呼气末 CO_2 监测。桡动脉置管直接测压,以便获取动脉血样进行血气分析。中心静脉作为血管活性药物或其他静脉用药途径应作为常规,如伴有严重的心肺疾病才考虑放置肺动脉导管监测。

第四节　麻醉管理

关键在于尽快重建通畅的气道,麻醉方法取决于气管病变的部位、气道梗阻的严重程度及治疗方法。

一、体位

将病人置于其舒适的体位,仰卧（或半卧）位于手术台上,连接监测、开放静脉、吸入氧气。

二、麻醉诱导方法

即使术前已有 CT 的资料,但对于两周内无气管镜检查结果的病人,麻醉开始时谨慎用药下应先行支气管镜检查,以确定气管插管的型号、气管插管是否需要通过病变。

（一）轻度气道梗阻的病人

气道狭窄未及管腔 1/2（非外压性）,估计稍细气管导管（ID6.5）可通过狭窄部位的病人,能够维持良好的自主通气时,可采用快速麻醉诱导。可先给予丙泊酚和阿片类药物或七氟醚吸入,逐步过渡到面罩正压通气,如无供氧困难,即可考虑给予肌肉松弛药后插管。外压性气管狭窄病人在确认插管通过狭窄部位前忌用肌肉松弛药。

（二）轻、中度气道梗阻

对轻、中度气道梗阻的病人可用吸入麻醉诱导,尽可能避免用肌肉松弛药,保留自主呼吸或辅助呼吸,如确定能够保证呼吸道通畅才给予肌肉松弛药,不然应在开胸后术者经支气管插管连接通气管道行机械通气后再予以肌肉松弛药。

（三）严重气道阻塞

不能平卧、氧依赖,且对于麻醉肌松后气道进一步内阻外压的情况无法估测,有潜在完全不能通气和威胁生命的危险情况时,有两种选择:一为应用硬质气管镜,在局部麻醉下,进行气道内处理（扩张、烧灼等）,先将气管内径扩张至 5 mm 以上便于通气,使高风险麻醉转为低风险麻醉后再实施全身麻醉,如果无硬质气管镜的条件,则宜选择在体外循环（CPB）下施行手术,以提高手术的安全性。

（四）肿瘤位置较高

气管导管无法通过,只能留置在病变上方的气道,唯有在静脉镇静和局麻下由外科医生行颈部气管切开。最困难的情况是病变累及范围大,甚至无法经颈部气管切开建立可靠气道者,此类情况宜在体外循环下手术。

（五）肿瘤位置较低接近隆突

可考虑支气管镜引导将导管插入一侧支气管,如插过狭窄部有困难,置导管于肿瘤上方,保留自主呼吸下开胸。此类病人也有人建议用细导管通过肿瘤部位行高频喷射通气,但必须要有排出气通道,否则狭窄严重喷射气体只进不出可造成气压伤。

三、支气管镜在气道重建手术中的应用

（一）用于入手术室后再次判断病人气道病变

由于国内硬质气管镜的应用尚未普遍,因此,气道内病变的判断更有赖于支气管镜的检查。对于两周内无气管镜检查资料的病人,根据病情选择清醒供氧或静脉麻醉后经内镜供氧面罩或喉罩通气下,再次检查气道以确定气管插管的型号和气管插管的位置。

（二）用于气管内肿瘤病人的插管

纤维支气管镜明视引导下行气管内插管,可避免盲目插管对瘤体的损伤,同时可随时交替借助支气管镜吸引孔进行气管内吸引和吹氧。

（三）用于肿瘤蒂细、肿瘤质地脆的易出血病人

对肿瘤蒂细、肿瘤质地脆的易出血病人,可放弃导管通过病变部位的尝试,应用纤维支气管镜将气管导管留置狭窄部位以上,手法正压通气尚能通气的情况下吸入七氟烷开始手术。万一再出现异常,再快速使用纤维支气管镜引导将气管导管通过肿瘤部位。

四、术中通气维持

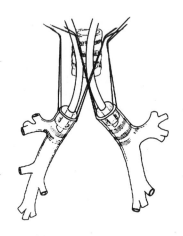

图 14-1 双侧支气管台上插管

目前最常用的方法主要是交替使用经口气管内导管和术者台上气管插管(图 14-1),无论是主气管吻合或复杂的隆突成形手术,虽然手术程序有所不同,但其基本原理相仿:气管手术切开前,经口气管插管放置在病变上方通气,在下方切开气管,然后术者在手术台上经切开的气管下方插管插入远端气道维持通气,病变切除后先吻合气管后壁,而后放弃台上插管,将口内气管导管送过吻合口远端,导管气囊充气后施行通气直至缝合气管前壁完成吻合。

术中应准备多种型号气管导管和连接管供选用。台上插管可用灭菌气管导管,在满足通气前提下宜选用带气囊稍细的导管,导管过粗

气囊过大可影响气管缝合操作和阻塞右上叶支气管口(故隆突手术支气管插管一般插入左总支气管)。

台上插管通气中低氧血症的发生常见于血液和分泌液阻塞远端气道,导管位置不良或漏气,部分肺段通气不足。需术者配合吸引远端气道中的分泌物或血液,调整插管位置;麻醉医生应严密监测气道压力、顺应性,提高新鲜气流量,采用间歇叹息样通气等方法来改善氧合。此外,单肺通气中肺内分流也是低氧的重要原因,如台上不能采用双侧支气管插管双肺通气,对单肺通气不能维持氧合的病人可考虑临时套扎非通气侧肺动脉以改善氧合。

高频喷射通气(HFJV)作为一种开放条件下的通气手段,在气管手术中应用有其独特的优越性:喷射导管较细,使用灵活,提供充分的氧合,避免单肺通气所致低氧血症,可以通过狭窄部位和气管切端(图 14-2),且对手术缝合干扰小。但需要注意的是,高氧流量导致手术野血液喷溅,血液吸入,导管不稳定,低通气和有 CO_2 重复吸入等发生。尤其要警惕在气管壁未打开前使用 HFJV,可能对严重气道狭窄病人造成气压伤和术后肺气肿、纵隔气肿等。

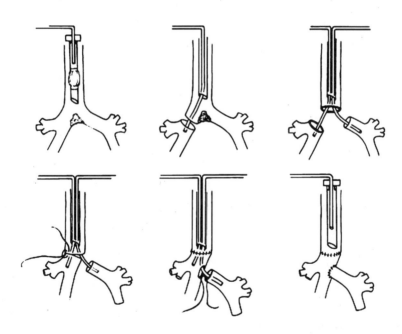

图 14-2　隆突成形术中 HPJV 的运用

五、麻醉维持

因术中气道开放,吸入麻醉维持常受到限制,可采用丙泊酚复合芬太尼全身静脉麻醉。推荐在气管中上段手术,尤其是颈部气管手术,用丙泊酚-瑞芬太尼靶控输注维持麻醉,既保证麻醉深度，又能快速拔管。在气管下段和隆突手术，静脉麻醉联合胸段硬膜外阻滞可能更为有利。

六、体外循环下气管手术

在严重气管阻塞，尤其是中下段隆突部位病变或气管病变范围长，常规气管插管和建立外科气道都无法维持通气的情况下，运用体外循环维持氧合能给手术麻醉创造有利条件，此外，体外循环也是气管麻醉手术中发生危险时的急救措施。

常采用的方式是股-股转流，即在局麻下穿刺或切开股动脉和股静脉插管至右心房，肝素化后，经右房引流、股动脉供血开始体外转流后实施全身麻醉和手术。一旦建立外科气道和通气满意后，即停止体外循环，应用鱼精蛋白中和肝素，并及时拔除股动静脉管以避免血栓形成。

七、硬质支气管镜在气道重建术中的应用

硬质支气管镜在气管病变和气管外科的运用中有其独特的优点，国外气管内手术常以硬质支气管镜检查为手术的开端。它可以相当于气管导管，不仅起着外科器械的作用，也起着支撑气道的作用。首先用于评估气道；然后直接用于致密狭窄部位的扩张或切除部分气管腔内肿瘤，以利于气管导管通过，尤其是对严重气管狭窄病人，可将其气管内径扩张至5mm以上便于通气，使高风险麻醉转为低风险麻醉后再实施全身麻醉。硬质支气管镜有各种型号，其共同点是：两端开口的中空管腔，侧面有通道供气体进出，周围细小的通道用于光源和高频喷射通气或手控呼吸，此时必须观察胸廓运动判断通气，血气分析用于评定通气的效果。

硬质支气管镜下手术需要注意的事项有：① 进行高频喷射通气时必须注意有畅通的排气通道，否则可造成严重的气压伤、纵隔、皮下气肿等并发症；② 硬质支气管镜下可对气管和主支气管内肉芽肿或肿瘤组织进行部分削切手术，从而解除严重的气管或支气管狭窄，但在削切下来的组织取出前应暂缓通气，因此，在手术过程中麻醉医生要与手术医生密切配合，可采用间歇几次充分通气供氧后暂停呼吸操作的方法来完成手术，以保证病人的安全；③ 硬质支气管镜病人尽可能选择短效麻醉药及肌松药；④ 如果需要在硬质支气管镜下行激光手术，则要注意气道燃烧的问题。降低吸入氧浓度，禁用氧化亚氮；如果需要在气管插管下行激光手术则需要用非燃烧性的气管导管，用生理盐水扩充气囊。

麻醉给药直至病人能够耐受直接喉镜，在喉镜观察下予以局部麻醉，用4%利多卡因喷雾口咽和声门。再用面罩吸入挥发性麻醉药如七氟醚和氧气，直至病人对不舒适的手术过程能够很好耐受。当条件成熟后进行第二次喉镜操作，予以声门下气管内表面麻醉。继续

维持一定的麻醉深度后行支气管镜下操作。

在支气管镜操作中,必须创造一个可见的视野,以便测定气道的情况及病变范围。这个可见的视野很重要,以评估气管插管的困难程度以及选择合适大小的气管导管。有几个潜在的问题必须考虑,病变涉及气管的上 1/3,尤其是声门下区域,气管插管的套囊位置会成问题,病变如在气道较高位置,气管导管就不能通过因病变的狭小部位,因为气囊至声门下而不能密闭气道。为了气管导管能够通过病变部位,有时选择更细的带套囊的气管导管。病变在气管中部或者下 1/3 则问题较少。气道内径<5~6 mm 时应予以扩张,可从小儿硬质支气管镜通气开始并逐步进行扩张,最后能够进入一个成人的硬质支气管镜。如果气管病变在气管中部或以下部位,气道直径测定>5 mm,气管导管可放置在病变部位以上,如果病变在气管上部则应通过病变。如果气管内有肿瘤存在必须注意潜在气管内插管时肿瘤直接损伤、脱落造成气道阻塞伴有或不伴有严重的气道内出血。气管前壁或气管环病变气管导管较难通过,而气管后壁膜部病变气管插管则容易通过或即便将导管放置在病变上部气流也容易通过。一旦完成支气管镜检查,气管插管导管的尺寸和位置就可以确定。

第五节　常见气管重建手术的管理

一、气管上段的重建

对上半段气管病变,外科径路多采用颈部低位较短的衣领切口,"T"字形垂直延伸切开胸骨。分离从甲状软骨到隆突的气管前面,注意避免损伤无名动脉或其他组织结构。围绕着气管的背面分离直至病变的下段。如果病人气管插管没有通过病变部位,注意在分离过程中如果支撑结构被松解后可能造成气道梗阻。

在颈部手术过程中,麻醉经预先经口气管插管维持。在气管病变下缝牵引线,侧壁气管缝合全层距离气管分离下段 2 cm。确定缝合部位要避免缝合针将气管导管套囊损坏。在台上经离断远端气管插入气管导管。这时需要消毒的连接导管以连接到"Y"形导管至麻醉机进行正压通气,这时外科手术可继续进行。

一旦病变切除的范围被确定,游离气管两端使其接近。缝合时麻醉医师将病人头部向颈部屈曲。如果确定气管两端能够直接缝合,间断缝合,麻醉继续通过远端气管插管维持。在一些不可能端端吻合的病例,应松解咽喉部。一旦后壁吻合后,拔除远端气管导管,将经口或经鼻气管插管经吻合口在直视下插入远端(图 14-3)。必须小心谨慎操作,因为继发性颈部弯曲及气管缩短,潜在插管过深进入右支气管的风险。在交换导管前应吸净气道内分泌物及血液。在所有操作完毕后,将病人头部向下,使颈部处于弯曲位置。手术完成后使病人恢复自主呼吸,拔管可在"完全清醒",也可在适宜深麻醉下进行。选择"清醒技术"可提供良好的呼吸道,必须平衡万一需要重新气管插管因病人咽喉困难和(或)其他未被切除的气管病变可促发气管阻塞。在许多病人采用深麻醉下拔除气管导管,虽可维持气道、避免挣扎、猛然弯背跃起和躁动损伤吻合口,但必须注意保护性反射和自主呼吸的恢复。由于上呼吸道病变的特殊性,气管插管是困难的,因此,应小心谨慎维持到病人清醒。最好在手术室内拔除气管导管,判断气道和通气调节适宜后,可在吸氧下安全转运至恢复室和ICU。

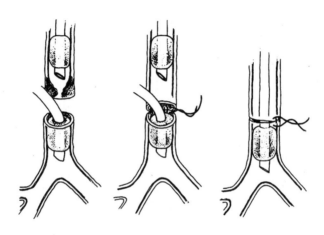

图 14 - 3 上中段气管吻合通气方式

二、气管下段重建术

涉及气管末端和隆突的手术,气管导管一般先放置在病变近端,外科暴露和切除如同气管上段病变。一旦气管被分离,往往发现气管残端对于气管内插管的导管或套囊太短。在这种情况下,往往不可能将气管插管放在总气管行双肺通气,因此,需要通过术野插管到左侧支气管,经左肺进行通气和麻醉。虽然从理论上来讲可以通过右肺动脉阻断来限制右肺的灌注,但是临床操作上是困难的,甚至潜在右肺动脉损伤的危险。对大多数病人用单肺通气可以满足氧合和通气;对不能满足通气需求的病人,经手术野再插入一根气管导管至右支气管通气也是非常容易达到的。当对左肺实施单肺通气时,可用氧气维持非通气侧肺持续正压(5 cm H_2O)。如果远端病变不包括隆突,吻合及气管导管的位置同气管上段病变,即一旦吻合完成,谨慎地拔除远端气管导管,将经口或经鼻插入在病灶之上的气管导管插过吻合口,用该管进行通气(图 14 - 4)。

如果气管切除涉及隆突,则右和左支气管必须端端或端侧吻合,此时需要用不同的导管并联合不同的处理手法。一般而言,右支气管常被吻合到气管末端,左支气管被端侧吻合至气管上(图 14 - 5)。当所有吻合完成后,确保两侧呼吸音,关闭手术切口。

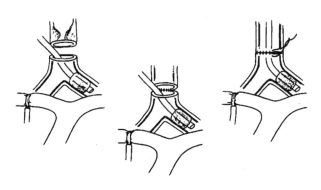

图 14 - 4　气管下端手术通气方式

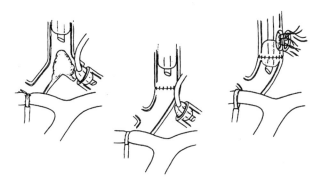

图 14 - 5　隆突成形术通气方式

　　经右胸切口入路手术时,潜在的通气不足和分泌物排出不畅可能造成再次气管插管、感染、吻合口直接损伤,必须权衡利弊。如术前无器质性肺部疾病,在气管切除和隆突重建而无不适当的并发症时可以在手术后拔除气管导管。如果是正中切口的病人,需要气管切开和机械通气支持。在气管切除后,气管导管的拔除同气管上段。在拔管前应将病人置于仰卧头倾位。术后良好的镇痛有利于咳嗽和通气。

第六节　术后相关问题

一、体位

　　在手术吻合气管前壁时,就需要将病人颈部固定于前曲嗅物位,以降低气管张力。术后恢复期也必须保持该体位,搬动病人时必须托住病人的枕部维持该体位。苏醒期哪怕是短暂的颈伸展,也有可能撕裂吻合口而造成后患,因此,必须尽可能平稳苏醒,避免剧烈咳嗽和躁动。目前最常用的方法是将病人下颌与前胸用缝线固定,以防止病人无意识的伸颈动作。幼儿因配合差,可考虑石膏颈托固定。该体位最大的问题是给麻醉通气管理带来不便,此外病人的不适也影响术后咳痰。

二、术后拔管

病人心肺功能良好,无其他并发症等情况下,气管手术后早期拔管已成为共识。早期拔管有利于减轻吻合口张力,改善其血供,减少术后气道感染的发生。但拔管前一定要求确认:病人清醒,配合良好,自主呼吸稳定,保护性反射恢复,气道清理干净。拔管时需备齐插管工具和支气管镜(颈曲位下引导插管)。有建议拔管时在气道内留置气管导管交换导管,观察是否需要重新插管,这对于有气管壁软化危险的病人不失为一种较为安全的拔管方式,但拔管后再次插管,对气管手术病人十分不利和危险,应该尽量避免。拔管后病人气道通畅、潮气量适宜、声音洪亮为手术成功的标志。

三、术后镇痛

术后适度的镇痛治疗以不抑制呼吸,不影响主动排痰为主要考虑的问题。如果仅为颈部切口,麻醉中可考虑复合颈丛阻滞,术后镇痛用非甾体类抗炎药或阿片类药。开胸手术可用静脉或硬膜外病人自控镇痛。

四、术后监护治疗的重点

(一)入 ICU 严密观察

将病人在 ICU 至少留观 24 h,监测心电图、动脉压、氧饱和度和血气分析等。入 ICU 后马上进行胸部 X 线片检查以确定有无气胸,及时清理呼吸道分泌物,严密观察病人颈部是否有出血,一旦发现应及时处理,避免危害气道,以确保病人的安全。

(二)固定体位

用枕头固定头部位置使其较为舒适地维持在屈曲位,固定头枕骨,并维持下颚固定在胸前部。

(三)保持呼吸道通畅

呼吸道阻塞的病人通常表现为呼吸急促、焦虑和气急,可见胸骨凹陷、肋间隙凹陷及胸腹部运动不协调等体征。首先要鉴别是上气道(声带以上)阻塞还是下气道阻塞。对上气道阻塞的处理较为简单,如经口吸痰、放置口咽或鼻咽通气道或喉罩即可解决,但切记注意避免颈伸展;下气道阻塞由于与手术有关,处理较为棘手,可能的原因有:① 咽喉部水肿所致的上呼吸道梗阻:多发生于气管上段高位吻合和既往有咽喉部疾病史者。当有咽喉水肿发作时,或者气管吻合口直接在喉部环状软骨上,重点措施在于预防咽喉水肿。治疗包括湿化、肾上腺素及激素的吸入等。② 声带麻痹:多发生在声带功能因存在的病变或手术剥离而受到的影响,可造成声带内收肌的痉挛,喉镜检查可发现声带内收紧绷。治疗:小口径气管导管插入或暂时性气管造口。③ 吻合口手术技术问题及继发性水肿所致的气管刺激和气道阻塞。手术结束前用纤维支气管镜检查吻合口应作为气管重建手术的常规。④ 呼吸道分泌物阻塞:术后病人咳嗽无力多见,分泌物排出困难。防治措施主要有:必须是受过训的专职医护人员进行呼吸道吸引,协助咳嗽、排痰,必要时纤维支气管镜引导下吸痰,隆突成形的病人分泌物容易存积在主支气管而污染气管;面罩高流量湿化的氧气吸入,以满足适宜的动脉氧合并稀释分泌物;胸部理疗和常规护理促进气体交换和分泌物排出。

（四）再次行气管插管应持慎重态度

病人行再次气管插管应持慎重态度,但对于罕见的并发症——吻合口穿孔、吻合口裂开,则必须紧急气管内插管。对严重通气不足,二氧化碳蓄积和(或)伴有低氧血症,无创通气治疗无效者也应气管插管。在弯曲的体位行气管内插管需要有耐心,小心操作以防吻合口损伤。在气管插管后,首先应吸净分泌物,然后尽可能用较低的压力维持气道内正压,并尽可能缩短气管插管的时间,因限制气管插管的时间对吻合口愈合是非常重要的,尤其是气管导管如果通过吻合口容易造成手术后早期吻合口裂开。有时可以接受气管插管(2~3 d)的时间延长,但对于气管切开术必须慎重考虑。

（五）转出 ICU 的指证

病人心肺功能稳定及无手术并发症,在无需血流动力学监测、反复血气分析测定及特别护理时可出 ICU。

（李劲松　徐美英）

参 考 文 献

1 杭燕南,庄心良,蒋豪,等主编. 当代麻醉学. 第 1 版. 上海:上海科学技术出版社,2002.

2 庄心良,曾因明,陈伯銮 主编. 现代麻醉学. 第 3 版. 北京:人民卫生出版社,2003.

3 黄平 主译. 气管和支气管外科学. 第 1 版. 上海:第二军医大学出版社,2008.

4 Kaplan JA. , Slinger PD. (eds). Thoracic Anesthesia, 3rd ed. Philadelphia:Churchill Livingstone, 2003.

5 李强 主编. 呼吸内镜学. 第 1 版. 上海:上海科学技术出版社,2003.

6 徐美英,周宁,倪文,等. 严重气管狭窄病人气管内治疗的麻醉管理. 临床麻醉学杂志,2003,19(1):14~16.

7 徐美英,沈耀峰,吴东进,等. 气管重建手术的麻醉管理. 临床麻醉学杂志,2007,23(8):676~677.

第15章 小儿围术期气道管理

小儿病人围术期气道管理具有一定的特殊性。从新生儿到青春期持续存在着解剖和生理上的变化,早产儿更是一个特殊的群体,因此必须根据不同阶段小儿解剖、生理和药理的特点,做好围术期的气道管理。

第一节 小儿呼吸道解剖和生理特点

新生儿、婴幼儿头大、颈短,舌体相对于口腔较大,足月婴儿喉头位置在 C_4 水平,早产儿在 C_3 水平,较成人 C_5 高;会厌软骨长而下垂,声带前倾,气管插管时以直型喉镜片较为容易暴露声门,且成人常用的头部过伸位也不适用于新生儿或小婴儿,而头部处于中间位或颈项轻度屈曲的"嗅花位"更容易完成气管插管。小儿气道的最狭窄处位于声门下、环状软骨环处(图15-1),不带套囊的气管插管放置于此处可形成良好的密闭;该部位为疏松的纤毛上皮,轻微的损伤即可导致肿胀。小儿气管长度较短,新生儿只有 5 cm,气管插管时容易过

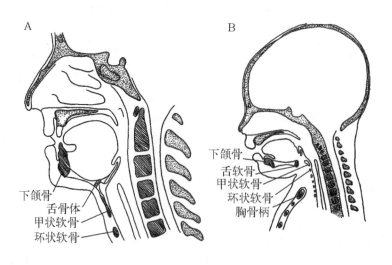

下颌骨
舌骨体
甲状软骨
环状软骨

下颌骨
舌软骨
甲状软骨
环状软骨
胸骨柄

图15-1 成年人(A)和婴儿(B)气道矢面图

深进入一侧支气管;气管软骨可因外界压迫或由于气道梗阻用力吸气产生胸外负压而致塌陷。婴幼儿肋骨呈水平位,肋间肌发育未完善,故呼吸做功的主体是膈肌;膈肌内 I 型肌所占比例,早产儿是 10%,新生儿是 25%,膈肌在生后 8 个月时发育成熟, I 型肌肉含量达到 55%(I 型肌肉具有缓慢扭动、高度氧化、抗疲劳作用);婴幼儿腹部膨隆,同样可影响膈肌收缩,尤其是在饱胃时;所以这阶段的小儿容易发生呼吸异常。

新生儿鼻腔狭窄,胸廓在吸气时胸骨向下凹陷,肺组织尚未完全发育成熟,这些均提示呼吸储备功力不足;由肺泡 II 型细胞产生的表面活性物质从孕 22 周开始分泌,孕 36 周时达高峰,出生后的高氧、低氧、酸中毒和低温均可减少肺泡表面活性物质的产生,从而使肺泡塌陷,影响气体交换,肺顺应性降低并增加气胸的危险。早产儿应常规气管内注射表面活性物质,以预防呼吸窘迫综合征。新生儿呼吸系统的生理特点是高氧耗、高闭合容积、高分钟通气量与 FRC 之比。婴儿与成人正常呼吸参数比较见表 15 - 1。

表 15 - 1　婴儿与成人正常呼吸参数比较

参　　数	婴　　儿	成　　人
呼吸频率(次/min)	30～50	12～16
肺总量(ml/kg)	7	7
死腔量(ml/kg)	2～2.5	2.2
肺泡通气量[ml/(kg・min)]	100～150	60
功能残气量(ml/kg)	27～30	30
氧耗量[ml/(kg・min)]	7～9	3

小儿扁桃体和腺样体肥大,受损伤时可引起明显的出血,会厌与喉开口间的角度较成人小,施经鼻盲探气管插管较困难。4 岁以下小儿环甲膜可能并不存在,故困难气道处理过程中应考虑环甲膜穿刺通气的有效性和可行性,避免延误抢救时间。小儿基础氧耗量约为成人的 2 倍,功能余气量较小,因此给予相同间期的预吸氧,小儿较成人更快达到去饱和。

第二节　小儿围术期气道管理

一、一般处理

麻醉期间,应将患儿头偏向一侧并轻度后仰,以利于气道开放保持呼吸通畅;必要时可在肩部垫一薄枕,以充分伸展颈部。轻度头低位有利于防止呕吐物、分泌物阻塞气道。麻醉或意识消失后,咽喉部肌张力降低,舌后坠,容易造成气道阻塞,用力吸气时产生胸外负压加重阻塞;此时在后仰头部的同时往往需要托起下颌,使舌根部离开咽后壁,保持上呼吸道通畅。

二、面罩通气

小儿面罩通气时应选择合适大小且透明的面罩。合适大小是指面罩应正好骑跨鼻梁又不压迫眼睛，同时能密闭下颌。应用面罩时应托起下颌，使舌根离开咽后壁，气体能有效进入气道。正确的托面罩方法应将左手拇指及示指放在面罩上方向下加压，小指放在下颌角向前上托起下颌，对抗拇、示指压力；中指及无名指分别托在下颌骨的颏部和左下颌支，向上并向病人足的方向略微用力，一方面保持头后仰，另一方面也能对抗拇、示指的压力，使面罩密闭性更好；必要时可双手托面罩（图15-2）。而错误的托下颌方法是由于放在颏部的手指向上向内压力过大，造成颏下软组织向内挤压咽部间隙，阻塞气道。

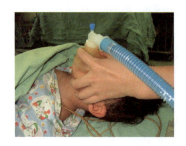 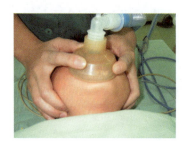

图15-2　左手托面罩及双手托面罩方法

三、口、鼻咽通气道

小儿麻醉后或意识消失时舌根易后缩坠入咽腔阻塞呼吸道，理论上适当大小的口、鼻咽通气道有助于解除这种气道阻塞，是非气管插管麻醉保持呼吸道通畅的有效方法，但是具体使用时较难选择适合患儿的型号，且浅麻醉状态下对气道的刺激较大，有诱发喉痉挛的危险。另外，鼻咽通气道较易造成黏膜损伤、出血，反而加重气道管理难度。选择合适口咽通气道的方法是把口咽通气道放在面部侧面，其翼缘靠近口唇，它的远端正好位于下颌角（图15-3）。

A.正常位置　　　　　　B.插入过深　　　　　　C.插入过浅

图15-3　口咽通气道的位置

四、喉罩通气

喉罩（LMA）是重要而标准的呼吸管理设备之一。喉罩通气具有迅速、方便及无需深麻醉状态下进行通气等优点,是非气管插管全麻而应用镇静、镇痛剂或麻醉过程发生呼吸抑制时较好的气道管理措施。随着生产技术的不断改进,Pro-seal LMA 在小儿的应用既保持了方便迅速的特性,又可有效预防控制呼吸时气体漏入胃内可能导致的反流、误吸。通常根据小儿体重选择 LMA(表 15 - 2)。

表 15 - 2 小儿 LMA 的型号和充气量

型　　　号	体重(kg)	最大充气量(ml)
1	新生儿/婴儿<5	4
1.5	5~10	7
2	10~20	10
2.5	20~30	14
3	>30	20

在无法得知小儿体重情况下,可按小儿示指、中指和无名指的并列宽度与喉罩的最宽面比较,以确定最匹配的喉罩型号。

小儿都应先吸氧后再放置喉罩。研究显示,静脉诱导时如不预先吸氧,小儿低氧的发生率为 40%。为了达到插入喉罩所需的麻醉深度,小儿需要的诱导药物剂量大于成人。丙泊酚诱导剂量为 3.5~4 mg/kg 或血浆靶浓度为 8~14 μg/ml,氯胺酮的诱导剂量为 3~3.5 mg/kg,小儿使用七氟醚的最低肺泡有效浓度为 2.0%~2.5%,加用吸入 N_2O 时浓度可下降。

插入喉罩需要一定的麻醉深度,小儿插入喉罩喉痉挛的发生率为 2.2%。

用于成人的三种标准插入手法(正中、侧入、手指插入)同样可用于小儿。操作方法和成功率与成人相同。在喉镜帮助下插入更易成功。

小儿使用喉罩可应用自主通气或正压通气,自主通气可引起高碳酸血症和呼吸性酸中毒。婴儿更易导致呼吸肌疲劳,自主通气对小儿简短手术是可行的,但必须加强监测,以策安全。

小儿使用喉罩进行正压通气的成功率较高,并发症较少。应用喉罩期间采用正压通气控制呼吸仍有争议。有作者认为在正压通气期间,气体有可能因泄漏而进入胃,导致胃扩张以及反流。应用气道食管双管型喉罩可更安全可靠地维持气道,密闭更好,漏气压较高。正压通气除了用于常规通气外,喉罩也用于新生儿复苏,并已应用于 ICU 作为呼吸支持和进行气管支气管镜检查的途径。

由于喉罩对咽喉部的刺激较小,所以小儿在苏醒阶段比较安静,较少发生恶心、呕吐等并发症。在取出喉罩前不应抽空罩囊内的气体,以保持对气道的有效保护。对小儿究竟应在深麻醉时或清醒时拔除喉罩的意见不一,在实际应用时,拔除喉罩的基本条件应与拔除气管导管相同。

五、气管插管通气

小儿气管内插管指征有:① 围术期需保证呼吸道通畅及麻醉者远离手术区的病人,如颅脑、口腔颌面、眼和耳鼻喉科、颈部手术病人,俯卧位和坐位手术病人,呼吸道手术病人等;② 急诊手术、饱胃全麻病人,须防止胃内容物反流、误吸;③ 长时间手术需要正压通气和应用肌松药的病人;④ 需要反复吸除气管内分泌物和肺发育不良的病人,如肺内感染性手术和先天性膈疝等。1 岁以上小儿气管导管的选择可根据公式:年龄/4+4.5 或(16+年龄)/4;适宜的管径大小和病儿的小指末端相似;1 岁以内小儿气管导管的选择见表 15-3。目前对于小儿是否使用带套囊的气管导管一直存在争议,使用带套囊的气管导管需要将导管的内径减少半个号码,但并不影响使用效果;一般认为内径在 5.0 mm 以上选择带有套囊的气管导管较适宜。预计气管导管插入深度的公式有多种,其中"导道内径乘以 3"的公式较为实用且容易记忆,见表 15-4。

表 15-3　1 岁以内小儿气管导管的选择

年　　龄	导管号(内径 mm)	年　　龄	导管号(内径 mm)
早产儿		新生儿~6 个月	3.0~3.5
1 000 g	2.5	6 个月~1 岁	3.5~4.0
1 000~2 500 g	3	1~2 岁	4.0~5.0

表 15-4　预计气管导管插入深度(牙龈至气管中段)

年　　龄	预计导管位于牙龈的刻度(cm)	年龄(岁)	预计导管位于牙龈的刻度(cm)
早产儿<1 000 g	6	2	12
早产儿<2 500 g	7~9	>3	年龄(岁)/2+12
足月出生儿	10	或	身长(cm)/10+5
1 岁	11	或	体重(kg)/5+12

第三节　小儿困难气道的预测及处理

小儿困难气道分为困难插管和困难通气两个方面;原因大多数为上呼吸道疾病和先天性畸形,少数为下呼吸道的感染、异物吸入和畸形。通过认真的术前访视,大多数的困难气道是可以预见的,而当遇到没有预见的困难气道和一些紧急状态时,气道管理的成败常可危及病人的生命。必须能及时判断气道状况,熟练掌握几种建立和维持气道通畅的技术,以确保病人的生命安全。

一、困难气道的术前预测

小儿困难气道最常见的原因分为四类。

(1) 先天性畸形如喉软骨软化、声门网状物、血管瘤、血管环及下颌骨发育不良等,造成气道不同程度的慢性阻塞,常出现在出生后不久或婴儿期。喉软骨软化病是新生儿常见的喉部疾病,会厌襞、杓会厌襞先天性的异常导致吸气时向内塌陷,严重者可使上呼吸道几乎完全梗阻,在出生后几个月内可闻及喘鸣音,当婴儿处于仰卧位、哭泣或进食时,喘鸣最明显。在全身麻醉诱导期间,喉软骨软化病病儿以及声门网状物、血管瘤、血管环等先天性畸形病儿通常均表现为气道梗阻,放置口咽通气道也不能得到缓解。上、下颌骨、颅面发育不良综合征,如 Pierre Robin 综合征、Goldenhar 综合征、Treacher-Collins 综合征等,由于上、下颌畸形,由下颌骨颏支、下颌支和舌骨组成的潜在腔隙变小,舌体巨大等解剖异常导致困难面罩通气和困难气管插管。由于腺样体、扁桃体肥大所致的阻塞性睡眠呼吸暂停,病儿大多为 3~6 岁,主要表现是睡眠期间部分或完全性的上呼吸道梗阻,睡眠期间躁动,清晨头痛,行为异常,嗜睡等。全身麻醉诱导期间同样可出现部分或完全性的上呼吸道梗阻,但放置口咽通气道后能得到缓解。

（2）会厌炎、喉炎、咽喉壁脓肿等,表现为气道进行性阻塞,常常持续时间较短的气道感染。

（3）异物吸入和外伤等引起的气道突然阻塞。

（4）意料不到的明视下气管插管困难,如被动的气道塌陷、会厌囊肿或血管瘤以及部分或完全性喉痉挛等。

二、预期困难气道的呼吸管理

对于以往有麻醉意外史,父母有困难气道病史或有明显的咽喉部畸形的病儿,必须制订周密的气道管理计划,准备好各种困难插管设备,包括纤维支气管镜(纤支镜)、光纤导管、喉罩和各种型号的气管导管。

在管理困难气道方面有各种不同的方法和策略,虽然盲插技术如光道管有一定的帮助,但是小儿困难气道仍然是以明视状态气管插管为基础。

（一）纤支镜引导下气管插管

纤支镜是目前小儿困难插管最为有效的方法,能在直视状况下将导管送入气道,适合各年龄阶段的小儿。近几年来,麻醉医师已能获得超细的纤支镜,它们可以放在内径 2.5 mm 或 3.0 mm 的气管导管中,而且视屏质量也有很大的提高。小儿纤支镜插管时由于纤支镜所附的吸引管很细吸力有限,难以充分吸引分泌物或血液,超细的纤支镜因不带吸引头,视野更容易被分泌物或血液等遮挡。因此对于准备应用纤支镜引导气管插管的病儿插管前使用抑制腺体分泌的药物和充分吸尽口咽部分泌物非常重要。在充分镇静、氧合和保留自主呼吸的情况下,首先将气管导管经鼻插过鼻后孔,然后将纤支镜置入导管,看清喉部解剖标志后将纤支镜放至气管隆突附近,再将气管导管顺着纤支镜通过声门进入气管。婴儿和小儿咽喉部解剖与成人不同,声门相对靠前、会厌相对僵硬,使声门暴露比成人明显困难,这时可让助手辅助头后仰及下颌前推,同时增加纤支镜向前弯曲的弧度以利于充分暴露声门。纤支镜用于困难插管的技术要求高,应经过正规训练才能实施。

（二）经鼻盲探气管插管

婴幼儿经鼻盲探气管插管较之成人更困难，因为婴儿枕部宽大、喉头位置高、舌体大，气管导管经鼻插入后容易指向食管。局部表面麻醉对于预防和缓解经鼻盲探气管插管常见的喉痉挛效果不如成人，除非局麻药是经过支气管镜注射或直接气管内喷雾。为保证经鼻盲探气管插管的成功，婴幼儿必须进行静脉镇静和局部表面麻醉。也有人认为经鼻盲探气管插管仅适用于 10 岁以上的小儿。

（三）喉罩

喉罩（LMA）目前已成为小儿全身麻醉的一种常规通气方式，与成人相似喉罩在处理小儿困难气道方面也具有操作简单、成功率较高的优点。与气管内导管比较，喉罩对喉部的刺激性小，小儿上呼吸道感染的并发症少，在处理困难气道时通过喉罩可进行盲探或纤支镜引导下的气管插管。此外，在一个确定的气道建立之前喉罩能比面罩提供更为有效的通气，尤其是气道食管双管型喉罩（Pro-seal LMA）的使用，使得小儿正确建立气道更为快捷方便和可靠。

（四）光纤导管

对于咽喉部解剖正常、直接喉镜暴露困难（如 Pierre Robin 综合征、Goldenhar 综合征、Treacher-Collins 综合征、颈椎骨折和面部创伤等）的小儿，光纤导管有助于插管成功。目前光纤导管的规格已很全，最小可用于内径 2.5 mm 的气管导管，在应用光纤导管气管插管时需注意反复多次试插可能引起咽喉部的出血和水肿。

光纤导管在小儿使用时可将远端折成一定的弧度，操作的关键是当光纤导管放置于舌后方时应缓慢往前推进，过深容易滑入食管；通过观察颈前锥形光影确认气管位置。另外，光纤导管在通过会厌时会有阻力感，容易偏离正中线，这时应调整好光纤导管的位置并加以固定，使气管导管顺利滑入气管。如果气管导管推进过程中锥形光影消失，提示导管可能进入了食管。

三、未预期困难气道的呼吸管理

与成人不同，外表正常的小儿很少出现未能预料的困难气道。常见原因可能为：被动的气道塌陷、部分或完全性喉痉挛、中度扁桃体和腺样体增生堵塞气道等。一旦发生通气困难，情况紧急，婴幼儿可迅速发生缺氧，危及生命。

对于未能预料的困难气道，麻醉医师应首先调整患儿的头、颈位置，检查面罩放置是否正确；提下颌、前推颏，避免舌体后坠阻塞气道，同时加大通气量直至患儿胸廓起伏，脉搏血氧饱和度上升或二氧化碳曲线图证实通气良好。对于疑为扁桃体、腺样体增生引起的气道阻塞可放入口咽通气道或鼻咽通气道帮助通气，有条件的也可置入合适的喉罩，确保气道通畅。

对于喉痉挛所致的困难气道在确诊后应及时加深麻醉或应用琥珀胆碱，然后进行有效的面罩加压通气或气管内插管等保持呼吸道通畅的措施，以避免缺氧导致的不良后果。

极少数情况下，上述所有方法均不能使缺氧得到缓解，患儿将面临险境，麻醉医师应迅速采取以下非常规措施。

（一）环甲膜穿刺

紧急环甲膜穿刺是困难气管插管和困难面罩通气时拯救生命的有效措施之一。但由于小儿头大颈短，操作困难，且要求实施者技术熟练、迅速准确，临床应用的机会很少。有报道环甲膜穿刺不适用于 6 岁以下的小儿。合适的穿刺工具为静脉穿刺针，可选用 14 或 16 号静脉套管针穿破环甲膜，尾端与 3.0 号气管导管的接头相连，然后接呼吸回路或呼吸囊；也可将 10 ml 注射器针筒与套管针相连，然后将带套囊的气管导管置入针筒内实施通气。

（二）气管切开

如果有经验的外科医师在场，可考虑气管切开。小儿气管切开有一定的难度，在紧急情况下更要求手术者有很好的心理素质，因此必须全面评估利弊，做出正确决定。

（陈依君）

参 考 文 献

1 Loftis L，Pollard TG. The Difficult Paediatric Airway. In：Deborah K. Rasch，Dawn E. Webster(ed). Clinical Manual of Paediatric Anesthesia. New York：McGraw-Hill，1994：217～233.

2 Berry FA. Anesthesia for the child with a Difficult Airway. In：Berry F(ed). Anesthetic Management of Difficult and Routine Pediatric Patients. New York：Churchill Livingstone. 1990：167～198.

3 Liman Rs，Weissend EE，Shibata D，et al. Developmental changes of laryngeal dimensions in unparalyzed，sedated children. Anesthesiology，2003，98：41～45.

4 American Society of Anesthesiologists Task Force on Management of the Difficult Airway：Practice guidelines for management of the difficult airway. Anesthesiology，1993，8：597～602.

5 Auden SM. Flexible fiberoptic laryngoscopy in the pediatric patient. Anesthesiol Clin North America，1998，6：763～793.

6 Auden SM. Additional techniques for managing the difficult pediatric airway. Anesth Analg，2000，90：745～756.

7 Gregory GA. Classification and assessment of the difficult pediatric airway. Anesth Clin North America，1998，16：729～741.

8 Fishkin S，Litman RS. Current issues in pediatric ambulatory anesthesia. Anesth Clin N Am，2003，21：305.

第 16 章 老年病人围术期气道管理

随着年龄增长,老年人各组织脏器开始发生退行性改变和功能下降,尤其 70 岁后重要器官的功能将出现显著降低。

呼吸系统出现生理或病理改变受到性别、遗传、呼吸系统疾病、职业性接触、吸烟、营养、体质状况和锻炼等因素的影响。由于老年人的呼吸系统功能改变,术后容易发生呼吸功能障碍。据统计,半数以上在死亡前至少经受过一次手术,老年人手术的数量日益增加,手术范围也逐渐扩大,老年人麻醉的安危更加引起重视,在 SICU 中 70% 以上是老年病人,故提高老年病人围术期的安全性受到关注,尤其是气道保护更为重要,术前应通过病史、实验室检查进行脏器功能评估,充分了解病情,加强对老年病人围术期气道管理。

第一节 老年人的呼吸系统病理生理改变

一、老年人呼吸系统的解剖组织学特点

(一) 气道和肺实质的改变

老年人气管由于各层组织的退变、萎缩、弹性降低,致使气道内径增大,以横径增大为主。而小气道鳞状细胞数量增多,分泌亢进,黏液滞留,部分管腔变窄、气流阻力增大,容易引起呼气性呼吸困难。

肺实质的变化主要表现为:肺组织呈灰黑色、组织回缩慢,回缩程度小;肺实质减少,体积变小,重量减轻,质松软,肺内含气量相对增多;呼吸性细支气管和肺泡管扩大;肺泡壁周围性组织退变和长期过度通气,肺泡壁变薄甚至断裂,引起肺泡壁中毛细血管数量和管内的血流量减少;由于肺泡壁断裂,肺泡互相融合,引起肺泡数减少而肺泡腔却变大,残气量增加,肺泡过度膨大,形成老年性肺气肿,气体交换面积由 30 岁时的 75 m² 减至 70 岁时的 60 m²;肺泡壁弹性纤维减少,甚至消失,加之变性,胶原蛋白的交联增多,致使肺硬度增加,肺泡的回缩力减弱。

（二）胸廓的改变

老年胸廓大多呈"桶状"，主要因为：脊柱后凸，胸骨向前突出，前后径增大；椎骨变形引起肋骨走向改变；同时胸骨、肋骨、椎骨发生脱钙而骨质疏松，肋软骨发生钙化甚至骨化，弹性降低，肋椎、肋胸关节钙化，周围的韧带硬化，关节活动度减低，胸廓活动度受限。

老年人胸膜常因纤维组织增生而增厚，壁层与脏层胸膜部分粘连。还有研究表明老年人胸膜变薄、干燥、不透明、粘连和钙化。

（三）呼吸肌的改变

老年人的呼吸肌肌纤维减少、肌肉萎缩，脂肪成分相对增多，导致肌力下降、肺活量、深吸气量、最大通气量相应减少。

（四）防御能力的改变

防御系统包括呼吸道黏液纤毛转运系统和单核-巨噬细胞系统。老年人的呼吸道：① 纤毛摆动的次数减少，力度减弱；② 假复层纤毛柱状上皮随增龄而增生，杯状细胞增多，黏液的分泌亢进，黏液量增多变稠，使纤毛运动减弱，导致黏液在呼吸道潴留。同时老年人的鼻黏膜变薄，腺体萎缩、分泌减少，气流阻力增加，鼻腔对气流的滤过、加温、加湿功能减退或丧失；喉黏膜变薄，上皮角化，固有膜浅层水肿及甲状软骨骨化，防御性反射变得迟钝。

二、老年人呼吸系统的生理学改变

（一）呼吸动力机制的改变

1. 呼吸驱动作用减弱　老年人外周化学感受性通气反应较健康青、中年人低，老年病人的 PaO_2 往往必须达 60 mmHg 以下，才兴奋呼吸，使呼吸加强。

2. 肺与胸廓的顺应性降低　由于胸廓及肺顺应性降低，导致呼吸费力，产生限制性通气功能障碍而使通气储备降低。

3. 呼吸肌衰退　由于呼吸肌的衰退，呼吸阻力的增加、呼吸运动的调节与补偿能力减弱，使呼吸功能降低。

（二）肺通气功能

1. 肺通气功能

（1）肺容量：① 潮气量：代表人体在平静自然状态下所需要的气量，其数值并不随增龄而改变，故一般不以潮气量作为评价老年肺通气功能的指标。② 补吸气量：代表吸气的贮备能力。由于随着增龄呼吸肌力和胸廓、肺的顺应性减弱，老年人的补吸气量逐渐减少。③ 补呼气量：表示呼气的贮备能力，随增龄而逐渐减少，且较补吸气量更容易受到损害。④ 肺活量：随增龄而逐渐减少，是人体呼吸系统结构全面退化的结果，主要包括：呼吸肌肌力下降；骨变形及软骨、关节硬化导致胸廓顺应性下降；肺组织弹性纤维减少、断裂和变性引起弹性回缩力减弱；小气道的管径变窄引起的气流阻力增加。30～80 岁之间肺活量约减少50%,平均每年约减少0.6%,每增加一岁,减少20～25 ml。主要与余气量随年龄逐渐增大有关。由于老年人肺活量降低,气体交换减少,排出 CO_2 的能力减弱,故老年人易胸闷、疲劳嗜睡。⑤ 余气量和功能余气量:两者均随年龄增大而增大。临床上常以余气量/肺总量(%)来衡量余气量是否正常的指标。该比值大小随年龄增长而异,年轻人的余气量占肺总量的20%～25%,功能余气量占肺总量的40%,老年人两者均增大,60岁以上,余气量所占肺总量可达40%。在临床上主要用以反映肺气肿的程度。⑥ 肺总量:是判断肺是否存在限制性损害及其程度的指标之一。由于老年人肺活量减小和余气量增大,肺总量的年龄变化不显著。

(2) 肺通气量:① 每分静息通气量:随年龄的改变不明显。② 最大随意通气量:30岁以后,则随增龄而直线下降,反映了老年人肺通气贮备力明显下降。③ 肺泡通气量:由于老年人一方面呼吸道黏膜萎缩,解剖无效腔较青年增大约0.62倍,另一方面肺毛细血管的数量减少、肺泡壁变薄、肺泡数减少等因素使肺泡无效腔亦增大,故肺泡通气量随年龄增长而减少。

(3) 呼吸动力学:① 用力呼气量(FEV):用力呼气的1秒量(FEV_1)65岁以后每年平均下降38 ml;FEV 由中青年时的平均3.7 L到60岁以后降为2.3 L;FEV_1/FEV%的正常值60岁为74.2%,64岁为71%,70岁为65%,该指标对评价阻塞性肺疾患最具意义也最为常用,主要反映了较大气道的气流阻力情况。② 用力呼气流速:老年人 V25－75、V50、V25下降说明小呼吸道的气道阻力随增龄而增大。③ 呼吸道阻力:老年人呼吸道阻力高于青年人,主要原因为气道口径随年龄增长变窄。④ 闭合气量与闭合容量:是评价小气道功能状态的重要指标。

2. 肺换气功能

(1) O_2 和 CO_2 分压的改变:安静时 $PaCO_2$、PaO_2 基本上不随年龄而改变,PaO_2 随年龄增长而减少,故肺泡-动脉氧分压差($A-aDO_2$)随年龄增长而加大,CO_2 在肺内的弥散不受年龄的影响,O_2 在肺内的弥散随年龄增长而降低。老年人最大负荷下 O_2 的摄取量较青年人下降50%(3.2 L/min 降至1.6 L/min),老年人 O_2 的扩散潜力要比 CO_2 小得多。

(2) 呼吸膜的厚度和有效面积:老年性肺气肿可使肺泡管至肺泡壁的距离增大,肺泡气均匀混合的时间延长;老年人呼吸膜的最大有效交换面积减少。

(3) 肺通气量与肺血流量比值:通气/血流比值(V/Q)失调及其在各肺区分布的不均匀性扩大引起老年人肺内 O_2 弥散功能降低。一般而言,老年人肺上区通气量减少较血流量减少的幅度小,故 V/Q 增大。肺下区 V/Q 的减小降低肺换气的效能,且主要影响 O_2,表现在肺泡气的 PO_2 正常,而动脉血 PO_2 随年龄增长而降低。

(三) 呼吸系统防御功能下降

1. 呼吸道 老年人呼吸道黏膜萎缩、黏液分泌减少,纤毛脱落而数量减少,因此呼吸道排除异物能力降低,易产生呼吸道疾病。

2. 咳嗽反射减弱 因神经系统的老化、呼吸肌萎缩,痰咳不出,痰液潴留气道内,造成阻塞性通气障碍,易引起肺部感染。

3. 肺泡防御功能降低 老年人巨噬细胞数量、吞噬功能及移动能力均降低,不能有效地排出和吞噬这些微粒,造成微粒在肺间质沉积,影响肺通气及换气功能。

三、老年人呼吸系统疾病

老年人对几乎所有肺部疾病,包括感染、肿瘤和慢性阻塞性肺疾病等都有易感性,并可继发肺动脉高压和肺心病。当然也可以由于防御能力的减退引起这些疾病。

第二节 老年病人术前气道管理

一、术前肺功能评定

老年病人术后呼吸代偿能力差,易致缺氧和二氧化碳蓄积,胸部手术和上腹部手术对肺功能影响较大,易于产生术后并发症。通过肺功能评定,可估计手术后发生肺部并发症的危险。

肺功能评估可通过病史询问、体格检查、肺部 X 线摄片、心电图、动脉血气分析以及肺功能检查作出初步判断,尤其注意以下几方面:① 年龄;② 吸烟史:吸烟 20 支/d,10 年以上者,即可合并慢性支气管炎,术后肺部并发症较不吸烟者高 3 倍,肺部氧摄取率降低,可发生低氧血症;③ 过度肥胖:肥胖者限制胸廓扩张,通气量下降,术后易发生呼吸系统并发症;④ 肺部疾病:老年人合并肺部并发症者较多,大于 70 岁者,约 50% 存在慢性肺部疾患,如慢支炎、肺气肿、COPD、肺心病等,COPD 是术后并发呼吸衰竭的主要原因;⑤ 术前应了解有无活动后呼吸困难,这是评估肺功能不全的主要临床指标。根据上述情况病人应做肺功能检查,结合动脉血气分析结果作出综合判断。

二、术前准备

术前准备的目的在于改善呼吸功能,提高心肺代偿能力,增加病人对手术和麻醉的耐受。经过充分的术前准备后方可选择最佳手术时机。

(1)戒烟:长期吸烟而有慢性支气管病变或气管中分泌物和痰量多的病人,术前尽早戒烟,可使用支气管扩张药进行气道雾化治疗 5～7 d,尽量排除气道内分泌物,可以减少呼吸刺激和气道分泌物,降低血中碳氧血红蛋白浓度,增加氧摄取,降低肺部并发症。

(2)控制呼吸道感染,术前常规漱口后咳出痰液作细菌培养及药敏试验,根据痰液细菌培养和药物敏感试验,术前选用敏感抗生素,作全身治疗。

(3) 呼吸锻炼,咳嗽练习,有利于扩张肺组织,排除残余分泌物。

(4) 解除支气管痉挛,如有呼吸道阻力,应用β-受体兴奋药物解除支气管痉挛;应用必嗽平等类药物,降低支气管黏膜过敏状态,有利于支气管黏膜上皮修复,减少痰量;有间质性肺纤维化或严重支气管哮喘的病人,术前需用皮质激素等治疗。

三、麻醉前用药

老年人麻醉前用药应结合病人年龄对药代动力学和药效动力学的影响、实际年龄与生理年龄的差异、各重要器官功能的状态、麻醉选择、手术性质和要求等情况进行综合考虑决定。目的在于使病人情绪稳定,解除或减轻术前疼痛,减少麻醉不良反应,使麻醉手术过程平稳。

1. 镇静催眠药 由于老年人对镇静催眠药敏感性增加,导致不良反应多,易出现上呼吸道梗阻、呼吸抑制和意识丧失,因此,镇静催眠药的使用应慎重,剂量要减少。对术前精神紧张、焦虑的病人,麻醉前可选择适量的镇静催眠药物。巴比妥类药物对呼吸中枢的抑制作用比苯二氮䓬类药物强,且无抗焦虑和健忘作用,故目前常用苯二氮䓬类药物。这类药物对老年人抑制效应的敏感性显著增加,年龄每增加 10 岁,地西泮剂量减少约 10%,咪达唑仑(咪唑安定)减少约 15%。常用量为:地西泮 0.08~0.1 mg/kg 麻醉前肌注;咪达唑仑 0.05~0.08 mg/kg 麻醉前肌注。

2. 镇痛药 老年人对镇痛药的耐受性降低,有抑制呼吸、恶心、呕吐等副作用,尤其是高龄、体重轻、体质差、肝肾功能异常者,可发生明显呼吸抑制,甚至循环抑制。一般不作为常规术前用药,老年人麻醉前应用镇痛药应当特别慎重用药剂量。有人主张 60 岁用成人剂量 1/3,70 岁用 1/4,80 岁用 1/5。常用药为吗啡、哌替啶、芬太尼等,主要用于术前剧痛或局麻的病人。

3. 抗胆碱能药 老年麻醉前抗胆碱能药物不作为常规用药。主要适用于口腔内手术或气管食管镜检查的病人。

第三节 老年病人术中气道管理

老年人呼吸系统生理老化,肺气肿,肺的通气储备能力下降,同时伴有心血管疾病,因此增加了气道处理的难度。

一、局部麻醉

局部麻醉中,老年病人意识保持清醒,一般能保持气道通畅,不会产生气道阻塞,对生理功能干扰极少,麻醉后机体功能恢复迅速。如使用镇静药,应防止气道阻塞,充分给氧,准备口咽通气道,防止低氧血症。如果发生局麻药中毒或镇静、镇痛药致呼吸抑制,可能导致呼吸停止甚至心搏骤停,应及时施行人工通气和心肺复苏。因此,对老年局麻下手术的病人,如老年白内障手术等,尤其是并存心、脑、肺疾病者,应加强监护,并充分给氧,保持气道通畅,防止发生意外。

二、椎管内麻醉

椎管内麻醉时容易造成呼吸和循环抑制,而老年人的代偿调节能力差,尤其是高平面和广泛的阻滞,易出现呼吸和循环功能明显抑制。因此,阻滞平面最好控制在 T_8 以下,一般不超过 T_6 为宜。

三、全身麻醉

由于气管内全麻能很好控制气道和呼吸,可有效地清除呼吸道分泌物,保证供氧,便于辅助/控制呼吸,因此病情重、手术复杂、手术时间长的老年病人多选用气管插管全身麻醉,或全麻联合硬膜外阻滞,不单用硬膜外阻滞。老年人由于牙齿脱落,口腔内失去牙齿的支架,诱导时面罩易出现漏气现象,可在双面颊部放纱布垫减少漏气,或用口腔支撑器,抬高面部,使面罩密闭性更好,防止漏气。老年人麻醉诱导前应充分给氧,以维持呼吸暂停期间的动脉血氧分压不低于清醒时水平。老年人气管后壁薄弱,可伴有椎基底动脉硬化,供血不足,插管时强调动作轻柔,勿使头过度后伸。麻醉诱导要求平稳,减轻气管插管对心血管刺激,防止大剂量用药引起呼吸循环抑制。根据手术要求和病人肺功能的情况,选择对呼吸功能干扰小的麻醉药和方法。老年人对低心排出量和缺氧的耐受性差,对保留自主呼吸的全麻病人,一定要充分供氧并保持呼吸道通畅,严防缺氧和二氧化碳蓄积。对使用肌松药进行机械通气的老年病人,注意完善各项呼吸监测指标,参考血气分析、呼气末二氧化碳值、血氧饱和度等,及时调整气道压力、容量和频率,通气不宜过大,以防胸内压增高,心排血量减少、血压下降、冠脉血流量和脑血流量减低等不良反应。一般采用潮气量为 $8\sim10$ ml/kg,调整呼吸频率使呼气末二氧化碳保持在 $35\sim45$ mmHg,$SpO_2>95\%$ 和气道压力<30 cm H_2O。对有阻塞性通气功能减弱的老年病人,辅助呼吸频率要慢、通气量宜大,可让病人有足够的时间克服呼吸阻力。对只有限制性通气不足的病人,着重加压呼吸及加大通气量,防止缺氧。老年病人的呼吸储备差,易发生低氧血症,应严格掌握单肺通气的指征,尽量缩短单肺通气的应用时间。术中还应注意及时清除气道分泌物。由于老年人药物代谢的特点,在麻醉苏醒期易出现苏醒延迟和呼吸抑制,这与麻醉镇痛药有关,也可能是肌松药的残余作用。对于老年病人,术后应加强呼吸功能监测,给予足够的呼吸支持,待通气量和咳嗽、吞咽反射恢复正常、肌松药作用消失、呼之能应、心血管功能稳定后才能拔除气管导管。

第四节　老年病人术后气道管理

老年人呼吸系统发生退行性变,气管、支气管管腔变小,肺泡数量减少,呼吸肌肌力减退,加之肺通气和气体交换功能降低,肺储备功能下降。常合并肺气肿、慢性支气管炎和慢性阻塞性肺病,又易合并其他系统的疾病如心血管病,术后容易发生呼吸功能障碍,产生低氧血症,一旦发生缺氧应及时有效控制气道和人工呼吸及氧疗。

一、呼吸道梗阻

呼吸道梗阻是全身麻醉病人术后最常见的并发症。老年人因咬肌和咽喉部肌肉松弛,极易误吸。并常伴有慢性支气管炎、哮喘等疾病,所以常见呼吸道梗阻,造成缺氧和二氧化碳蓄积,严重时可导致心搏骤停,甚至死亡。

按梗阻的部位,可分为上呼吸道梗阻(如舌下坠、喉痉挛)和下呼吸道梗阻(如气管痉挛、误吸)。

(一)舌后坠

这是全麻或昏迷病人及老年人上呼吸道梗阻最常见的原因。一旦发生尽可能使头部向后仰,用双手将下颌角向前上方托起,使下前牙错在上前牙之前;如果麻醉已深,咽喉反射已消失,可置口咽通气道,防止舌根紧贴咽后壁。

(二)喉痉挛

喉痉挛是由于喉头应激性增高、局部直接刺激、远隔部位刺激所致的防止异物侵入气道的一种保护性反射,由于声门内收而致声门部分或完全闭合。

1. 预防　① 应用硫喷妥钠或其他兴奋迷走神经的麻醉药者,麻醉前应用阿托品;② 及时清除口咽部的分泌物,预防胃反流;③ 避免在浅麻醉下放置口咽通气道或气管内插管;④ 施行刺激强的手术操作之前必须先加深麻醉,或在局部辅加阻滞麻醉。

2. 处理　对轻度和中度喉痉挛,只需除去原因和给氧,必要时可用面罩加压给氧。对于重度喉痉挛,需立即静注琥珀胆碱后行面罩加压给氧,再作气管插管。情况紧急时,可用15～16 号粗针头穿刺环甲膜以解除窒息。

(三)支气管痉挛

支气管和小支气管平滑肌痉挛性收缩称为支气管痉挛。由于气道变窄,气道阻力骤增,导致呼气性呼吸困难,造成严重缺氧和二氧化碳蓄积,并引起血流动力学改变。临床上表现为呼吸困难,呼气费力,时限延长,喘鸣。两肺可及广泛哮鸣音,挤压呼吸气囊,阻力增加,出现紫绀,血压上升,心率增快。

1. 预防　① 对气道应激性增高的病人(如慢性支气管炎),应加强手术前准备,应用抗生素、雾化吸入以控制气道炎症,麻醉时尽量避免用易诱发支气管痉挛的药物;② 应用硫喷妥钠、羟丁酸钠作麻醉,麻醉前使用阿托品;③ 避免在浅麻醉下行气管插管等操作;④ 预防反流和误吸。

2. 处理　① 消除诱因;② 应用解除痉挛的药物;③ 维持有效的通气:可用面罩加压给氧,如无效,立即作气管插管。支气管痉挛时,分泌物增多加重了气道阻塞,应予以清除。

二、呼吸抑制

呼吸抑制是由于中枢原因或周围原因所致的通气不足。严重的呼吸抑制可发展到呼吸停止。呼吸抑制的后果是缺氧和(或)二氧化碳蓄积,如不及时纠正,则可导致心脏停搏。

（一）原因

（1）过量的麻醉性镇痛镇静药、肌松药残留,导致呼吸中枢抑制和呼吸肌麻痹。

（2）椎管内麻醉:阻滞平面过高而致肋间肌麻痹、局麻药误入蛛网膜下腔而致全脊麻、辅助性用药残留(如吗啡,芬太尼等)。

（3）肌间沟法臂丛神经阻滞时,由于膈神经阻滞而致膈肌麻痹;颈丛阻滞时局麻药误入蛛网膜下腔而致全脊麻。

（4）术后疼痛治疗药作用呼吸中枢或呼吸肌导致呼吸抑制和通气障碍。

（5）重症肌无力病人发生肌无力危象。

（6）颅高压病人发生脑疝。

（二）处理

（1）应在保持呼吸道通畅的前提下,维持有效通气,吸入氧浓度为 $50\%\sim60\%$,必要时行气管插管控制呼吸。对于麻醉药物引起的呼吸抑制,只要维持有效通气,可望呼吸自然恢复。必要时可用相应的拮抗药拮抗;对麻醉性镇痛药引起的呼吸抑制可用纳洛酮对抗,先静注 0.4 mg,根据具体情况再适当追加剂量;对于肌松药所致的呼吸抑制,静注新斯的明 $1\sim2$ mg 加阿托品 $0.5\sim1$ mg 予以拮抗;对于巴比妥类等所致的呼吸抑制,可给予中枢兴奋药;

（2）全脊麻病人,除维持通气外,还应维持循环稳定。快速输液以扩充血容量。静脉注射麻黄碱 $10\sim15$ mg 以升高血压,加快心率。

（3）重症肌无力病人予以新斯的明拮抗。

（4）颅高压病人积极降颅压处理。

三、急性呼吸衰竭

老年病人术后由于肺泡通气减少、气道关闭及肺萎缩、肺间质水肿易出现呼吸衰竭。早期可有明显的低氧血症、严重的二氧化碳蓄积、紫绀、颅内压增高,神经系统功能障碍症状,如语言障碍烦躁不安,严重者昏迷。

预防及处理:

(1) 术中监测血氧饱和度。

(2) 吸氧:高碳酸血症病人,吸氧后会减少了缺氧的刺激,易引起呼吸抑制。且高浓度吸氧(>75%)不宜超过数小时,以免增加发生氧中毒。

(3) 静脉输液(尤为晶体液)不宜过量,毛细血管渗透性增高及水、钠过多常致肺水肿,可使肺失去代偿功能。

(4) 对阻塞性通气功能损害的病人,应给予支气管扩张剂。

(5) 当其他方法不能有效地排除呼吸道内存留的分泌物时,在清醒局麻下,用纤维支气管镜或气管内插管吸痰。

(6) 延长使用气管内插管,且管理得当,可明显减少气管切开的机会。

四、肺部感染

(一) 发病机制

(1) 与手术前老年人呼吸功能有关,随着年龄的增长,呼吸道黏膜与肺的弹性逐渐变小,咳嗽功能受到损害;纤毛功能减低,免疫抗体下降等造成局部防御机能低下。

(2) 老年人由于体弱、机体抵抗力下降、常伴有慢性心肺疾患(如慢性支气管炎等)、术前长时间应用多种抗生素等因素,导致继发性肺部感染的发病率升高。

(3) 口腔内分泌物或胃内容物反流误吸入肺。

(4) 麻醉剂或镇静、镇痛药物的应用导致呼吸和咳嗽反射的抑制。

(5) 全麻时气管内插管对气管的损伤、术后伤口疼痛限制病人深呼吸及咳嗽动作而影响痰液的排出等,最为严重的是医源性感染。

老年术后肺炎最常见的是细菌性肺炎。病原菌多为肺炎球菌。但近些年来,革兰阴性菌,如铜绿假单胞菌(绿脓杆菌)、肺炎克雷白菌等增多,甚至占主要位置。严重的肺内感染会导致呼吸功能不全,以致出现呼吸窘迫综合征和呼吸衰竭。

(二) 预防

(1) 术前准备,详细询问病史、细致体检、完善术前检查;肺功能检查对选择手术时机,估计术中、术后并发症有重要作用;吸烟者应尽早戒烟。有炎性病灶者应及时治疗,选用适当的抗生素,使用祛痰药或雾化吸入等减少术后继发性肺部感染的发生。

(2) 做好消毒管理工作,最大限度地避免医源性污染。

(3) 术前教导老年病人术后如何咳嗽排痰。

(三) 处理

(1) 保持呼吸道通畅,鼓励病人做深呼吸和有效的咳嗽。如腹部手术,可压迫伤口,帮助病人减轻疼痛;雾化吸入可帮助排痰;能进食者可给予祛痰剂。

(2) 因气道阻塞而影响呼吸者,可经气管插管或纤维支气管镜吸痰,严重者需立即行气管切开术。

(3) 术后并发感染的致病菌多为混合感染,应选择两种或两种以上抗生素配伍使用,一般多选用 β-内酰胺类与氨基糖苷类、β-内酰胺类与喹诺酮类以及喹诺酮类与氨基糖苷类联合。重度感染者应尽早选用二、三代头孢抗生素。同时兼顾厌氧菌、真菌及病毒感染的可能。密切监测病原体变化,根据病原学诊断及药敏试验结果及时调整抗生素,为避免产生耐药,每 1~2 周更换一次抗生素。

(4) 气道湿化及排痰引流在治疗感染中极为重要,保证每日进水量(口服及静脉补液)不少于 2 500 ml,通过湿化器或雾化器使下呼吸道进液量不少于 300 ml 以使分泌物稀薄、痰块易于咳出;定时翻身、拍背、鼓励咳嗽;气管插管或气管切开及机械通气的病人,根据分泌物多少定时吸痰;痰液持续过多甚至阻塞下呼吸道时,应立即纤维支气管镜行下呼吸道冲洗。

(5) 同时注意病人的营养支持及水、电解质平衡。

(6) 如肺部感染引起呼吸衰竭,正确使用激素、限制液体量、预防肺水肿、立即进行机械通气。

(四)呼吸机相关性肺炎(VAP)

机械通气后 48 h 发生的肺炎称为呼吸机相关性肺炎,是一种特殊类型的医院获得性肺炎,病死率很高约为 24%~76%。据文献报道老年人 VAP 发生率为 40%~50%,且随着年龄的增长,VAP 的发生率亦增长。

1. 老年人 VAP 发生率增加的危险因素　包括以下几点:年龄;基础疾病及并发症;慢性肺部疾病;曾使用抗生素;仰卧位;胃内容物误吸;机械通气时间≥5 d;鼻饲;使用 H₂ 受体阻滞剂或抗酸剂。因此,接受机械通气治疗的老年病人须避免上述相关危险因素。

2. 病原菌　老年 VAP 病原菌以 G⁻ 杆菌及 G⁺ 球菌占较大优势,而以 G⁻ 杆菌为主,依次为铜绿假单胞菌、肺炎克雷伯菌、大肠埃希菌、产气杆菌、阴沟杆菌等。这几种主要致病菌对大部分的抗生素耐药,给治疗带来一定的困难。广谱抗生素应用还会造成呼吸道真菌感染。

3. 防治　当病人开放气道后,局部清除细菌能力减弱,会增加细菌定植机会。因此临床上往往症状和肺部体征好转,但痰培养阳性,这种情况下抗菌药物作用不大,还会引起二重感染或出现耐药菌,所以对于机械通气开放人工气道病人,抗菌药物应用目的在于控制感染,达到完全清除气道内细菌很困难。为减少呼吸机相关性肺炎的发生,预防更具有临床意义。

(1) 加强洗手、穿隔离衣、戴手套及器械消毒管理工作,防止交叉感染,是预防医源性感染最有效的措施。尤其当病人携带耐药病原微生物(如 MRSA),应加强隔离治疗。

(2)洗必太漱口:洗必太溶液可控制牙菌斑上细菌生长,可显著降低心脏手术病人 VAP 的发病率。

(3)防止误吸:预防应激性溃疡的发生,使用直径较小的鼻胃管或使用鼻肠管,应用胃肠动力药,以预防胃过度膨胀导致胃内容物反流而误吸;适当使用镇静剂对于机械通气病人可有效预防误吸。

(4)营养支持:为危重病人提供充足的营养支持是预防 VAP 的重要措施,一般建议,SICU 的危重病人尽早给予肠内营养,若早期胃肠道无法耐受则辅以肠外营养。

(5)保持病人半卧位或头高位($>30°$)、勤翻身可有效预防 VAP 的发生。

(6)人工气道的管理:维持合适的气囊内压力,使用密闭式吸痰管,因鼻插管的弯曲度大,不利于气道分泌物的引流,故鼻插管时间应小于 48 h,若无法避免鼻插管,应尽早气管切开。

(7)抗生素治疗:最初经验性抗生素治疗的抗菌谱应选择足以覆盖所有可能的革兰阴性菌(包括 MRSA),以提高首次用药成功率,待病原学培养结果出来后应立即选用针对性的、敏感的、相对窄谱的抗生素。应反复做细菌培养及药敏试验,动态观察老年机械通气病人肺部感染细菌菌种变化及耐药情况,及时调整抗生素应用,减少耐药率。

五、肺不张

胸腹部手术后,易发生肺不张,尤其为老年病人,伴有老慢支、肺气肿、肺纤维化又有嗜烟史的病人更易发生。可通过鼓励病人深吸气、拍背助咳、雾化吸入、静脉或口服使用化痰药、解除支气管梗阻使不张的肺复张开来。若上述措施无效,可行气管插管或纤维支气管镜吸痰,神志不清或呼吸困难严重的病人,应立即行气管切开术,以便引流痰液。同时不用或少用具有呼吸抑制的镇静镇痛药。

(张艳　尤新民)

参 考 文 献

1　王祥瑞主编.围手术期呼吸治疗学.北京:中国协和医科大学出版社,2002:192～200.

2　Janssens JP, Pache JC. Physiological changes in respiratory function associated with ageing. Eur Respir J, 1999, 13:197～205.

3　李建生主编.老年医学概论.北京:人民卫生出版社,2003:134～142.

4　宋德富主编.气道处理与呼吸管理学.上海:科学技术文献出版社,2008:211～223.

5　王国林主编.老年麻醉学.北京:人民卫生出版社,2003:112～117.

6　Marine MD, Alain MD. Early-and late-onset ventilator-associated pneumonia acquired in the intensive care unit: comparison of risk factors. Critical Care, 2008, 3:27～33.

第 *17* 章 气道困难的处理

在病人不能维持足够自主通气的情况下,临床医生无法借助常规器械和技术来维持其有效的通气,即为发生了气道困难(difficult airway)。围术期,最常见气道困难的是麻醉诱导后发生通气困难或喉镜暴露下发生困难插管。1993 年,美国麻醉医师协会(ASA)建议作如下定义:受过常规训练的麻醉科医师所经历的面罩给氧困难和(或)气管内插管困难的临床情况。气道管理困难包括面罩通气困难、喉镜窥视困难和气管内插管困难三种情况。2003 年,ASA 对气道管理策略做了修改,把喉罩通气从紧急路径转移到了常规路径,认为非紧急情况下,也可常规采用喉罩进行通气。当喉镜暴露失败后,只有在喉罩和面罩通气都出现困难时才可以认为发生了困难气道。

一般手术病人插管的失败率约为 0.05%,而产科病人约为 0.16%。Okazaki 等在 6 742 个普外科病人中,发现有 4.9% 的病人发生了意外的困难气管插管。Langeron 等人的研究发现,在 1 600 例手术病人中,有 5% 出现中度到重度的面罩通气困难。口腔颌面和整形外科病人中,困难气道的发生率高达 16%。

在处理气道困难病人的过程中,可能发生许多并发症,主要分为气道的直接损伤、低氧血症及高碳酸血症。直接的损伤以牙齿断裂或脱落最常见,可累及面部、上呼吸道,导致局部出血、溃破、气肿、感染,严重者发生颈椎骨折或脱位、眼损伤等。气道困难所致的气体交换中断还可能引起脑损害、心血管系统的兴奋或抑制等并发症。气道处理越困难,出现并发症越高。正常气道病人在直接喉镜插管时上呼吸道轻度损伤(咽后壁损伤和口唇撕裂)的发生率约为 5%。术前预期气道困难的病人这类损伤为 17%。而经多次喉镜暴露才插管成功的病人中,上呼吸道损伤的发生率高达 63%。发生困难气道时,如无法实施有效的人工通气,病人在短时间内就可因缺氧而导致心搏骤停、大脑损害甚至死亡。危重病人因困难插管喉镜暴露 2 次以上时,缺氧的发生率高达 70%,明显高于无困难插管的病人(11.6%)。70% 的麻醉死亡病例是因呼吸道问题所致,主要原因为呼吸道梗阻、困难插管和插管误入食管。

第一节 气道困难的分级

气道困难的程度,可以从 0(极容易进行)直至无限大(无法进行),见表 17-1 和图 17-1。气道困难的程度越高,脑损害或死亡的危险性越大。

表 17-1 气道困难分级

分 级	面罩通气困难	喉镜气管插管困难
1	容易,只需上提下颌	用力上提喉镜,一次成功
2	单人操作托下颌和紧扣面罩	嗅花位+用力上提喉镜,一次成功
3	单人操作托下颌和紧扣面罩 +口/鼻咽通气道	按压喉结,多种镜片,多次暴露后成功
4	两人操作托下颌和紧扣面罩 +口/鼻咽通气道	多人,多种镜片,多次暴露后成功
5	通气不满意或失败	失败

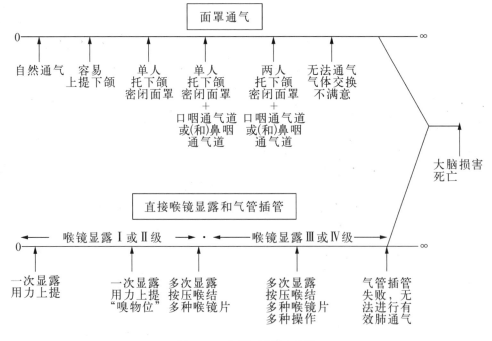

图 17-1 气道困难程度分级

用喉镜观察喉头结构(Cormack Lehance 评分,图 17-2)。Ⅰ级:声门完全显露。Ⅱ级:声门部分显露,可见声门后联合。Ⅲ级:仅显露会厌或会厌顶端,不能窥见声门。Ⅳ级:声门及会厌均不能显露。这种分级与麻醉科医师的技术和经验有明显关系。Ⅰ级和Ⅱ级者一般不会发生插管困难;Ⅲ级和Ⅳ级者容易发生插管困难,导管误入食管的危险性达 50%。

図 17 - 2　喉镜暴露的四级分类(Cormack Lehance 评分)

第二节　气道困难的原因与识别

一、气道困难的原因

（一）按病因分类

1. 气道解剖生理变异　短颈、下颌退缩、龅牙、口咽腔狭小、高腭弓、上颌骨前突、咬颌错位、下颌骨增生肥大、会厌过长或过大等。

2. 因疾病或创伤致解剖结构畸形　颈椎强直、颞下颌关节病变、弥漫性骨质增生、肥胖、肢端肥大症、甲状腺肿大、扁桃体周围脓肿、会厌炎、喉水肿、类风湿疾病以及上呼吸道或邻近部位的肿瘤等，均可能导致气道困难的发生。

3. 创伤后解剖结构畸形　头面部、口腔手术后可能发生口腔、咽喉、颌面部组织缺损、移位以及瘢痕粘连挛缩，这些均可引起困难气管插管。

（二）按路径分类

1. 口腔或鼻腔　门齿前突或松动、张口受限、大舌、舌（或腭、颊）肿瘤、小下颌、腭部狭窄、高腭弓、增殖体或扁桃体的增生；鼻甲肥厚、鼻息肉、骨刺、鼻骨畸形、鼻中隔偏斜、鼻黏膜充血、鼻部创伤出血等。

2. 咽腔和喉腔　咽喉部组织增生、咽腔缩窄、声带组织增厚、会厌和声带固定、会厌和喉室皱襞肥大、环状软骨弓宽度减少、咽喉部新生物以及因息肉、肿瘤、瘢痕等造成声门移位等。通常在清醒状态下，病人尚能维持正常通气，但麻醉后因上呼吸道肌肉松弛时就可造成气道阻塞，严重病例可能会发生完全性阻塞。

3. 气管　气管狭窄、严重移位、气管内肿瘤阻塞气道等。甲状腺巨大肿瘤的病人麻醉后肌肉松弛，气管失去了肌肉组织的支撑作用，导致气管塌陷。

二、气道困难的识别方法

术前预测气道困难有助于选择合适的麻醉诱导方法和插管技术，尽可能地降低发生气道困难的风险。

（一）病史

有无气道管理困难的病史，有无喉鸣，睡眠中打鼾如呼吸功能损害和心血管疾病等。

（二）体检

有无小下颌、牙齿松动、门齿前突、颈短粗、颞颌关节强直。有无舌、口内、颌面及颈部病变，有无颈椎病变，气管是否移位以及有无前述的一些病理改变。拟经鼻插管者，还需检查鼻道通气情况，有无鼻部病变等。

1. 张口度　指最大张口时上下门齿间的距离，成人正常值介于 3.5～5.6 cm，平均 4.5 cm。Ⅰ度张口困难者为 2.5～3.0 cm，技术娴熟的操作者仍可完成经口气管的插管过程；Ⅱ度张口困难者为 1.2～2.0 cm，难以窥见咽喉部结构；Ⅲ度张口困难者小于 1.0 cm，喉镜片无法置入口内。

2. 舌咽结构分级　（Mallampattis 试验图见第 2 章图 2-3）：病人用力张口和伸舌，窥视咽部结构。将气道分成四类。Ⅰ类：可见软腭、咽腭弓、腭垂。Ⅱ类：可见软腭、咽腭弓，但腭垂被舌根遮盖。Ⅲ类：仅见软腭。Ⅳ类：未见软腭。

舌咽结构的气道分类与直接喉镜插管的难易程度相关性密切。气道Ⅰ类病人，喉镜显露也Ⅰ级占 99%～100%；而气道Ⅳ类者，几乎喉镜显露多属Ⅲ～Ⅳ级；而气道Ⅱ类中约 10% 的病人喉镜暴露为Ⅳ级。应该注意：这种分类受病人发音（如"阿"声时视野假性改善）或拱起舌头（遮住腭垂）以及观察角度的影响。此法常用、简单、快速，但并不是最可靠的方法，约能预测 50% 的插管困难，发生插管困难与软腭被舌根挡住有关。Ⅰ～Ⅱ类气道，插管多数无困难；Ⅲ～Ⅳ类气道，插管多有困难。

3. 颈部活动度

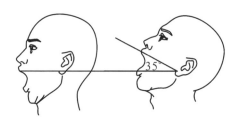

图 17-3　寰枕关节伸展度的测量

（1）寰枕关节伸展度：当颈部向前中度屈曲（25°～35°），而头部后仰，寰枕关节伸展最佳，口、咽和喉三条轴线接近为一直线（有时称为"嗅花位"或"Migill 位"）。在此位置，舌遮挡咽部较少，喉镜上提舌根所需用力也较小。寰枕关节正常时，可以伸展 35°。检查方法如下：病人坐位，头垂直向前看，上齿的咬合面与地面平行，然后，病人尽力头后仰，伸展寰枕关节，测量上齿咬合面旋转的角度（图 17-3）。上齿旋转角度可用量角器准确地测量，也可用目视法进行估计分级；Ⅰ级为寰枕关节伸展度无降低；Ⅱ级降低 1/3；Ⅲ级降低 2/3；Ⅳ级为完全不能后仰。寰枕关节伸展降低时，为使喉镜暴露声门，就需要用更大的上提力量使颈椎前凸。根据寰枕关节的分级和 Mallampattis 试验分类，Bellhouse 等提出一种预测气管插管困难的两因素分析表（表 17-2）。

（2）颈部屈伸度：指病人作最大限度的屈颈到伸颈的活动范围。正常值大于 90°，小于 80°，屈颈或伸颈活动受限时，直接喉镜下需用更大的力量上提舌部以暴露声门，易造成插管困难。

（3）颈部后倾度：指仰卧位下做最大限度仰颈，上门齿前端至枕骨粗隆的连线与身体纵轴线相交的角度，正常值大于 90°；小于 80°，颈部活动受限，插管可能遇到的困难。

（4）颈部关节伸展度：可通过拍摄 X 射线侧位片、CT 和 MRI 检查来进行测量。正常人在喉镜暴露下，$C_1 \sim C_2$ 伸展度为 25°，从 C_4 到 C_1 渐增，寰枕关节伸展度可达到 35°。然而，在实际工作中，除了一些已知插管困难的病例，人们很少在预测插管困难中常规使用放射学检查。

表 17 – 2　气管插管困难程度的两个因素预测表

寰枕关节伸展度降低分级	舌咽结构分级			
	Ⅰ	Ⅱ	Ⅲ	Ⅳ
Ⅰ	D	A	A	A
Ⅱ	E	B	B	A
Ⅲ	E	C	B	B
Ⅳ	E	D	C	B

注：A. 困难的可能性很小（可能为 1%）；B. 困难的可能性可见（可能为 5%）；C. 困难的可能性显著（可能为 20%）；D. 困难的可能性较大（可能为 50%）；E. 困难的可能性极大（可能为 95%）。

4. 下颌间隙　下颌间隙过短，咽轴与喉轴呈锐角，寰枕关节伸展时仍不易成为一条直线，喉头位置较高，而舌体相对下颌较大，直接喉镜下舌体易遮挡视线而造成声门暴露困难。有两种测量方法。① 甲颏间距：指病人颈部完全伸展时，甲状软骨切迹至颏凸的距离。成人甲颏间距大于 6.5 cm 时插管无困难；甲颏间距在 6～6.5 cm 时插管会有困难，但仍可能成功；小于 6 cm 时不能经喉镜插管。甲颏间距的测量值会受一些因素诸如颈部伸展度大小、喉结位置高低、下颌骨的长度和深度等的影响。② 下颌骨长度：指从下颌角至颏凸的长度。大于 9.0 cm 时发生插管困难的概率很小，小于 9.0 cm 时插管困难发生率很高。

5. 胸颏间距　指头部后仰至最大限度时，下颌骨颏突至胸骨上缘切迹间的距离。胸颏距离小于 12.5 cm，插管有困难。

6. 综合测评　Wilson 等将常用的预测插管困难的 5 个方法组合起来作为一套预测气道困难的指标。5 个方法分别评定为 0、1、2 分。包括：体重（0 分：小于 90 kg；1 分：90～110 kg；2 分：大于 110 kg）。头颈屈伸最大活动度（0 分：90°以上；1 分：约 90°；2 分：90°以下）。下颌活动度（0 分：IG 大于 5 cm 或 slux 大于 0；1 分：IG 小于 5 cm 和 slux＝0；2 分：IG 小于 5 cm 和 slux 小于 0）。IG 指最大张口时上下门齿间距，slux 指下门齿超越上门齿的最大向前移动。下颌退缩和上门齿增长的程度（0 分：正常；1 分：中度；2 分：严重）。如总分大于 5 分可预测 75% 的插管困难，但假阳性率高达 12%。如总分大于 4，则真阳性率为 42％,假阳性率仅 0.8％。这种组合试验是一种较为准确的预测气道困难的方法。

（三）放射学检查

1. 下颌骨舌骨间距　在 X 线头影测量图上,下颌骨下缘至舌骨切迹间的距离,即为下颌骨舌骨间距。女性为(26.4±16.4)mm,男性为(33.8±21.4)mm。困难气管插管容易发生在下颌骨舌骨间距较长的病人。

2. 颅面角和线的异常　在 X 线头影测量图上,后鼻嵴至咽后壁垂直距离代表咽腔直径,数值减小,容易出现困难气管插管;另外,前颅底长度、上下颌骨与颅底的关系角、上下颌骨的关系角的异常也均会导致鼻咽腔、口咽腔气道容积的变化而造成困难插管。

3. 软组织因素　CT 和 MRI 检查着重于测量鼻咽、咽腔、喉腔和气管等部位的软组织。利用三维 CT 重建气道,不仅可以预测是否会出现困难气道,而且还能通过图像模拟插管路径,明确出现困难气道的部位,寻找可行的插管方法。

（四）喉镜检查喉镜和内镜检查

1. 间接喉镜检查　了解咽和喉头解剖情况,有无病理变化下能窥见声门,操作方便。但是,间接喉镜下能窥见声门,不能说明直接喉镜能否显露声门。

2. 纤维喉镜检查　察经鼻检查时清醒病人的不适感觉轻微,可以详细了解咽和喉头的情况,有无累及呼吸道的新生物等。必要时可借助纤维喉镜行气管内插管。但是,纤维喉镜检查正常,并不能保证常规直接喉镜插管的成功。

3. 直接喉镜检查　口咽部包括舌基底部、会厌喷雾表面麻醉,使用直接喉镜了解舌体的可压缩性,如病人能够耐受,可观察其会厌和喉部情况,若视野良好,则表明直接喉镜插管没有问题。喉部表面麻醉后 3～4 h 内不能进食。

第三节　气道困难的处理方法

鉴于各种困难气道的预测指标的敏感性不高,因此不能根据单一指标进行判断,而应综合考虑喉镜暴露时所有的解剖关系,并加以判断,才能有效进行气道评估。直接喉镜暴露没有困难,可以在全麻诱导后插管;直接喉镜暴露困难但能进行声门上通气且病人对缺氧有一定耐受力,可以谨慎选择在全麻诱导后插管;直接喉镜暴露困难且声门上通气可能出现困难或者病人对缺氧耐受力差,需进行清醒插管。气道困难处理的选择可参考图17-4。

1993 年喉罩被 ASA 收入困难气道处理操作指南。1996 Benmof 认为喉罩不仅可应用于急诊情况,还可应用于气道困难处理,在清醒和麻醉病人辅助气管插管;在择期手术中可

作为一个确切的气道;并可在急诊建立临时气道情况下辅助气管插管。ASA 关于困难气道
管理指南中的困难气道插管规则见图 17-5。

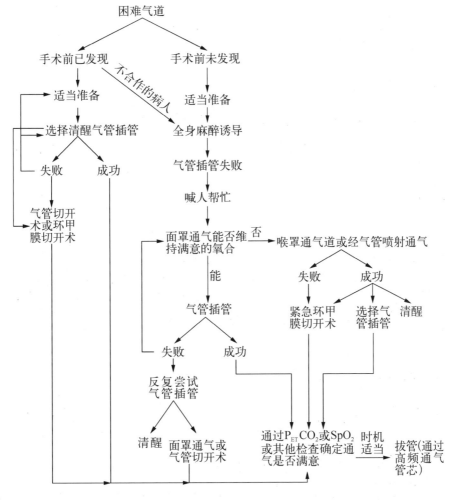

图 17-4　气道困难处理步骤

一、已预测气道困难病人的处理

对于已预测气道困难的病人,应在术前制定出较为可靠的气道管理的方法,准备所
需的特殊器具及各种抢救药物以防意外。一般主张在镇静和局麻下进行气管插管。原
则上,无插管成功把握者不得轻易作全麻诱导。因为清醒病人能较好地维持自然气道通
畅,且能维持足够的肌肉张力,便于识别舌根、会厌、喉、食管、咽后壁等。用全麻和肌松
药后,肌张力下降,上呼吸道组织结构塌陷(如舌后坠),不利于声门的识别。麻醉诱导后
喉头向前移动,使常规喉镜插管更加困难。清醒插管成功的关键在于使病人安静合作,

美国麻醉学会困难气道开放流程

1. 评估基本处理问题发生的可能性和临床影响

A. 通气困难　B. 插管困难　C. 病人主观不配合或不同意　D. 气管切开困难

2. 在处理困难气道的过程中,积极寻找机会为病人供氧

3. 权衡各项基本处理方法的优点和可行性

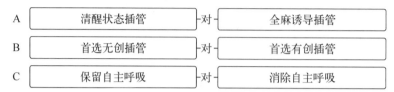

4. 首选和备用方案的流程

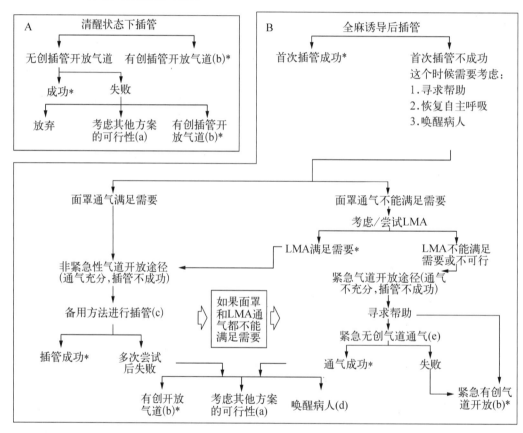

图 17-5　ASA DAA 关于困难气道处理实用指南

　*　通过呼出气 CO_2 确认通气、气管插管或 LMA。

　a. 其他方法包括(但不限于):利用面罩或 LMA 麻醉,局部浸润麻醉或区域神经阻滞麻醉下手术。使用这些方法通常意味着面罩通气就可以满足病人需要。因此,如果是通过上述程序中的"紧急途径"到达这一步时,这些方法已基本没有价值了。

　b. 有创开放气道的方法包括外科手术或经皮气管切开术或环甲膜切开术。

　c. 困难插管的备用无创方法包括(但不限于):利用其他不同的喉镜镜头,利用 LMA 作为插管的导管(使用或不使用纤光镜导引),纤光镜下插管,使用插管导丝或导管,使用电筒,逆行插管,经口或经鼻盲插。

　d. 考虑再次准备为病人进行清醒状态下插管或取消手术。

　e. 紧急无创气道通气的方法包括(但不限于):硬质支气管镜,食管气管联合导管通气或经气管喷射通气。

喉头对刺激无反应。

（一）病人的准备

病人的心理准备必不可少。术前需用颠茄类药物，使黏膜干燥，也便于喷雾的局麻药起作用。常规监测病人的心电图、血压、脉率、氧饱和度。

表面麻醉是清醒插管的主要麻醉方法，但需要等足够的时间使表面麻醉作用完全。经鼻插管者，需用缩血管药物做滴鼻准备，如 1％麻黄碱或 0.5％去氧肾上腺素。表面麻醉常用 1％丁卡因或 5％利多卡因喷雾舌根和咽喉后壁及梨状隐窝处，气管内表面麻醉可经环甲膜穿刺注入上述局麻药 2 ml。对于个别咽喉较为敏感的病人，还需进行舌咽神经舌支或喉上神经的阻滞。舌咽神经舌支支配舌后 1/3 与会厌咽侧区域，是恶心反射的压力感受器，被阻滞后再行直接喉镜时病人的恶心不适感大大减少。喉上神经的内支分布于会厌咽侧和喉侧、下喉部、梨状窝，阻滞后病人喉头反射活动大大减少，处于静息状态，有利于清醒插管的成功。局麻药 1～3 min 起效，维持 10～20 min。

适当地应用镇静药，可以缓解病人的恐惧烦恼，提高痛阈，使病人容易耐受气管插管的操作。保留病人的意识，可以使病人在局麻和插管操作时保证呼吸道通畅，防止呼吸抑制，减少胃内容物误吸的发生率，减少病人对插管操作的痛苦及不愉快的回忆。可以分次小量经静脉给予地西泮（0.05 mg/kg）、咪达唑仑（0.02 mg/kg）、氟哌利多（0.04 mg/kg）或芬太尼（1.5 μg/kg），使病人处于"入睡但能听指令配合"的状态。

（二）气管插管的技术选择

1. 直接喉镜下气管插管　直接喉镜气管插管对清醒病人的刺激甚大，操作应轻柔。声门显露不佳时，可将带管芯的气管导管放于会厌下，并略向上向前推进，在病人自然吸气时送入导管拔除管芯多可获得成功。也可先用导芯或弹性橡胶引导管进行盲探，进入气管后，再沿导芯或引导管将气管导管推入气管内。此法病人头部多宜采用修正位，对个别病人如肥胖、颏胸粘连等甚至可将头部垫高 10～20 cm。喉镜置入困难时，有时可先置入镜片后再安置镜柄。

2. 纤维喉镜或纤维支气管镜引导气管插管（图 17-6）　适用于施行清醒插管的气道困难的病人，纤维喉镜或纤维支气管镜（简称纤支镜）可经鼻或经口插入，多采用经鼻径路，成功率较高。本法对病人损伤较少，对病人的刺激较直接喉镜为小，尤其适用于咽喉部相对干燥无血性，非紧急状态的病人。但是若已经多次直接喉镜下插管失败，咽喉部存在明显出血和分泌物，将影响纤维内镜插管的成功率。现在已有专用于麻醉的纤支镜，镜杆长度仅为 50 cm，适用于气管、支气管插管之用。除了专用的冷光源以外，尚可与普通的喉镜柄一样，用 2 节二号电池即可得到同样的照明效果，操作、携带较为方便。纤支镜气管插管的指征有：① 插管困难，预知的插管困难或未预知的插管困难；② 气道受压；③ 颈部后仰不理想，颈椎不稳定，椎动脉供血不足；④ 牙齿损伤高度危险：牙齿松动或脆裂，牙齿广泛整复后;⑤ 局麻下清醒插管;⑥ 作为常规插管。应用光导芯的适应证:① 喉镜显露困难;② 上气道内血或分泌物较多;③ 常规气管插管;④ 已知或怀疑颈椎损伤的病人。禁忌证:① 喉部损伤;② 上气道梗阻或畸形;③ 重度肥胖(成功率下降);④ 麻醉深度不足或喉头反应活跃。

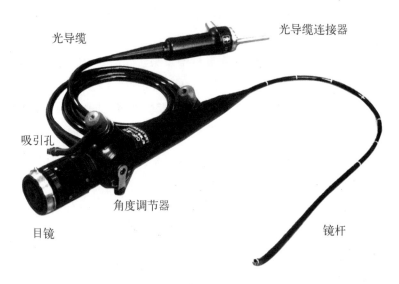

光导缆　　　　　　　　光导缆连接器

吸引孔

目镜　　角度调节器　　　　　　　　镜杆

图 17 - 6　纤维支气管镜

纤支镜处理气管插管困难的成功率在 92% ~ 98.5% 之间。经口腔插管时,因镜杆较软,常常偏离中线。表面麻醉不满意时,由于咽喉反射活跃,镜杆进入声门常遇困难,甚至可发生不同程度的喉痉挛。

镜杆已进入气管内,有时推置气管导管也会发生困难:① 导管相对偏粗偏硬,尖端方向偏后时可带着相对细软的镜杆进入食管,此时退出镜杆会发生困难。② 导管尖端顶住右侧杓状软骨或声带。③ 有时镜杆误入导管的侧孔,使导管不能进入气管,若在插管前先将导管套在镜杆上就可避免这种情况的发生。纤支镜结合应用一些其他的插管技术,如逆行引导,放置喉罩等,将更为有效地处理气道困难。

纤支镜插管失败的原因有以下几种:① 缺少培训和经验;② 分泌物或血的存在;③ 物镜和聚焦镜积雾;④ 局麻不完善;⑤ 会厌偏大、会厌偏大、口咽部肿瘤水肿或炎症、颈椎严重弯曲畸形等;⑥ 肿瘤、感染、放疗或外伤、手术引起的气道解剖变异;⑦ 气管导管推入气管困难的原因有局麻不佳、镜杆与导管内径的差距过大、气管移位或异常;⑧ 镜杆退出困难:镜杆误入导管的侧孔、导管偏细与镜杆紧贴而润滑不足。

3. 新型光导芯(optical stylet)装置

(1) 光导芯:Trachlight 光导芯由手柄、光棒、导芯组成(图 17 - 7)。操作者手持手柄,将气管导管套在可以发光的光棒上,置入病人喉部,以光亮点作为引导,调整位置,若喉部正中环甲膜处见到清晰的光亮就表明光棒进入气管,随即可将导管送入气管内。Trachlight 光导芯对于无法使用纤维支气管镜(如在急救车或在急诊室里)或当支气管镜难以操作时(如气道内血或分泌物较多或病人头不能前屈或后伸时)尤其有用,而且操作技术简单易学,插管装置造价低廉。Tubestat 型光导芯与此相似,见图 17-8。

应用光导芯的适应证:① 喉镜显露困难;② 上气道内血或分泌物较多;③ 常规气管插管;④ 已知或怀疑颈椎损伤的病人。禁忌证:① 喉部损伤;② 上气道梗阻或畸形;③ 重度肥胖(成功率下降);④ 麻醉深度不足或喉头反应活跃。

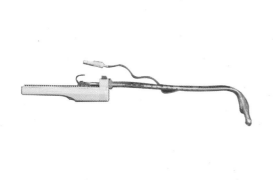 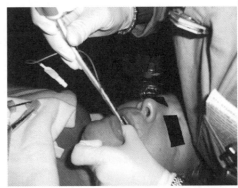

图 17-7　Trachlight 光导芯

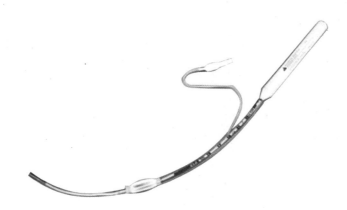

图 17-8　Tubestat 型光导芯

(2) 可视光导芯(seeing optical stylet,SOS):可视光导芯的发展经历了 2 个阶段。1979 年首次出现了带有目镜的硬质光导芯,但需配合普通喉镜使用(图 17-9),1983 年出现了纤维光导芯喉镜,光导芯已具有一定的可塑性,且具有手枪式抓柄(图 17-10)。陆续出现多种新型纤维光导芯喉镜。

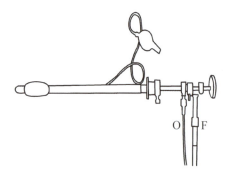

图 17-9　硬质光导芯

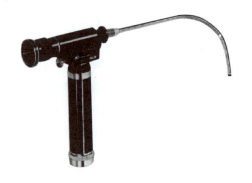

图 17-10　纤维光导芯喉镜

可视光导芯的适应证：① 喉镜显露困难；② 颈椎损伤的病人。禁忌证：① 口腔径路不通；② 上气道内血或分泌物较多；③ 上气道梗阻；④ 喉部损伤。

1) 可视光导芯(optical style)和可曲气道镜装置(flexible airway scope tool, FAST)：视可尼可视光导芯(Shikani optical stylet, SOS)(图 17-11)尖端具有普通纤支镜可视的优点，并具有一定的硬度和可塑性，操作简便。该装置有供成人(气管导管 ID>5.5 mm)和儿童(气管导管 ID 3.0~5.0 mm)使用的各种尺寸。可曲气道镜装置是一种设计上与 SOS 相类似的可视光导芯系统，光导芯柔韧性更强(图 17-12)，能够确认气管导、Combitube 和LMA 的位置。可视光导芯和可曲气道镜装置均有固定器，可调节导管位置，内置的氧气接口可以快速充氧避免缺氧。

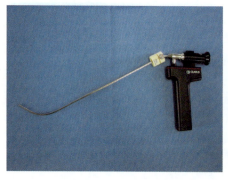
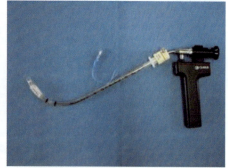

图 17-11　视可尼(Shikani)可视光导芯

由于 SOS 镜杆细且前端可以塑形为不同弧度，内有光纤，通过光斑可引导定位，因而面对普通直接喉镜难以完成的插管，如小下颌、颈粗短、喉头高等情况，SOS 可以轻易地通过镜杆前端塑形以适合不同的气道特点，并经光斑引导和目镜直视确定声门，不仅迅速，而且准确到位。即便对于张口受限的病人，只要细镜杆能进入开口即可完成气管插管。对牙齿松动的病人使用 SOS 插管可最大限度地保护牙齿。由于镜杆较硬因而也限制了其在经鼻插管中的应用。另一缺点是插管过程中不能同时吸引气道分泌物。

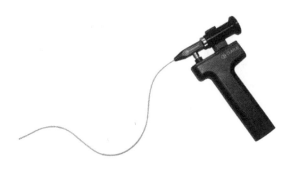

图 17‑12 可曲气道镜装置

2）Nanoscope 内镜系统：Nanoscope 内镜系统由可视光导芯及视频系统组成，图像经过光导芯中的塑胶光学纤维传至监视器，操作者可以直观通过屏幕进行插管操作（图17‑13）。同直接喉镜和纤支镜相比，其对血流动力学影响小，较少发生咽喉痛，比纤支镜容易使用。

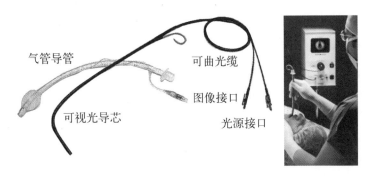

气管导管　可曲光缆　图像接口　光源接口　可视光导芯

图 17‑13 Nanoscope 内镜系统

3）Bonfils 磨牙后插管纤维镜（Bonfils retromolar intubation fibrescope）：Bonfils 磨牙后插管纤维镜采用 5.0 mm 光导芯（图 17‑14），通过磨牙后途径置入病人喉腔。使用该器械只要轻微的调整会厌即可将 6.5 mm 或更大气管导管直接放置于声带前。Bonfils 镜的远端被塑形为 40°的弧度，另有一直径为 1.2 mm 的工作管道可选。还有一个可移动的目镜和一个用以固定气管导管和吹氧的"滑椎"（slide cone），藉此可提高插管效率。Bonfils 镜可能用于不同临床领域的困难气道的处理，日益广泛的应用于颈椎退行性病（颈髓闭锁、颈椎病等）及小口的病人。尽管可以使用标准正中入路导入该装置，但还是推荐使用磨牙后入路（无论从左侧还是从右侧均可，以避免牙齿的损伤）。

图 17‑14 Bonfils 磨牙后插管纤维镜

4. 新型喉镜

（1）直接喉镜

1）弯曲尖端或杠杆喉镜（levering laryngoscope）：杠杆型喉镜特别设计了一个装铰链的头端，可由镜柄末端的控制杆操作，头端可转动70°，通过挑起会厌改善喉部视野，便于插管（图17-15）。如McCoy喉镜、Flipper喉镜和Heine Flex Tip喉镜，都属于Macintosh喉镜的改良型，只不过增加了一个可由近端杠杆操控的可上提末端，能提供更好的适应性和可控性，尤其在喉部显露困难者（张口度减小、头颈部活动受限）。具体应用时，通过操作者向后抬起喉镜以提升会厌，并可减少牙齿的损伤。插管期间如果必要可利用杠杆控制末端位置变化（70°范围），以抬起会厌、改善声门暴露效果。喉镜片的改进主要是针对一些特定的困难气道问题，如张口受限、喉头过高、小下颌、颈部活动受限等，有助于扩大喉部暴露视野，显露声门。

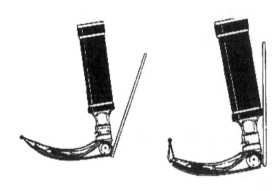

图 17-15　McCoy 喉镜

2）Bainton喉镜：专门为了有咽部阻塞的病人设计的一种喉镜。类似于标准的直镜片，但在远端为一根7 cm的管腔。管腔内有双重光源，能够避开分泌物和周围口咽组织的阻塞。镜片远端为60°的斜面开口，镜片的末端通过提升会厌以暴露喉部。这种喉镜能提供较大的咽部空间，可以通过喉镜片的管腔内或其外侧置入气管导管（ID＜8.0 mm）。应注意，当镜片从气管导管的近端移出时，右手要注意稳住气管导管。

3）Truview可视喉镜：喉镜类似于Macintosh标准喉镜，但在头端增加了一个光学头端，通过图像折射可以看到喉镜头端后的位置（图17-16）。

4）整合摄像喉镜：如GlideScope视频喉镜、X-lite Video Set等。装置包括了MAC喉镜片若干、一个整合有摄像和控件的手柄以及一个液晶显示器、氙气光源。该装置巧妙地双色光源和摄像头装入传统的喉镜片，整个系统分可视喉镜和监视器两个部分。GlideScope喉镜片厚度仅为1.8 cm，镜片前端60°成角，均有利于实施气管插管操作，暴

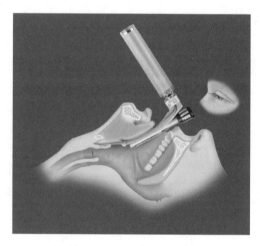

图 17-16　Truview 可视喉镜

露声门,使用者在监视器视频图像的引导下使气管插管的操作更加容易,易于掌握,插管技术基本上与普通喉镜相同。可视的插管过程使其整个操作过程较传统的直接喉镜法更加准确、直观和容易(图 17－17)。

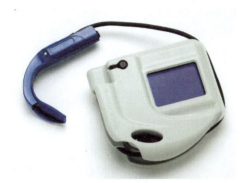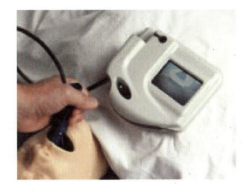

图 17－17　GlideScope 视频喉镜(便携式)

　　GlideScope 视频喉镜主要适用于头颈部活动受限、张口受限以及声门位置较高的困难气道病人。GlideScope 视频喉镜主要具有以下优点:① 喉部显露更加容易:由于 GlideScope 视频喉镜的摄像头位于镜片前端,可直接将镜片前端的组织结构通过光导纤维传递至外接显示器上,而不必自口腔外观看咽喉深部的组织结构,拉近了观察喉部的距离和避免了直接喉镜前端的盲区,从而使喉部显露更加容易。② 可改善喉部显露分级:在颈部瘢痕粘连病人应用 GlideScope 视频喉镜进行气管插管操作时,其达到的喉部显露分级可较 Macintosh 直接喉镜降低Ⅰ～Ⅱ级。另外,在应用 GlideScope 视频喉镜显露喉部时,联合应用喉外部操作可改善喉部显露分级。③ 操作简单易学:由于 GlideScope 视频喉镜的操作技术基本上同 Macintosh 型直接喉镜,因此所有能够熟练应用 Macintosh 型直接喉镜的医护人员均能应用此项技术,而不需进行特殊训练。④ 气管插管损伤小:由于 GlideScope 视频喉镜镜片前端为独特的 60°弯曲角度设计,所以可明显降低显露喉部所需的上提用力。据测量,采用常规直接喉镜显露喉部时所需的上提用力大约为 5.4 kg,而采用 GlideScope 视频喉镜满意显露喉部所需的上提用力仅为 0.5～1.4 kg。据知,降低喉镜的上提用力可减少对病人口、咽部结构的损伤。⑤ 方便教学:通过显示器,不仅周围的医护人员均可清楚地看到气管插管操作的进程,而且助手可准确地实施喉外部压迫操作和及时地协助拔除插管芯等。另外,操作者亦可向初学者讲解气管插管时所见到的重要咽喉部结构以及气管插管操作步骤。

　　与纤维光导支气管镜相比较,应用 GlideScope 视频喉镜进行气管插管时的突出优点是:① 操作技术简单,且属于直视操作;② 对气管导管的类型没有限制;③ 较少受口腔和咽部血液、分泌物的影响;④ 插入气管导管时一般不会发生声门上受阻的情况,而在纤维光导支气管镜引导气管插管时则十分容易发生该问题,尤其是在所选择的气管导管型号与纤维光导支气管镜镜杆的直径相差悬殊的情况下;⑤ 适用于纤维光导支气管镜引导气管插管操作技术的培训和教学;⑥ 采用了特殊的防雾处理材料,不易受呼吸道与外界环境温差的影响,从而可有效避免呼出气体在摄像头前端表面形成冷凝膜而降低显露喉部的清晰度,所以使用更可靠。GlideScope 视频喉镜的镜片大小分为三种,以适应不同体重的病人需要。大号用于 30 kg 以上病人;中号用于 10～110 kg 的病人;小号用于 1.5～20 kg 的病人。

GlideScope 视频喉镜为临床气管插管处理提供了一种新思路和新型操作模式,随着其更加广泛的临床应用以及人们对呼吸道管理观念的不断更新,相信此技术有望在临床上得到广泛的应用。

(2) 间接刚性光纤喉镜:与普通纤支镜相比,该类装置设计较为坚固,能有效地控制软组织,能更好地吸引分泌物,容易携带。插管可经鼻或口,可用于麻醉或清醒病人。这类喉镜使用时不需要活动病人的头颈部,对于张口受限、颈部运动受限、颈椎病等病人的困难气道插管具有优越性。但熟练地使用需要一定的时间。

间接刚性光纤喉镜的适应证:① 已预知的困难插管;② 已知或怀疑颈椎损伤的病人;③ 直接喉镜显露困难。

禁忌证:① 上气道内血或分泌物较多;② 张口困难,张口<2 cm;③ 不合作的病人;④ 上气道梗阻。

1) Upsher 喉镜:主要包括 3 组成部分:"C"字形的插管导向槽,光导管和观察管,电源手柄。插管导向槽与光导管和观察管组成喉镜的主体部分,使用前只需将电源手柄与镜体相连即可(图 17-18)。Upsher 喉镜是这类产品中设计最为简单的装置,该喉镜既有与咽喉部解剖结构一致的外形,还具有光导纤维镜直视咽喉部的优点,同时还有引导插管的导向装置,可将气管导管准确地送到可视区域的中心,送入声门内。该喉镜的操作技术与 Macintosh 型直接喉镜基本相似,麻醉医师无需特殊训练即可较快掌握,具有较高的成功率。Upsher 喉镜只能用于成人的气管插管操作,尚无适用于小儿的喉镜镜片。新问世的 Upsher Scope Ultra 喉镜有更好的光源,更长更低的边缘(可减少垂直上提喉镜的必要,并能向上导引气管导管,增加空间适应性)以及能兼容于多种光源的手柄。

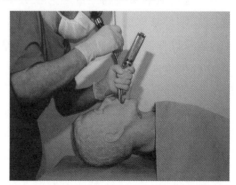

图 17-18　Upsher 喉镜

2) Bullard 喉镜：Bullard 喉镜是仅有的一种备有可拆卸金属管芯的间接光纤喉镜（图 17-19）。间接喉镜使用时无需对齐口腔、咽部和喉部 3 条轴线，这一点使得该装置适用于合并有颈椎疾病的病人。Bullard 喉镜有三种型号，可用于成人、儿童、新生儿。该喉镜插管时更易于手持，无需摆动头位，减少创伤，且具有更好的光学视野。该喉镜具有 3.7 mm 吸引管道，允许输送氧气及麻醉剂，吸引血及分泌物。

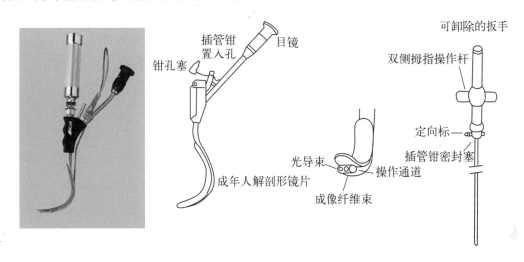

图 17-19　Bullard 喉镜

3) WuScope 系统：该喉镜既类似于 Bullard 喉镜和 Upsher 镜。Wuscope 系统的光纤部分不能使用电池手柄。系统由镜柄、按照解剖设计的镜片、光纤投视口、氧气充气口组成（图 17-20）。镜片部分有三个可拆卸装配的不锈钢口。光纤机械结构由一个光纤鼻喉镜 Achi LA-SI 组成。该喉镜镜柄与镜片成 110°角，易于进入肥胖、短颈病人的口腔内，吸氧和吸引装置是分离的。同上述两种镜相比，该喉镜具有更好的可视能力。对该装置在 350 余例行气管插管病人的应用（56 例为 Mallampati 分级 3 和 4 级），所有病例都能很好地暴露喉部，平均插管时间为 47 s（范围 25～75 s），无并发症发生。

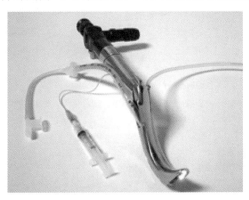
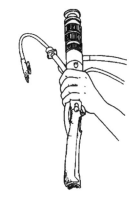

图 17-20　WuScope 喉镜

5. 逆行引导插管技术(经喉引导插管) 适用于严重颌面创伤,颌面部巨大肿瘤、颞颌关节强直等插管困难病人。由于创伤较大,病人较痛苦,故宜在其他插管方法失败或在紧急情况下使用。该方法不需要特殊设备。一般经口插管,也可经鼻插管。

(1) 操作方法:① 清醒插管者给予镇静药和舌、咽喉和气管内局部麻醉,全麻或常规诱导插管失败者继续面罩通气;② 用适当粗细的薄壁针,针尖向头倾斜 30°,经环甲膜或环气管膜刺入气管,斜面向上,抽得空气;③ 经穿刺针置入引导钢丝(心导管用钢丝)或塑料细管(可用连硬粗导管或长静脉套管针导管);④ 经口或鼻拉出引导钢丝(管);⑤ 将引导管缚在导管尖端的侧孔上,一手拉紧引导管,一手送导管入气管内(图 17-21)。已有多种用于逆行引导插管的专用器具可供临床使用,如 Cook 公司生产的逆行引导插管盒(图 17-22)。

应用逆行引导插管技术的适应证:① 喉镜显露困难;② 上气道内血或分泌物较多;③ 其他气管插管技术失败。禁忌证:① 对该项技术不熟悉;② 喉部损伤;③ 喉部狭窄;④ 颈部解剖标志不清楚。

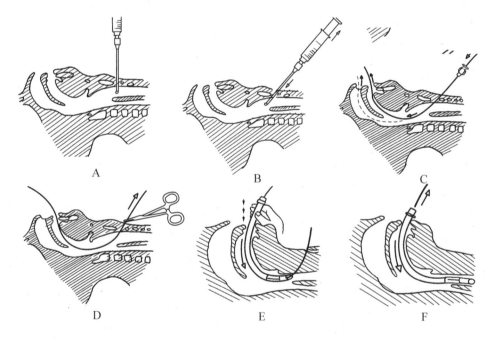

图 17-21 逆行引导插管

A 在局麻下硬膜外穿刺针或静脉套管针作环甲膜穿刺
B 针尖向头侧倾斜 30°进入气管内并抽出空气
C 拔出针筒,置入硬膜外导管或细钢丝
D 经口或鼻拉硬膜外导管或细钢丝,并缚在气管导管尖端侧孔上
E 一手推气管导管,一手拉硬膜外导管或细钢丝
F 气管导管进入气管

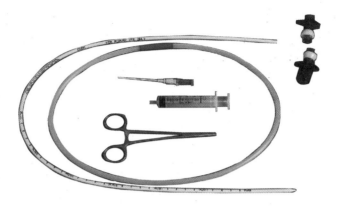

图 17-22　Cook 逆行引导插管盒

（2）逆行引导技术置管困难的原因与处理：① 局麻不完善，喉头运动活跃，常使置入气管导管发生困难，应妥善进行局部麻醉，必要时再加用镇静、镇痛药物。② 引导管外径与气管导管内径的差距甚大，置管常会受阻，可采用边旋转气管导管边入，以提高成功率。虽然置管可在多个方向遇到阻碍，但多数受阻原因是导管尖端顶住右侧声门。此时可将气管导管逆时针旋转 90°，再轻轻送入，往往可获成功。相对于气管导管内径来说，引导管的外径越粗，成功率将越高。因此，可经引导管先引入较粗的引导管（如吸引管、鼻胃管等），以缩小引导管与气管导管内径的差距，然后再引入气管导管。此外，将导引钢丝穿入纤支镜的吸引孔或活检孔内，沿钢丝迫使纤支镜对准声门。此时，逆行引导管（丝）可作为声门开口的指标，或用作提起可能堵塞气道的会厌或舌根。同时，经纤支镜进行窥视并调整镜端位置，当镜杆进入气管后，再推入气管导管。

逆行技术穿刺部位为环甲膜。但引导管在牵引过程可能会垂直撕裂环甲膜，从而导致声音嘶哑、血肿、皮下气肿、纵隔血肿和出血流入气管等并发症。改良的方法是将穿刺部位改为环气管膜（环状软骨与第二气管环之间的间隙），穿刺针尽可能沿环状软骨下缘穿入。经环气管膜逆行引导插管可避免大多数的上述并发症。此外，置入插管时角度较小，成功率升高。

6. 应用喉罩进行气管插管　喉罩应用于预估的困难气道时，可选择在全麻情况下插入喉罩或保持病人清醒实施气道表麻后置入。喉罩可以作为确切的气道或辅助气管插管，详见本章第四节。

（1）常规喉罩：置入喉罩的难易程度与 Mallampati 分级和 Cormack and Lehame 评分无关，喉头位置是其影响因素。喉罩可作为紧急的气道处理。通过喉罩进行气管插管，盲插或在光纤引导下都很容易成功。成人用的 3 号或 4 号喉罩，可置入带套囊的 ID 6.0 mm 的气管导管，成功率可达 90%，但是按压环状软骨压力使成功率降至 56%。如果需用较大号的导管，可先插入导管交换器或导芯后引导气管导管插入。经喉罩联合纤支镜引导插入气管导管的一次成功率高达90%～100%。

（2）插管型喉罩：插管型喉罩的金属轴可以容纳最粗直径8.5 mm的气管导管插入。经插管型喉罩盲插或在纤支镜指导下进行气管导管插管的成功率分别是96.5%和100%。在其他插管技术失败的情况下，插管型喉罩引导插管是那些颈项强直的病人行急诊或择期手术很有用的工具。

7. 气管导管导引装置（endotracheal introducer）

（1）Eschmann 导引装置：Eschmann 导引装置又称为橡胶弹性探条（gum elastic bougie），已成为辅助插管的首选方法。探条长60 cm，5 mm外径，前端2.5 cm处可弯成35°J形状（图17-23）。对于声门较高及张口受限的病人十分有用。在充分的口鼻咽喉气管黏膜表面麻醉下，将导引管经口或经鼻插至咽腔，在明视（可借助于插管钳）或盲探下置入声门，继续推进直至遇到阻力，提示导引管的前端已抵达隆突或总支气管，刻度约在20～40 cm处（平均31.9 cm±3.7 cm）处，然后将气管导管套入导引管，顺沿导引管用轻柔的手法推进气管导管经声门而入气管，确诊无误后退出导引管，气管内插管即告完成。

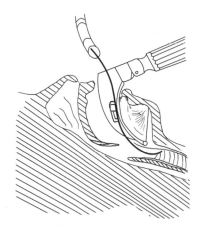

图 17-23 Eschmann 导引装置

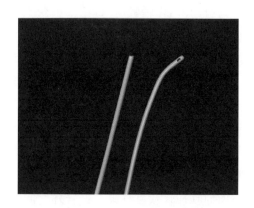

图 17-24 Frova 插管导引装置

（2）Frova 插管导引装置：导管中空，不仅可用于插管还可用作气管导管交换。其末端呈角状，有两个侧孔。包装中有一质地较硬的套管，可以用之连接转换接头后进行机械通气（图17-24）。该装置成人（气管导管内径大于5.5 mm）和小儿（气管导管内径3.0～5.0 mm）尺寸都有。

（3）Aintree 气道转换导管（Aintree intubation catheter，AIC）：为中空的通气/交换探条，允许直接内置纤支镜以便于明视气道，专为转换喉罩，插入气管导管设计（图17-25）。探条内径4.7 mm，56 cm长，有刻度，尖端3 cm允许纤支镜外露，便于纤支镜定位导向。操作中先插入喉罩，再通过喉罩置入内置有纤支镜的AIC，纤支镜定位后推入AIC至声门下，然后拔除纤支镜和喉罩，最后在AIC引导下插入气管导管。

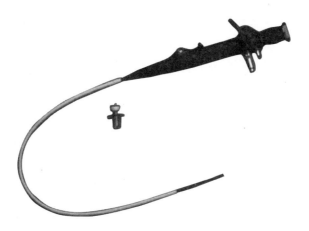

图 17 - 25　Aintree 气道转换导管

（4）可视气管导管（visualized endotracheal tube，VETT）系统：最初设计为将成像和照明纤维整合到标准的气管导管壁，通过光学纤维将导管尖端图像传送至视频监视器，后期发展为将极细的光学纤维束整合到气管导管壁上或整合到插管导芯内，使导芯成为可视探条（图 17 - 26）。由于 VETT 能够在插管过程中通过光纤观察到气道结构，因此处理困难气道十分有用。

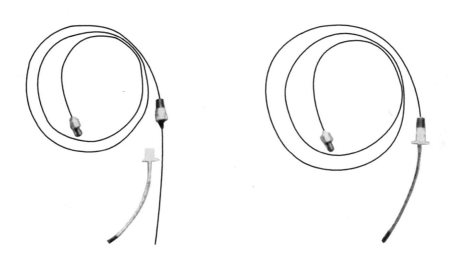

图 17 - 26　可视气管导管系统

光索前端装有灯泡，后端连接电池把柄的导管芯。光索置入气管导管，灯泡突出气管导管开口少许。插管时光索经口向上朝喉头方向进入，麻醉者需观察环甲膜区，当看见局部清楚透光时，光索的前端正位于环甲膜后，推进导管可通过声门。如环甲膜区未见透光斑，管端位置偏离声门，甚至进入食管。在咽喉部结构明显异常、过度肥胖、颈部瘢痕的病人中，光索的使用受到了限制。

8. 盲探气管插管装置　由上海交通大学医学院附属第九人民医院首创,获得中国实用新型专利。该装置针对在气道困难病人中气管导管多易滑入食管的特点,改变以往的插管方法,通过光导、食管引导进入气管的方法来完成插管,对于无法在喉镜下暴露咽喉结构的插管困难病人尤为适合。该技术可经鼻或经口插管,成功率高、并发症少,其成本远低于纤维光导喉镜(400∶1),因而有一定的推广价值。

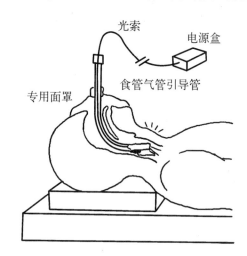

图 17-27　盲探气管插管装置示意图

盲探气管插管装置由食管气管引导管、光索和电源盒三部分组成,插管过程中采用专用面罩可进行加压人工通气(图 17-27)。插管操作步骤:① 将食管气管引导管插入食管至预定深度,管口外闻及最强管状呼吸音时,其管壁上的椭圆形开口正对准声门。② 在食管气管引导管内插入光索,当光索通过椭圆口进入气管时,可见到病人颈前部外面有明亮光斑下移,移至胸骨上凹处即停止插入。③ 拔去食管气管引导管,用光索引导插入所需的气管导管。

目前,因盲探气管插管装置中的光索不能套入内径小于 6.0 mm 的导管,故该技术仅适用于所用气管导管内径大于 6.0 mm 者,不适用于小年龄儿童。患有食管上端炎症、肿瘤、异物或狭窄的病人不能使用盲探气管插管装置。

9. 盲探插管　经鼻或口的盲插技术已很少应用。这种方法无需特殊器械,颇为简便、实用。

(1) 经鼻盲探插管:适用于张口度小、无法置入喉镜的病人。必须保留明显的自主呼吸,依靠导管内呼吸气流的强弱,调整管端位置,缓缓推进导管进入声门。盲探经鼻插管的并发症多为上呼吸道损伤、出血。患有凝血障碍、颅底骨折、鼻部或鼻窦畸形的病人禁用这种方法插管。

(2) 经口盲探插管:经口盲探插管不需要移动头颈部,适用于部分张口困难、颈部活动障碍(颈项强直、颈椎骨折脱位、颈前瘢痕挛缩、颈项短粗等)、喉结过高或下颌退缩的病人。首先需对咽喉部行完善的表面麻醉。经口盲探插管有两种方法:① 导管芯塑形法:插管前用导管芯将气管导管前端弯曲成"鱼钩状",导管插入口腔后,凭借导管内呼吸气流的强弱调整管端位置,引导导管端进入声门。② 指探引导法:操作者站立在病人头部右侧,左手示指沿病人右口角后白齿间伸入口腔抵达舌根,探触会厌上缘,并将会厌拨向舌侧。右手持气管导管插入口腔,在左手示指引导下,将管端对准声门,于病人深吸气时将导管插入声门。

10. 其他方法

(1) 气管切开术:若上述方法均失败,插管又属必需时,可做气管切开术,对于喉头或气管破裂、穿孔、狭窄、移位,喉上气道脓肿等病人,气管切开是气道管理的首选方法。

(2) 微创的气管切开术:目前多主张施行微创的气管切开术,即不切开气管软骨环,仅在上下软骨环之间作横向扩张以置入气管切开导管,这种方法的优点在于损伤小,可避免发生术后气管狭窄,而且颈部瘢痕无凹陷、平整美观。通常选择第二、第三、第三或第四气管软骨环间作为切口。操作步骤:① 用刀切开皮肤,在切口处置入穿刺针深达气管内;② 将钢丝通过穿刺针插入气管;③ 退出穿刺针并留置钢丝;④ 沿钢丝插入扩张器,在气管软骨环间作初步扩张;⑤ 用特制的扩张钳顺着钢丝插入气管软骨环间作进一步的横向扩张;⑥ 沿钢丝引导插入气管切开导管。

(3) 硬质支气管镜:适用于上呼吸道畸形、气管受压的病人,检查气管后,可先置入合适的引导管并超过受压段,退出支气管镜,然后经引导管置入气管导管。

(4) 手术干预:口面颈部烧伤后瘢痕挛缩,可预先切开扩大口裂,横断颈部瘢痕以后,再行常规气管插管。

二、已麻醉病人插管困难的处理

昏迷或已麻醉病人的气道困难而又需气管插管的情况有:① 已昏迷(如创伤后)或已麻醉的病人;② 病人拒绝或不能耐受清醒插管(如小儿、智力障碍者);③ 术前未识别的气管插管困难病人,这是临床最多见的情况。

麻醉诱导后,多数病人由于口咽喉部组织松弛、塌陷而影响气道的通畅,当采用口咽通气道或鼻咽通气道,拉舌头,托下颌等措施后,面罩下大多能保持良好通气。只要面罩通气能有效地进行,前述的用于清醒插管的技术多数都能用于已麻醉病人的气管插管困难,但应注意中断通气的时间不能过长,要保证病人有足够的气体交换。全麻下发生插管困难,应立即汇报上级医师,同时给予恢复自主呼吸、使病人苏醒,并根据情况选择下一步措施。

使用有隔膜的面罩和插管专用的口咽通气道,可以在全麻肌肉松弛下进行纤支镜插管同时又不间断面罩通气和吸入麻醉药(图 17 - 28)。

术前未预知的插管困难病人,经常规全麻下插管屡屡失败,情况相对较急,咽喉部多数有血性分泌物,喉头结构多不清楚,除非有熟手和纤支镜在场,否则应以逆行引导插管技术为宜。病人可继续吸入全麻药,停止使用肌肉松弛药,必

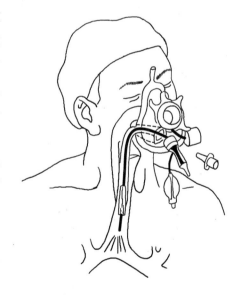

图 17 - 28 应用带隔膜面罩和专用插管的口咽通气道进行纤支镜气管插管

要时可进行拮抗,尽快使呼吸恢复,已有胃胀气者,插入胃管进行减压。病情不稳者,可待病人清醒。

三、面罩不能通气而气管插管困难病人的处理

这类病人的发生率较低,占麻醉总数的 0.01/10 000～2.0/10 000,但情况危急,病死率极高。当采用口咽通气道或鼻咽通气道,牵拉舌头等措施,面罩仍无法通气,气管插管又失败时,可以选用下列快速的方法之一,均不需要寻找声门。

（一）置入喉罩通气

紧急情况下,应用喉罩快速地建立一个开放的气道可纠正低氧血症,反流的发生率就会明显减少。

（二）联合导气管(easophageal tracheal combittube,ETC)

联合导气管是一兼有食管封堵器和常规气管导管特征的一次性双腔导管,具有食管封闭式导气管(EOA)和常规气管内插管的双重功能。ETC 其近端有一个大的口咽乳胶球,远端有一个食管低压套囊,两者之间有 8 个通气孔(图 17-29)。插入气管或食管均可通气。目前已有两个成人尺寸,小儿型号正在研制中。

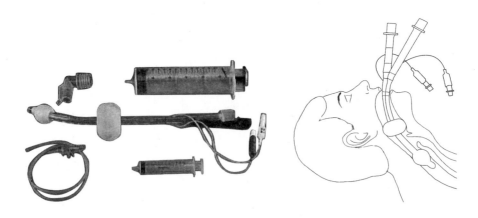

图 17-29 联合导气管(ETC)

病人取后仰位,操作者站在其头端。一手提起下颌骨和舌,将两个套囊的气体抽尽,不用喉镜,将联合导气管经口插入并向下推进到预定位置,导管的环形标志位于牙齿龈脊之间。用大注射器使咽部的大气囊充气至 100 ml,然后用小注射器将远端气囊充气至 10～16 ml。用盲探法插管,导管大多数进入食管。此时大气囊已将口、鼻和食管封闭。气体通过长接头导入食管腔进入咽部,再从咽部越过会厌进入气管。若联合导气管确实位于食管内时,在两肺野可听到呼吸音,而上腹部无呼吸音,即证明有足够的通气。若肺野无呼吸音而上腹部可听到气流声音,则说明联合导气管已插入气管内,这时应将手控呼吸囊接到导入气管腔的短接头上,再听诊检查加以证实。

ECT 优点有：① 操作简便、迅速，不需特殊器械。② 不受不利环境因素或操作经验不足的影响。③ 避免直接喉镜插管时的机械损伤和应激反应。④ 口咽部气囊及远端气囊能防止口、胃内容物的误吸。如果口腔和鼻腔不能充分封闭，口咽气囊可以再增加充气50 ml。有报道对 7 例 ICU 病人用联合导气管行机械通气 2～8 h，通气效果满意。无论择期或急诊，无论住院还是院外环境，该装置均可使用。用于无法直视声带、气道出血或食管反流较多，气道进入困难以及颈部活动受限的病人。应用 ECT 的适应证：① 气管插管和面罩通气均发生困难的病人；② 医院前急救，但急救人员对气管插管技术不熟悉时；③ 无直接喉镜但需紧急控制气道。禁忌证：① 声门上气道梗阻（肿瘤或异物）；② 食管损伤或疾患；③ 张口困难；④ 咽喉部损伤。此外，联合导气管位于食管内时，正压通气压力过高也可使大量气体入胃而造成反流、误吸。

（三）经气管喷射通气（TTJV）

在危急的情况下，对气道困难的病人所采用的紧急运气方法，能快速短暂供氧，为进一步抢救提供宝贵的时间。此方法属创伤性，并发症较多，故不宜用作常规处理，仅在紧急情况且其他方法无效时采用。

采用大口径静脉套管针（如 G14 号），经环甲膜穿刺，针体与病人成 30°角，针尖指向病人足部，入气管抽到空气后，退出针芯，然后连接高频喷射呼吸机行高频喷射通气，听诊两肺野，闻及清晰呼吸音则表明通气效果确实。同时，必须证实胸廓起伏及呼气通过声门逸出。注意常规呼吸机或手控呼吸囊的通气作用不大。因套管针的内径仅 1.5 mm，需要近3 kg/cm²（300 kPa）的高压氧源克服阻力才能奏效。如无高频

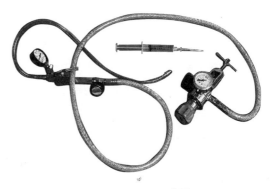

图 17 - 30　TTJV 装置

喷射呼吸机，可以利用常规麻醉机上的共同开口管道，经 3 mm 的接头与套管针联接，间断按压快速充氧按钮，进行喷射通气。已有 TTJV 的商品套件可供使用（图 17 - 30）。

应用 TTJV 的适应证：① 气管插管和面罩通气均发生困难的病人；② 张口困难但需紧急控制气道；③ 严重颌面部外伤影响气道者；④ 严重上气道梗阻，采用其他方法失败时。禁忌证：① 完全性上气道梗阻（可能引起严重气压伤）；② 环甲膜无法定位。

并发症主要有：① 二氧化碳蓄积；② 皮下气肿；③ 纵隔气肿；④ 气胸；⑤ 刺入食管、出血、血肿。选择性使用 TTJV 的严重并发症的发生率相对较低，仅限于皮下气肿和纵隔气肿，在 2%～10%。当紧急应用 TTJV 时，并发症较多。Smith 等报道的 28 例紧急 TTJV 病人，并发症发生率高达 29%，其中皮下气肿 7.1%，纵隔气肿 3.6%，呼气困难 14.3%，动

脉穿孔 3.6％,但无 1 例死亡。TTJV 时必须检查胸廓胀缩时的呼吸音。当气道完全梗阻时,气体不能从肺排出,气胸的危险性大大增加。此外,吸入气的湿化问题尚未解决。

（四）环甲膜切开

比气管切开更为简便、迅速,并且并发症少(图 17‐31)。对于 12 岁以下的小儿,由于术后声门下狭窄的发生率较高,故不宜使用。已有多种经皮穿刺环甲膜,再扩张后置入导管的成套器械上市,可供选用(图 17‐32)。

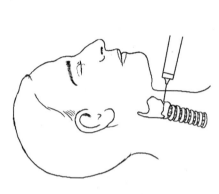

图 17‐31　环甲膜切开

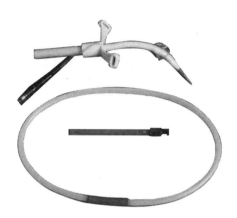

图 17‐32　环甲膜切开装置

应用环甲膜切开的适应证:① 颌面、头颈部外伤,不能采用其他方法开放气道者;② 气管插管和面罩通气均发生困难的病人,采用其他方法失败时;③ 张口困难(也不能经鼻插管或失败);④ 严重上气道梗阻。禁忌证:① 环甲膜解剖标志不清楚,无法定位;② 喉部损伤或骨折;③ 喉部狭窄、肿瘤或感染。

（五）气管切开

可作为应急处理的方法。对于气管处理困难的病人,上述方法均告失败,仍无法有效实施通气者,则需作紧急气管切开,以挽救病人的生命。

四、气管内导管误入食管的识别与防止

处理气道困难时,气管导管误入食管时有发生,应及时纠正。临床上常用的一些简便识别和判断方法如下。

1. 显露声门　喉镜直视下显露声门后进行气管插管,可以看见导管通过声门进入气管。这是判断气管导管进入气管的最为确切的指标。若只看到病人的会厌顶端,而不能窥见声门时插管,气管导管误入食管的机会高达 50％。

2. 肺部呼吸音　听诊肺尖和腋中线呼吸音的听诊,是证实导管在气管内的可靠依据。但是,有些呼吸音很低的病人误插食管后,麻醉者听诊时常会为呼吸音的判断产生困惑。有时,误入食管也会产生类似于"正常"的呼吸音。

3. 胸廓运动　通常情况下,当导管在气管内作正压通气时,可见双侧胸廓均匀上抬。但若病人过度肥胖、桶状胸、肺顺应性降低、胸廓畸形等情况,则难以判断。插管误入食管有时也会产生类似肺通气样的胸壁运动。

4. 导管内水汽凝结　观察呼气时导管内水汽凝结现象。水汽凝结阳性,不能绝对排除食管误插。阴性当引起重视,须寻找判定导管位置的进一步佐证。

5. 脉搏氧饱和度(SpO_2)　因 SpO_2 的变化较慢,不能作为及时判断导管位置的指标。

6. 呼气末二氧化碳压力测定($P_{ET}CO_2$)是判断导管位置最为可靠有效的方法。

第四节　喉罩在气道困难处理中的若干问题

喉罩在气道困难处理中的重要作用主要基于以下几点:① 引起面罩通气困难和直接喉镜下气管插管困难的解剖因素和技术因素一般不会影响喉罩的插入和功能,因此当面罩通气和直接喉镜下气管插管失败时常能成功地插入喉罩;② 喉罩具有通气装置和引导气管插管的双重功能;③ 喉罩引导气管插管的过程不妨碍病人的通气;④ 喉罩插入对病人损伤较小,不会降低后续采用的其他技术的成功率。喉罩已被 ASA 困难气道课题组列为困难气道处理操作的首选方法。

Mallampati 评分和 Cormack Lehance 评分与喉罩插入成功率之间无明相关关系。面部烧伤和瘢痕、颊部皮瓣、先天畸形和肿瘤均可引起气道困难,但不影响喉罩的插入和正确到位,因为可采用喉罩进行气道管理。小下颌不会影响喉罩的插入和正确到位。张口受限病人应具有一定的开口度,以允许喉罩的插入。成人开口度<2 cm 时插入常规喉罩有一定的困难,<1.2 cm 时无法插入。开口度<2.5 cm 时插入插管型喉罩有一定的困难,<2.0 cm 时无法插入。喉罩可用于各种声门上病变的气道管理,只要病变不妨碍喉罩的插入和到位,如悬雍颚咽整型术后出血、创伤后出血、Burkitt 淋巴瘤、腭裂、会厌上囊肿、甲状舌骨囊肿术后出血、脓性颌下腺炎、腺样体增生、巨舌症、口腔脓肿、扁桃体周围脓肿、放疗后、颌下脓肿、甲状软骨肥大、舌部肿瘤、扁桃体肥大等。应注意,喉罩插入可能加重病变引起的气道困难。咽部纤维化和扁桃体肥大病人中喉罩通气和插管的成功率明显下降。声门部位病变主要包括环杓关节炎、喉头移位、喉水肿、假声肥厚、血肿、喉气管食管裂、喉乳头状瘤、喉息肉、喉狭窄、喉肿瘤和喉蹼等。虽然喉罩不能解决上述的病变,但插入喉罩却能防止病情加重,并便于进行纤支镜的检查。声门下病变有气管狭窄、气管软化等。虽然喉罩不能解决声门下病变,但插入喉罩却能防止病情加重,并便于进行纤支镜的检查。颈部病变有瘢痕收缩、甲状腺肿块压迫等。根据病变部位和严重度对喉罩的插入和功能有不利影响。

业已证明,在预计气道困难病人中喉罩用作通气装置用作引导插管的成功率与正常气道病人没有区别。在经典喉罩下,纤支镜引导插管的成功率明显高于盲探插管。在插管型喉罩下,光索引导插管的成功率明显高于盲探插管。预计气道困难病人中喉罩用作通气装置的失败率约在2%,用作引导插管的失败率约在6%。鉴于麻醉诱导后插入喉罩的高成功率,通常气道困难病人采用麻醉诱导后再插入喉罩的技术。但是,存在胸颏间距受限、开口受限、口咽部病变、声门或声门下病变可能妨碍喉罩插入和通气功能的情况时,仍宜考虑清醒插管技术。Mallampati评分和Cormack Lehance评分不能预测喉罩插入和通气是否困难,因此高的Mallampati评分和Cormack Lehance评分不是喉罩的禁忌证。

第五节 气道困难病人的拔管方法

原有气道困难的病人,拔管后一旦出现呼吸道梗阻,处理甚为困难。故应严格掌握拔管指征。拔管指征:① 病人应完全清醒,呼之能应。② 咽喉反射、吞咽咳嗽反射已完全恢复。③ 潮气量和每分钟通气量恢复正常。④ 必要时,让病人呼吸空气20 min后,测定血气指标达正常值。⑤ 估计拔管后无引起呼吸道梗阻的因素存在。

理想的拔管方法应当是逐步、渐进和可控的,在任何时候都可以恢复对气道的控制。经喷射导芯拔管方法接近于这种理想方法。拔管前,吸尽口、咽内分泌物,尽可能置入胃管吸引,以防拔管后呕吐引起误吸。然后吸纯氧5 min,经气管内置入喷射导芯(可用空心的弹性橡胶引导管代替),深吸气后气囊放气,然后拔出气管导管,而喷射导芯仍留在气管内。自主呼吸下经喷射导芯吸氧,一旦病人出现呼吸困难即可经喷射导芯进行高频喷射通气,或再次经喷射导芯引导插入气管导管。

纤支镜也可用作"喷射导芯"。先将纤支镜置入,将气管导管退至镜杆后段,而纤支镜仍留在气管内。这样,经纤支镜的吸引孔可进行吸引、吸氧或喷射通气,也可观察整个气道的情况。必要时,可以重新置入气管导管。

(陈锡明)

参 考 文 献

1 庄心良,曾因明,陈伯銮,等主编.现代麻醉学.第3版.北京:人民卫生出版社,2004.

2 杭燕南,庄心良,蒋豪,等主编.当代麻醉学.第1版.上海:上海科学技术出版社,2001:632~647.

3 尤新民,韩玲,赵璇,等.气管插管型喉罩通气在困难气管插管中的应用.中华麻醉学杂志.2003,23(12):930~931.

4 耿清胜,朱也森.上气道CT三维重建图像评估困难气道的可行性研究.中国口腔颌面外科杂志,2006,4(5):352~355.

5 姜虹,朱也森,张志愿.围术期气道困难的识别与处理.上海口腔医学,2003,12(2):147~160.

6 姜虹,朱也森.气管插管困难综合预测系统的建立.中国口腔颌面外科杂志,2004,2(2):73~76.

7 王英伟,赵璇,沈赛娥,等. 择期颈椎手术病人困难气道的研究. 临床麻醉学杂志,2007,23(3):193~195.

8 易杰,罗爱伦,黄宇光.Bonfils 纤维喉镜用于困难气道病人插管的效果. 中华麻醉学杂志,2007,27(2):123~125.

9 朱也森,姜虹.BTⅡ光导食管引导插管用于插管困难病人的评价. 口腔颌面外科杂志,2000,10(4):295~298.

10 Arya VK, Dutta A, Chari P, et al. Difficult retrograde endotracheal intubation: the utility of a pharyngeal loop. Anesth Analg,2002,94(2):470~473.

11 Harvey K, Davies R, Evans A. A comparison of the use of Trachlight and Eschmann multiple-use introducer in simulated difficult intubation. Eur J Anaesthesiol, 2007, 24(1):76~81.

12 Helm M, Gries A, Mutzbauer T. Surgical approach in difficult airway management. Best Pract Res Clin Anaesthesiol, 2005, 19(4):623~640.

13 Krafft P, Schebesta K. Alternative management techniques for the difficult airway: esophageal-tracheal combitube. Curr Opin Anaesthesiol, 2004, 17(6):499~504.

14 Langeron O, Amour J, Vivien B, et al. Clinical review: management of difficult airways. Crit Care, 2006, 10(6):243.

15 Maharaj CH, McDonnell JG, Harte BH, et al. A comparison of direct and indirect laryngoscopes and the ILMA in novice users: a manikin study. Anaesthesia, 2007, 62(11):1161~1166.

16 Nishiyama T, Matsukawa T, Hanaoka K. Optimal length and angle of a new lightwand device (Trachlight). J Clin Anesth 1999,11:332~335. 21.

17 Orebaugh SL. Atlas of Airway Management: Techniques and Tools. Lippincott Williams & Wilkins,2007.

18 Peral D, Porcar E, Bellver J, et al. Glidescope video laryngoscope is useful in exchanging endotracheal tubes. Anesth Analg. 2006, 103(4):1043~1044.

19 Smally A. The esophageal-tracheal double-lumen airway: rescue for the difficult airway. AANA J, 2007, 75(2):129~164.

20 Sprung J, Wright LC, Dilger J. Use of WuScope for exchange of endotracheal tube in a patient with difficult airway. Laryngoscope, 2003, 116(6):1082~1084.

21 Rosenblatt,W. Decision Making in Airway Management. ASA annual meeting,2004:217.

第18章 纤维支气管镜在气道管理中的应用

纤维支气管镜在气道管理中的应用主要包括：建立有效气道；对创伤病人检查有无气道损伤；对咯血病人检查出血的部位及局部止血；对气道分泌物蓄积堵塞管腔的清除；对下呼吸道感染提供病原学诊断方法等。

第一节 纤维支气管镜辅助下的人工气道建立

纤维支气管镜引导气管插管技术已经成为气道管理中一个全新的领域，它不仅对困难气道病人施行安全的气管插管，而且可以评估气道，现已经应用于临床麻醉和重症监护室的各个方面。纤维支气管镜引导气管插管应当是困难气管插管的第一选择，而不是常规技术失败后的最后手段。此外，纤维支气管镜辅助经皮扩张气管套管导入术也是常用方法。

一、成人清醒纤维支气管镜引导气管插管技术

（一）清醒经鼻纤维支气管镜引导气管插管

1. 一般常规　病人在合适的体位下，开始心电图、脉搏、氧饱和度和血压的监护；开放静脉，给予术前镇静药物，通常咪达唑仑（咪唑安定）单次用量 0.5～1 mg，可根据情况调整剂量直至病人呈放松状态但仍能配合睁眼，活动上臂，配合言语交流。给予镇静药物后须面罩给予充足氧供。

2. 鼻腔和口咽部的局部麻醉　病人保持坐位或仰卧位，把浸润局麻药的纱条填充入两侧鼻孔。然后口底滴入利多卡因凝胶 4～6 ml，嘱病人含漱在口咽部回荡。大约 1 min 后，轻柔置入吸引导管至咽后壁，吸出多余的胶体并同时评价呕吐反射是否减弱。如果需要可再滴入 2～4 ml 凝胶。

3. 实施经喉注射麻醉（环甲膜穿刺）　病人仰卧，头后伸位以确定环甲膜位置。无菌准备后，用 1% 利多卡因浸润皮肤及皮下组织。持 22 号套管针（后连接 5 ml 针筒装有 2% 利多卡因 2 ml）刺入环甲膜，向后、尾部方向推送，用空气抽吸实验来验证穿刺针位置是否已

进入气管内。一旦证实穿刺针前端位于气管内,再向前推送外套管同时拔除穿刺针和针筒。外套管上重新连接针筒进行空气抽吸试验,确定外套管的正确位置。正常呼气末注射,但要预先告诫病人可能引起呛咳。

4. 置镜前的最后检查　从鼻腔取出纱条后,嘱病人仰卧位或半坐位。可直接观察或用纤维支气管镜选择最佳的一侧鼻孔置镜。用吸引导管通过鼻孔持续供氧。再次确定吸引管路与纤维支气管镜连接及硬膜外导管的位置。把已浸泡在温热消毒水中数分钟的气管导管取出,检验套囊是否漏气,移去接头套入纤维支气管镜杆上。确定病人目前的状态是舒适合作的,如果需要置镜前可追加镇静药物。

5. 经鼻腔置入纤维支气管镜　开始鼻腔置镜,确定下鼻甲位置,纤维支气管镜的前端向下沿鼻底部送入,推进纤维支气管镜并保持前端于视野空间中央。出后鼻孔进入口咽部时,嘱病人深呼吸或伸舌以打开视野空间。纤维支气管镜的前端尽可能地接近会厌,此时助手从硬膜外导管中喷洒利多卡因并确定在喷入局麻药时负压吸引通路是关闭的,喷注后至少30 s方可接通吸引管路。喷注的局麻药会引起病人呛咳,此时视野暂时会受影响,纤维支气管镜的前端沿会厌下方进入,看到声门后可直接对声门喷射利多卡因,可能需要两次到三次喷射直到声带运动减弱(图18-1)。推送纤维支气管镜进入声门时,如果控制在吸气相时进入较理想。见到气管环后,朝着气管隆突的方向继续推进,小心镜面不要碰到气管壁以免影响视野,再次喷射局麻药以麻醉气管壁和气管隆突,这时经鼻腔放置纤维支气管镜完成(图18-2)。

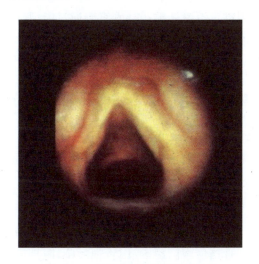

图18-1　纤维支气管镜下所见声门

图18-2　纤维支气管镜下所见气管壁和气管隆突

6. 引导插入气管导管　这是病人在整个纤维支气管镜引导气管插管操作过程中感到最不舒服的环节,所以在插管开始前根据病人情况可追加镇静药物。涂抹润滑胶于导管与鼻孔的接口处,不要涂抹整根导管以避免太滑影响操作。通常要告诫病人在导管进入时可能的不适感。从鼻咽部沿纤维支气管镜杆轻柔推送气管导管,在进入声门前导管逆时针旋转 90°可避免导管的前端顶在声带或构状软骨上。

7. 确定气管导管的位置　应用纤维支气管镜可窥视到气管环及气管隆突,通常退出纤维支气管镜时可同时确定导管的位置。还可以连接气管导管与呼吸机,通过呼吸囊随自主呼吸相应的运动和二氧化碳监测仪上呼吸波形的显示再次确定。完成后给予肌松剂及诱导药物。

注意:由于鼻腔间隙较小,细柔的纤维支气管镜不易移位,此途径成功率较高,尤其对初学者更容易掌握,但插管时需注意动作轻柔,避免损伤鼻腔黏膜。

(二) 清醒经口腔纤维支气管镜引导气管插管

清醒经口腔纤维支气管镜引导气管插管的实施方法大致与经鼻腔的纤维支气管镜引导气管插管相同。实际操作起来比经鼻腔插管操作更困难。不同之处及注意事项如下。

1. 经口腔放置纤维支气管镜　经口腔纤维支气管镜引导气管插管时,因镜杆较软常常偏离中线,不易掌握,需应用气管插管专用通气道或由助手用直接喉镜推开舌根,将镜杆放置于正中线。用利多卡因凝胶涂抹在通气道的表面,缓慢放置通气道至口底。在开始前进行轻柔的吸引。然后穿过通气道推进纤维支气管镜。当纤维支气管镜的前端超出了通气道时即进入口腔。看见会厌,继续推进,直到前端通过声门进入气管。如果经气管阻滞不充分,可以选择 SAYGO 技术辅助完成。

2. 引导插入气管导管　轻柔地通过通气道插入气管导管。手指边旋转导管边前进(不要在导管外周或手指上涂抹润滑油,否则旋转会困难),沿镜杆推送导管直到通过声门进入气道。当导管的前端到达隆突上 2～3 cm 处时,退出纤维支气管镜和专用通气道。确定导管的位置,给予肌松剂及诱导药物。

二、成人全身麻醉下纤维支气管镜引导气管插管技术

(一) 经口纤维支气管镜引导气管插管(通气道辅助)

(1) 麻醉诱导或使用镇静剂,并持续维持通气。

(2) 将 Berman 通气道放入病人的口腔内。

(3) 通过通气道的引导,将准备好的纤维支气管镜插入喉腔。

(4) 一边从显示器观察插入部镜体的进度,一边调节插入部镜体尾端的屈曲,寻找组成喉头的部分,会厌是最重要的标志。当出现会厌下垂挡住声门裂,或因舌根后坠,阻挡插入部镜体的进程时,需用舌钳将病人的舌体头部轻轻拉出或请助手协助托起下颌,使口咽部留有一定空隙,必要时吸引口咽部,在继续插入纤维支气管镜后,即可清晰地看见会厌和声门裂。

(5) 用会厌作标志,利用插入部镜体顶端的屈曲功能,将插入部镜体对准声门裂中央,

插入气管,能够看到气管环,则证实插入部镜体已经进入气管。

(6) 插入部镜体进入气管以后,应该继续推进,直到看到隆突(carina)和左右支气管开口,然后将插入部镜体从裂缝中脱离通气道。

(7) 脱离通气道后,将气管导管沿逆时针方向旋转 90°,使尖端对着声门正前方,以插入部镜体为引导,插入气管导管。

(8) 退出纤维支气管镜,退时一定要见到隆突后再退出。

(9) 调整气管导管深度,经听诊及呼气末二氧化碳波形确定位于气管内后固定。

(二) 经鼻纤维支气管镜引导气管插管的步骤

(1) 麻醉诱导或使用镇静剂,并持续维持通气。

(2) 双侧鼻腔分别点滴麻黄素等血管收缩药。

(3) 分别经纤维支气管镜观察双侧鼻孔的解剖情况,选择较宽的一侧鼻孔通道行气管插管。

(4) 沿着所选的一侧鼻孔通道插入纤维支气管镜,依次可见鼻中隔、软腭,此时软腭与咽喉壁组织相贴,此时请助手帮助抬高下颌,可清晰地见到咽喉部及声门。

(5) 余后操作同经口插管方法。

三、喉罩辅助纤维支气管镜引导气管插管

(一) 标准型喉罩辅助经口纤维支气管镜引导气管插管

1. 插入标准 LMA 操作步骤　插入前常规检查罩体的密闭性。Brain 等建议把罩体倒扣在桌面上,按压罩体,用注射器抽尽罩内气体,保持罩体边缘平整,不可出现皱折,以免在插入过程中损伤口咽部黏膜,用不含硅的润滑剂充分润滑罩体背面和纤维支气管镜体,利多卡因凝胶使保护性咽喉反射恢复延迟,所以不推荐应用。但临床使用时罩体保持 1/3 充气状态,可降低罩体前端扭曲或错位的几率。

病人取平卧位,头轻度后仰,静脉麻醉诱导或气道黏膜充分表面麻醉后,操作者用左手拇指和示指拨开病人口裂,右手拇指和示指、中指以执笔式握住 LMA 通气管下端,罩口朝向下颌,左手推动病人枕部,使头后仰,将 LMA 置入病人的口腔内,右手示指或中指沿口咽部解剖弯曲紧贴咽后壁缓慢向下滑动进入下咽部,遇阻力后停下,对套囊充气。根据推荐容量对套囊注气,使囊内压力小于 5.9 kPa(60 cm H_2O)。如果 LMA 正确到位,注入最大推荐注气量的一半就可维持良好的气密性。

连接麻醉机行手控呼吸,观察胸廓起伏和气道通畅情况。挤压贮气囊时,通气阻力小,胸廓起伏良好,听诊双肺呼吸音清晰而对称,表明罩体位置正确;弱阻力较大,颈前区听诊有漏气音,提示罩体错位,须调整位置或拔出重新置入。若阻力较大,提示罩体错位,可采用 Chandy 手法,在矢状面轻柔地上下摇晃操作手柄,调整罩体位置,直到挤压贮气囊的通

气阻力变小。此手法有助于罩体中央的通气孔对准声门。如果阻力依然很大,须拔出 ILMA 重新置入。

2. 经口纤维支气管镜引导气管插管　固定标准型 LMA 后,将纤维支气管镜插入通气管,观察会厌和声门。镜下见声门位于罩口两侧栅栏之间,为罩体正位,有时可见部分或全部会厌。若镜下只见会厌,可调整罩体位置。镜端通过声门后,从镜侧活检孔插入引导丝,直视下把引导丝送至气管隆突上 2～3 cm。退镜后,抽出 LMA 套囊气体,沿引导丝拔出 LMA,沿转换器插入气管导管。另一种方法是在纤维支气管镜旁,与镜体平行送入导管转换器,直视下把转换器插入声门,送至气管隆突上 2～3 cm。退镜并拔出 LMA 后,沿转换器插入气管导管。

3. 经鼻纤维支气管镜引导气管插管　方法有以下两种,第一种是用麻黄碱收缩鼻黏膜血管后,常规润滑纤维支气管镜体,把气管导管套在镜体上,经鼻腔进至咽部,见罩体前端,抽出套囊气体,退出 LMA,镜端通过声门后,把气管导管送至气管隆突上 2～3 cm。第二种方法,准备工作同上,将 18 Fr Foley 导管的管端经一侧鼻孔插入到咽部,直视下用血管钳将管端钳夹出口腔外;经 LMA 通气导管插入纤维支气管镜,在镜侧与镜体平行送入导管转换器,直视下把转换器插入声门。退镜后,在口腔外连接导管转换器和 Foley 导管管端,牵拉 Foley 导管,把导管转换器带出鼻腔外,将气管导管套在导管转换器外,以导管转换器作支架,将气管导管插入气管内。用注射器充胀导管气囊后,进行纤维支气管镜观察和调整管端位置。

(二) 插管型喉罩辅助纤维支气管镜经口引导气管插管

1. 插入 ILMA。

2. 纤维支气管镜引导气管插管步骤。

插管前,选择恰当型号的特制加强型气管导管,润滑导管外壁,特别是套囊部位。检查纤维支气管镜的光源,导管内径应大于镜体外径 2.0 mm 以上,调节好焦距,润滑镜体,取下气管导管的 15 mm 接头,把导管套在镜体上,镜端位于导管内。如果气管导管没有推开会厌提升板,纤维支气管镜只能从栅栏侧方通过,否则镜端会被栅栏磨损。

常规润滑 ILMA 通气管内壁。将气管导管沿通气管内腔缓慢向下推送至刻度为 15 cm 时,镜下可见管端接近会厌提升板以及会厌。导管继续推进 1.5 cm,至刻度为 16.5 cm 时,可见声门。在纤维支气管镜直视下把气管插过声门,并推送至气管隆突上 2 cm 左右,退出纤维支气管镜。气管导管套囊充气后,抽出 ILMA 套囊气体,以退喉罩硅胶管芯协助退出 ILMA。安装导管接头,连接麻醉机进行手控呼吸,观察胸廓起伏,听诊双肺,连接呼气末二氧化碳监测,确认导管位于气管内。放置牙垫,妥善固定气管导管。

(三) Cookgas 插管型喉(CILA)罩辅助纤维支气管镜引导气管插管

1. 插入 CILA　根据病人的体重选择相应型号的 CILA、气管导管以及相匹配的退喉罩管芯,用注射器抽出套囊内的残余气体。使用前常规检查 CILA 的密闭性,并应用润滑剂充分润滑罩体背面。检查纤维支气管镜的光源,调节好焦距,常规润滑 CILA 外壁、套囊和纤维支气管镜镜体。

CILA 的插入操作与标准型 LMA 相似。

2. 纤维支气管镜引导气管插管 在置入 CILA 后,用纤维支气管镜观察声门和会厌的情况。从辅助通气孔下方的罩体通气孔入镜,可见会厌,罩体完全包绕在声门外周,声门结构显露清晰,即为 CILA 正确到位。镜下见声门及部分或全部会厌时,可不必改变罩体位置,待插管操作时再调整镜端角度。镜下只见会厌时,应调整罩体位置,若调整后位置仍不理想,应退出 CILA 重新置入。

CILA 罩体位置合适后,操作者用左手的示指和拇指固定 CILA,取下接头,润滑 CILA 通气管内壁。由助手在病人的头侧负责 CILA 的固定,协助推送气管导管以及连接麻醉呼吸机等操作。操作者在手术床左侧,面向病人,取下气管导管 15 mm 接头,将导管套在纤维支气管镜镜体的根部,把镜端插入 CILA 通气管,经过罩口,通过调整镜端的角度寻找声门,将镜端轻柔地插入声门裂,缓慢推送至气管中下 1/3 部位,距离隆突 2~3 cm,由助手将气管导管轻柔地沿镜体经 CILA 插入气管内,气管导管插至合适深度后,退出纤维支气管镜。气管插管操作完成后,连接麻醉机进行手控呼吸,观察胸廓起伏,听诊双肺,连接呼气末 CO_2 监测仪确认气管插管成功后,取下气管导管的接头,用退喉罩管芯协助退出 CILA。

四、纤维支气管镜辅助气管导管更换

气管导管常因堵塞、套囊破裂或型号过细需要更换,或因为病人对长时间的口插管不耐受需要更换成鼻插管,在纤维支气管镜辅助下进行,既可以观察到原气管导管及气道内的情况,又可在最短时间内重新建立人工气道,尤其适用于危重及插管困难病人。

(一)纤维支气管镜辅助经口气管插管更换成经鼻气管插管

1. 术前准备 ① 术前 15 min 用 2% 利多卡因行鼻黏膜表面麻醉,并用 3% 麻黄碱滴入鼻腔或浸在棉片中植入鼻道,使鼻甲黏膜血管收缩;② 根据病人鼻腔情况选择气管导管型号;③ 将呼吸机吸入氧气浓度提高到 80% 以上。

2. 手术过程 病人平卧位,检查鼻腔通气程度,选择鼻腔较大一侧为插管径路。在纤维支气管镜及气管导管前半部分的外壁表面涂抹润滑油。取下拟更换成经鼻气管内插管导管的 15 mm 接头,将导管套在纤维支气管镜上。助手将病人下颌向前下方托起。操作者在纤维支气管镜直视下,将镜端从鼻咽部插入喉区,窥见会厌和声门。国人平均气管内径为 15.2 mm±1.9 mm,因此镜体外径为 4 mm 左右的纤维支气管镜可以在气管导管旁轻易通过声门进入气管内。助手抽出原导管套囊的气体,操作者继续入镜,从原导管套囊旁经过,可见到气管隆突。助手迅速拔出原气管导管,操作者将更换的气管导管沿纤维支气管缓缓向前推进,当管端确定通过声门后,即可退出纤维支气管镜。另一种方法是先将拟更换的气管导管前端垂直经鼻前孔插入鼻腔,使导管沿鼻底部出鼻后孔至咽部,然后经该导管入镜。其后步骤同上。

（二）纤维支气管镜辅助更换经口气管插管

1. 使用导管转换器(tube exchanger)可更换经口气管导管 操作步骤与把双腔管更换成单腔气管导管相同,但导管转换器有可能置入原气管导管端的侧孔,造成气道黏膜损伤,严重者可导致气管、支气管破裂;或导管转换器在咽后壁扭曲,原气管导管拔出后,新的气管导管可经转换器误入食管。而用纤维支气管镜辅助更换经口气管插管则可降低上述并发症的发生。

2. 操作步骤 病人平卧位,常规润滑纤维支气管镜端和拟更换导管的管端。用2%利多卡因行口咽黏膜表面麻醉。将拟更换的气管导管套在纤维支气管镜上。操作者将纤维支气管镜经口插入喉区,窥见声门,将镜端从原先经口插入的气管导管旁置入声门裂。助手抽出先前插入的气管导管套囊内的气体。操作者将纤维支气管镜从该气管导管套囊旁继续推进,可见到气管隆突。助手迅速拔出原先插入的气管导管,操作者沿纤维支气管镜将拟更换的气管导管缓缓向前推进,确定管端通过声门裂,位于气管隆突上2 cm后,即可退出纤维支气管镜并对套囊充气。

（三）纤维支气管镜辅助更换气管造口术套管

对气管造口术后7 d之内窦道未形成时需更换气管套管者,常规润滑纤维支气管镜端和气管套管端。充分吸氧去氮并用2%利多卡因行作气道黏膜表面麻醉后,将拟更换的气管套管套在纤维支气管镜上。拔出原气管套管,经气管造瘘口插入纤维支气管镜,直视下将更换的气管套管导入气管内。

五、纤维支气管镜辅助经皮扩张气管套管导入术

气管切开术是抢救 ICU 危重病人的常用操作,手术方法包括传统的气管切开术和经皮扩张气管套管导入术(percutaneous dilational tracheostomy, PDT)。PDT 适应证与传统择期气管切开术基本一致,由于在 ICU 应用操作时间短,切口小,所需设备简易,拔除气管套管后切口愈合快,皮肤瘢痕小。因此,在欧美地区的 ICU 应用 PDT 比较普及。但是在进行 PDT 操作时,气管套管误插入气管前间隙、气管前壁扩张不充分、已插入的气管导管管端阻碍套管插入、导丝置入已插入的气管导管管端的侧孔内,均可导致气管套管置入困难。如果在穿刺过程中使用纤维支气管镜辅助操作,可降低并发症的发生率,提高操作的成功率和安全性。

PDT 操作前需常规准备气管切开手术包。病人仰卧,垫高肩部,头颈部处于正中位。已作气管内插管行机械通气者,穿刺前将气管导管退出少许,但管端不可退出声门;无误吸

反流风险者可插入 LMA 后,拔出气管导管。纤维支气管镜端涂抹润滑剂。用 2% 利多卡因在第 1、2 或 2、3 气管软骨环间隙正中皮肤局麻后,做 5 mm 横行切口,经切口用穿刺套管针进行穿刺,经口、鼻或人工气道插入纤维支气管镜,确认穿刺针进入气管内,在气管内注入 2% 利多卡因防止病人呛咳,在纤维支气管镜直视下,经穿刺套管针置入导丝,确认导丝进入气管,退出穿刺套管针。扩张气管前组织及气管前壁,沿导丝将气管套管送入气管内。纤维支气管镜下确认套管进入气管后,退出导丝。将气管套管的套囊充气,固定气管套管后,经套管插入纤维支气管镜观察管端位置和气道情况,必要时在镜下清除气道内分泌物。证实气道通畅后,可拔出气管导管。如果 PDT 失败,应改行传统的气管切开术。

第二节　纤维支气管镜在 ICU 中的应用

一、纤维支气管镜直视下清除气道内分泌物

多种因素可导致 ICU 病人发生肺不张,纤维支气管镜下治疗肺不张能直接窥视各肺叶或肺段支气管的情况,观察阻塞的部位和性质,直接进行准确有效地吸引或钳取阻塞物,创伤性小、针对性强,能有效替代病人受损的自主气道排痰功能,并可以进行支气管灌洗,使气道保持通畅,肺泡-动脉氧分压梯度降低,改善肺通气功能,缩短治疗周期。

操作步骤:床边持续监测脉搏、血氧饱和度、心电图和血压。保留自主呼吸者于操作前 15 min 鼻咽部 2% 利多卡因喷雾局麻,并用麻黄碱滴鼻液收缩鼻甲,用面罩吸入纯氧充分去氮后,鼻导管高流量吸氧或高频喷射给氧,并备好喉镜、气管导管、人工呼吸气囊和心肺复苏的抢救药物。机械通气状态者,吸氧浓度提高到 80% 以上,气管导管连接 Swivel 聚氯乙烯 Y 形接头。根据气管导管内径选择纤维支气管镜外径的型号,气管导管内径应大于镜体外径 2.0 mm 以上。开启冷光源调节光源亮度,调节纤维支气管镜屈光环以调整视野清晰度,操作者位于病人头端,助手位于病人右侧。连接负压吸引装置,根据病人情况调节适当的吸力。用无菌巾盖住病人眼睛,以减少病人恐惧。经口咽、鼻腔或人工气道滴入 2% 利多卡因 4 ml 局部麻醉,用无菌润滑剂涂抹镜体前端,将纤维支气管镜插入气道内,吸除气管、支气管及各肺段内的分泌物。如会厌、声门反射活跃或咳嗽反射强烈,可经镜侧活检孔注入 2% 利多卡因 2~3 ml。对于表面比较湿软的痰痂可用镜体前端或活检钳轻推痰痂使之松动,然后将镜头对准其液性部分吸引,使痰痂与镜头紧贴,缓慢退出纤维支气管镜,将痰痂带出。如痰痂、血块质地较硬并堵塞气道,可借助活检钳夹紧并牵拉痰痂或血块,把活检钳与纤维支气管镜同步退出。堵塞物无法抽吸干净者可用生理盐水作支气管肺泡灌洗,直至肺叶段支气管内无分泌物残留。已行气管造口术的病人,如造口处窦道形成且痰痂在气管内,可取出气管套管,用弯止血钳在纤维支气管镜直视下清除痰痂。

二、检查咯血者出血的部位和局部止血

ICU病人由于肺部严重感染、气道湿化不足、吸痰动作粗暴等原因,造成气道黏膜充血水肿、局部糜烂出血,可出现症状以血性痰为主的咯血,较少有大出血表现。经纤维支气管镜直视下吸引气道内积血,维持气道通畅,用配有敏感抗生素或1/1 000肾上腺素、凝血酶的生理盐水冲洗,辅以全身止血药物的应用可以达到止血的目的。有明确出血部位者在镜下局部使用止血药物效果较好,但对于全身疾病引起的气道、肺泡广泛渗血,局部使用止血效果欠佳,应以治疗原发病为主。

三、治疗大咯血

咯血是呼吸系统常见急症,少量的咯血可用药物治疗控制。当24 h咯血量达200 ml以上时即有窒息危险,严重时可导致病人迅速死亡。因此,尽快找出出血部位,采取有效措施,及时止血是防止窒息和治疗大咯血的关键。

近年来,支气管镜下气道内球囊置入术成为治疗大咯血的重要措施。部分病人因此免除了手术的痛苦;部分已不能手术治疗的晚期肺癌、合并严重的心脏病、呼吸衰竭等病人的大咯血得到了有效控制;部分病人因放置球囊避免了窒息的发生,为进一步治疗赢得了时机。

新型气道内双腔球囊导管是专门为方便支气管镜的使用而设计的,其阀门系统可与导管分离。该设计使新型气道内球囊导管置入的方法简化,无需硬镜和气管插管,操作者定位准确,易掌握,并且大大缩短了放置时间,为抢救大咯血赢得了宝贵时间。新型气道内球囊导管置入术治疗大咯血的方法如下。

1. 准备球囊导管 检查球囊外观,打开阀门,注入生理盐水3 ml后关闭阀门,观察球囊膨胀情况、是否破裂;若无异常,抽出盐水使之完全回缩。球囊和导管涂上利多卡因凝胶,拆除球囊导管阀门系统备用。

2. 球囊导管放置 在气道局麻状态下进行。首先确定出血部位。将拆除了阀门系统的球囊导管通过支气管镜工作通道准确送至出血部位,退出支气管镜,装上阀门系统。再插入支气管镜达出血部位,确认球囊导管位置。向通向球囊的阀门注入生理盐水,当球囊膨胀至出血停止,记录盐水的用量,证实无出血后退出支气管镜。导管表面有明确的刻度标记,记录其刻度,于鼻翼处用丁型胶布固定。

3. 大咯血时的处理 大咯血时必须注意以保持呼吸道的通畅和维持基本的心肺功能为前提。操作方法按照上述步骤。若发现双侧支气管均被鲜血浸满时,需先吸一侧主支气管的积血。若吸引效果不佳,不断有鲜血涌出,表明出血来自该侧支气管。应先将球囊放入此侧支气管,暂时膨胀球囊,阻塞该侧主支气管,使鲜血不流向健侧。立即清洗对侧支气

WEI SHU QI QI DAO GUAN LI

管,吸引干净后,给予高流量吸氧,使氧饱和度回升至正常后,再松开球囊,吸引患侧的出血,仔细寻找出血部位。必要时可在全麻下,用气管插管协助清除较大的血块。

4. 置入后的处理 ① 应用镇静药和镇咳药:避免剧烈咳嗽导致球囊脱位,应给予地西泮或可待因等。② 应用静脉止血药物:如垂体后叶素、普鲁卡因等。③ 观察有无活动性出血。④ 仍有出血经导管向气道内注入药物:1∶10 000 肾上腺素 0.5～1 ml;或 4℃冷盐水 3 ml;或凝血酶 200 U,生理盐水 1～2 ml 溶解后注入;或生理盐水 60 ml 与麻黄碱 30 mg 混合后取 2 ml 注入。⑤ 防止局部黏膜坏死:每隔 6～8 h,抽空球囊液体 15～30 min,防止局部压迫黏膜坏死。⑥ 术后胸片观察球囊导管位置。

5. 拔管 经上述方法确定出血停止后,可考虑拔管,一般不需再次支气管镜检查。打开球囊阀门,先抽出球囊内液体放空球囊,观察 2 d,如无出血可拔管。

四、经支气管镜支气管肺泡灌洗(BAL)

院内肺炎(nosocomical pneumonia)在病原学方面的诊断缺乏可靠的标准(gold standard),临床及放射学方面的诊断对治疗的指导很有限,而病原的确定在临床上是较复杂的问题。普通的痰或经气管插管吸取气管分泌物的细菌学检查,由于受到上气道的污染,很难代表下呼吸道的菌群特征,对院内肺炎的诊断缺乏特异性。近年来国外广泛应用支气管镜技术,通过带保护套的标本刷(PSB)及支气管肺泡灌洗(BAL)方法获取病原标本,使院内肺炎病原诊断的敏感性达到 60％～75％,特异性达到 80％～100％。随着研究报道的增多,PSB 及 BAL 方法在病原学的诊断价值越来越受到重视,目前作为院内肺炎病原学的诊断工具尚无其他方法可以取代。

通过防污染样本毛刷(protected specimen brush,PSB)采集病变部位周围气道标本,分泌物量约为 0.01～0.001 ml。毛刷应稀释于 1 ml 无菌等渗氯化钠液或乳酸林格液中,稀释度约 100～1 000 倍,以每毫升菌落形成单位(cfu/ml)≥10^3 作为诊断肺部感染的阈值。PSB 对下呼吸道感染是一种高度敏感与特异的方法。根据国外文献报道,其定量细菌培养的敏感性与特异性在 60％～100％之间,被认为是目前下呼吸道病原学诊断的可靠标准。但 PSB 技术也有其局限性:① 这种技术所获得的标本量很少,大约为 0.01～0.001 ml,因此需要很精确的标本处理技术。这也是为什么大多数研究显示 PSB 的敏感度比 BAL 低的原因,因为后者的标本量很大,灌洗液灌洗的肺泡数量估计可达 5～20 百万个肺泡。② 对已接受抗生素治疗的病人,其敏感度及特异性还可能降低,有些文献报道可低至 40％。③ PSB可能会增加出血及气胸的机会。

经支气管镜支气管肺泡灌洗(BAL)是 PSB 技术的一种补充手段,可以改进病原学诊断的敏感性与特异性,同时可能会减少出血及气胸等并发症的发生。BAL 的方法与通常应用的方法相同,将支气管镜楔入肺段或亚段支气管,灌洗液总量约为 100～250 ml。BAL 可收集较大范围肺实质[约(5～20)×10⁶ 个肺泡]的肺泡表面衬液标本。确定肺部感染的阈值定为≥105 cfu/ml。对免疫受损或免疫功能受抑制者的机会感染,如肺孢子虫、分枝杆菌、巨细胞病毒感染及军团菌感染等 BAL 检查均有很大的诊断意义。然而 BAL 检查由于近端气道分泌物的污染,使其诊断的特异性降低。

为避免或减少 BAL 灌洗液被咽喉部分泌物污染,近来又提倡应用经支气管镜防污染支气管肺泡灌洗(protective bronchoalveolar lavage, PBAL),即应用远端插入导管(telescoping plugged catheter,TPC),进行支气管肺泡灌洗。可用一根消毒的聚乙烯导管,远端用聚乙二醇封闭,经支气管镜活检孔道插入病变处,灌洗液量一般为 10～20 ml,此种方法可有效地降低上呼吸道分泌物对灌洗液的污染。提高诊断的特异性。但在操作时有几点需要注意:① 由于灌洗液量仅 10～20 ml,因此可能未进入肺泡或进入肺泡的少量液体难于回收,因此这种灌洗液只是支气管灌洗液(bronchial lavage,BL)。② 插入导管的深度以遇到阻力时为准,20 ml 的盐水应在 10～15 s 内灌入,然后立即吸引,吸引时务必回撤导管 1～2 cm,防止吸住支气管黏膜。回收液量一般在 4～8 ml 之间。③ 盐水注入速度不能过慢,否则 20 ml 液体将全部被外周气道吸收,因而难于回收。必要时可行第二次灌洗。④ 盐水注射速度也不能过快,否则会造成反流。吸引也不能过度,导管撤出过程中更应禁止吸引。上述操作的不当可导致上呼吸道分泌物的污染。有的导管前端带有气囊,可防止灌洗液的反流,因而灌洗液量可适当增多,亦可应用废弃的 Swan-Ganz 导管做灌洗,可取得比较满意的效果。

由于上呼吸道正常菌群的污染,BAL 仅用于机遇性感染以发现不定植于上呼吸道的病原体如肺炎支原体、军团菌、分枝杆菌、巨细胞病毒、卡氏肺孢子虫等。而对于 PBAL,近年来许多作者通过大量动物实验和临床验证,对 PBAL 在肺部感染普通病原诊断上的应用价值有了新的认识和评价。虽然结论尚未完全取得一致,但大多数认为 PBAL 不失作为病原学诊断的重要采样技术之一。从感染部位采样范围看,PBAL 要比 PSB 广,即 PBAL 的采样敏感性较好。PBAL 经过离心还可作细胞成分分析,若鳞状上皮细胞≤1％可认作未受明显污染的"合格"标本。中性粒细胞>80％,特别是发现细胞内细菌可判断为肺部细菌性感染。而军团菌、卡氏肺孢子虫和巨细胞病毒感染时细胞成分应以单核细胞或淋巴细胞为主。通过革兰染色、吉姆萨染色和抗酸染色尚可直接识别部分感染病原体。PBAL 作定量细菌培养可有效地区分污染菌和病原菌,确定肺部感染的阈值定为≥10⁵ cfu/ml。直接经人工气道插入作 PBAL 者,亦具有一定的敏感性和特异性,有报道分别为 80％和 66％。建立人工气道病人发生肺部感染机会较多,由于插管后下呼吸道菌群定植频繁,病原学诊断中常遇到假阳性,经人工气道 PBAL 采样可使病原学诊断的特异性增加,故有其应用价值,值得推广。

支气管镜对下呼吸道感染的诊断在不同临床条件,不同病原体感染其意义是不同的。

对社区获得性肺炎,由于 PSB 和 BAL 是一种侵入性检查,单纯的 BAL 还易受到咽喉部分泌物的污染,因此不主张常规使用。主要用于 ICU 病房的重症病人或经抗生素治疗未获改善的病人,以便得到肯定的病原学诊断,以使用敏感有效的抗菌药物。对医院内下呼吸道感染,特别长期住院的危重病人和免疫功能受损的病人下呼吸道感染,PSB 和 BAL 检查对及时发现病原体是很必要的。BAL 对诊断免疫功能受损、免疫功能低下病人合并机会感染有特殊意义。艾滋病(AIDS)合并肺孢子虫感染者,BAL 诊断阳性率可达 80%,对巨细胞病毒感染也有较大诊断价值,敏感性为 96%,特异性达 100%。在机械通气肺部感染病人,由于感染发生率高,病情危重,常常是病人死亡的重要原因,对这些病人,尽快确定病原菌,合理应用抗菌药物对提高病人的生存率至关重要。

(皋 源)

参 考 文 献

1 上官王宁,连庆泉,朱也森,主编.实用纤维支气管镜下气管插管技术,上海:上海世界图书出版公司,2007.

2 李春盛,主译.急诊气道管理手册.第 2 版.北京:人民卫生出版社,2008.

3 Popat M. Practical fiberoptic intubation. Oxford:Butterworth Heinemann,2001.

4 Williams KA,Harwood RJ,Woodall NM,et al. Training in fibreoptic intubation. Anaesthesia,2000,55:99~100.

5 常文秀.纤维支气管镜在 ICU 中的应用.中国内镜杂志,2005,11:37~39.

第19章 紧急微创与有创气管造口术

急性环甲膜穿刺切开和气管切开术,是危重病人紧急情况下建立人工气道的紧急手术,急性环甲膜切开术主要应用于急性气道完全性梗阻,非常紧急状态下的气道处理。而气管切开术主要应用于急性气道梗阻,但多用于亚急性或慢性气道梗阻。急性环甲膜切开术能迅速解除病人窒息,获得有效通气和供氧,但不能作为持久气道,应用机械通气。因为环甲膜切开置入气管的导管腔往往过小,易引起气道阻力增加和气道压增高,甚至发生气压伤的危险,因而不利于作为长期通气之用,气管切开术一般难以迅速解除病人窒息和通气供氧问题,但能作为持久气道,适合长久通气之用,特别适合机械通气之用。

第一节 紧急环甲膜穿刺切开术

环甲膜穿刺切开术(cricothyrotomy)是一种在甲状软骨前面下缘和环状软骨前面上缘之间(环甲间隙)进行呼吸道造口的方法,其目的是提供接近呼吸道的途径。与气管切开术相比,环甲膜切开术具有安全、有效、迅速、相对容易的特点,在急症抢救时,如气管插管困难或没有必备的器械,可将其列为快速建立通畅呼吸道的首选方法。

一、环甲膜的解剖和定位

(一)环甲膜的解剖

环甲膜高 10 mm,宽 22 mm,主要由黄色弹性组织构成,覆盖着环甲间隙,位于颈前部甲状软骨下面和环状软骨上面之间。环甲膜含有一个中央的前三角部和两个外侧部,较厚和较强的弹性圆锥上窄下宽,连接于甲状软骨和环状软骨之间,正处于中线皮下(图19-1)。环甲膜上的血管常常横跨其上 1/3。为减少出血的可能性,应在环甲膜的下 1/3 进行切开。环甲膜的两侧亦有来自甲状腺下静脉和颈前静脉的分支。因为声带通常是位于环甲间隙上部 1 cm 的部位,所以一般不易被损伤。颈前静脉垂直走行于颈部侧方,通常不易被损伤。

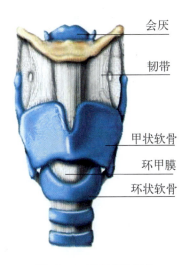

会厌

韧带

甲状软骨

环甲膜

环状软骨

图 19 - 1　环甲膜的解剖

（二）环甲膜的定位

环甲膜通常位于喉结下 1 个或半个手指宽的位置。在环甲膜下也易触到环状软骨。确定这些标志仅需 5 s 左右的时间。在正常解剖结构变形或确定上述标志困难的情况下，胸骨上切迹可作为另外的标志，将右手小指放置在病人胸骨上切迹处，然后依次在颈部放置环指、中指和示指。各手指之间紧密接触，当头部处于正中位时，示指的位置通常位于环甲膜上或周围。

二、环甲膜切开术分类

（一）环甲膜穿刺置管通气

属创伤性最轻的方法，是在无皮肤切口的情况下直接将穿刺针或通气套管穿过环甲间隙。一般称此种方法为经气管通气术。由于穿刺装置的管径细小，所以普通呼吸机在峰吸气压时不能提供足够的潮气量和气流速度。所以在采用此种方法时，常常需要特殊的高压通气装置，如高频喷射呼吸机，以提供满意的肺通气。

（二）经皮扩张环甲膜切开术

通常需在皮肤作切口（常常也需切开环甲膜），通过切口将穿刺针穿入环甲间隙，经穿刺针或套管插入导丝，在导丝引导下插入扩张器扩张穿刺通路，最后通过套在导丝上的扩张器将环甲膜切开套管经环甲间隙送入呼吸道内。该方法最终导入呼吸道的导管明显粗于最初的穿刺针和引导管，常常具有足够大的内径，不仅能够采用普通呼吸机进行通气，而且能够进行吸引和自主呼吸。

（三）手术环甲膜切开术

需要用手术刀和其他器械在皮肤和环甲间隙之间造口，然后插入环甲膜切开套管、气管套管或气管导管。当使用恰当时,该方法能够插入内径足够粗的导管,以进行常规通气、吸引和自主呼吸。

三、环甲膜切开术的适应证和禁忌证

（一）适应证

各种原因引起的急性气道阻塞或梗阻,但不能经面罩通气或气管插管的解决通气氧供,以纠正缺氧和二氧化碳蓄积,环甲膜切开术是呼吸道管理的标准方法。

（1）在急诊科,需要立即进行呼吸道控制的颌面、颈椎、头颈部和多处创伤的病人以及气管插管极度困难或禁忌的病人。

（2）在手术室和ICU,当常规气管插管失败时,如面部创伤病人,实施开放呼吸道的其他方法相当困难或不可能。

（二）禁忌证

环甲膜切开术的绝对和相对禁忌证相当少,但在以下情况下慎重应用。

（1）经喉气管插管7 d以上的病人不应实施环甲膜切开术,因为病人有发生声门下狭窄的倾向。

（2）既往有喉部疾病的病人,施环甲膜切开术时的并发症发生率较高。

（3）疾病或损伤造成的颈部正常解剖结构变形可使环甲膜切开术变得极为困难。

（4）正常解剖标志移位亦可使环甲膜定位发生困难。

（5）出血性疾病或凝血机制紊乱使病人有发生出血的倾向,从而可在环甲膜切开术中出现危险情况。

（6）解剖标志不易辨认的婴儿和儿童,应尽量避免施环甲膜切开术。在严格无菌的手术室条件下进行紧急气管切开是小儿病人更好的选择。

四、环甲膜切开术操作技术

（一）环甲膜穿刺置管通气

环甲膜穿刺操作方法简便、易掌握。其程序是病人呈仰卧位,严重呼吸困难者半卧位,头尽量后仰,用一根粗注射针头垂直刺向环甲膜,当进针有落空感,且注射器回抽有气体存在,提示针头已进入喉腔,立即衔接相关器具进行通气。如进行高频通气效果更佳,呼出气经喉、口咽腔排出。当上呼吸道完全梗阻时,须经口腔放置口咽通气道或再插一根粗针头进入环甲膜作排气之用。

（二）经皮扩张环甲膜切开术

经皮扩张环甲膜切开术的实施不仅快速,而且容易,即使在短颈或脊髓损伤病人亦是如此。用该方法穿刺呼吸道不需要手术技巧,术中和术后并发症较少,目前已有多种用于此方法的器械包。这些器械包内有：气管套管、扩张器、导丝、穿刺针或套管针以及切开皮肤用的刀片等。下面以 Mellker 经皮扩张环甲膜切开装置为例，主要步骤如下。

（1）病人取平卧位，在颈部或肩下垫一棉卷，以轻度伸展颈部；如果怀疑病人有颈髓损伤，应合理固定头颈部，维持头部处于正中位。

（2）条件允许时应采用无菌技术和进行局部麻醉。

（3）在环状软骨和甲状软骨之间定位环甲膜。

（4）仔细触摸环甲膜，固定甲状软骨，用手术刀片在颈部正中的皮肤上作一长约为 1～1.5 cm 的垂直切口，垂直切口应在环甲膜的下 1/3 上方的部位。

（5）将含少许生理盐水的注射器连接在 18 号塑料套管针上，在正中线以与额平面成角 45°的方向沿切口向尾端将引导针刺入呼吸道。在向前推送穿刺针中，一旦注射器有气泡被抽出，则证明其已进入呼吸道。

（6）移去注射器和套管针的内芯，保留塑料套管在呼吸道内。将导丝柔软可曲的一端通过塑料套管插入呼吸道内数厘米。

（7）移去塑料套管或引导针，仅留导丝于呼吸道内。

（8）首先将带有手柄的扩张器前端插入气管套管的接头端，向前推送，直至手柄紧贴在接头上。该步骤可在操作开始前进行。润滑扩张器表面有助于将其顺利插入呼吸道套管。

（9）将内套扩张器的气管套管沿导丝向前推进，直至导丝僵硬的近端穿出并在扩张器手柄处可以看到。保持导丝的位置，沿导丝进行反复提插运动，以向前推送气管套管。开始的数次，前进和后退只需将扩张器完全插入切口，一旦通道扩张完成，推进扩张器和气管套管进入呼吸道。

（10）气管套管完全进入气管内时，同时移出导丝和扩张器，固定气道套管。

（11）将气管套管与通气装置相连接。

（三）手术环甲膜切开术

在病人病情十分紧急的情况下，可以按下述的方法实施环甲膜切开术，以节约时间和挽救病人的生命。主要步骤如下。

（1）取仰卧位，床头抬高 15°，颈部轻度伸展。肩下垫一小枕有助于伸展颈部。常规消毒、铺巾、戴手套。

（2）备好气管切开器械，检查环甲膜切开套管的套囊有无漏气或气管导管与插管芯是否配套。

（3）手术医师用左手拇指与示指沿甲状软骨向下触摸找到环状软骨，然后用左手的中指在环状软骨与甲状软骨之间确认环甲膜的位置。

（4）手术医师以左手拇指与示指固定甲状软骨，用 2% 利多卡因局部麻醉环甲膜；在紧急情况下亦可不用局部麻醉。用手术刀横向切开皮肤、皮下及环甲膜，直达气管内。

（5）用刀片向环甲膜切口的左右两侧各切开 0.5 cm，同时将刀片旋转 90°，以扩大环甲膜切开处。

（6）取出刀片，沿切口按插入气管套管的同样方法插入小号气管导管或环甲膜切开套管。

（7）确认气管套管或环甲膜切开套管进入气管内后，应迅速清除气管内的分泌物。连接呼吸机或人工复苏囊行加压通气或给予高浓度的氧气吸入。

（8）用带子将环甲膜切开套管固定于颈部。必要时可在环甲膜切开套管的两侧各缝一针。

五、环甲膜切开术的并发症

根据出现的时间可将环甲膜切开术的并发症分为两类：早期并发症和迟发性并发症。

（一）早期并发症

建立通畅呼吸道失败所致的窒息；出血；误吸；气管套管放置不正确或失败；皮下气肿和纵隔破裂；声带和喉损伤等。

（二）迟发性并发症

气管和声门下狭窄（尤其是既往有喉创伤或感染的病人）、误吸、吞咽障碍气道套管梗阻、气管-食管瘘、声音改变、感染、迟发性感染、永久性瘘口和气管软化等。迟发性并发症中，声音改变是最为常见的并发症，发生率可高达 50%。临床表现包括：声嘶、声音低或音调低下。声音障碍的可能原因有：① 喉上神经外侧支损伤；② 环甲肌收缩力降低；③ 甲状软骨和环状软骨前面狭窄所致的机械性梗阻等。

第二节　气管切开术

气管切开术（tracheostomy）是一种抢救危重症病人的急救性手术，系将颈段气管前壁切开，通过切口将适当大小的气管套管插入气管内，病人可以直接经气管套管进行呼吸。

一、颈段气管的解剖

气管颈段上接环状软骨，下至胸骨上窝，约占气管全长的一半，共有 6～8 个气管软骨环。第一个软骨环较高、较宽，其余软骨环约高 4 mm，厚 1 mm。两个或多个环之间常有部分联合。气管内横径，男性 16.5 mm，女性 13.6 mm，内矢状径，男性 15.0 mm，女性 12.6 mm，其轮廓明显，且近体表，气管软骨环、环状软骨、喉结及舌骨均能清楚地摸到。气管颈段前方由浅入深依次为皮肤、浅筋膜、深筋膜浅层、胸骨上间隙及颈浅静脉弓、舌骨下肌群，气管前筋膜、甲状腺峡及气管前间隙；两侧紧贴甲状腺侧叶，并与颈动脉鞘及胸膜相邻;气管与食管之间两侧的沟内有喉返神经(图19-2)。

在气管前面,甲状腺峡的下方有甲状腺下静脉,通常形成静脉丛;有时还有细小的甲状腺最下动脉;在婴幼儿尚可见到胸腺、左头臂静脉和主动脉弓,在某些成人也可能具有位置偏高的头臂干(无名动脉)、左头臂静脉甚至主动脉弓。故在气管切开术时必须特别注意,以免损伤这些结构而出现严重后果。婴幼儿和年龄小的小儿,气管软骨既小,且很柔软,活动度也较大,做气管切开时,若患儿头位过度后仰,颈椎向前凸,压迫气管,使之变得扁平狭窄,可引起呼吸困难。且头位过度后仰,胸段气管被牵扯上移,相对使气管切开位置过低,头位恢复原位时,气管切口可能与胸腔相通,将发生严重后果。

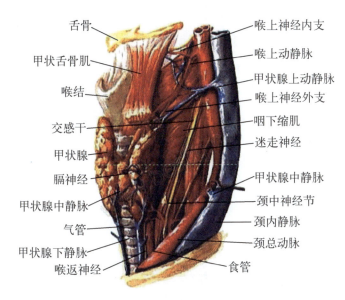

图 19-2　颈段气管的解剖

二、气管切开术分类

(一)常规手术气管切开术

是将颈部环状软骨以下,胸骨上切迹以上的皮肤、皮下组织及气管前壁切开,插入气管导管或气管套管进行自主呼吸或机械通气的方法。

(二)经皮扩张气管切开术

是微创的气管切开方法,手术时间短,紧急切开时约1 min即可完成。

三、气管切开术的适应证

(一)喉阻塞

急性喉炎,喉水肿,喉及下咽部肿瘤,白喉,喉异物,两侧声带外展麻痹,喉气管瘢痕狭窄,以及邻近器官疾病压迫或累及喉及气管造成呼吸困难病人。

(二)各种原因造成下呼吸道分泌物阻塞

颅脑外伤、巴比妥类药物及其他药物中毒等引起的昏迷,格林-巴利综全征(Guillain-Barre Syndrome)、破伤风、脊髓灰白质炎及其他神经、肌肉疾患;胸外伤、脊柱外伤(瘫痪)或全身各种手术后造成的下呼吸道分泌物阻塞。

(三)预防气管切开

某些头颈外科、口腔颌面外科、咽喉部位手术病人,在术后由于神经、肌肉、颌骨功能及手术创伤所致缺损或组织肿胀,出血等因素造成呼吸道难以保证畅通情况时,可在术前或术毕时行气管切开。

(四)呼吸功能减退或呼吸衰竭

各种原因造成的呼吸功能减退或呼吸衰竭。如创伤或麻醉手术所导致呼吸功能减退或呼吸衰竭,肺水肿、气胸、血气胸等;慢性肺部疾病(慢性支气管炎、慢性肺气肿、COPD);肺心病、肺心脑病等;休克过敏、中毒等所致呼吸衰竭,如急性呼吸窘迫综合征,需机械通气和吸出下呼吸道分泌物及血痰等。

(五)下呼吸道异物

因病情危急或条件限制时,及气管切开有利取出异物时,均是气管切开取异物适应证。

四、气管切开术操作技术

(一)常规手术气管切开术

1. 体位　病人仰卧,肩部垫 10 cm 厚枕头,头向后仰伸确保正中位。如病人呼吸困难不能平卧时,可取半坐位或坐位,但肩下仍需垫枕。头向后仰伸,使气管向前突出。如病人颈肩部或头颈及颈椎由于疾病因素影响不能使气管向前突出时,应在病人颈项后垫枕,尽可能使颈向前仰伸。

2. 麻醉　一般采用局部浸润麻醉,于颈前上至甲状腺软骨,下至胸骨上切迹处作皮下,深部组织和气管两侧软组织内作浸润麻醉。对于精神紧张者,应经静脉给适量镇静镇痛剂,同时面罩吸氧或人工呼吸通气,若呼吸道阻塞严重者或病情危急者则不宜使用镇静镇痛剂,甚至局麻也不用,小儿常不易合作,应给基础麻醉后实施气管切开较为安全,但也需通气供氧。对于有心脑血管者应给血管活性药以控制心率和血压,防止心脑血管意外。

3. 切口　通常有直、横两种。手术者立于病人右侧,以左手拇指及中指固定喉部,右手持刀,直切口从颈前正中线自环状软骨上缘至胸骨上窝稍上处,切开皮肤、皮下组织及颈浅筋膜,横切口平环状软骨下缘下约 1 cm。此时可遇到颈浅静脉,可向两侧牵开,必要时可切开结扎。

4. 分离颈前组织 深筋膜在正中白线上切开,用血管钳沿中正分离两侧胸骨舌骨肌和胸骨甲状肌,并及时应用拉钩将肌肉均匀拉向颈两侧,使气管保持在颈正中,以免因拉力不均,使气管偏向一侧。

5. 暴露气管 肌内拉开后,能看到气管前筋膜。通常甲状腺峡部一般横跨第 2~4 气管环,在甲状腺峡部下缘分离气管前筋膜,常能显露气管。如向上牵开峡部仍不易显露,可将其切开、缝扎,使气管充分显露。

6. 气管切开 在气管切开前,必须先用装有少许生理盐水注射器刺入准备切开的气管,若能抽取空气可确定为气管,并注入 2% 利多卡因 1~2 ml,以作气管黏膜表麻,防止导管置入时剧烈咳嗽,然后用刀片自下向上沿中线切开 1~2 个气管环,刀尖应保持在气管环前壁,不宜过深,以免损伤气管后壁。再应用锐头刀向上、下扩大切口。成人可在切口两侧切除少许气管软骨,使导管或套管顺利插入,但小儿避免切除软骨,以免日后并发气管狭窄。切口部位应注意既不要高于第 1 环,以免引起喉狭窄,又不低于第五环,以免损伤无名动脉或静脉,引起大出血。

7. 置入气管套管 气管切开后,以气管扩张器或血管钳撑开气管切口,置入气管套管。确认气管套管进入气管内后,应迅速清除气管内的分泌物,连接呼吸机。

8. 妥善固定气管套管。

(二)经皮扩张气管切开术

见第三节。

五、气管切开术中并发症及其处理

(一)突发窒息

1. 原因 实施气管切开术的病人,手术中突发窒息常见于以下几种情况:① 原发病的进一步发展;② 手术中头部过度后仰可使呼吸困难加重;③ 手术中刺激气管导致呼吸骤停;④ 缺氧性心功能衰竭。

2. 处理措施 对于手术中突发窒息的病人,应争取尽早切开气管,并立即行人工辅助呼吸和胸外心脏按压,切忌停止手术而进行人工呼吸等抢救,气道问题不解决,一切抢救措施均是徒劳。

(二)手术中大出血

1. 原因 实施气管切开术时,只要按手术操作规程,保证颈前正中切开,固定好头部位置,颈部大血管损伤是可以避免的。在气管与颈筋膜气管前层之间,甲状腺下静脉在峡部的前面及其下部气管前面吻合成网状的细小静脉,称"甲状腺奇静脉丛",在奇静脉丛深面又有甲状腺最下静脉在此上升,该处是气管切开中出血的主要原因。头臂动脉破裂出血是最严重的出血并发症。

2. 预防　为防止气管切开术中发生大血管损伤,手术操作中应尽量少用锐性器械进行分离,每一步操作都应在明视下进行,切开气管前一定要核实后再切开。

3. 处理　手术中发生大出血时,首先需用湿纱布团进行压迫,继之缓缓取出,找到出血点并予以结扎,如为颈总动脉应行修补术。

（三）气栓

如果将大静脉撕裂,并且胸内压低于大气压,可发生气栓。此种少见并发症更易发生在于局部麻醉下施气管切开术的自主呼吸病人。

如果病人发生气栓,应立即放置病人于左侧卧位,头抬高,这种体位有助于防止空气进入右心室。然后用中心静脉导管进行吸引。

（四）气胸及纵隔气肿

1. 气胸　显露气管时,过于向下分离,损伤胸膜后可引起气胸。右侧胸膜顶位置较高,尤其是儿童,故损伤的机会较左侧为多。手术中遇胸膜向上膨出时,应以钝拉钩保护之。一旦发生气胸且伴明显呼吸困难者,应立即行胸膜腔穿插刺出积气,必要时作胸膜腔闭式排气术。

2. 纵隔气肿　如手术操作中过多分离气管前筋膜,气体可自气管切口沿气管前筋膜进入纵隔,形成纵隔气肿。气胸和纵隔气肿轻者可自行吸收,对纵隔积气较多者,可于胸骨上方沿气管前壁向下分离,使空气向上逸出。

（五）其他

假性通道、气管套管位置错误、喉返神经损伤、气管后壁损伤、食管损伤等均已见报道。一旦发现气管后壁或食管损伤,应立即对其进行手术修复。

六、手术后并发症及其处理

（一）手术后早期并发症

1. 肺不张　肺不张是一常见并发症,通常与放置气管套管后早期的低通气有关,在手术后早期,加强吸引和过度通气可纠正并预防此问题。

2. 出血　通常由手术中创面止血不满意所造成,病人咳嗽是诱发因素。出血常源于静脉,通过压迫即可有效控制,很少需要手术缝扎进行止血。

3. 感染　即使非常注意,气管套管、伤口和气管-支气管亦可在几小时内被咽部的细菌所污染,尤其是病人咳嗽反射已减弱或完全消失。气管切开术后常见的感染包括:气管炎、气管支气管炎、纵隔炎、肺炎和坏死软组织感染等。

4. 意外性脱管　在留置气管套管期间,如果病人出现严重咳嗽、颈部过屈或过伸等情况,可使气管套管意外性从气管内脱出而进入皮下,造成急性上呼吸道梗阻。因为手术后早期发生此并发症的可能性较大,所以手术后病人应在 ICU 严密观察 48 h。

5. 呼吸道梗阻　呼吸道梗阻的常见原因是气管套管的内管内存有血凝块或黏稠的气管支气管分泌物。经常吸引可避免凝血块聚积;满意湿化呼吸道以及经常更换和清洁内管能防止黏稠分泌物的聚积。气管套管位置不当使其前端顶靠在气管前壁亦可造成呼吸道梗阻,纠正气管套管位置即可解决此问题。

6. 手术后皮下气肿　是气管切开术后的常见并发症,一般都不严重,通常在手术后不久于切口周围的皮下出现。挣扎的病人而又未用全身麻醉时尤易发生,同时皮下气肿的范围亦更大。手术后皮下气肿亦可由于机械通气时气管套管位置错误所致。手术后皮下气肿消退很快。

7. 吞咽困难　在气管切开术后,因为感觉不舒适或者疼痛,有时病人可出现吞咽困难。如果吞咽功能失常,食物可经过喉部而到达气管套管的周围,即使套囊充气,食物亦可进入肺部。因此,在气管切开术后早期常可发现"气管分泌物增加",事实上此种分泌物就是咽部分泌物,因为在此种分泌物中常有唾液酶存在。

吞咽困难者必须行鼻胃管饲喂,如果气管吸引时发现食物则更要尽早插入鼻胃管。气管套管拔出后,病人的吞咽功能可逐渐恢复正常。

(二) 手术后迟发性并发症

1. 气管-食管瘘　气管-食管瘘是缺血性坏死的气管后壁向食管侵蚀的结果。通常由气管套管运动、高套囊内压和食管内鼻胃管等机械性因素引起。局部感染可能具有一定作用。气管-食管瘘的临床表现包括:呼吸道分泌物增加、吞咽时有明显的咳嗽、气管内吸引出胆汁或鼻饲液。

气管-食管瘘需用手术来关闭瘘口并用肌肉填塞。早期拔除鼻胃管、减少气管套管活动及监测套囊内压等能降低此罕见并发症的发生率。

2. 气管-无名动脉瘘　当气管套管在造瘘口或套囊部位对无名动脉发生侵蚀时,可发生气管-无名动脉瘘。一过性轻度出血和气管套管搏动通常是其早期征象。诊断性检查有动脉造影和支气管镜检。

此严重并发症最常发生在将气管切口意外性作在第四气管环以下的情况。如果未给予及时治疗,病人可死于大失血和急性呼吸道梗阻。处理的重点是维持呼吸道通畅和控制出血。如果气管-无名动脉瘘发生在套囊部位,给气管套管的套囊过度充气即可保持呼吸道通畅和控制出血。如果套囊过度充气不能控制出血,说明出血点不在套囊部位而在瘘口部位,应移去气管套管采用经口气管插管控制呼吸道,尽快切开造瘘口,用手指沿气管前壁向下钝性剥离至无名动脉水平,用手指将无名动脉压向胸骨后壁即可控制出血。在呼吸道得到控制和出血停止后,应进行彻底治疗,如切断无名动脉和关闭气管切口等。

3. 气管狭窄　好发部位是气管切口的下部,亦可发生在气管切口和声门下部位。气管狭窄的原因是:溃疡形成、水肿、感染,进而引起气管软骨炎,使气管前壁和侧壁失去支持,即使治愈亦成为瘢痕性狭窄。

(1)声门下狭窄:为气管切开术后十分少见的并发症。原因是手术切口位置过高,声门周围产生水肿,发生感染所致。因此,要避免在第一、二气管环之间切开。

(2)气管切口部位狭窄:最常见的原因是切口部位的气管前壁被切除;用十字切口或垂直切口可明显减少造瘘口处的气管狭窄。

(3)气管切口下部狭窄:主要是发生在气管套管的套囊部位,多因套囊压力过高所致的气管壁缺血坏死。由于高容量、低压套囊的应用,近年来此种并发症的发生率已明显减少。正压通气中,应用最低的充气量或最小的套囊内压达呼吸道密闭可望能减少此并发症的发生率。

4. 拔管困难 呼吸道梗阻的原发病已去除,不再需要依靠气管套管通气,应尽量恢复正常的呼吸通道及生理功能而进行拔管。

(1)常见原因:① 气管套管周围或气管内有息肉或肉芽形成,并向气管套管内生长,故堵管后经口通气量极少,造成堵塞困难的假象;② 气管套管过于粗短,将气管几乎全部堵满,致使拔管困难;③ 手术中因切口太小或气管套管太粗,使气管前壁内陷、腔窄;④ 喉-气管发育不良;⑤ 精神因素,对于戴气管套管已形成一种依赖,一旦拔管则无法适应;⑥ 手术损伤环状软骨,引起气管和喉狭窄;⑦ 外伤致喉梗阻者,手术后继发性喉狭窄。

(2)治疗和处理:有肉芽组织增生者应予以摘除;气管套管过粗者需在换小一号的气管套管后再行堵管试验;若存在喉气管狭窄,宜及时查明病因,予以治疗;以精神因素为主者耐心作解释工作,并逐步堵管,增强病人的自信心。

5. 皮肤-气管瘘管 表现为拔管后颈部创口持久不愈,有气体及分泌物排出。

(1)原因:戴管时间太长,切口周围上皮向内生长与气管黏膜相融合或切口反复感染,瘢痕形成所致。

(2)治疗和处理:瘘口大者应尽早行修补术,手术中清除瘘口内上皮层,形成新鲜创面,在水平褥式缝合的基础上,将皮肤进行对合缝合。瘘口小者可于严格消毒之后用硝酸银局部烧灼,以促进其尽早愈合。

第三节　经皮扩张气管切开术

在20世纪的前50年里,小儿麻痹流行,气管造瘘术因为可用于排除下呼吸道的分泌物而盛行起来。正是在这一时期,诞生了最早的经皮放置气管套管技术。后来几种经皮气管造瘘术陆续出现,尽管许多早期的方法因为种种原因很快废弃了,但仍有许多学者不懈努力,致力于该技术的研究发明。直到1985年,Ciaglia等介绍了一种经皮扩张气管切开术（percutaneous dilatational traeheotomy，PDT），PDT 才获得了快速的发展。目前，经皮扩张气管切开术正在逐渐取代传统的手术气管切开术，特别是对于气管插管已经很长时间的病人。

一、经皮气管切开术的发展轨迹

（一）1955 年

Sheldon 和他的同事描述了使用可切割的套管针及带狭缝的针头来完成气管造瘘术。这项技术操作难度大，失败率高，从未获得流行。

（二）1969 年

Toye 及 Weinstein 描述了一种经皮气管切开的方法，该方法旨在为面临需行紧急气管切开病人的内科医生，提供简便可行的技术。在他们的方法中采用了具有凹槽及切割刀的扩张套管针，并借助金属导丝进入气道来完成气管造瘘。经过许多年，该技术几经修改，1986 年 Toye 和 Weinstein 公布了"终极版本"。100 例使用该装置病人中，并发症发生率为14%。其中许多是较严重的情况。

（三）1985 年

Ciaglia 是一名胸外科医生，他在 1985 年首次描述了 PDT。他将用于经皮肾造口术的 Amplatz 肾脏扩张器套件作了修改，于是 Ciaglia 方法诞生了。该方法有别于早期的一些方法，因为气管瘘口是靠一系列逐渐增粗的扩张器，循序渐进地钝性扩张由针在气管上留下的小孔而成。Ciaglia 描述该方法是"盲目性的"，因为气管内的操作过程没有查证，位置在气管内只是通过注射器回抽出空气来证实的。Ciaglia 介绍的是纵形切口，套管放置的位置是环状软骨和第一软骨环之间。目前该技术作了如下修改：每例操作都应用连续的内镜监视，皮肤切口由纵形切口改为水平切口，套管放置的位置在第一、二软骨环之间或第二、三软骨环之间。Ciaglia 经皮气管切开导入装置（Cook Critical Care Inc.，Bloomington，Indiana）步骤包括，在皮肤上作一很小的切口，将针插入气管内，通过针孔置入 J 型导丝。移去针后将导引管由导丝置入气管内。接下来通过导引管和导丝，用 8 根渐粗的扩张器钝性扩张气管，直到可以插入已选好的套管。所有步骤均在内镜连续监视下完成。1998 年，该方法的改进版面世（Ciaglia Blue Rhino Percutaneous Tracheostomy Introducer Kit；Cook Critical Care Inc.，Bloomington，IN），原先一系列的扩张器由一根有亲水涂层的、逐渐变细的扩张器所代替，从而可以一步完成扩张。尽管老产品仍然存在，但单步扩张器已占领了主要的份额。目前在北美 Ciaglia 技术的应用占主流地位。

（四）1989 年

Schachner 等发表了一种新的"快速经皮气管切开"技术，后来被称作"Rapitrac"法。该方法使用一种特殊的器械，一把弯钳，看上去有点像改良的窥器，锐利倾斜的边缘附着在塑料把手上。紧握把手张开弯钳，可插入气管切开套管。

在一比较 Rapitrac 和 Ciaglia 技术的研究中，Leinhardt 等发现 Rapitrac 组并发症发生率明显增高，包括 1 例病人遇到了严重的技术困难并发生了双侧气胸。Hutchinson 和 Mitchell 也报道了 2 例严重的并发症，术后都发生了双侧气胸。该器械最初由澳大利亚悉尼的 Surgitech 生产，因并发症多已废弃。

（五）1990 年

Griggs 等将"Rapitrac"法做了改进，产生了 Griggs 扩张钳（GWDF）方法，并首次应用于经皮气管切开术。该方法也是用钳子扩张气管上的小孔，不同点在于该钳子的尖端和边缘是钝圆的。装置包括一根 14 号的针，一根 J 型导丝和扩张钳。该方法步骤包括，在皮肤上做一小的水平切口，将针插入气管内，通过针孔置入 J 型导丝。移去针，GWDF 顺着导丝进入软组织。张开钳子扩张软组织，然后钳子进入气管进行扩张直至能容纳气管切开套管。Griggs 报道应用该方法的 153 例病人中，并发症发生率为 3.9%，比一组 74 例行外科手术 18.9% 的并发症发生率低。三个回顾性的报道中，也提及该方法的并发症发生率低，且都是一些小的并发症，推荐该方法应用于 ICU 病人。Polderman 等比较了 GWDF 方法和外科方法，发现内镜引导下的 GWDF 并发症发生率最低，没有气管旁插入、气胸、纵隔积气和气管划破等发生。

几个比较 GWDF 和 Ciaglia 技术的研究表明，GWDF 组并发症发生率较高，尤其是在出血方面。扩张钳套件由 SIMS（Portex，Hythe，Kent，UK）制造，在北美没有销售。

（六）1993 年

Fantoni 方法是基于逆行扩张气管的一种经喉气管切开技术，最初报道于 1993 年。此后又有几种改进版陆续被介绍，最新的版本发表于 1996 年。

Fantoni 方法的缺点包括操作过程中有短暂的气道失控，步骤比较繁琐以及牵拉圆锥形套管出皮肤时需要很大的力量。优点包括逆行途径可以避免气管壁受压，在隆突附近放置了长的通气导管能有效地防止导管意外的拔除。Ciaglia 方法与 Fantoni 方法的比较研究表明，只要注意操作细节，两者都是同样安全和不容易出现严重并发症的。类似的研究，将 Ciaglia 和 Fantoni 方法与外科气管切开术相比，在有内镜引导时，两者的并发症发生率都比外科手术低。Fantoni 经喉气管切开装置由 Mallinckrodt 制造，主要在它的发源地意大利使用。

（七）2002 年

2002 年 Frova、Quintel 和 Westphal 报道了一种叫做 PercuTwist 方法的新式单次扩张技术。该装置包括一根 J 型导丝，一把手术刀，一根大口径的引导针，亲水涂层的 PercuTwist 扩张器，一个特殊设计的 9.0 mm 直径的 PercuTwist 气管切开套管，和一个插入扩张器。PercuTwist 扩张器形状就像一根粗大的螺丝钉。该方法的优点是减轻气管前壁的受压程度。

尽管早期的报道认为 PercuTwist 方法将大有作为,但近期许多相关并发症的报道引起了人们的重视。PercuTwist 装置由德国制造,在北美禁止使用。

二、适应证及优点

PDT 的适应证基本上与外科气管切开术相同(表 19-1)。PDT 操作不必在全麻下进行,因此麻醉支持就不会成为限制性因素。因为 PDT 可在 ICU 床旁操作,故可避免转运病情不稳定病人去手术室的过程中可能发生的危险。PDT 操作时间短,这是 PDT 与外科气管切开术相比的另一优点。就我们应用 PDT 的经验来看,PDT 的主要优点在于其伤口小、术后出血少、气管套管紧贴新产生的气道口,较少发生气管切口旁渗漏。国外与外科气管切开术相比,床旁 PDT 的一个主要优势在于它的花费较低。这与我们的情况恰恰相反,国内床旁外科气管切开术发生的费用远低于 PDT 耗材的价格。

表 19-1　PDT 的适应证

需长期机械通气
需引流气道分泌物
解除上呼吸道梗阻
有利于脱机
减少与气管插管相关的喉损伤
提高机械通气病人的舒适度
便于交流和发声
可以经口进食
减少拔管危险
便于转出 ICU

三、并发症

PDT 引起的并发症并不常见,一般分为早期和后期并发症两种,前者又分为主要及次要并发症,其中包括围手术期及术中并发症(表 19-2)。一篇关于 PDT 早期和长期并发症的综述中,作者总结了从 1988 年至 1998 年期间病例数大于 50 例的所有研究结果(表19-3)。该研究共 2034 例病人,总并发症发生率为 11.9%,死亡率估计为 0.3%,出血发生率为 2.4%,感染和 PDT 错位发生率更低。气管狭窄并不常见,平均发生率不到1%。在 Marx 等总结的 1985 年 254 例病人的原始资料中总的并发症发生率为 8.7%,死亡 1 例(占 0.4%),后期气管狭窄 2 例(占 0.8%)。PDT 的最严重并发症之一是气管后壁穿孔或撕裂。

表 19‑2　PDT 早期并发症

次要

局部出血/渗血

刺破气管内原有套管气囊

一过性低血压

一过性高碳酸血症

一过性低氧血症

心律失常

支气管痉挛

皮下气肿

感染

主要

需要外科手术结扎或输血的大出血

导丝丢失

气管后壁穿孔

气管旁穿刺

气管套管的阻塞或扭转

严重的支气管痉挛

插管失败需外科切开

纵隔气肿

气胸

误吸

死亡

表 19‑3　PDT 后期及慢性并发症

拔管失败

导管堵塞

吞咽功能障碍

误吸

气管软化

气管食管瘘

气管无名动脉瘘/后期出血

气管狭窄

肉芽/瘢痕形成

瘢痕挛缩/持续的漏孔

四、禁忌证

表 19‑4 列举了 PDT 的绝对及相对禁忌证。尽管 PDT 可在危急情况下成功放置,但它基本上是一个择期手术,目前不推荐用于紧急建立人工气道的情况。PDT 也不适用于婴幼儿,因为他们的解剖部位不能确切定位。此外,这类人群的气管尚未发育完全,且易受压迫,故在进行气管镜操作时容易视野不清,进针和扩张过程中也不易辨认气管的前壁及后壁。然而,PDT 可以成功用于 10 岁以上儿童的气管造瘘术。PDT 的其他绝对禁忌证与气管切开术相似,包括:预放管部位感染,血流动力学及(或)临床情况不稳定。需要高水平

PEEP 及(或)需要高浓度吸氧的病人因不能耐受脱机,故也被列为禁忌。PDT 相对禁忌证与外科气管切开术相同,包括各种解剖变异,如严重的气管移位或限制病人适当体位的脊柱后侧凸。肥胖病人曾经被列为绝对禁忌,目前认为在一定条件下可以安全应用 PDT。有横跨要扩张部位的变异大血管或大的浅静脉,或凝血功能障碍者会增加出血的危险性。虽然在 PDT 之前应纠正凝血障碍,但轻度凝血功能不全不会制约 PDT 实施,因为扩张器及气管套管可压迫瘘口来止血。相对禁忌证还包括存在遮蔽正常解剖结构或限制扩张器插入的因素,如颈部有巨大肿块、颈部外科手术史或过多的瘢痕组织。

表 19‐4 PDT 的禁忌证

绝对禁忌
紧急情况下建立人工气道
婴儿
临床情况不稳定
预造瘘部位感染
需要高水平 PEEP 或高浓度吸氧
相对禁忌
解剖异常(气管异位,表浅静脉增粗等)
甲状腺肿大或其他颈部肿块
凝血功能障碍
有颈部手术史
肥胖

五、PDT 注意事项

国外学者认为此种手术方法不需切开气管软骨环,操作简便,创伤小,与传统手术相比,对心脑血管的刺激明显减小,术后恢复更快。但此项手术能否安全高效的长时间放置气管套管,能否替代传统气管切开术目前尚存在争议。显而易见,PDT 手术方式因创面小,故感染率降低,术后瘢痕不明显,但因其手术的盲目性操作,可能导致相对于传统气管切开术较为严重的并发症。所以手术中应注意以下几点:① 术中减少操作的盲目性,很多学者认为在纤维支气管镜的监视下施行手术可以提高其安全性;② 手术前作好气管插管和开放性气管切开的手术准备,以便能在特殊情况下改变手术方式,减少术中窒息的可能;③ 作好手术前病人的选择,肥胖者、甲状腺疾病病人、气管软骨钙化者、婴幼儿、凝血功能障碍及极度呼吸困难需紧急气管切开的病人应慎用,但也有学者认为上述并非绝对禁忌,尤其对于肥胖及凝血功能障碍的病人更为适用;④ 由于造口小,脱管是此项手术导致死亡的严重并发症,应可靠固定套管,并加强护理;⑤ 可于术后行 X 线透视等检查排除常见手术并发症,但 Pinto 等认为除非有临床症状,否则检查没有意义。

六、外科气管切开术与 PDT 的比较

已经有几项随机对照研究直接将外科气管切开术(ST)与 PDT 的并发症做了比较。

1991 年，Hazard 及同事将 46 例病人随机分组，其中 22 例行 PDT，24 例采用传统的外科气管切开，两组操作均在床旁进行。外科气管切开术的早期并发症发生率（46%）较接受 PDT 病人（13%）明显升高。后期并发症，如愈合延迟及气管狭窄，在切开术病人（88%）也高于 PDT 的病人（27%）。Friedman 及同事在 1996 年将 53 例病人随机分组，26 例在 ICU 静脉应用镇静剂后由重症监护的医生行 PDT，27 例在手术室全麻后由外科医生行气管切开术。结果两组术中及术后早期并发症，如出血、低血压及误插入气管旁组织的发生率无明显差异。然而 PDT 的病人总的并发症发生率（12%）明显低于外科气管切开术病人（41%）。总的手术时间在 PDT 为 8 min，明显低于外科气管切开术的手术时间（34 min）。还有人仔细选择比较了 1960~1996 年间有关 PDT 及外科气管切开术的报道，荟萃分析后得出相似结论。虽然这些分析中包括了几种 T 类型的经皮操作，因此使结果有偏差，但 1985 年以后发表的大部分研究采用了 PDT 技术。对 1985 年后发表的 21 篇关于外科气管切开的研究（共 3 512 例）及 27 篇关于经皮气管切开的研究（共 1 817 例）进行比较后发现：经皮术的术中并发症发生率高（10% vs 3%），外科气管切开术的术后并发症发生率高（10% vs 7%）。总之，PDT 是最安全的经皮气管切开术，在内镜引导下进行有最低的并发症发生率。尽管所有方法的围手术期死亡率及心肺意外发生率都很低，但经皮切开术的围手术期死亡率及心肺意外发生率却高于外科气管切开术（分别为 0.44% vs 0.03%，0.33% vs 0.06%）。

七、纤维支气管镜及 PDT

文献中关于在 PDT 时是否应用纤维支气管镜有不同的观点。目前还没有比较在 PDT 时用与不用电视纤维支气管镜的大标本随机对照试验的报道，但过去的几年中电视纤维支气管镜使用明显增加了。与不用纤维支气管镜相比，这要增加操作费用（如气管镜医师时间，清洗保养及纤维支气管镜的费用）。但用气管镜可减少并发症的费用，因此是值得的。

在 PDT 过程中通过纤维支气管镜直视气管腔来操作，可以使术者直视穿刺针、导丝、扩张器和套管的位置，减少套管误置入气管旁，减少气管后壁损伤，并有利于恰当放置气管插管在扩张部位之上。气管镜有助于维持气道通路，清除气道分泌物，且有利于教学。有报道指出在机械通气时纤维支气管镜在气管腔中会减少分钟通气量，增加通气压，增加二氧化碳浓度，产生低氧血症，延长了手术时间和增加了费用。虽有报道在用扩张术气管切开时存在高碳酸血症及呼吸性酸中毒，但无临床意义。因为有在 PDT 期间发生低通气的报道，在给急性闭合性颅脑损伤或不能耐受高碳酸血症的病人做气管造瘘放置导管术时，要考虑可能会产生高碳酸血症。

八、PDT 的培训

PDT 虽然与外科气管切开术，经环甲膜切开术及经气管放置氧气导管术有相似处

(PDT 具有这些手术的一些共同点），但并不意味着内科医生就具有操作 PDT 的必备资格。有关研究报道，PDT 的学习曲线提示缺乏经验的术者会在他们开始操作的早期发生较多的并发症。Kost 等在一个前瞻性的研究中发现，在开始 PDT 手术的 30 例病人中并发症发生率为 40%，而接下来的 161 例病人中并发症发生率为 9%，两者相比差异显著（$P<0.0001$），这归因于做手术的住院医生和外科医生以前都没有相关的经验。Kearney 的资料显示，与手术有关的并发症发生在刚开始做手术那段时间里，很少在以后这些年出现。Krishnan 等所做的一个问卷调查结果显示，3/4 的 ICU 临床医生建议初学者在独立进行 PDT 前，至少应在指导下完成 6 例 PDT。

只要经过严格的培训，重症监护室人员、呼吸科医师、普通外科医生、麻醉师及耳鼻喉科医生都可以学习、掌握和开展 PDT 技术。PDT 资格训练与任何其他资格训练一样，要有基础培训、质量检查及有经验的术者的指导。具备良好的训练，熟悉解剖知识，注意操作细节并严格按操作常规进行，是成功实施 PDT 的前提。

综上所述，本文讨论了几种经皮气管切开术，目前广泛应用的只有两种，即 Ciaglia 方法和 GWDF 方法，另外 PercuTwist 方法也有少量应用。自从 1985 年 Ciaglia 方法和 1990 年 GWDF 方法推出后，PDT 技术逐渐流行起来。2004 年 Krishnan 等做了当时英国 228 家 ICU 关于气管切开术的问卷调查，178（78%）家 ICU 完成问卷，其中 173（97%）家采用 PDT 方法，足以说明其应用情况。对于恰当的病人，PDT 方法应该是一种安全、简单、快捷和经济的选择。只要准备充分，训练有素的内科医生、麻醉医生和 ICU 医生实施 PDT，与外科气管切开术有着相同或更少的并发症。近年来，国内 ICU 应用 PDT 的报道很多，相信随着人们对它的进一步了解，PDT 使用前景会越来越好。

（江来　尤新民）

参 考 文 献

1 解建,李志强,刘纪政,等. 两种不同气管切开术临床应用比较研究. 中华急诊医学杂志,2002,11(2)：114～115.

2 李跃进. 倒 U 形气管切开术 150 例报告. 中国急救医学,2002,22(2)：71～71.

3 林振群,况光仪,符征. 舌瓣形气管切开术在头颈部肿瘤切除术中的应用. 中国眼耳鼻喉科杂志,2003,3(3)：173～173.

4 傅启红,王杰,刘国旗,等. 气管切开术中采用气管弧形切口. 中华耳鼻咽喉科杂志,2004,29(3)：146～14.

5 马玲国,李同丽,陈伟雄,等. 气管造口式改良气管切开术 79 例疗效分析. 中华急诊医学杂志,2003,12(5)：351～351.

6 靳惠民,王金山,赵岭梅,等. 快速高位气管切开术的临床研究. 中华耳鼻咽喉科杂志,2002,37(2)：146～147.

7　李树广,马丽华,王磊,等. 快速高位气管切开术的临床应用体会. 中国综合临床,2003,19(6):548~549.

8　用文明. 环甲膜切开术 165 例报告. 中国耳鼻咽喉颅底外科杂志,2002,8(3):200~201.

9　杜晓东,姜联佳,舒畅. 麻醉插管引导下的儿童气管切开术. 泰山医学院学报,2002,23(1):55~55.

10　张杰,张振英. 小儿气管切开术的体会.临床耳鼻咽喉科杂志,2001,15(10):471~472.

11　Frost EA. Tracing the tracheostomy. Ann Otol Rhinol Laryngol, 1976, 85(5, pt 1):618~624.

12　Jackson C. Tracheostomy. Laryngoscope, 1909,19:285~290.

13　Ciaglia P, Firsching R, Syniec C. Elective percutaneous dilatational tracheostomy: a new simple bedside procedure: preliminary report. Chest, 1985,87:715~719.

14　Hubmayr RD, Burchardih, Elliot M, et al, American Thoracic Society Assembly on Critical Care, European Respiratory Society, European Society of Intensive Care Medicine, Societe de Reanimation de Langue Francaise. Statement of the 4th International Consensus Conference in Critical Care on ICU-Acquired Pneumonia-Chicago, Illinois, May 2002. Intensive Care Med, 2002,28:1521~1536.

15　van den Berghe G, Wouters P, Weekers F, et al. Intensive insulin therapy in the critically ill patients. N Engl J Med, 2001,345:1359~1367.

16　Kress JP, Pohlman AS, O'Connor MF, Hall JB. Daily interruption of sedative infusions in critically ill patients undergoing mechanical ventilation. N Engl J Med, 2000,342:1471~1477.

17　Acute Respiratory Distress Syndrome Network. Ventilation with lower tidal volumes as compared with traditional tidal volumes for acute lung injury and the acute respiratory distress syndrome. N Engl J Med, 2000,342:1301~1308.

18　Drakulovic MB, Torres A, Bauer TT, et al. Supine body position as a risk factor for nosocomial pneumonia in mechanically ventilated patients: a randomised trial. Lancet, 1999,354:1851~1858.

19　Esteban A, Anzueto A, Alia I, et al. How is mechanical ventilation employed in the intensive care unit? an international utilization review. Am J Respir Crit Care Med, 2000,161:1450~1458.

20　Heffner JE. The role of tracheotomy in weaning. Chest, 2001,120(6, suppl):477~481.

第**20**章 全身麻醉恢复期的气道管理

气道管理关系到病人的安全。呼吸道并发症约占术后恢复期并发症的 30%,因此全麻术后恢复期的气道管理是临床上不容忽视的重要问题。

第一节 影响全身麻醉恢复期呼吸功能的因素

一、全身麻醉药、麻醉性镇痛药和肌松药

全身麻醉药,不论是吸入麻醉药还是静脉麻醉药、麻醉性镇痛药以及肌松药都影响呼吸功能。吸入麻醉药能降低延脑呼吸中枢活动而抑制呼吸功能,主要表现为呼吸浅快,潮气量减少。虽然频率增加,亦不能完全代偿,结果为每分钟通气量的下降,至使 $PaCO_2$ 升高。吸入麻醉药还抑制呼吸中枢对 CO_2 升高的通气反应,吸入麻醉药 1 MAC 时,此反应即受到抑制,其程度和吸入浓度相关。此外,也影响呼吸对低氧的反应。颈动脉体化学感受器对 PaO_2 的变化非常敏感,PaO_2 小于 60 mmHg 时,即兴奋该感受器反射性增加通气。吸入麻醉为 0.1 MAC 时,上述作用被抑制 50%~70%,1.1 MAC 时,已完全消失。此作用在麻醉苏醒时更重要,因此在恢复室内应注意病人体内残存的麻醉药物对该感受器的影响(抑制对低氧的通气反应)。静脉麻醉药,硫喷妥钠能显著减少潮气量,并降低呼吸中枢对 CO_2 的敏感性,其程度与剂量呈正比,甚至可使呼吸停止。丙泊酚对呼吸中枢的抑制作用大于硫喷妥钠,咪达唑仑小于硫喷妥钠,主要表现为潮气量减少,呼吸频率增加,呼气时间缩短,但不影响呼吸肌。阿片类麻醉性镇痛药,能降低延髓呼吸中枢对 CO_2 的敏感性,表现为呼吸频率的减慢,潮气量的减少,抑制程度有剂量依赖性。值得引起注意的是,脂溶性强的镇痛药如目前临床上常用的芬太尼,还会引起延迟性的呼吸抑制,因此在恢复室内,即使已经拔管的病人仍应予以一定时间的呼吸监测,以防此现象的发生。肌松药对呼吸的影响更不言而喻,因此主张术后给予肌松拮抗剂,拮抗肌松药的残余作用,促使呼吸功能恢复,同时也应防止因反复大量使用肌松药所带来的延迟性呼吸抑制。

二、手术类型对呼吸功能的影响

(一)胸科肺手术

胸外科手术对呼吸的干扰最大,侧卧、开胸、手术探查及单肺通气均可改变通气血流比值(V_A/Q),导致低氧血症。开胸可使肺的顺应性上升45%,顺应性增加意味着呼吸时潮气量所需的跨肺压减小。跨肺压对维持小气道畅通具有重要的作用,因此跨肺压的下降可使小气道狭窄闭锁,增加气道阻力,导致肺内通气分布不均匀,术后易发生肺不张,其他呼吸系统并发症的发生也较高。且开胸手术本身就可损害呼吸功能,如胸腔畸形、肺组织缺损、膈与胸膜粘连及残腔等,其对肺功能的影响还与病灶性质和切除范围等因素有关。因此胸科手术后的气道管理尤为重要,应加强呼吸功能的监测,确保病人术后呼吸功能的平稳恢复。

(二)腹部手术

上腹部手术后肺活量降低,主要是由于手术时的填塞与牵拉使肺的顺应性下降,同时使膈肌与腹肌的功能障碍。表现为肺泡扩张受到限制,为了维持每分钟通气量,病人的呼吸呈浅而快,呼吸功能恢复较慢,拔管过早易引起低氧血症。下腹部手术对呼吸恢复的影响较小。全麻腹部手术后,由于麻醉药对呼吸抑制作用及膈肌功能影响,常发生低氧血症,尤其是老年病人术后低氧血症发生率较高。

三、呼吸系统疾病对呼吸恢复的影响

患有慢性阻塞性肺疾病(COPD)的病人临床上往往具有中心气道及周围气道慢性炎症、周围气道阻力增加、肺泡毛细血管纤维化、肺血管痉挛等病理生理改变,这些都将造成通气/血流(V/Q)比例失调,造成换气功能障碍,引起不同程度的低氧血症和高碳酸血症,并且影响麻醉药的摄取和排出,麻醉诱导和恢复减慢。手术尤其是上腹部及开胸手术可进一步损害其肺功能,造成术后急性呼吸衰竭,术后可能需要长时间呼吸支持。围拔管期要避免应用刺激呼吸道分泌的麻醉药,并随时清除气管内分泌物。若发生低氧血症,要及时加强氧疗。对于呼吸道分泌物多而潮气量小的危重病人,手术完毕时应延缓拔管,尽量清除呼吸道分泌物,并继续呼吸支持治疗,直至呼吸功能恢复良好。

限制性通气功能障碍的病人主要的特点是胸廓或肺组织扩张受限,肺顺应性降低,围拔管期应注意呼吸管理,肺功能受损病人术后早期应增加辅助呼吸或控制通气的压力,以改善通气功能。

疼痛及疼痛治疗与术后呼吸系统并发症的关系日益受到重视,加强术后创口疼痛的处理有助于促进病人呼吸功能恢复,减少肺部感染等呼吸系统并发症的发生。对呼吸功能不全者,术后应用麻醉性镇痛药应谨慎,可应用局部止痛方法,提高安全性。如长效局麻药肋间神经阻滞。

四、病人体位及其他因素

仰卧位使功能残气量(FRC)下降,使用肌松药后,横膈更加向头侧移动。此外,仰卧时胸廓的横径增宽,前后径缩短,其缩短幅度和肥胖程度呈正比。由此可使肺容量减少(170±140)ml,亦有报道约平均300 ml。头低位时,横膈更多地被推向头侧,此时,肺血容量增加,并且大部分肺组织低于左心房水平,易于发生肺间质水肿,使FRC减少。肾切除体位对于FRC的影响比仰卧位时更甚。俯卧位时,FRC可以轻度增加。

FRC减少后使肺弹性回缩力增大,因而肺顺应性下降,两者的变化成正比例,麻醉后约下降20%(85 ml/cm H_2O),50%的病人可以持续至24 h,肥胖和术前肺活量已经减少者尤为显著。其原因可能由于胸壁压迫所形成的微小肺不张所致。PEEP(CPAP)虽然可以增加FRC,减少肺不张,但并不能改善氧合。这是因为PEEP的压力主要作用于上区的肺组织,而小气道关闭和FRC减少主要发生在下垂区肺组织。增大潮气量(10~12 ml/kg)则可以对抗小气道关闭,恢复FRC(和PEEP效果相同),有利于改善氧合。因此此类病人在进入恢复室恢复平卧位后应加强呼吸监测,适当增加潮气量,并延长机械通气的时间,有利于呼吸功能的平稳恢复,减少呼吸系统并发症如肺不张和低氧血症的发生。

第二节　全身麻醉恢复期气道管理方法

一、呼吸功能监测

呼吸功能的监测,对于诊断某些呼吸系统疾病,估计呼吸功能损害程度起到很大作用,更重要的是指导围术期病人的呼吸管理、急救复苏、重症病人的诊断治疗等。

(一) 呼吸运动的观察

麻醉前注意检查病人胸廓的形状,桶状胸、扁平胸、佝偻病胸及由于脊柱变化引起的胸廓畸形都会对呼吸功能造成影响。观察病人的呼吸方式,有助于术后通过对比来简单的评价病人呼吸功能恢复的情况。男性及儿童主要表现为腹式呼吸,以膈肌运动为主,胸廓上部及上腹部活动比较明显。女性则以胸式呼吸为主,肋间肌运动较为重要。正常呼吸运应是平稳、均匀,如出现反常的呼吸运动则说明病人呼吸功能尚未完全恢复,切勿匆忙拔管。

(二) 呼吸状态的观察

1. 呼吸困难　病人主观感觉为吸气不足,表现为呼吸费力,严重时鼻翼扇动,张口呼吸,甚至辅助呼吸肌亦参与呼吸运动。如上呼吸道部分梗阻时,吸气相出现胸骨上窝、锁骨上窝、肋间隙向内凹陷的三凹征,吸气时间延长,为吸气性呼吸困难。下呼吸道梗阻时,呼出气流不畅,呼气用力,呼气时间延长,出现呼气性呼吸困难。不论何种呼吸困难均可引起呼吸频率、深度、节律的异常。心源性呼吸困难则出现端坐呼吸并有呼吸音的变化。病人出现呼吸困难的症状可能是提示呼吸系统并发症的发生,应及时处理。

2. 紫绀　紫绀是指血液中还原血红蛋白增多,使皮肤与黏膜等部位呈紫蓝色的体征。也包括少数由于异常血红蛋白衍生物,如高铁血红蛋白或硫化血红蛋白引起的皮肤黏膜紫绀现象。在皮肤菲薄、色素较少和毛细血管丰富的部位,如口唇、鼻尖、颊部、耳郭、甲床等处,较易观察,变化也明显。需要注意的是严重贫血(Hb<50 g/L)时可不表现紫绀。一旦发生紫绀说明病人已经存在一定程度的缺氧,应及时处理。脉搏血氧饱和度的监测有助于早期发现低氧血症。

3. 咳嗽、咳痰　咳嗽、咳痰是一种保护性反射,将呼吸道内的分泌物或异物,借咳嗽反射咳出体外。手术麻醉中由于呼吸道原有病变或其他因素对呼吸道的刺激,使分泌物增多,引起咳嗽和咳痰。麻醉前应了解病人呼吸道状况,如改变仰卧位为侧卧位或坐位时,可诱发咳嗽并有痰咳出,说明气管内有分泌物或有支气管炎存在,这些病人应及时清除分泌物。如做深呼吸或吸入冷空气时有刺激性咳嗽发生,说明气道的反应性增强。这些病人围手术期呼吸系统的并发症增多,应加强监测和气道管理。

(三)常用呼吸监测方法及其临床意义

1. 一般呼吸功能的监测　利用麻醉机的呼吸功能测定装置可监测潮气量、气道压力、呼吸频率以及呼吸比等指标。

2. 脉搏血氧饱和度(SpO_2)监测　SpO_2 是无创性监测技术,除测定指端、耳垂末梢循环的血氧饱和度外,同时可得出血管容量曲线(SpO_2/Pleth)。全麻术后,尤其是拔除气管导管后的病人行 SpO_2 监测有助于及时发现低氧血症。多数临床情况下,SpO_2 读数是正确的。但在有极少情况下会出现误差。吸空气时正常成人 SpO_2=95%～97%,新生儿=91%～94%。吸纯氧应达到 99%～100%。<95% 为低氧血症,<90%～85% 为严重低氧血症。术毕时连续监测 SpO_2 可作为气管拔管指征之一,临床符合拔管条件的病人,在自主呼吸空气的情况下,SpO_2 大于 95%,可以拔除气管导管。病人自手术室转送至术后恢复室监测 SpO_2 可增加病人安全性。

监测 SpO_2 时应注意:根据年龄、体重选择合适的探头,不同探头应放在病人相应的部位。手指探头常放在示指上,光线从指甲透过,探头良好固定,以免影响结果。肢体颤抖及人为摆动也会引起误差。指容积脉搏波显示正常,SpO_2 的准确性才有保证。避免外界因素干扰,红外线及亚甲蓝等染料均使 SpO_2 降低。如手指血管剧烈收缩,SpO_2 则无法显示,用热水温暖手指,或用 1% 普鲁卡因 2 ml 封闭指根,有时能再现 SpO_2 波形。

3. 呼气末二氧化碳($P_{ET}CO_2$)监测　$P_{ET}CO_2$ 监测可在床边连续、定量监测病人的通气功能。$P_{ET}CO_2$ 尤其为全身麻醉病人、ICU 呼吸支持病人的呼吸管理提供明确指标。通过

监测 $P_{ET}CO_2$ 的变化取决于肺通气和肺血流,正常值为 38 mmHg,没有心肺疾病的成人较 $PaCO_2$ 低 5～6 mmHg,小儿低 1～2 mmHg,但应注意 COPD 及心脏病人肺死腔量增多,通气/血流比值失调,肺分流增加,$PaCO_2$ 与 $P_{ET}CO_2$ 的差值增加。$P_{ET}CO_2$ 波形和 $P_{ET}CO_2$ 数值可以实时评价病人呼吸功能的恢复情况,指导气管拔管,在全身麻醉恢复期,如发生气道梗阻及其他呼吸功能不全时,$P_{ET}CO_2$ 监测也是指导抢救的不可缺少的工具。

4. 血气分析　通气、换气、血流及呼吸动力功能等方面发生的障碍,最终都将导致血气发生变化,从动脉血直接测得 PaO_2、$PaCO_2$ 和 pH,由这些数值又可推算出 HCO_3^-、SaO_2、BE 等。采取动脉血作血气分析仍是目前临床上常用和可靠的监测手段。$PaCO_2$ 主要受通气的影响,pH 值则对判断病人全身酸碱平衡有重要的意义。全麻术后如病人出现呼吸系统异常症状及时行血气分析有助于全面了解病人的通气和换气功能。

机体在多种因素下引起呼吸生理功能紊乱的同时,常伴有循环、神经、内分泌代谢和肝肾等其他系统功能的变化,且它们之间又可互为因果。因此在进行呼吸监测的同时,应全面地对其他系统进行监测,才不至于顾此失彼。

二、判断呼吸功能恢复、拔除气管导管的指征

手术结束后拔除气管或支气管导管,操作虽较简单,但必须考虑拔管的时机、方法、程序,防止拔管后发生误吸、喉痉挛和通气不足等不良后果。拔管指征如下。

（1）病人基本清醒,血流动力学稳定,血压基本正常。

（2）自主呼吸恢复,咳嗽反射、吞咽反射活跃;意识恢复,能完成睁眼、抬头、握手等指令;自主呼吸频率≤20 次/min,潮气量≥8 ml/kg, SpO_2≥95％,可考虑拔管。老年人可在达到上述标准以后改为气管内吸氧,观察 10 min 如无缺氧表现,SpO_2≥95％或维持在术前基础水平再考虑拔管。有条件应测血气作参考。

（3）文献报道,认为气管插管全麻病人,在呼吸恢复、吞咽反射出现后尽早拔管可减轻心血管应激反应,有利于循环功能稳定,特别是对原有高血压、冠心病等心血管疾病病人,可以避免血压过高和心动过速造成心肌缺血缺氧等危险。此时就更应注意呼吸功能的监测,必要时拔管后给予面罩辅助呼吸以免造成病人缺氧。

（4）分析麻醉全程中使用的镇静、镇痛、肌松药的情况,包括应用次数、总量和距离术毕的时间。应考虑到麻醉性镇痛药的呼吸抑制作用,以及它与全身麻醉药的协同作用,和肌松药的残余效应,尤其在老年病人和肝肾功能不全的病人,在达到临床拔管指征予以拔管后仍存在发生呼吸抑制的危险,应继续给予呼吸功能及生命体征的严密监测方称安全。

（5）老年和 COPD 病人,心、脑、胸、腹大手术以及危重病人更应严格掌握拔管指征,必要时应延缓拔管并送 ICU 继续机械通气,以支持呼吸功能。

三、拔管方法

（一）拔管前

先将气管内、口、鼻、咽喉部存留的分泌物吸引干净，气管内吸引的时间一般每次不宜超过 10 s，否则可导致低氧，可按间歇吸引、轮换吸氧的方式进行。

（二）常规拔管

应先将吸引管插入气管导管略超过导管前端斜口，注意避免插入过深刺激病人呛咳。放入后吸引与气管导管一同徐徐拔出。然后再吸净咽喉、口腔内分泌物。

（三）拔管困难

麻醉诱导有困难插管以及肥胖睡眠呼吸暂停综合征病人可能发生拔管困难。在拔管前应有充分准备。不然在拔管后可能发生呼吸道梗阻。对此类病人必须更严格掌握拔管指征，待病人完全清醒合作，各项呼吸指标已完全达到正常水平，并准备好各种困难插管用具，以备再行气管插管或气管切开。

（四）其他特殊情况

1. 麻醉仍较深　咳嗽、吞咽反射尚未恢复，必须减浅麻醉，估计药物代谢时间已超过，可考虑用肌松拮抗药等，待呼吸、反射恢复后再行拔管。

2. 颈部手术　尤其是甲状腺切除术有喉返神经损伤或气管塌陷可能者，拔管前宜先置入喉镜（或气管导管置换导引管），在明视下将导管慢慢退出声门，一旦出现呼吸困难，应立即重新插入气管导管。

3. 饱食病人　饱食病人要谨防拔管后误吸。必须等待病人完全清醒后，在采取侧卧头低体位下拔管。颜面、口腔、鼻腔手术后如存在张口困难或呼吸道肿胀者，也应等待病人完全清醒后再慎重拔管。

4. 原有高血压、冠心病等心血管疾病　原有高血压，冠心病等心血管疾病的病人可行镇静拔管。即在呼吸恢复、咽反射出现后早期拔管，或在小剂量麻醉药维持镇静下拔管，以减轻心血管应激反应，有利于循环稳定，但必须加强监测。

5. 拔管后及运送至病房的注意事项　导管拔出后的一段时间内，喉头反射仍迟钝，故应继续吸尽口咽腔内的分泌物，并将头部转向一侧，防止呕吐误吸。也可能出现短暂的喉痉挛，应予吸氧，同时要密切观察呼吸道是否通畅，皮肤、黏膜色泽是否红润，通气量是否足够，SpO_2 是否正常，血压、脉搏是否平稳等，拔管后应在苏醒室继续观察一段时间，同时行呼吸监测，并在麻醉单上记录拔管后生命体征情况的各项数据，以防麻醉药物的延迟性呼吸抑制作用以及呼吸系统并发症的发生。如有低氧血症、CO_2 蓄积等情况发生，应予以面罩吸氧，必要时可行面罩加压通气。若症状持续没有改善，应及时考虑再次插管行机械通气以保证氧供。在运送至病房的途中应有麻醉医师陪同，携带小氧气钢瓶持续吸氧，同时应有

便携式 SpO_2 仪进行监测,以防途中发生低氧血症。

第三节　特殊情况的气道管理

一、口、鼻腔以及颌面部手术后的气道管理

口鼻腔、颌面手术后,最重要的任务是维持病人呼吸道的通畅。应严格掌握气管导管拔除的指征,其拔管条件是:① 完全清醒,能明确回答问话(示意);② 安静状态下病人的通气量应达满意程度,呼吸频率应大于 12 次/min(小儿 20 次/min);③ 喉反射及咽反射完全恢复;④ 拔管后病人清醒能取半坐位;⑤ 拔管时应有麻醉医师和外科医师在场,以便随时抢救或气管切开等。小儿气管插管后易发生喉水肿,术后应常规雾化吸入,雾化液中含肾上腺皮质激素及抗生素,症状出现早且发展迅速者严重缺氧常需紧急气管切开。对于苏醒延迟,手术创伤大或全身情况不稳定的病人,留管期间应保持病人安静,常给予小剂量咪达唑仑或丙泊酚可有助于导管的耐受和镇吐。估计术后需较长时间留置导管者,可在术毕改用经鼻插管,使用恰当,可减少气管造口的机会及其并发症。对于易发生舌后坠而不易保持口咽通畅、且不便放置口咽通气道的病人,可以选择适当大小的气管导管经鼻插入咽部以替代口咽通气道的作用,并经气管导管外端口给氧。由于病人在拔除气管导管后仍有可能发生气道梗阻或喉水肿,而需紧急气管切开,因此术后 24 h 是危险期,病房应备有气管切开包、舌钳钢丝剪、吸引器、氧气以及呼吸机等。总之,术后应精心护理,病人完全清醒后再送回普通病房。

二、肺隔离术后的气道管理

肺隔离术是一种应用支气管导管在术中使得双肺隔离的技术,从而达到防止病肺漏气,保护健肺,保证良好通气氧合,以及提供清晰手术视野的目的,胸科肺部手术和一些进胸的手术常应用此项技术。实施肺隔离术后单肺通气时常会引起低氧血症,以及气道创伤等不良后果。因此肺隔离术结束后应充分鼓肺检查手术侧肺组织的膨胀情况,排除气胸可能,同时也有利于防止术后肺不张的发生。手术结束后,病人改为仰卧位,循环稳定的病人先清除支气管导管内的分泌物后,再予以机械通气一段时间,以纠正术中单肺通气可能引起的低氧血症。必须再次听诊以核实双腔气管导管(DLT)的位置,防止因体位变动而引起的 DLT 移位。待神志清醒、表现安静、循环稳定、自主呼吸恢复、潮气量适宜、血气正常才可拔除双腔气管导管。对于术前即有肺功能减退、夹杂冠心病、$PaO_2 < 60$ mmHg、$SpO_2 < 90\%$,以及年老体弱的病人,则需延迟拔管,可考虑换成单腔气管导管。留置单腔气管导管者,可带管供氧进行自主呼吸或选择 SIMV 模式,通常在术后 6～12 h,根据血气分析决定

拔管与否,手术后呼吸衰竭者,应继续应用机械通气治疗,支持呼吸功能。

三、小儿全麻术后的气道管理

呼吸系统并发症是小儿麻醉最常见的并发症,而年龄越小,在解剖、生理、药理方面与成人的差别越大。婴幼儿呼吸系统的特征是呼吸节律不规则,各种形式的呼吸均可出现。胸廓不稳定,肋骨呈水平位,膈肌位置高,腹部较膨隆,呼吸肌力量薄弱,纵隔在胸腔所占位置大,容易引起呼吸抑制。而小儿的某些解剖生理特点如头大,颈短,舌大,鼻腔、喉及上呼吸道较窄,唾液及呼吸道分泌物较多等,均有引起呼吸道阻塞的倾向。婴儿有效肺泡面积/kg 是成人的 1/3,耗氧量/kg 是成人的 2 倍,说明换气效率不佳,故小儿麻醉时应特别重视气道的管理。小儿全麻后复苏期由于全麻药物,麻醉性镇痛药,肌松药的残余作用,以及手术后的切口疼痛、腹胀等均可引起通气不足,导致低氧血症,早期低氧血症的临床症状不明显,需行脉搏-氧饱和度检测始能及时发现,此外复苏期应常规吸氧。

小儿全麻术后的呼吸系统并发症主要由于呼吸抑制、呼吸道阻塞及低氧血症所致,处理原则包括去除诱因,清除呼吸道分泌物,进行辅助呼吸以及增加氧供应。

呼吸道阻塞在小儿麻醉时很常见,舌后坠及分泌物过多是上呼吸道阻塞的常见病因。小儿即使施行气管内麻醉,仍有呼吸道阻塞的潜在危险,因导管可能扭曲,导管腔也可被稠厚分泌物结痂所阻塞,故吸入的气体均应加以湿化,使分泌物易于吸出,从而避免痂皮形成。小儿气管插管后喉头水肿发生时间多在气管拔管后 2 h 以内,也可在拔管后即出现吸气性凹陷,严重的有典型的"三凹征",血氧饱和度下降。喉镜检查可见喉部充血,黏膜水肿,以杓状软骨部位最明显,处理包括:① 镇静、吸氧;② 静脉注射地塞米松 2~5 mg;③ 局部喷雾麻黄碱及地塞米松(喷雾液配方麻黄碱 30 mg、地塞米松 5 mg 加 0.9%氯化钠液至 20 ml),病情常可好转并逐渐消退。喉痉挛是小儿全麻期间常见并发症,多因局部刺激如机械性操作或分泌物所致,故拔管前应清除咽喉部分泌物,并拔除食管听诊器及测温探头,以减少刺激性。拔管后可让患儿自主呼吸,不能用强烈的加压呼吸,否则反而引起喉痉挛。严重喉痉挛需行面罩加压氧辅助呼吸,如无效,应及时用肌松药(琥珀胆碱或维库溴铵)静脉注射后再作气管插管给氧。胃内容误吸、支气管痉挛是下呼吸道阻塞的常见原因。支气管痉挛时有喘鸣音,气管导管通常很通畅,但吹张肺脏时阻力很大,此时可试用阿托品、氨茶碱或地塞米松静脉注射,支气管痉挛可望获得改善,如仍未改善,可应用琥珀胆碱静脉注射,再次气管插管行呼吸控制,故小儿拔管时应准备好再行气管插管的器械。

四、老年人全麻术后的气道管理

呼吸功能不全和低氧血症是老年病人术后早期死亡的重要原因。老年人呼吸系统的功能减退,特别是呼吸储备和气体交换能力下降,在应激时易于发生低氧血症,高二氧化碳血症和酸中毒。因此全麻术后不宜过早拔除气管导管,应待病人完全清醒后经气管导管给氧,如 $SpO_2 > 95\%$,呼吸频率与潮气量正常或接近正常,此时拔管才安全。术后尽早咽喉喷雾治疗,积极排痰,预防感染。全麻期间麻醉药物剂量过大引起术后出现的呼吸抑制,多为麻醉性镇痛药与肌松药残留体内所致,通过面罩给氧或作加压辅助呼吸均可得以改善。舌后坠或口腔分泌物过多引起的呼吸道梗阻,如能及时发现不难处理,用手法托起下颌、放置口咽通气道并清除口腔分泌物,梗阻即可解除。下呼吸道梗阻可因误吸或气管、支气管分泌物过多、过稠造成,气道反应性增高的病人还容易诱发支气管痉挛而致呼吸道梗阻。上述并发症的处理,在加压给氧解痉的同时,都应尽快清除呼吸道的分泌物或异物。对于术后估计需进行呼吸功能支持的病人,应给予一段时间的机械通气支持,不要急于拔管。拔管后继续注意保持呼吸道的畅通,并充分供氧。对于在拔管后出现严重呼吸抑制者,除给予相应拮抗药物外,应注意及早重行气管内插管(或置入喉罩)以辅助呼吸,切勿贻误抢救时机。对于一般老年手术病人,针对其氧合能力的降低,术后吸氧时间不应 $< 24\ h$。

第四节　全身麻醉恢复期呼吸并发症的防治

一、呕吐、误吸

术后恶心、呕吐(PONV)是手术后病人的不适感受,主要表现为干呕、恶心或呕吐。引起 PONV 的确切机制目前还不十分明确,但可以肯定病人病情、手术方式和麻醉等因素都会影响 PONV 的发生。其中麻醉药物的使用与术后恶心、呕吐的发生密切相关。呕吐是一种复杂的反射活动,与机体神经系统呕吐中枢的许多受体有关(多巴胺、毒蕈碱、5-羟色胺、组胺和阿片受体等)。各种麻醉药可能正是通过上述途径触发了相关受体而导致了 PONV 的发生。

PONV 不但增加病人术后的痛苦,还有可能引起更加严重的并发症。因此,在 PONV 发生前加以有效预防,效果可能更胜于事后的治疗。根据 Tong 等在 PONV 管理指南中建议,麻醉医生应在术前合理评估病人发生 PONV 的风险,根据个体情况和手术需要合理选择麻醉方法和麻醉药物,对高危病人尽可能选择区域阻滞麻醉,全麻中应减少吸入麻醉药的用量,术前预防性使用止吐药。多管齐下,能有效降低 PONV 的风险。

大量研究均认为吸入麻醉药发生 PONV 的风险高于静脉麻醉药。但是,由于病人的个体差异、用药量和浓度的差异、阿片类药物以及其他多种混杂因素的影响,吸入麻醉药和静脉麻醉药对 PONV 的确切作用仍很难作一定论。为了减少单一药物对病人的不利影响,我们主张使用静吸复合麻醉的方式,减少单一药物的剂量和浓度。同时,以非甾体类抗炎镇痛药(NSAIDS)与阿片类药物联合用于术后镇痛。通过药物的协同作用,既能达到理想的镇痛效果,又可减少 PONV 的发生。使病人既能舒适麻醉,又能舒适康复。

然而,一旦发生吸入性肺炎则病情凶险,预后差,因此仍应认真防止麻醉中发生呕吐与误吸。择期手术病人,术前必须严格禁饮、禁食,使胃排空。麻醉苏醒期拔除气管导管后是最容易发生呕吐和误吸,且危险最高的时机之一。因此,拔管操作应在病人意识恢复,咳嗽反射、吞咽反射活跃后进行较为安全。且拔管后应让病人头偏向一侧,以防呕吐物误吸。病人一旦发生呕吐,应将其身体上半部放低,头偏向一侧,使呕吐物容易引出口腔外,避免进入呼吸道,同时应用纱布及吸引器将口、鼻腔内的呕吐物清除干净。必要时立即进行气管内插管或支气管镜检查,清除呼吸道内误吸物和用生理盐水冲洗,同时给予抗生素预防肺部感染。

二、通气不足和二氧化碳潴留

呼吸机潮气量设置太小,以及呼吸道分泌物过多,麻醉苏醒期发生通气不足,主要表现为二氧化碳潴留。各种麻醉药物,特别是麻醉性镇痛药和肌松药的残留作用,引起中枢性呼吸抑制和呼吸肌功能障碍,如过早拔除气管导管必然造成通气不足和二氧化碳潴留,甚至发生二氧化碳麻醉,一般 $PaCO_2 > 80$ mmHg 病人神志消失,这种情况应与苏醒延迟及中枢神经并发症鉴别。同时应用面罩过度通气,排除二氧化碳,并根据不同原因给予处理,如使用相应拮抗药等。

三、急性肺不张

呈现弥漫性肺泡萎陷或肺段、肺叶甚至一侧肺完全萎陷,失去通气功能。呼吸道阻塞是肺不张最常见的原因。分泌物较多且黏稠度增加,咳痰无效,阻塞支气管;远端肺泡内气体如果仅为氧气,氧气一旦被吸收入血,肺泡因之萎陷。术中实行间歇正压通气(IPPV),潮气量比较恒定,吹入气并不能均匀地分布到所有肺泡,大多数吹入的气体仅集中进入一定肺区,长时间后某些部分未被膨胀的肺泡内气体被吸收后,肺泡即萎陷。因此,多痰的病人术前应充分准备,围术期应及时吸除呼吸道分泌物,施行机械通气时应采用大潮气量(10～15 ml/kg)和低频率(8～12 次/min),并定时吹张肺。拔除气管导管后应该经常变动体位,完善术后镇痛,鼓励病人咳嗽。发生肺不张时,小片散在肺不张可能没有明显症状,大片肺不张可出现咳嗽、呼吸急促和紫绀。如果咳嗽及吸痰仍不能缓解肺不张时,应行纤维支气管镜吸痰,并给予抗生素治疗。

四、呼吸道梗阻

(一)与呼吸道梗阻有关的上呼吸道解剖生理特点

上呼吸道为由鼻、咽、喉和气管所组成的气体通道。管腔有的宽大如咽部;而有的部分比较窄小如喉部声门裂,容易发生梗阻;同时它又是发音器官,故在梗阻时可伴随发音的异常。下咽部是气体和食物通过的交叉点,会厌可起到非常重要的作用,如果发生形态和功能的异常,就可发生异物进入气道致呛咳和气道梗阻。喉部软骨(甲状软骨和环状软骨)和声门下区气管软骨环是该部气道的支架组织。在保持气道的通畅方面具有重要的支撑作用。气体通过咽部有三轴线(图 20 - 1):① 口鼻至咽轴线,此线接近水平线;② 咽部至声门轴线,两个轴线接近垂直线,故与口鼻-咽轴线成角;③ 声门至气管轴线。

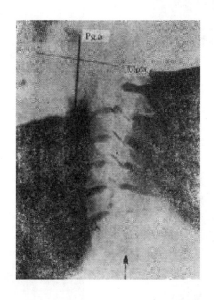

图 20 - 1　气体通过咽部的轴线示意图

o、p、a 为通过口、咽的轴线;p、g、a 为通过咽、声门的轴线。

这三个轴线的关系与头颅部的位置有重要的关系。头颈部前屈,这三个轴线是折曲的,增加气体通过的阻力。而头颈部后伸,这三个轴线是垂直的,减轻气体通过的阻力。保持气道通畅,这是抢救的重要措施。以声门为界,呼吸道梗阻分为上呼吸道梗阻和下呼吸道梗阻。

(二)呼吸道梗阻类型

1. 上呼吸道梗阻　最常见的原因是舌后坠及咽喉部积存分泌物。上呼吸道梗阻时常表现吸气困难为主的症状,舌后坠时可听到鼾声,咽喉部有分泌物则呼吸时有水泡音,诊断并不困难。上呼吸道完全梗阻时,病人出现鼻翼煽动和三凹征,虽有强烈的呼吸动作而无气体交换。此时只要把下颌托起,放入口咽通气道或鼻咽通气道,及时把咽喉部分泌物吸尽,便可解除梗阻。

拔除气管导管困难及拔管后呼吸道阻塞,常见咽喉部疾病,如睡眠呼吸暂综合征(SASA)、扁桃体或增殖体肥大、咽后壁脓肿及声带息肉或肿瘤等(图 20 - 2),其他应警惕颈部手术后出现甲状腺压迫气管术后气管塌陷,均可引起上呼吸道严重梗阻。

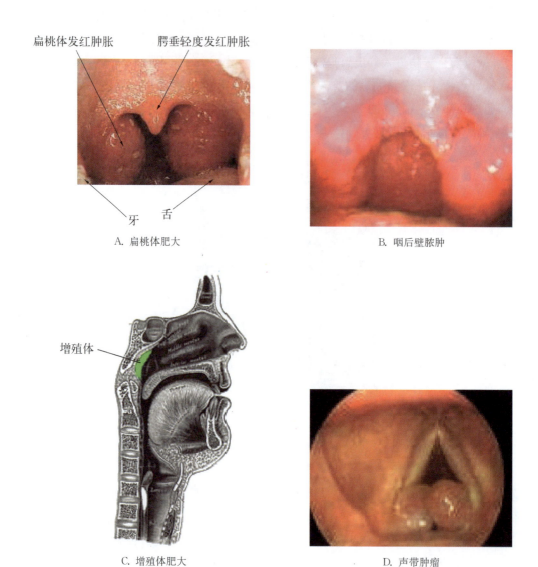

扁桃体发红肿胀　　腭垂轻度发红肿胀

牙　　舌

A. 扁桃体肥大

B. 咽后壁脓肿

增殖体

C. 增殖体肥大

D. 声带肿瘤

图 20-2　拔管后上呼吸道阻塞的原因

　　喉头水肿同样可以引起上呼吸道梗阻,多发生于婴幼儿及气管插管困难的病人,也可因手术牵拉或刺激喉头引起。轻者吸氧和给予糖皮质激素可以缓解,严重者应立即气管内插管或紧急气管切开。

　　上呼吸道梗阻的另一常见原因为喉痉挛,此并发症是由于喉头肌肉收缩反射性引起开放的声门关闭(图 20-3),完全阻断肺的气体与外界的交换。

　　喉痉挛(laryngospasm)指喉部肌肉反射性痉挛收缩,使声带内收,声门部分或完全关闭而导致病人出现不同程度的呼吸困难甚至完全性的呼吸道梗阻。

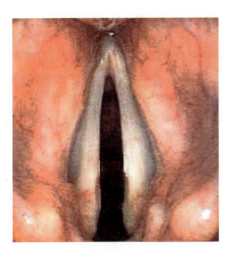

图 20 - 3　喉痉挛声带内收

　　发生原因有：① 吸痰时麻醉深度不足；② 分泌物或呕吐物刺激喉头引起痉挛；③ 粗暴的咽喉部操作；④ 婴幼儿插管后并发喉水肿；⑤ 原有呼吸道炎症或哮喘等；⑥ 间接刺激腹膜、直肠、胆囊或压迫腹腔神经丛等都可能致喉痉挛。出现喉痉挛，病人有呼吸困难，吸气时伴有鸡鸣声，并可因为缺氧而紫绀。根据喉痉挛的程度可以分为轻、中和重度喉痉挛。轻、中度喉痉挛一般给予面罩加压供氧，同时合理应用氯胺酮（松弛支气管平滑肌）、镇静药、糖皮质激素和氨茶碱可以得到有效的缓解。重度喉痉挛病人可经环甲膜穿刺置管行加压给氧。上述处理无效者，必须静脉注射琥珀胆碱，经面罩给氧，维持病人通气，必要时可行气管内插管，以改善病人缺氧为首要任务。总之，全麻术后要在深麻醉下吸痰，在病人完全清醒后拔管，才能减少和避免喉痉挛的发生。

　　2. 下呼吸道梗阻　常因气管、支气管内有分泌物，特别是支气管痉挛引起，多发生在有哮喘史和患有慢性阻塞性肺部疾病（COPD）的病人。这一类病人支气管平滑肌张力已经较高，呈气道高反应性。围术期给予的多种药物和操作均可引起组胺释放，麻醉恢复期麻醉减浅，咳嗽等各种反射活跃，使支气管平滑肌张力增加，诱发支气管痉挛。严重时气体难于进出肺，可出现二氧化碳潴留、缺氧、心动过速和血压下降。因此，应及时吸净呼吸道内的分泌物，发生支气管痉挛时可缓慢静注氨茶碱 250～500 mg、氢化可的松 100 mg 或吸入支气管扩张药，必要时可用丙泊酚或氯胺酮，既有麻醉镇静作用，又有扩张支气管效应，并增加吸入氧浓度，防止缺氧，并持续人工通气，支持呼吸功能。

（丛露　王珊娟　杭燕南）

参 考 文 献

1　庄心良，曾因明，陈伯銮. 主编. 现代麻醉学. 第 3 版. 北京：人民卫生出版社，2003：1011～1040.

2 杭燕南,庄心良,蒋豪,等主编.当代麻醉学.第1版.上海:上海科学技术出版社,2002:869~976.

3 苏跃,耿万明,刘伟,等.全麻下单肺通气对肺功能的影响.中华麻醉学杂志,1999,19:584~586.

4 朱蕾,刘文宁,于润红,主编.临床肺功能.第1版.北京:人民卫生出版社,2004:83.

5 Tanskanen P,Kytta J,Randell T. The effect of patient positioning on dynamic lung compliance. Acta Anaesthesiol Scand,1997,41:602~606.

6 刘伟,苏跃,耿万明,等. 不同体位对全麻病人双肺或单肺通气时呼吸力学的影响. 中华麻醉学杂志,2006,3(26):221~223.

7 Russell WJ,Fenwick DG. et al. Dimensions of double-lumen tracheobronchial tubes. Anaesth Intensive Care,2003,31(1):50~53.

8 Hofer CK,Zollinger A,Buchi S,et al. patient well-being after general anaesthesia:a prospective,randomized,controlled multi-centre trial comparing intravenous and inhalation anaesthesia. Br J Anaesth. 2003;91(5):631~637.

9 Tong J,Tricia M,Christian C,et al. Consensus guidelines for managing postoperative nausea and vomiting. Anesth Analg,2003,97(1):62~71.

10 Kirby GN. Complication in Anesthesiology. Philadelphia:Linppincott-Raven,1966:175~251.

第 21 章　ICU 病人的气道管理

ICU 的病人常常存在误吸危险、使用面罩维持气道困难或需要长时间机械通气,此时应建立人工气道以维持气道通畅,改善肺的通气和氧合功能,但同时增加了发生气道感染、气道损伤等并发症的机会。由于许多因素包括病人有限的生理储备,使得 ICU 气道管理非常复杂,有效的气道管理技术可减少并发症的发生。本章将讨论 ICU 病人气道管理的一些特点问题。

第一节　ICU 内气管插管

一、气管插管的适应证

ICU 的病人由于各种原因导致正常的呼吸功能受损,如呼吸中枢受损不能维持足够的呼吸驱动力、神经肌肉疾病不能维持有效的呼吸运动、完整的胸廓结构受到破坏、意识障碍不能保持气道通畅、肺实质疾病使得肺的通气和氧合功能受限。此外,一些疾病导致病人有反流、误吸的危险。出现一个或多个以上这些情况,均可能需要进行气管插管和呼吸支持。

气管内插管能提供防止肺内误吸的相对保护,维持气体交换的通路通畅,提供肺和呼吸机的连接途径,建立清除分泌物的途径。

二、经口、鼻气管插管的优缺点

(一)直接喉镜下经口气管插管

1. 优点　操作简单,设备要求少。它是医生最熟悉的方法,可在直视下置入气管导管。特别是在需要使用较粗的插管以便于吸痰或行纤维支气管镜的情况下,适合采用经口气管插管。经口气管插管的呼吸机相关肺炎(VAP)发生率低于经鼻气管插管。经口气管插管与鼻窦炎发生率下降相关,以及没有发生鼻窦炎的病人 VAP 发生率较低。

2. 缺点　下颌骨和颈部活动性必须充分才可以直视。常需要表面麻醉,区域麻醉或全麻。

(二) 经鼻气管插管

可在呼吸音引导下盲插,或在喉镜或纤维支气管镜直视下进行插管。

1. 优点　最大的优点是病人感到舒适,对头颈部的位置要求不太严格,稳定性稍微好一些。不需全麻或肌肉松弛药即可进行盲探插入。当经口插管困难或不可能时(如病人张口受限),可经鼻插管。

2. 缺点　快速插管比较困难。在喉镜直视下进行插管,与经口气管内插管有着同样的缺点。导管内径受后鼻孔大小的限制。有时可发生严重的,甚至是致命的鼻出血。插管过程中常发生一过性菌血症。经鼻插管与用同型号的管子经口插管相比,其弯曲半径较小,管子阻力更大,经鼻置留的导管可在鼻咽部变软和扭折,使气道阻力增高,此插管途径和型号较小的插管有时使吸痰和脱机变得复杂。经鼻插管常并发鼻窦炎和耳炎。

第二节　气管造口

气管造口优于经喉气管插管之处在于:使病人更舒适;减少喉功能失常和损伤的危险性;改善口腔卫生;提高交流的能力,包括可以发声(当套囊放气时)。但造口部位可能发生气管狭窄;造口感染,可造成其附近皮肤和血管导管的继发感染;侵蚀附近血管组织可造成出血;手术并发症;造口处瘢痕及肉芽组织形成。

决定将气管导管更换为气管造口的适宜时机,是一个有争论的问题。人们通常认为:声门损伤的发生率和严重程度与插管时间长短有关。但尚未得到证实。在临床实践中,在经喉插管 3 周后考虑施行选择性气管造口。

应定期检查导管的清洁度、功能及活动性,必要时应予以更换。应准备必要时经口插管的工具,吸入 100% 氧,清洁气道造口处并吸引;检查新导管及套囊的完整性,将导管内塞插入新导管腔使气管造口导管尖端的表面平滑;套囊放气,撤除旧导管。在拔出已放气的套囊导管过程中,经过气道前壁时,可感觉到有一定的阻力;检查造口通道,插入新导管套囊充气后,用 100% 氧供氧;评估气道内导管位置是否适当,方法与其他气管内导管评估方法相同。

气管造口通道在术后早期插入导管极为困难。若在切开后 7～10 d 之内需更换气管造口导管时,应插入可塑性管芯。一旦无法找到通道应立即进行经口气管插管。

当不再需要气道支持时,即可考虑拔除导管。此时病人应该有充分的氧合和通气,有清除分泌物及避免误吸的保护能力。

当病人恢复良好并准备拔除导管时,可考虑采用如下方法处理:① 窗孔式气管造口导管,可使病人通过气管造口或自然气道进行呼吸。当取出内导管套囊放气后,堵塞导管开口,病人可正常讲话。但这样的窗孔式气管造口导管无法防止误吸。② 小型号无套囊气管造口导管,常是拔除导管前最后采用的气道装置。在多种情况下,它可作为一种气道安全装置和吸引通路。即使将多个开口堵塞,导管周围的气流阻力也无临床意义。

部分病人需要气管造口导管持续留置,由于对吞咽协调功能产生机械干扰可增加误吸的机会。采用小号无套囊气管造口导管以减少吞咽过程中气管造口导管的移动所造成的机械刺激,可减少此类问题。小号导管可保持造口通畅,且可以吸引气道。

插管时间过长可能发生声带功能失常和误吸。此种功能失常可在拔管后数周内自行恢复。

第三节　气管导管和气管造口导管的维护

一、一般处理

（一）吸引

插管病人需吸引以清除咽部及气管内分泌物。

（二）套囊

套囊压力应保持在 30 cmH$_2$O 以下,且常规监测。阻塞压升高提示需更换大号导管或大套囊同型号导管。

（三）导管保护

如需要时应更换胶带或导管支架。经口气管导管应避免压迫口唇。经鼻插管的病人应定期检查有无鼻窦炎、中耳炎或鼻孔坏死。

二、气管内导管和气管造口导管的常见问题

（一）套囊漏气

正压通气时,可于套囊周围听见咽部气流向前方流出。大的漏气需迅速重新插入导管。然而通常向套囊中在注入少量气体就可密封。套囊持续漏气的原因如下。

1. 套囊位于声门上　套囊充分充气却无法密封气道,其位置可能位于声带处或声带以上。可摄胸片或喉镜检查以确定套囊位置。将套囊放气,推进导管再重新确认导管在气管中的位置。

2. 套囊受损　套囊无法充气,可能需立即更换。缓慢漏气可允许一定时间进行估测。小的漏气可发生于套囊—导管交界处。

3. 气管扩张　此持续漏气的原因,摄胸片能协助诊断。套囊充气后胸片上可见组织—

气体界面则提示气管扩张。可更换较大的导管或带有较大容量套囊的导管。

（二）气道梗阻

是一种紧急情况。容量通气中高压限报警，或压力通气中低容量报警均可预报气道梗阻，应迅速评估气道。导管扭折时可手法通气，但吸引管无法通过。调整头颈位置可暂时增加通过扭折导管的气体。如不能手法通气，则应立即更换导管。

三、导管的更换

更换气管内导管的指征，多因导管机械性故障，或需改变导管型号或位置（如经口或经鼻）。更换导管常用的方法如下。

（1）喉镜直视。

（2）支气管镜下换管：将新导管套在纤支镜上，然后将纤支镜送至声带。在咽部及声门上区域吸引后，由助手松开旧导管的套囊，将纤支镜通过声门送入气管内，操作者保持纤支镜的位置，助手缓慢拔出旧导管，将新导管沿纤支镜送入气管。该方法在置喉镜禁忌或困难的病人尤其适用。

（3）特制的可塑性长管芯（更换用导管）可用于盲插或直视下更换导管。从旧导管插入一长管芯后拔出导管，注意不要将管芯带出。然后沿管芯将新导管滑入气管。许多更换用导管有空腔以便供氧。

（4）当更换经鼻气管导管时，通过经口插入导管作为过渡步骤，而不是试图两侧插入经鼻气管导管。

第四节　气道湿化

人工气道的建立使上呼吸道丧失对吸入气体进行加温、湿化、过滤清洁和保水作用，干冷气体直接进入下呼吸道，可损伤气道黏膜上皮细胞，黏膜黏液分泌和纤毛活动受影响，气道自净能力降低或消失；影响咳嗽功能；气道失水增多（800～1 000 ml/d），分泌物易变黏稠而形成痰栓阻塞气道，影响通气功能；肺泡表面活性物质受到破坏，肺顺应性下降，引起或加重炎症、缺氧；易诱发支气管痉挛；易发生肺部感染等。因此人工气道必须充分湿化保持湿润，维持分泌物的适当黏度，才能维持气道黏液—纤毛系统正常的生理功能和防御功能，防止相关并发症的发生。

一、湿化、温化方法

（一）加热蒸汽加温、加湿（heated humidified water，HHW）

将无菌水加热，产生水蒸气，与吸入气体进行混合，从而达到对吸入气体进行加温、加湿的目的。现代呼吸机上多装有电热恒温蒸汽发生器，其湿化效率受到吸入气的量、气水接触面积和接触时间、水温等因素的影响。为达到同样的湿化效果，气流量越大，相应所要求的水温越高，蒸发面积也越大。当室温较低时，加温加湿后的气体在进入气道前的流动过程中温度有所降低，部分会凝集在通气管道中，使湿化效果降低，同时吸入气体的温度也有所降低。为保证温化、湿化效果，则应提高加热蒸发器的温度，缩短通气管道，提高室内温度，或在吸气管道中置入加热导丝以保持吸入气温度。吸入气体温度以 32～35℃ 为宜。因此加热器内的水温应维持在 60℃ 左右，必要时可提高室温或在呼吸机的进气管道内放置加热导丝。加热蒸汽加温、加湿时提高吸入气体温度可加强湿化，但吸入气体温度不应超过 40℃，否则影响纤毛活动，出现体温升高、出汗，严重者出现呼吸道烧伤。若吸入气体温度过低，则失去湿化、温化效果。

（二）雾化加湿

利用射流原理将水滴撞击成微小颗粒，悬浮在吸入气流中一起进入气道而达湿化气道的目的。与加热蒸汽湿化相比，雾化产生的雾滴不同于蒸汽，水蒸气受到温度的限制，而雾滴则与温度无关，颗粒越多，密度越大。气体中的含水量越多，湿化效率越高。在同样的气流条件下，雾化器产生雾滴的量和平均直径的大小，随雾化器种类不同。相同种类的雾化器，雾化气流速度越高，微粒直径越小。雾滴沉积在较小气道内，产生较强的湿化作用。但由于雾化器以压缩气体为动力，喷出的气体由于减压和蒸发效应，其温度明显降低，起不到气道加温的作用。此外，使用呼吸机雾化时雾化气流来源于潮气量以外的部分，雾化时实际供给病人的潮气量大于所调潮气量，长时间应用可出现过度通气。现今临床上开始使用一种加热蒸汽湿化与雾化湿化两用的湿化装置，可根据需要自由切换，临床应用效果较好。

（三）温湿交换器（HME）

俗称"人工鼻"，通过呼出气体中的热量和水分，对吸入气体进行加热和加湿，因此在一定程度上能对吸入气体进行加温和湿化，减少呼吸道失水。但它不额外提供热量和水分，并且不同的 HME 对呼吸道的保水程度不同，但若 HME 能保持吸入气体温度在 34℃，则可与加热蒸汽温化、湿化一样应用于长期机械通气的病人。机械通气病人用 HME 湿化与加热蒸汽湿化，在湿化温度为 32℃ 时对气道黏膜黏液性状、黏膜湿度和纤毛运动改善作用相似，但使用 HME 的病人在使用机械通气 72 h 后咳痰能力降低，由此可见加热蒸汽湿化在维持或促进病人咳痰方面优于 HME。但由于不额外提供热和水分，对脱水、呼吸道分泌物黏稠病人来说不是理想的湿化装置，同时气道高阻力病人也不宜使用。

（四）超声雾化

利用超声发生器产生的超声波把水滴击散为雾滴，与吸入气体一起进入气道而发挥湿化作用。具有雾滴均匀、无噪声、可调节雾量等特点。对重症吸入性损伤的病人，行超声雾化吸入的同时吸氧 3～5 L/min，雾化喷嘴与气管切口距离 6～8 cm，超声雾化时间为 15～

20 min,效果最为理想。与加热湿化相比,超声雾化具有不受温度影响、雾滴均匀、无噪声等特点,但不提供热量,对吸入气体的温化效果差,因此限制了其在人工气道湿化方面的优势。

（五）气泡式湿化器

是临床上常用的湿化装置,氧气通过筛孔后形成小气泡,可增加氧气和水的接触面积,筛孔越多,接触面积越大,湿化效果越好。增加湿化瓶的高度,也可增加水—气接触时间,从而提高湿化效果。当气流量为 2.5 L/min 时,湿化后的气体的体湿度为 $38\%\sim48\%$,当气流量增至 10 L/min 时,体湿度为 $26\%\sim34\%$,说明气流量越大,氧气与水接触时间越短,湿化效果越差。

二、湿化量

正常人每天从呼吸道丢失的水分约 $300\sim500$ ml,建立人工气道后,每天丢失量剧增。因此,必须考虑湿化量,以避免湿化不足或过度。成人以每天 200 ml 为最低量,确切量应视临床情况而定。对于机械通气早期而言,宜增加湿化量。

三、湿化效果的判定

湿化效果应从病人的自主症状和一些可监测的指标变化来进行判定,同时应把这些自主症状和监测指标的变化与病人病情相结合,防止误判断或延误病人治疗。大多数学者把湿化效果归为以下三种。

（一）湿化满意

痰液稀薄,能顺利吸引出或咳出;导管内无痰栓;听诊气管内无干鸣音或大量痰鸣音;呼吸通畅,病人安静。

（二）湿化过度

痰液过度稀薄,需不断吸引;听诊气道内痰鸣音多;病人频繁咳嗽,烦躁不安,人机对抗;可出现缺氧性紫绀、脉搏氧饱和度下降及心率、血压等改变。

（三）湿化不足

痰液黏稠,不易吸引出或咳出;听诊气道内有干鸣音;导管内可形成痰痂;病人可出现突然的吸气性呼吸困难、烦躁、紫绀及脉搏氧饱和度下降等。

人工气道的湿化对于维持呼吸道的正常功能和防止各种相关并发症的发生尤为重要。目前临床上使用的湿化方法多种多样,各种方法都有一定的优缺点,但比较而言,温湿交换器可能与呼吸机相关性肺炎(VAP)发生率略有下降相关。最近有几项研究评估了新型温湿交换器,并没有证实有关使用温湿交换器引起气管插管阻塞的担忧。从费用方面的考虑也倾向于使用温湿交换器。在没有禁忌证(如咯血或需要大的分钟通气量)的病人中,建议使用温湿交换器。每周更换一次。

第五节　脱机

一旦病人的功能障碍得到纠正,大多数病人能很容易和安全地脱离呼吸机,例如,没有严重的肺疾病或神经肌肉无力的病人或外科手术过程中选择性机械通气的病人。其他病人特别是那些有肺疾患的病人,通常需要逐步脱机,密切监测。应逐步降低呼吸支持引导病人脱离呼吸机,开始自主通气。应该将脱机和拔除气管导管或气管切开管区分开。尽管插管和通气经常同时使用,有一些病人插管是必要的,当不需要机械通气(如上呼吸道梗阻的病人)。

一、生理学评估

为了成功地脱离呼吸机,病人必须具有等于或超过通气需求的通气能力。大多数不能顺利脱机的病人,通气需求明显超过通气能力。气道阻力增加以及肺或胸廓顺应性降低的病人,呼吸肌一定会对所给潮气量产生相对大的压力。通常这些病人的通气需求会增加,因此,压力—时间乘积增高,这是一个肌肉做功和潜在疲劳的指标。与肌肉力量和耐力减弱有关的因素,包括电解质紊乱(低钾血症、低磷血症)、多发性肌病和多发性神经炎、大剂量皮质类固醇治疗、营养不良和近期使用非去极化肌松剂。

二、成功脱机的预测

首先一定要纠正引起需要进行机械通气的基础疾病。病人应该有适当的气体交换,具体的评估包括:适度的供氧($PaO_2 > 60$ mmHg 和 $FiO_2 < 0.5$)和 $V_D/V_T < 0.50$。通常机械通气过程中的每分钟通气量(V_E)决定通气需求。当 V_E 需求明显高于 $10 \sim 12$ L/min 或大约是正常人静态时 V_E 的两倍时,脱机经常会失败。保证电解质正常(特别是磷、镁和钾)、停用镇静剂、使用支气管扩张剂和适当的体位治疗,将肺功能损伤降至最低程度是对充分通气的有利支持。

可运用脱机参数进行通气能力评估。肺活量、吸气负压、测定自主每分钟通气量、测定 $8 \sim 10$ s 最大自动通气评估短期通气能力。这些变量对短期全身麻醉的病人有极好的预测价值,但是对急性或慢性肺疾患需要机械通气病人的预测价值非常有限。这很可能是因为这些参数只评估通气能力,而没有考虑到通气需求和呼吸功。在一项 58% 病人成功脱机的研究中,发现以下变量最可能与脱机成功有关:脱机练习前机械通气的时间、呼吸频率与潮气量的比值、最大吸气压力、最大呼气压力和肺活量。对脱机成功的阳性预测价值是 $74\% \sim 94\%$。

需要指出的是对通气需求、呼吸功和通气能力的综合评估可能是有用的。例如，自主呼吸频率与潮气量比值（f/V_T）低于 100 次/(min/L) 预测脱机可能成功，因为它是一个反映通气需求和能力的指标，这一比值被称做浅呼吸指数，比其他变量预测脱机具有更高的敏感性和特异性。然而，一篇关于 52 例脱机病人的报道显示，13 例 f/V_T>105 次/(min/L) 的病人中有 12 例脱机成功，只有 1 例病人拔管失败。非常低的 f/V_T 比值对成功有较高的阳性预测价值，然而较高的比值将预测不能成功脱机。另一方面，比值在 70～110 之间其预测价值较小。

尽管如此，对脱机成功或不成功的预测仍然较差。在一项研究中，每天给所有机械通气病人进行自主呼吸练习（除非存在禁忌证，例如呼吸暂停、呼吸困难、严重低氧血症或病人需要较高的吸氧浓度或分钟通气量）。结果，病人能成功脱机的比例比临床医生预测的要高。

三、脱机的方法

很容易脱离呼吸机的病人，不管使用什么方法都很容易脱机。那些脱机困难的病人，不管使用什么方法都很难脱机。脱机程序的说明应包括对可能不适的描述和停止监测的把握，在开始脱机前，应该向病人解释。

一旦开始尝试脱机，出现以下迹象应该考虑重新行机械通气或减慢脱机过程，包括：呼吸急促、心动过速（通常>120 次/min）、低血压、严重焦虑、低氧血症或脉搏-血氧饱和度降低、呼吸性酸中毒（pH<7.30）、心律失常、胸痛或其他血流动力学不稳定的迹象。一个少数病例的研究显示，在脱机失败的病人，胃内 pH 降低，提示组织缺血；反之，在脱机成功的病人，胃内 pH 则没有变化。任何脱机困难的病人需要重新评估通气需求和通气能力。

（一）间歇指令性通气（IMV）

这种方式随病人自主呼吸的改善，每分钟承担的呼吸逐渐增加，可于数小时或数天内逐步降低呼吸机的频率一些呼吸机上，自主呼吸过程中 IMV 模式需要病人在自主呼吸时做功明显增多，因此病人很容易疲劳。IMV 能在病人脱机过程中更好地对病人进行监测，自主呼吸的潮气量和频率显示在大多数呼吸机的面板上。自主呼吸过程中，IMV 经常和压力支持联合使用。

（二）压力支持通气（PSV）

用这种方式脱机，开始设定的支持压力是使潮气量能达到 6～8 ml/kg 和使呼吸频率低于 20 次/min。逐渐降低支持压力，直到在没有压力支持的情况下，病人自己的潮气量能够满足自身的需要。当支持压力低于 7～10 cm H_2O 时，通常停止机械通气。

（三）无创正压通气

研究发现脱机或拔管失败的病人可以暂时使用无创正压通气支持，而不是重新插管。

确定无创正压通气在脱机方面的准确作用和预后有待进一步研究。然而,如果要使用,需仔细选择病人和严密监测。

（四）其他方法

有时病人需要加强营养支持或需要长时间解决可逆的神经肌肉障碍。许多专门研究中心报道,适当地延长机械通气后,在病人脱机方面获得了相当大的成功。

（皋源 王云霞）

参 考 文 献

1 Sugerman HJ, Wolfe L, Pasquale MD. Multicenter, randomized, prospective trial of early tracheostomy. J Trauma, 1997, 43:741~747.

2 Girou E, Schortgen F, Delclaux C, et al. Association of noninvasive ventilation with nosocomial infections and survival in critically ill patients. JAMA, 2000, 284:2361~2367.

3 Heffner JE, Hess D. Tracheostomy management in the chronically ventilated patient. Clin Chest Med, 2001, 22: 55~69.

4 Tobin MJ. Advances in mechanical ventilation. N Engl J Med, 2001, 344: 1986~1996.

5 Core topics in airway management. Edited by Ian Calder and Adrian Pearce. Cambridge University Press, 2005, 1~841.

6 Backnann U, Gillies DM. Factors associated with reintubation in intensive care: an analysis of causes and outcomes. Chest, 2001, 120:538~543.

7 Epstein SK, Nevins ML, Chung J. Effect of unplanned extubation on outcome of mechanical ventilation. Am J Respir Crit Care Med, 2000, 161:1912~1916.

8 Ostermann ME, Keenan SP, Seiferling RA. et al. Sedation in the intensive care unit: a systematic review. JAMA, 2000, 283:1451~1459.

9 Walz JM, Zayaruzny M, Heard SO. Airway management in critical illness. Chest, 2007, 131:22, 608~620.

10 Stoller JK, Skibinski CI, Giles DK. et al. Physican-ordered respiratory care vs physican-ordered use of a respiratory therapy consult service. Results of a prospective observational study. Chest, 1996, 110: 422~429.

11 Kress JP, Pohlman As, O'Connor MF, et al. Daily interruption of sedative infusions in critically ill patients undergoing mechanical ventilation. N Engl J Med, 2000, 342:1471~1477.

第22章　围术期低氧血症的防治

　　氧是机体组织细胞能量代谢所必需的物质,由于体内氧贮备有限,组织和细胞必须依赖完整的呼吸和循环系统,不断提供氧气。围术期由于病人自身的疾病状况、麻醉和手术的影响,易发生低氧血症。文献报道术后发生一次或一次以上低氧血症($SaO_2<90\%$)的病人占55%,尤其多见于老年病人胸、腹腔手术、吸烟者、心肺功能不全者以及其他全身麻醉大手术后。低氧血症可诱发和加重麻醉手术后其他并发症,影响重要脏器功能,并易发生心肌缺血和心律失常,延迟伤口愈合或增加伤口感染,最终导致术后致残率和死亡率增加。因此应充分重视围术期低氧血症的防治。

第一节　低氧血症的病理生理与发生机制

一、组织氧的利用

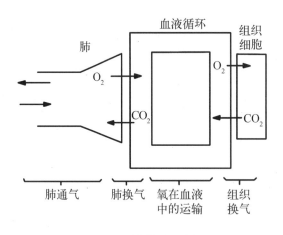

图 22-1　氧的利用过程

　　外界环境中的氧能被机体组织所利用,必须有完整的呼吸过程。这个过程主要包括三部分:肺通气(外界的氧进入肺泡内)和肺换气(肺泡内的氧进入毛细血管内的血液中)、氧在血液中的运输(氧通过血流运输至组织周围血管)、组织换气(血液中氧通过毛细血管进入细胞)和细胞氧化代谢(图 22-1)。

　　能提供给组织利用的氧量称氧供给量(SO_2),通常以每分钟的毫升数表示(ml/min)。正常成人的氧供给量约为1000 ml/min。决定氧供给量的因素包括：心排血量、PaO_2、SaO_2、Hb。可以通过下式计算：

$$SO_2 = CO \times 动脉血氧含量 \times 10$$
$$= CO \times (血红蛋白携氧能力 + 血浆中溶解的氧) \times 10$$
$$= CO \times [(Hb \times SaO_2 \times 1.36) + (PaO_2 \times 0.003)] \times 10$$

正常情况下，氧供应量与组织氧需求量动态平衡。某些病理状况下，如脓毒血症，氧供给量减少或氧需求量增加使得氧供应量小于组织氧需求量。此时，氧消耗量取决于氧供给量，称为病理性氧供给依赖。为了解决这个问题主要途径是增加氧供给量。

二、低氧血症的病理生理

发生低氧血症的原因通常涉及肺通气、肺换气和氧在血液中的运输，主要包括吸入氧浓度降低、肺泡通气量不足、肺弥散功能障碍、通气血流比例失调和心排血量减少等。

（一）吸入氧浓度

吸入氧气浓度直接关系到血氧浓度，正常情况下吸入大于 21％ O_2 的混合气体时不会发生低氧血症。氧输送系统连接错误、管道阻塞或气流不足，低氧或非氧气体混杂可使吸入氧浓度降低。呼吸回路装配错误时氧则无法输送到病人。气源问题可导致致命性低氧血症，发现稍迟，能迅速致死。历史上有许多教训。因此，吸入氧浓度监测十分重要。另外，氧流量设置有误，氧耗量大于氧流量时也会出现越来越严重的低氧血症。

（二）肺泡通气不足

肺泡通气不足是围术期低氧血症重要和最常见的原因。麻醉手术因素均可致肺泡通气不足。

1. 麻醉因素　多数麻醉药不同程度地影响呼吸功能，其主要影响呼吸中枢，导致潮气量和呼吸频率减少。全麻与仰卧位可改变胸壁和膈肌的形状和活动而影响气体交换，膈肌向头侧移动可引起功能残气量（FRC）减少。全麻下胸壁力学的改变可使 FRC 下降 20％。膈肌和胸廓肌肉紧张度丧失是肺不张发生的主要原因。吸入麻醉药可减弱缺氧性肺血管收缩；全麻正压通气时，上部肺比下部肺通气充分，而下部肺血流因重力作用而增加，结果生理无效腔和分流都不同程度的增加，使肺泡-动脉氧分压差增加，如不给予较高浓度的氧，则可能发生低氧血症。全身麻醉诱导后上述病理生理变化即可出现，但是如果不实施手术，病人清醒后的呼吸系统功能将很快恢复到麻醉前水平。麻醉时间长短与术后肺并发症相关，麻醉时间大于 3 h 者术后肺部并发症显著增加。神经阻滞麻醉由于辅助药物的应用也可影响呼吸功能。选用局部麻醉或区域麻醉、使用短效麻醉剂、术后良好镇痛可显著降低术后肺并发症的发生率。

有些麻醉操作可影响吸入氧浓度和肺泡通气量，使病人发生低氧血症，如双腔支气管插管期间的单侧通气或气管导管过深，对侧肺通气不足。不恰当的气管内吸引，也可致低氧血症。如 FiO_2 为 0.25 时气管内吸引 60 s，PaO_2 可从 10.8 kPa(81 mmHg)降低到 9.3 kPa(70 mmHg)，因而应预先充分吸氧或吸引后行过度通气，使用小口径的吸引管，仅在吸引时使用负压。一些严重的麻醉操作失误如气管插管时误入食管会导致病人无法吸入氧，产生严重低氧血症。

自主呼吸时，大多数的麻醉药对其有抑制作用。随着吸入麻醉剂深度增加还将导致肺泡二氧化碳分压(P_ACO_2)增加，肺泡氧分压(P_AO_2)下降，即使提高 FiO_2 也会引起低氧血症。术后麻醉药物的残余效应仍然抑制呼吸中枢，减少肺泡通气量，降低对低氧和二氧化碳蓄积反应的敏感性等均减少病人的肺泡通气量。

2. 手术　一般而言，手术种类对肺功能抑制的程度有较大差异，以胸腔手术、上腹部手术影响较大，下腹部手术及浅表手术影响较小。急诊手术病人较择期手术术后肺并发症(如肺炎和机械通气时间延长)明显增加。因此，应重点监测与预防高危病人。

上腹部手术的病人在术后早期即可出现肺活量的显著下降，功能残气量(FRC)也逐渐下降，严重者发生低氧血症。多数既往无肺部疾病的病人，上腹部手术对 VC 和 FRC 的影响不会导致显著的临床呼吸并发症。但对于已有肺换气功能异常的病人，该影响可能引起严重的呼吸衰竭。

术后肺活量的下降主要是限制性的，疼痛是常见原因。这些病人的 FEV_1：FVC 的比例正常，因此多数病人可通过有效的镇痛，以改善术后呼吸功能，防止低氧血症的发生。但即使达到有效的镇痛，改善 VC 和增加 FRC，但均不能完全恢复到术前水平。疼痛引起的限制性呼吸不是上腹部手术后呼吸功能不良的唯一解释。上腹部手术后，跨膈压力显著降低，且硬膜外镇痛不能改变该变化。这提示上腹部手术操作可能对横膈功能有直接作用，并导致术后呼吸功能不良。许多上腹部手术病人术后呼吸形式发生改变，由原先的腹式呼吸转变为胸式呼吸；呼吸时腹腔容积变化减小而肋弓移动相对幅度增大，说明横膈所起的作用变小，而肋间肌、颈副肌等所起的作用增大。因此，术后多种原因触发呼吸功能不全，最终发生低氧血症。

开胸手术对肺功能的影响与病灶性质和切除范围等有关。开胸手术本身可导致呼吸功能降低或不全，如胸腔畸形、肺组织缺损、膈与胸膜粘连及残腔等，但开胸手术由于手术因素也可改善肺功能，因为：① 可切除感染病灶如肺脓肿或支气管扩张等；② 切除肺组织消除动静脉分流的影响，特别是全肺不张或肺动静脉瘘；③ 肺切除减少无效腔和改善肺功能如肺减容术、肺萎缩、支气管扩张及肺大疱等。

腹部手术后病人的呼吸模式发生变化，横膈在呼吸运动中的作用减小，而肋间肌、颈副肌等所起的作用增大，呼吸时腹腔容积变化较小而肋弓移动幅度相对增大，跨膈压下降，腹部出现矛盾呼吸运动。创口敷料、腹部包扎、肺间质水肿或内脏膨胀可增加膈肌向上运动，X 线表现为左半膈肌由于胃内空气而抬高。这些均使潮气量减少，肺泡通气量减少。疼痛和反射性刺激使腹部肌肉张力增加常使肺容积减少。腹部手术后使用硬膜外镇痛治疗,减轻疼痛后有利于呼吸功能的恢复。

（三）通气/血流比（V/Q）

肺泡内气体是氧摄取的第一步,流经肺泡的血液充分氧合的首要条件是肺通气和肺毛细血管血流之间的平衡,即通气/血流比适当。正常人通气/血流比在肺的不同部位不相等的,平均值约为 0.8。它的理想值是 1,此时氧的交换效率最高。如果通气/血流比值大于 1 或小于 1,则有无效通气或肺内分流存在。

1. 无效腔通气 当 V/Q 大于 1.0 时提示通气大于血流,过多的通气量（即无效腔量）不参与血液的气体交换过程。临床有两种类型的无效腔通气:

（1）解剖无效腔（anatomic dead space）:管径较大的气道由于缺乏毛细血管,其中的气体不参与人体的气体交换过程,这部分气道称为解剖死腔。

（2）肺泡无效腔（alveolar dead space）:是未与血液进行交换的气体,即肺泡通气量超过肺泡血流量的情况。在正常人体,死腔通气量约占潮气量的 20%～30%,即 $V_D/V_T = 0.2～0.3$。V_D/V_T 增加时常导致低氧血症和高碳酸血症。V_D/V_T 增加到 0.5 以上时临床出现高碳酸血症。

导致死腔通气量增加的病理生理因素包括肺泡-毛细血管损伤（肺气肿）、血流减少（心力衰竭、肺栓塞）和正压通气引起的肺泡过度扩张。

2. 肺内分流 V/Q 低于 1.0 表示毛细血管血流大于通气量,过多的毛细血管血流量（即肺内分流）,不参与肺内气体交换,常有两种肺内分流:

（1）真分流（true shunt）:毛细血管和肺泡气之间完全没有氧交换（$V/Q=0$）,与心脏右向左解剖分流相等。

（2）静脉血混杂（venous admixture）:代表毛细血管与肺泡气之间未达到完全的氧交换平衡（$0<V/Q<1.0$）,当静脉血混杂增加时,V/Q 不平衡接近于真分流时的情况（$V/Q=0$）。

肺内分流率增加与肺内小气道关闭（哮喘发作、慢性支气管炎）、肺泡内液体增加（肺水肿、肺炎）、肺泡塌陷（肺不张）以及肺栓塞时非栓塞区域肺血流的过度增加有关。分流率对动脉氧和二氧化碳分压（PaO_2、$PaCO_2$）的影响（图 22-2）。随分流率增加,动脉氧分压进行性降低,但 CO_2 分压保持恒定,当分流率>50% 时,CO_2 才进行性增加。通常情况下由于疾病过程中伴随的过度通气或伴有低氧血症,当分流率增加时病人 CO_2 通常低于正常值。

分流率也决定吸入氧浓度对动脉氧分压的影响程度（图 22-3）。当分流率增加时,PaO_2 随 FiO_2 增加而增加的程度降低。当分流率大于 50% 时,则 FiO_2 的增加不再影响 PaO_2,这一情况类似于上述的真分流。这刚好解释了为什么通气血流比例严重失调时,增加吸入氧浓度几乎无助于氧分压的提高。

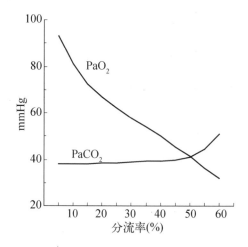

图 22 - 2　分流率对动脉氧和二氧化碳的影响

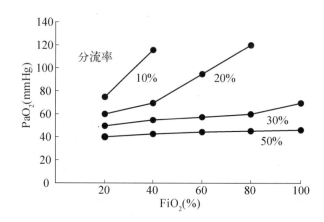

图 22 - 3　分流率对吸入氧(FiO_2)和动脉氧分压(PaO_2)之间关系的影响

全麻时,自主呼吸情况下肺通气减少,同时气体分布被损害。肺组织出现肺膨胀不全,同时缺氧性肺血管收缩的代偿又被低浓度的吸入麻醉药所抑制,使得 V/Q 发生变化。机械通气时,正压通气使上部肺通气充分,而血流量因重力作用使下胸部血流增加,同时增加胸腔内压力而降低心排血量也会导致生理无效腔量增加使 V/Q 不匹配。

有些手术如开胸手术或腹部手术可影响肺通气和肺部血流,进而影响通气血流比。开胸侧肺萎陷,肺泡通气明显减少,但开胸侧肺血流并未相应减少,造成开胸侧肺通气不足而血流灌注良好的情况,通气血流比的降低造成肺内分流。非开胸侧肺受腹腔内容物、纵隔、重力的影响通气不良,而血流灌注相对较多,同样造成通气血流比的降低出现肺内分流。

四、心排血量减少

右向左分流存在时,及低血压、休克或心功能不全、心排血量降低可进一步加重低氧血症。VO_2 增加使静脉血氧含量（CvO_2）降低，如心排血量没有代偿性增加，则产生低氧血症。正常情况下术后这些因素并无重要的临床意义，但 VO_2 在寒颤、烦躁不安、发热或组织创伤等存在时显著增加，CvO_2 降低，如心排血量无代偿性增加，以及静脉血混杂和贫血均可造成低氧血症。

五、呼吸并发症

麻醉手术期间及术后可发生呼吸系统的并发症，这些并发症可导致低氧血症发生。

（一）术后肺不张

手术体位、切口痛及年龄均影响 FRC 和闭合容量的关系。当闭合容量大于 FRC 时，小气道闭合。老年病人 FRC 已下降，手术时平卧位及全身麻醉进一步降低 FRC。FRC 与闭合容量的差值与肺泡-动脉血氧差相关，当肺泡-动脉血氧分压差增加时表明 FRC 小闭合容量。当小气道闭合后，易于发生吸收性肺不张或压迫性肺不张，最终导致低氧血症。

肺的下垂部分易发生小气道闭合，而在平卧位，更多的肺组织是下垂的，因此病人容易发生更多部分的小气道闭合。全身麻醉本身易发生下垂肺的不张，而老年病人及吸烟病人的闭合容量增加，使得病人在较大的肺容积时即发生小气道闭合，从而导致低氧血症。

肺外周的小气道无软骨支撑，它们易受胸膜腔压力的影响。由于胸膜腔压力为负，这些小气道可保持开放。FRC 降低导致下垂肺的胸膜腔压力为正压，使得肺泡易于萎陷。完全的肺泡萎陷导致肺内分流；当气道仅仅是狭窄时，V/Q 降低，影响气体交换，并导致低氧血症。

（二）肺水肿

围术期常有抗利尿激素和醛固酮的分泌增加。两者均促使术后病人排尿减少和水潴留。若不考虑该代谢反应，而试图增加补液量以增加术后病人的尿量，便易于导致液体超负荷和肺水肿，并致低氧血症。术后根据尿量，进行经验性的液体治疗可能增加血管外肺水，易致术后病人呼吸衰竭。

年轻病人由于心肺储备好，可以耐受这些变化，但老年病人由于心肺功能差，易于发生呼吸衰竭。因此，必须小心地进行液体治疗，密切监测中心静水压的变化。

导致肺水肿的另一个常见原因是肺毛细血管通透性增加。通常发生于腹腔感染的术后病人。治疗该类病人必须尽早确认感染源、充分引流、积极抗感染。

肺水肿也可能与输血、血液成分或药物等的过敏反应有关，部分或完全性气道阻塞时用力吸气也可产生负压性肺水肿。

（三）支气管痉挛

见于多种药物应用后，可能与组胺释放或过敏反应有关，严重支气管痉挛可有低氧血症和高碳酸血症，但中等度支气管痉挛二氧化碳可正常或降低。

（四）气胸

多发生于胸部、颈部和纵隔手术，高压通气或过量气体进入局部肺组织时易发生肺损伤。

第二节　围术期低氧血症的预防和治疗

从上述低氧血症的病理生理和机制来看，围术期发生低氧血症的危险因子很多。因此，宜积极预防，及时诊断和处理，避免进一步危害病人。目前对围术期低氧血症的诊断缺乏统一的规定，通常采用 Russell 等提出的标准，即 $SaO_2 < 92\%$，持续 30 s 以上即为低氧血症，也有人认为持续 20 s 以上即可诊断。低氧血症可分为三级：SaO_2 在 $89\% \sim 92\%$ 之间为轻度低氧血症；$85\% \sim 89\%$ 为中度低氧血症；小于 85% 为重度低氧血症。也有以动脉血氧分压（PaO_2）作为标准。即：$PaO_2 < 80$ mmHg 为轻度低氧血症，$PaO_2 < 60$ mmHg 为中度低氧血症，$PaO_2 < 40$ mmHg 为重度低氧血症。

一、低氧血症的预防

（一）术前呼吸道准备

（1）麻醉前 $24 \sim 48$ h 戒烟可降低碳氧血红蛋白含量，促进组织氧的输送。戒烟 4 周以上还可改善纤毛功能、减少气道分泌物及刺激性。吸烟者术后并发症的发生率是非吸烟者的 $2 \sim 6$ 倍。因此，吸烟者术前宜戒烟。但术前戒烟是否减少术后低氧血症的发生率尚有争论。

（2）控制急性呼吸道感染　术前存在呼吸道感染的病人，围术期呼吸道并发症发生率远高于无呼吸道感染者，特别时小儿易激发支气管痉挛或喉痉挛。原则上先控制感染再行手术。急诊手术者宜加强抗感染治疗。

（3）术前胸部理疗　有慢性呼吸道疾患的病人术前宜加强自主深呼吸锻炼、叩胸、胸部震动加体位引流及雾化吸入等，有助于围术期呼吸功能维护，减少低氧血症的发生。

（二）手术方式和麻醉方式的选择

上面已经叙述了手术对呼吸的可能影响，因此，选择对呼吸影响较小的手术方式可减少围术期低氧血症的发生。非经胸或腹部手术可减少术后肺部并发症。如腹主动脉手术腹膜外途径术后肺部并发症的发生率显著低于经腹手术。创伤小的手术也可减少术后并发症，采用腹腔镜手术术后肺部并发症较剖腹手术减少。同样，不同的麻醉方式对呼吸的影响程度也有区别。例如局部麻醉和神经阻滞相比全身麻醉，对呼吸的影响要小。局部麻醉可减少术后肺并发症，脊麻和硬膜外麻醉对呼吸影响小，可用于下腹部手术和下肢手术，上腹部和胸腔手术使用硬膜外麻醉复合全麻可减少全麻药物的用量，促进膈肌功能恢复以及良好的疼痛控制可减少术后肺部并发症。

（三）促进术后呼吸功能恢复

1. 活动和体位　早期活动与胸部物理治疗可增加肺容量和提高肺分泌物清除率。腹部手术的肥胖病人采用半卧位 PaO_2 较卧位高,同时 $P_{A-a}O_2$ 较小。因此,应鼓励病人术后早期活动,练习做深呼吸以及肺部物理治疗可有效增加肺容量和提高肺分泌物清除能力。

2. 术后镇痛　术后病人的活动和深呼吸多受到手术伤口疼痛的影响,多数病人有畏惧心理。因此,适当的术后镇痛,消除病人呼吸功能锻炼的障碍,对术后呼吸功能的恢复大有裨益。术后镇痛能增加正常肺的扩张功能,用阿片类药物加局麻药行硬膜外镇痛使病人活动时疼痛减轻,加深自主呼吸,可能早期活动及维持肺组织扩张,硬膜外镇痛也可减少术后膈肌功能紊乱,膈神经活动及增强膈肌功能,减少腹部和胸部手术后肺并发症。目前使用的术后镇痛方法多为静脉输注麻醉性镇痛药和硬膜外或外周神经输注局部麻醉药。也有两者联合使用的。

（1）硬膜外腔注射局麻药:疼痛及镇痛可调节气体交换,硬膜外镇痛达 T_4 时不影响 PaO_2、$PaCO_2$ 或功能残气量（FRC）,上腹部手术后使用硬膜外镇痛也无 PaO_2 或 $P_{A-a}O_2$ 的改变,疼痛减轻时 FRC 也无变化。与吗啡相比,上腹部手术后使用布比卡因镇痛对 PaO_2、$P_{A-a}O_2$、$PaCO_2$ 或峰值呼气流速均无明显影响,但也有认为可引起 $P_{A-a}O_2$ 降低,可能是同时使用胃肠外吗啡镇痛或镇痛药剂量较大,但大部分病人表现为中等度过度通气。

（2）静脉持续输注镇痛药:大手术后持续静脉输注吗啡的病人,可有 SpO_2 下降、阻塞性呼吸暂停、反常呼吸和呼吸频率减慢,硬膜外腔使用局麻药或肋间神经阻滞镇痛时则无此变化。

（3）硬膜外腔注射阿片类药:该技术用于多种手术均可提供满意和较长时间的镇痛,且无硬膜外麻醉引起的交感神经阻滞及低血压,然而阿片类药选择性镇痛有发生呼吸抑制的危险,药物注射后可引起早期（1～2 h）和延迟性（6～24 h）呼吸抑制,早期呼吸抑制可能与阿片类药物的血液吸收有关,多见于使用哌替啶和芬太尼等脂溶性药物,延迟性呼吸抑制是由于吗啡等水溶性药物在脑脊液中向头侧扩散有关。影响因素包括年龄、剂量、体位,以及是否同时使用胃肠外镇痛药或其他呼吸抑制药物。此外病人对镇痛药耐受、腹内和胸腔内压力增加、原有肺部疾患或硬膜穿破等因素也有关。

3. 术后物理治疗　包括分泌物的吸引和清除,高风险的腹部和胸部手术病人应增强其肺膨胀功能。呼吸治疗可使高风险病人术后肺部并发症的发生率从 60%～ 80% 降低至 19%～30%。使肺充分扩张的最佳方法是进行深呼吸,也可使用 IPPV 或 CPAP。

（四）加强围术期呼吸道管理

气道管理的目的是保持呼吸道的通畅,使得肺通气和肺换气顺利进行。根据病人的情况,可使用面罩、喉罩、气管插管下自主呼吸或机械通气(详见5~17章)。病人呼吸动力良好的可自主呼吸,呼吸动力不足的病人可行辅助呼吸或控制呼吸。通常单纯为了维持通气可选择IPPV或SIMV模式通气。PEEP和CPAP是目前用于治疗低氧血症的主要手段之一,可增加呼气末肺容量和跨肺压,并增加功能余气量,肺泡直径增大,使原来萎陷的肺再膨胀,同时肺顺应性也增加,减少呼吸做功。因此,改善了通气和氧合,V/Q比率适当,提高PaO_2,还可降低FiO_2,有效地预防可能发生的氧中毒带来的肺损害。PEEP使Qs/Qt减少,氧输送增加,是治疗低氧血症的良好方法。但PEEP增加了呼吸道内压力,可影响心血管功能,临床上应用时可选择最佳PEEP,以减轻循环功能的抑制。特别是急性肺水肿和ARDS病人,使用PEEP能纠正通气/血流比值失调,增加弥散功能,增加氧合,可有效提高PaO_2。

1. 无气管插管时的气道管理　无气管插管时的气道管理取决于口咽、鼻咽和喉部的通畅程度。正常情况下呼吸气体由两条径路进入喉部声门:① 鼻孔:鼻咽部到喉部,如后鼻孔闭锁、鼻中隔歪曲、黏膜肿胀及血或黏液均可堵塞通路;② 口腔在上腭和舌之间到口咽部、喉咽部和喉部声门。舌和会厌下垂可使上呼吸道关闭。从解剖生理角度来看,喉的内侧和外侧肌可影响声门开闭,从颏舌骨肌、甲状舌骨肌到环甲肌形成一条肌线,头后仰和颏向前上抬高,使舌和会咽离开咽后壁,在舌骨水平保持口咽部通畅。如果在甲状软骨水平肌群收缩,声带向内靠拢,喉头紧闭(喉痉挛)。此外中下咽缩肌收缩,食管上部关闭可防止反流。反之,咽缩肌松弛易发生误吸,所以在无气管插管时,气道通畅和气道保护存在矛盾。

无气管插管时的几种临床情况应加强气道管理:① 应用镇静镇痛药,局部麻醉、神经阻滞和硬膜外麻醉应用辅助药物以及麻醉前用药或术后镇痛,均可引起呼吸抑制和气道阻塞,特别是剂量过大,易发生低氧血症或高碳酸血症。② 过渡阶段气道问题:全麻诱导之前及气管拔管之后,易发生气道阻塞或喉痉挛,严重者可窒息致死。③ 不用肌松药的麻醉诱导和维持,无气管插管时的气道管理方法如下。

(1)自主呼吸:自主呼吸时气道管理应使头后仰、托起下颌和向前上抬高颏部。张口吸除口腔和喉部分泌物、血液或气体异物。同时经鼻吸氧,放置口咽通气道且经口吸氧。口咽通道适用于麻醉和神志不清的上呼吸道阻塞病人。但清醒和浅麻醉病人不易耐受,并可引起恶心、呕吐,无门齿、门齿松动或假牙病人,则有断裂或脱落的危险,必要时改用鼻咽通气道。此外还有双侧鼻咽通气道接上双腔气管导管接头,同时可吸氧或通气。清醒或浅麻醉上呼吸道阻塞病人比口咽通气容易耐受,但也应防止插入过深或引起出血和损伤。

(2)面罩通气:面罩最好透明,能观察口唇颜色和口鼻腔是否有分泌物或胃内容物涌出。面罩通气是抢救重危病人和施行吸入麻醉的重要手段,主要适用于复苏和全麻诱导,以及任何原因引起的呼吸抑制。但是饱胃病人、颈椎畸形或手术禁忌长时间施行面罩通气。面罩使用方法不正确或质量差,可发生漏气或压迫损伤面颊部等并发症。通气过程中,如通气阻力较大,可能有分泌物或反流,应立即吸除,肥胖舌大的病人应放置口咽通气道。此外急救复苏时可应用特殊的食管阻塞导管面罩(EGTA),操作简便,既能通气,又能吸出胃内容物。

(3)喉罩通气:喉罩有多种型号,适用于不通年龄。正常成人用 4 号。喉罩可进行常规通气,代替或协助气管插管,在麻醉和急救医学中应用。其优点为 90% 以上病人可获得满意通气,病人保留自主呼吸,插入时心血管反应小,以及术后喉痛的发生率低。使用过程中应注意喉罩位置安放正确,防止漏气及返流和误吸。

2. 气管插管和气管切开的气道管理

(1)吸引和冲洗:吸引和冲洗是保持呼吸道通畅的重要手段和基本方法,操作前预先吸100% 氧,然后间断吸引,时间不可太长,以免发生缺氧。痰液、血液和异物经冲洗后可能被吸出。一般用生理盐水 5~10 ml,冲洗后可注入抗生素或扩张支气管和激素等药物。如冲洗和吸引效果较佳,则气道压力可明显降低。

(2)换管和拔管:气管导管或气管切开套管因气囊漏气或导管阻塞等原因需要更换,更换时应注意病人情况变化,监测 HR、BP 和 SpO_2,换管前应充分做好准备工作。气管切开套囊更换较方便,有两种方法,一种为明视法。另一种用换管通芯,在分泌物吸净后,可将较气管导管小 2~3 mm 通芯插入气管导管,然后拔除气管导管,再在通芯引到下,插入新的气管导管。机械通气或人工呼吸停止后,病人呼吸良好(呼吸平稳、呼吸音正常、频率小于20~24 次/min、幅度满意、病人安静合作)、SpO_2 大于 95%、FiO_2 小于 0.6、$P_{ET}CO_2$ 和血气分析正常则可以拔管,拔管前后应充分吸净分泌物,拔管后仍需密切观察病情变化。

二、低氧血症的治疗

(一)氧疗

1. 适应证　凡属于通气功能不足/灌流不平衡所引起的低氧血症,氧疗有一定帮助。至于较大的右向左分流、静脉血掺杂所致的动脉血氧分压不足,氧疗效果颇为有限。氧疗只能预防低氧血症所致的并发症,如缺氧的精神症状、肺性脑病、心律失常、乳酸中毒和组织坏死等,故氧疗只是防止组织低氧一种的暂时性措施,绝不能取代对病因的治疗。

2. 氧疗方式　供氧系统可分为低流量和高流量系统两种。低流量供氧系统其实是提供一个储氧器,病人最终吸入氧浓度取决于储氧器的大小、储氧器充氧的速度和病人的通气需要量。当病人通气量超过储氧器的容量,空气就被病人吸入。相比之下,高容量供氧系统可通过特定的气体混合器,混合一定比例的空气和氧气,保持恒定的吸入氧浓度。

(1)鼻导管:鼻导管吸氧时氧储气囊即是鼻咽部和口咽部的容量,相当于解剖死腔的1/3,约为 50 ml。如表 22-1 中所列,当氧流量从 1 L/min 增加到 6 L/min 时,FiO_2 可从0.24 增加到 0.46。应该注意的是,表中所列的数据是病人通气情况正常时测定的结果。当通气模式发生变化,例如呼吸频率增加而潮气量和吸呼比恒定时,FiO_2 将降低。经鼻导管吸氧的优点是使用方便、病人容易耐受。主要缺点是 FiO_2 随病人的呼吸变化而变化,当病人通气需求增加时,不能达到较高的 FiO_2。

表 22-1　低流量氧输送系统

装　置	储气囊容量	氧流量(L/min)	FiO_2
鼻导管	50 ml	1	0.21~0.24
		2	0.24~0.28
		3	0.28~0.34
		4	0.34~0.38
		5	0.38~0.42
		6	0.42~0.46
氧面罩	150~250 ml	5~10	0.40~0.60
带有储气囊的氧面罩	750~1 250 ml		
部分重复吸入		5~7	0.35~0.45
无重复吸入		5~10	0.40~1.0

FiO_2 数值测算的依据是:潮气量 500 ml、呼吸频率 20 次/分,吸呼比 1:2

(2) 低流量氧面罩:可将氧储气囊的容量增加 100~200 ml,该装置可提供 5~10 L/min 的氧流量,将面罩中的呼出气清除,最大吸入氧浓度可达 60%。缺点与鼻导管吸氧相同。

(3) 带有储气囊的面罩:氧储气囊的容量可增加 600~1 000 ml,在储气囊保持膨胀的状态下病人仅吸入储气囊中的气体。该装置有 2 种类型:部分重复吸入型和无重复吸入型。在部分重复吸入型面罩,病人呼出气体的初始部分重新回到储气囊。而在无重复吸入型面罩,由于单向活瓣的作用,呼出气体的初始部分不能回到储气囊,可使 FiO_2 达到 1.0。该装置的优点是能控制吸入气体的组成及氧浓度。但由于该装置需与病人面部紧密结合,因而不适用于使用经鼻或口腔胃管营养的病人,使用该装置时也不能进行雾化治疗。

(4) 高流量吸氧面罩:高流量吸氧面罩可完全控制吸入气体的组成,FiO_2 与病人的呼吸模式无关。该装置中氧气以低速流入,在通过面罩进口的小口径出口时形成高速气流,这种高速气流产生的切力吸引室内空气进入面罩,室内空气进入面罩的量可通过改变面罩上开口的大小进行调节。高流量面罩可将 FiO_2 增加到 0.50。当 FiO_2 固定时,吸入的室内空气量保持恒定,即 FiO_2 在氧流量或吸气流速发生变化时能保持恒定。该装置的主要优点 FiO_2 恒定,特别适用于有慢性二氧化碳升高的病人,因为慢性二氧化碳升高的病人如 FiO_2 升高将会使二氧化碳进一步升高。

3. 注意事项

(1) 氧的毒性:氧本身对肺组织有一定的毒性,正常情况下,肺具有一定的抗氧化作用,但是当不足以抵抗氧的毒性时,便发生肺损伤。吸入纯氧可产生类似于 ARDS 的肺损伤。研究报道显示,吸入氧浓度大于 0.6 时,正常人连续吸入 48 h 即可发生氧中毒。对于抗氧化能力不足的危重病人,吸入氧浓度大于 0.21 均有可能具有毒性作用。因此,对于这些病人应该选择最低可耐受的吸入氧浓度。

（2）氧疗可能产生的并发症：氧疗可能导致 CO_2 蓄积。吸高浓度氧有两种情况可引起 CO_2 蓄积。一为慢性阻塞性肺疾患，其通气动力主要依靠低氧对外周化学感受器的刺激。一旦吸入高浓度的氧，失去了低氧对外周感受器的刺激，通气量急剧降低，造成 CO_2 蓄积。另一种情况为慢性低氧血症的病人 V_A/Q 比值低下的区域，因低氧收缩血管，吸氧后有不同程度的舒张，增加 CO_2 蓄积。吸收性肺不张、呼吸道不完全阻塞的病人，呼吸空气时，肺泡内氧被吸收后，留下氮气而维持肺泡不致塌陷。氧疗后 V/Q 低下的肺泡内，大部分的氮气被吸入的氧气所替代，肺泡内氧又迅速弥散至肺循环，肺循环吸收氧气的速度超过肺泡吸入氧气的速度，而致呼吸道部分阻塞的肺泡萎陷。故对于这些病人应实行控制性氧疗。

（3）氧疗时需加强监测，从病人的临床表现和各指标评价氧疗的效果，并做出相应的调整。

（二）呼吸支持

1. 无创通气　无创通气是一种可以避免气管内插管同时给予通气支持的有效方法。传统治疗严重低氧血症经一般氧疗无效时，必须气管内插管并给予机械通气，这已被广泛接受、且是安全有效的方法。但气管内插管破坏了气道防感染的保护机制，增加了肺炎发生的危险性。同时，气管内插管是一个创伤性操作，可导致许多并发症，增加发病率。例如，气管内插管可损伤气道黏膜引起溃疡、炎症或水肿、黏膜下出血，甚至气道狭窄。气管插管的病人常需镇静或麻醉，这可伴有更多的不良反应。经面罩或鼻罩无创通气可降低因气管内插管导致的病人不舒服、并发症和损伤。同时，无创通气可用于症状加重时的早期治疗，病人可讲话、保留吞咽反射，占有心理上的优势，并保护了气道的防御机制。

无创通气可经鼻罩和面罩用于病人。鼻罩较舒服，允许吃饭、喝水、咳痰。但它用于严重呼吸衰竭病人时优点不明显，因为这类病人常经口呼吸且不合作。面罩增加死腔，同时较难耐受。但其漏气少，可用于严重呼吸失代偿的病人或当鼻罩失败时。

面罩和鼻罩可通过弹性头带固定于病人，为避免漏气和触发问题，固定应密封。连续固定于皮肤表面可引起皮肤损伤，当应用无创通气大于 72 h，15% 的病人可发生皮肤损伤，但当停止使用 NIV，皮肤常迅速愈合，常常需 5～7 d。

2. 气管插管机械辅助或支持通气　严重或顽固性低氧血症经上述治疗无效或效果较差时应及早经气管插管机械辅助或支持通气。通气方式、各呼吸参数的设定、呼吸机的管理等详见其他相关章节。

（三）药物治疗

使用药物治疗的目的主要是针对肺部病因治疗。如支气管痉挛、肺水肿等。

1. 支气管痉挛

（1）β_2 受体激动剂：通常选用选择性 β_2 受体激动最强的沙丁胺醇吸入，用剂量喷雾器每

3～4 h 喷 2 次以上，或用 0.5 ml/2 ml 生理盐水每 4～6 h 雾化吸入。也可用 β_2 选择性较低的异他林 0.5 ml/2 ml 生理盐水每 3～4 h 吸入 1 次。对难治性支气管痉挛可考虑静脉注射具有 β_1 和 β_2 激动药，如应用小剂量肾上腺素或异丙肾上腺素<1 μg/min 静脉输入 10～20 min，多能见效。

（2）抗胆碱药：其可阻碍 cGMP 形成而直接扩张支气管，当 COPD 病人吸入该类药时可提高 1 s 末用力肺活量，常用异丙托溴铵(ipratropium bromide)雾化吸入 0.5 mg，也可用格隆溴铵(glycopyrronium bromide)0.2～0.8 mg 雾化吸入。因阿托品全身吸收易产生心动过速，故很少应用。

（3）氨茶碱：可阻滞腺苷受体，抑制磷酸二酯酶而增加细胞内 cAMP 浓度使支气管扩张。哮喘病人或 COPD 病人常长期口服。使用时可给负荷剂量 5～6 mg/kg 经 20 min 静脉输入，然后以 0.5～0.9 mg/(kg·h)经静脉输入维持 20 min。

（4）皮质激素：通常用于对支气管扩张药不起反应的病人，特别当持续支气管哮喘发作，最好吸入倍氯米松每 6 h 喷 2 次。静脉输注常用氢化可的松每 8 h 静脉注入 100 mg，也可用甲泼尼龙每 6 h 静脉注入 0.5 mg/kg，可按病情增加剂量。

（5）色甘酸钠(cromolyn)：可稳定肥大细胞膜和减少支气管活性介质的释放。可用于哮喘的预防。

2. 肺水肿　急性肺水肿时除了要给氧、机械通气还可：① 快速利尿。静脉注射呋噻米 10～40 mg。② 扩血管药降低前、后负荷。静脉滴入 0.001% 硝酸甘油或 0.001% 硝普钠，低血压时还应静脉注入正性变力药如多巴胺 2～10 μg/(kg·min)或肾上腺素 0.1～0.5 μg/(kg·min)。

（陈杰　杭燕南）

参 考 文 献

1　Marino PL. The ICU Book, 2nd ed, Philadelphia, 1997.

2　杭燕南，庄心良，蒋豪，等主编. 当代麻醉学. 上海：上海科学技术出版社，2002:1252～1261.

3　杭燕南，张马忠，徐萍等. 老年人围术期低氧血症防治效果. 中华麻醉学杂志，1999,19:403.

4　康健. 低氧血症及组织缺氧与呼吸衰竭. 中华医学杂志，2004,84(3):257～258.

5　Miller RD. Miller's Anesthesia. 6th ed. New York：Churchill Livingstone，2005:1437～1482.

6　Yuh-Chin Tony Huang. Monitoring oxygen delivery in the critically. Chest, 2005,128:554～560.

第23章 误吸后肺损伤

误吸后肺损伤主要是由于阻止外源性物质吸入的正常保护性机制丧失,外源性物质(食物、胃液等)经气道进入肺内。损伤主要包括三部分,首先是吸入物中颗粒性物质阻塞呼吸道;其次是误吸后前数小时出现的化学性肺损伤,导致支气管黏液溢、气道收缩痉挛和水肿,由于肺防御机制改变,感染机会增加;最后是炎症反应引起的肺损伤,可导致成人呼吸窘迫综合征。误吸非颗粒性、pH>6.0 的物质,组织损伤的程度则较轻,误吸死亡率从3%～70%不等可能与误吸物的性质有关。

第一节 发病机制

一、常见原因

许多影响胃液 pH、胃容量、胃内压、食管-胃括约肌功能以及喉功能的因素都可导致误吸,并进而诱发肺损伤(表 23-1)。

表 23-1 误吸的危险因素

围术期	意识抑制	喉功能失调	人工气道	其他
分娩	头部创伤	延髓功能不全	气管切开插管	肠道内出血
急症手术	药物过量	吉兰—巴雷综合征	气管内插管	鼻胃导管鼻饲
肥胖	代谢性昏迷	多发性动脉硬化	气管拔管后	颈喉部肿瘤和手术
门诊饱胃病人	CNS 感染	脑干脑血管意外		呕吐
胃肠功能失调	癫痫	肌营养不良		支气管扩张
裂孔疝	低温	颅后窝肿瘤		肺梗死
硬皮病	败血症	重症肌无力		
小肠梗阻	酒精中毒	肌萎缩单侧硬化		
食管憩室	卒中	咽和咽下部手术		
胃食管反流	麻醉	帕金森病		

二、特殊因素

（一）孕妇和老年人

误吸综合征(Mendelson)包括下列三联征:胃内 pH<2.5 或包含颗粒、呕吐或反流、咽喉反射抑制,其基本特征是低 pH 胃酸吸入引起的肺部炎症。剖宫产病人误吸主要与以下因素有关:巨大子宫增加腹腔内压和胃内压;促胃酸激素分泌增加使胃液酸度和容量增加,黄体酮降低胃食管括约肌张力和胃动力,胃蠕动减弱,排空时间延长;镇静和麻醉药物抑制胃排空和气道反射,截石位增加胃内压,鼓励临产孕妇大量进食等。老年人则因年龄增加气道保护功能逐渐减弱、反射迟钝,加之围术期复合用药易于发生误吸。

（二）新生儿和婴幼儿

新生儿和婴幼儿误吸的原因主要分为解剖性、功能性和异食症三种。吸吮、吞咽和呼吸三者的协同功能不完善,吞咽机制劳累(尤其是早产儿频快呼吸),吞咽功能失调(解剖异常、神经肌肉疾病、腭裂等),气管和食管受压,脑神经损伤或失调(喉神经损伤、围生期窒息、脑水肿、脑室内出血),先天性神经肌肉疾病。

（三）神经和神经肌肉疾病

咽部、环咽部或食管上括约肌功能不全与多种疾病有关,包括结缔组织病、肌营养不良、重症肌无力、脑血管意外、多发性硬化症、帕金森病等。对伤害性刺激反应时的喉或声门关闭不全可能与围术期使用氯胺酮、神经安定药、N_2O、强效吸入麻醉药、喉神经阻滞或无意识等有关。声门反射抑制作为全身麻醉的效应之一,可在围术期持续存在。

（四）创伤和重症疾病

创伤后胃分泌速度和分泌物酸度增加,易发生急性胃扩张,而误吸是急性胃扩张的严重并发症。心肺复苏时误吸发生率也相当高。

（五）胃肠疾病和糖尿病

肠梗阻、腹膜炎等误吸的危险性相当大,但临床上有些病人可能缺乏明确的腹痛、呕吐或反流症状。Ⅰ型糖尿病病人胃排空时间延长,主要与自主神经改变有关,而与外周神经疾病、空腹血糖、糖尿病的病程以及病人的年龄均无关。

三、生理学变化

（一）咽喉保护性反射抑制

咽和喉受到固态或液态异物刺激后可促发一系列保护性反射预防误吸,包括呼吸停止、声门关闭、吞咽,如异物进入喉部,则引起咳嗽和支气管收缩排除和阻止异物。如果保护性机制丧失则误吸物进入气道。

（二）食管上、下段括约肌（UES 和 LES）受损

环咽喉肌肉功能上相当于 UES，为两种咽部下收缩肌之一，将食管上段与咽下部隔离以预防误吸。麻醉和正常睡眠时，UES 的功能受到影响。LES 位于食管-胃交界处上约 2～5 cm，与食管的其余部分无明显的解剖差异，它保持一定的张力阻止胃内容物反流进入食管上部，少部分位于食管下方的食管由于横膈脚的压迫移行入胃腔，形成一个瓣膜，在腹腔内压力增加时关闭括约肌。LES 张力下降是胃食管反流的主要原因，但反流与 LES 本身并无多大关系，主要与 LES 和胃内压差（屏障压）有关。围术期有些药物可影响 LES 张力（表 23-2）。镇吐药、胆碱能药、琥珀胆碱和抗酸药增加 LES 张力，抗胆碱能药、硫喷妥钠、阿片类药物和吸入麻醉药降低 LES 张力，而阿曲库铵、维库溴铵、雷尼替定和西咪替丁对 LES 张力无影响。注射 2 mg/kg 丙泊酚 1 min 后 LES 张力和胃内压均下降，但是屏障压无改变。

表 23-2 麻醉期间使用的药物对食管下段括约肌张力的影响

增　加	降　低	不　变
甲氧氯普胺	阿托品	普萘洛尔（心得安）
多潘立酮	胃长宁	氧烯洛尔（心得平）
普鲁氯哌嗪（安定药）	多巴胺	西咪替丁
	硝普钠	雷尼替丁
依酚氯胺	神经节阻滞药	阿曲库铵
新斯的明	硫喷妥钠	
组胺	三环类抑制剂	
琥珀胆碱	β-肾上腺素能激动剂	
潘库溴铵	氟烷	
美托洛尔	恩氟烷	
α-肾上腺素能激动剂	阿片类	
抗酸剂		

（三）胃动力下降和（或）胃容量增加

糖尿病、黏液性水肿、胃溃疡、电解质紊乱等使胃动力下降，而酒精、镇痛剂、阿托品使胃排空减慢，甲氧氯普胺、多潘立酮和普萘洛尔等则加速胃排空。

（四）反流和呕吐

① 反流：胃内容物从胃通过食管括约肌进入食管，然后进入喉部，如同时存在喉反射功能损害或喉关闭不全，则发生误吸。② 呕吐：呕吐则是与多种传入和传出神经有关的活跃过程。胃和十二指肠扩张，颅内压增加，肾、膀胱和尿道扩张，面罩正压通气是呕吐的强烈刺激因子。某些药物如麻醉剂等则直接刺激位于第四脑室底部的化学感受器，再通过它兴奋呕吐中枢。来自呕吐中枢的传出冲动通过脑神经、膈神经刺激胃肠道上段，或通过脊神经刺激腹部肌肉。

第二节　病理生理学

病理变化主要与吸入物的 pH、容量和性质有关。酸是肺损伤的主要原因,吸入少量清澈的、pH>2.5 的液体可能无害,但混有食物成分时可产生较严重的肺功能不全。根据早期在恒河猴将胃内容物直接滴入肺内的研究,误吸物 pH<2.5、容量 0.4 ml/kg 即可引起吸入性肺炎。许多术前充分禁食的病人胃容量虽然超过 0.4 ml/kg 但术中并未出现误吸,因此误吸物容量与胃容量之间的关系争论颇多。有研究证明误吸物 pH=1、容量 0.8 ml/kg 和 1.0 ml/kg 时肺炎的严重程度大于 0.4 ml/kg 和 0.6 ml/kg。而 pH=1 时容量 0.3 ml/kg 最终的死亡率为 90%,pH>1.8 时容量 1～2 ml/kg 死亡率仅 14%。目前的观点认为,误吸物的酸度越高、容量越大产生的肺损害也越重。

一、组织学变化

(一) 酸性液体(pH=1.0～2.5)

吸入后很快(10～30 s)扩散至全肺产生弥散性损伤,肺泡上皮和内皮损伤,出现肺泡坏死和广泛肺不张。1 h 后支气管上皮变性、肺水肿出血、肺泡 I 型细胞坏死,液体和蛋白质渗出到支气管和肺泡中。4 h 内可见肺泡腔中性粒细胞和纤维担保浸润,肺泡 II 型细胞降解,I 型细胞进一步坏死病与肺泡基低膜分离。24～36 h 肺泡出现实变、气道内出现坏死性黏膜组织,48 h 后发生玻璃样病变,72 h 出现分解,支气管上皮再生、成纤维细胞增生和急性炎症减少。误吸后 2 周～2 个月肺间质瘢痕形成。

(二) 非酸性液体(pH>2.5)

误吸后出现肺水肿,肺泡表面活性物质洗出或肺泡腔充满液体则可继发肺不张,红细胞渗出、内皮细胞与基底膜分离和支气管周中性粒细胞渗出,但几乎无肺泡细胞坏死,中性粒细胞渗出程度也较轻,如病人能度过早期的低氧血症,病程也较短。

(三) 颗粒状物质

误吸较大的颗粒状物质可阻塞呼吸道,而吸入较小的物质则进入远端小气道引起肺不张,且产生与酸性吸入物相似的炎症反应,围术期误吸梗阻性物质少见,常见的是误吸非梗阻性物质。颗粒状物质(酸性或非酸性)误吸后的早期组织学变化与酸性液体相似。误吸后 6 h 出现广泛的出血性肺炎伴红细胞、粒细胞和巨噬细胞浸润肺泡和支气管,48 h 内出现广泛的肉芽组织反应,伴巨噬细胞和巨细胞增生,水肿和渗出的中性粒细胞使肺泡壁增厚。5 d 内局部区域出现大量肉芽,食物颗粒位于肉芽的中心,一些病理可出现小血管阻塞和邻近区域的出血性坏死,但是无玻璃样病变。

（四）含细菌液体和碳氢化合物

开始症状与酸性液体吸入相似,但是呼吸道感染和肺炎症状严重。感染菌群在非住院病人以对青霉素酶敏感的厌氧菌群为主,住院病人以革兰阴性菌为主。误吸碳氢化合物时肺损伤主要与肺泡膜脂质降解和肺表面活性物质失活有关。大量吸入时可出现肺水肿和咯血。

二、免疫炎症反应

误吸后第一阶段是肺组织对酸性物质的直接反应(化学性肺炎),第二阶段则是由于白细胞或炎症细胞对初期肺损伤的免疫炎症反应,通常在数小时后出现。

（一）中性粒细胞与血管内皮黏附并进入组织

误吸后肺直接损伤导致补体激活,肿瘤坏死因子α、IL-8(白三烯)以及其他的促炎症细胞因子释放,这些炎症细胞因子和补体发挥化学诱导作用,引起中性粒细胞在肺及其他组织器官中大量积聚。中性粒细胞与内皮细胞黏附主要依靠中性粒细胞表面的CD18 黏附受体复合物与内皮间黏附分子-1 的相互作用。

（二）中性粒细胞释放毒性物质

黏附于血管内皮细胞与进入组织的中性粒细胞可能通过白细胞刺激物的释放和(或)细胞分解激活,释放氧代谢产物(O_2^-,H_2O_2,·OH)、蛋白酶、溶酶体等多种毒性物质损伤肺组织。

（三）纤维增生

后期肺组织试图修复损伤的呼吸单位和上皮,此过程如不被阻止即导致纤维增生,其程度与初期肺损伤时的肺泡剥脱、基膜毁损和肺泡内渗出液的量有关。肺泡基膜上皮损伤后肺泡和间质直接相通,从间质进入肺泡的肌成纤维细胞受纤维粘连蛋白和血小板衍化的生长因子的诱导激活、黏附于毁损的肺泡腔表面,成纤维细胞中Ⅰ型前胶原和Ⅲ型胶原(新形成、柔软、易受降解)在此阶段含量最为丰富,纤维化的发展与Ⅲ型胶原前肽在肺泡和支气管盥洗液中的持续升高,而Ⅰ型胶原(硬纤维、对治疗反应小)是后期纤维化阶段最主要的胶原。胶原合成将初期纤维性肺泡渗出物转变为黏液性的结缔组织基质,继而转变为浓缩的纤维组织,最终肥大的成纤维细胞和细胞外基质组成的渗出物取代肺泡。

三、组织器官功能变化

（一）肺功能

① 酸性液体:初期肺泡-毛细血管毁损,导致间质水肿、肺泡出血、肺不张、气道阻力增加和低氧血症,随后数小时进一步恶化;② 非酸性液体:损伤肺表面活性物质,引起肺泡塌陷、肺不张和低氧血症,同时破坏肺组织结构,随后的炎症反应小于酸性物质误吸;③ 颗粒

状物质:阻塞气道并伴有异物炎症反应,区域性肺不张或过度扩张、低氧血症和高碳酸血症,如混有酸性物质则损害更大、预后更差。误吸后期肺泡纤维增生、无效腔量增加、顺应性降低、肺血管阻力增加,防御机制降低易并发肺部感染。

（二）组织器官低氧

误吸后低氧与下列因素有关:反射性呼吸停止和气道关闭;肺表面活性物质破坏或改变,肺不张、通气/血流比例失调、肺内分流增加;液体和蛋白质迁移进入损伤的肺组织,引起间质水肿;急性损伤消退后渗出物以玻璃样病变的形式存在。损伤不仅发生于肺,心、肾、肝等也发生病理改变,其共同的病理基础是炎症反应、器官通透性水肿和氧弥散距离增加,中性粒细胞积聚引起心、肾、肝等器官的毛细血管炎,毛细血管储备减少,动脉血功能性分流增加,氧摄取障碍。

（三）肺动脉高压

酸性误吸使肺血管阻力增加,如误吸后无肺动脉压升高,可能是血容量和（或）心排血量减少。肺高压与下列因素有关:缺氧性肺血管收缩、氧代谢产物、血栓素、高碳酸血症和酸中毒刺激肺血管痉挛;区域性肺过度扩张对微血管的压迫;血管外肺水增加、肺僵硬和无顺应性,肺泡容量和功能残气量降低;纤溶活性降低血管内出现凝血倾向、微血栓形成。

（四）循环系统

化学性烧伤使肺泡毛细血管的整体性丧失,液体和蛋白质渗入间质、肺泡和支气管,严重时可使血容量降低。通常情况下,右室处于低阻、低压环境,肺动脉高压使右室超负荷,引起右室扩张、射血分数降低,甚至右室衰竭。

如误吸 pH＞2.5 的清澈液体,肺损伤严重程度低于酸性物质,然而反射性气道闭合、肺水肿和肺表面活性物质变化引起的表面张力改变依然存在。血液、唾液、酒精、胎粪等误吸与其他液体误吸相似,均产生急性低氧血症、静脉血混合增加、肺顺应性降低。酒精误吸具有自限性（除非吸入大量）,无代谢性酸中毒或肺动脉高压。唾液（pH 6～7）误吸后仅轻度增加肺动脉压,酒精的效应与唾液相似。胎粪误吸可产生机械性梗阻,主要与胎粪的量和黏滞度有关,常导致高碳酸血症、酸中毒、气胸、纵隔气肿,也可产生化学性肺炎。

第三节 临床表现和诊断

一、临床表现

症状和体征与误吸物的种类和量有关。

1. 梗阻性颗粒性物质　病人突然不能呼吸和说话,迅速发展成紫绀,不完全梗阻时多见喘鸣、呼吸急促、咳嗽等症状。

2. 非梗阻性颗粒性物质　误吸后可出现呼吸急促、喘鸣、咳嗽、多痰,偶尔可见休克。症状随炎症反应的进展而加重。

3. 酸性液体　呼吸急促、呼吸停止、紫绀、喘鸣和低血压。误吸后几秒钟即出现低氧血症,肺顺应性降低。

4. 水　症状类似于溺水,与误吸水的量有关,复苏成功后无长期肺功能改变。

5. 血液　误吸后即刻出现脉搏和呼吸频率增加,也可紫绀,急性阶段的症状类似于酸性吸入,但很快消退,有自限性,除非吸入大量的血液。

6. 碳氢化合物　包括煤油、油漆、汽油、石油溶剂等,多见于儿童(占 18%)。初期出现口腔和咽喉部烧灼感伴窒息、呕吐、咳嗽。呼吸急促费力,随后紫绀。中枢神经系统症状有眩晕、虚弱、嗜睡、抽搐,偶尔可见癫痫发作。吸入量较多者可发展成肺水肿、咯血和呼吸衰竭。

二、诊断

吸入性肺炎主要是通过其临床表现诊断。

1. 有易于发生误吸的危险因素。

2. 肺内有胃或外源性分泌物。

3. 影像学检查:有肺部浸润性改变,通常位于肺的下垂部位,受累部位依次为右下叶(60%)、左下叶(42%)、右中叶(32%)。影像学常在误吸后 12~24 h 表现,碳水化合物和酸性误吸后 30 min 即可出现。主要表现为斑片状密度增深阴影,且有一定融合趋势,损伤严重者可表现为双肺渗出性改变和肺水肿,有颗粒性物质梗阻时可出现节段性或叶性肺不张。

4. 临床表现　呼吸频率和脉搏增加、咳嗽、啰音、紫绀、喘鸣、胸痛,随病程的进展可出现发热、劳累,咳出恶臭痰液、脓痰、痰中带血等。难治性喉痉挛、支气管痉挛,偶见呼吸停止。儿童也可表现为反复发作的肺炎和(或)难治性“哮喘”。

5. 实验室检查　白细胞增加、PaO_2 30~70 mmHg(吸空气),$PaCO_2$ 早期增加,随后降低,肺泡-动脉氧分压差($A\text{-}aDO_2$)增加。

6. 气管内 pH 值和糖含量　pH 探头置于鼻-气管导管下方 1 cm,拔管后置于声门下方 1 cm。正常肺内液 pH 接近 7.6,低于 4 认为发生误吸。非血性肺内液正常不含糖,糖含量阳性有助于证实误吸,同时可鉴别误吸物来源。

误吸后肺损伤的诊断应该注意以下方面:病理生理学变化,诸如低氧血症、血管周围集聚和胸片上块状或弥散性改变等并非误吸综合征的特异性变化;急性呼吸窘迫综合征(ARDS)是多种肺部病变的最终结局,也是非特异性的;误吸性肺炎的诊断应通过临床表现的性质和时间加以推断。

第四节 预防和治疗

一、预防

(一)减少引起误吸的危险因素

主要是增强咽喉部和相关的保护性反射,减少反流、误吸和降低胃液的酸度,多种方法可以应用于降低误吸的风险。包括以下措施:

1. **手术前禁食** 可使摄入的固体和液体食物有充分排空的排空时间,但并不能保证"空胃",有 12%~80% 的择期手术病人胃容量大于 0.4 ml/kg,pH<2.5,同时还应考虑固体和液体食物排空时间的差异。ASA 在 1998 年 10 月制定了围术期禁食的指导原则(表 23-3)。

表 23-3 减少误吸风险的禁食时间[*]

摄 入 食 物	禁食时间(h)
清澈的液体(水、果汁、碳酸饮料、红/绿茶、咖啡)	2
动物奶	4
婴儿食物	6
合成奶粉	6
轻餐(面包和清澈的液体)	6

[*] 适用于各种年龄的择期手术病人,不适用于孕妇。

2. **延期手术和麻醉选择** 对最近已经口服液体或固体食物的病人应考虑延期手术;急症手术误吸的危险性最大,建议使用以下预防措施:① 尽量采用区域阻滞,少用或不用镇静剂。② 新生儿、估计有插管困难的病人、有口咽部及胃肠道活动性出血或面部创伤的病人,应选择经口或经鼻清醒插管,使用纤维光导支气管镜效果更好。③ 有误吸危险但不适合行局部麻醉或清醒下插管者,可以行快诱导插管。琥珀胆碱起可引起肌肉不成串收缩,不宜选用,可选用阿曲库铵、维库溴铵或罗库溴铵。④ 环状软骨按压,麻醉诱导和 ICU 中插管时均可采用,此时应给予充分氧供。清醒病人 100 cmH$_2$O(20 N)压力可使食管完全塌陷,无意识者应施加大约 200 cmH$_2$O 的压力,⑤ 使用高容量低压套囊。⑥ 拔管前吸引胃管可减少胃内容物误吸,易发生误吸的病人拔管前应该清醒,即使如此,由于声门反射抑制可持续至术后数小时,仍应加强观察。

3. **体位** 机械通气病人升高床头使之处于半卧位是减少误吸的简便预防措施。意识和气道反射功能受损的病人可采用坐位或头高位,但已经发生反流的无意识病人,头低位或侧卧位有助于反流无从咽部引流。

4. **监测胃管位置和胃内残留量** 向胃管内打气同时听诊腹部左上象限,气过水声可证实导管位于胃内,但当导管位于下胸段时来自胃管的声音也可放射到左上象限。小口径胃管误入肺可能出现呼吸到刺激症状,应注意判断其位置。影像学检查是证实胃管位置的最可靠方法。估计胃肠功能是预防过度进食和胃内容物误吸的有效措施,因此应每 4 h 监测胃内残留量,残留量在 100～200 ml 应该停止进食。

5. 检测套囊压力　人工气道套囊有助于但不能完全避免口腔分泌物误入气道,套囊压力在 25～34 cmH₂O 应能防止误吸,同时不影响毛细血管黏膜的血流。

（二）药物干预

1. 抗酸药　麻醉前 15～20 min 给予 0.3 mol/L 枸橼酸钠 30 ml,可使 90% 病人 pH 值升高到 2.5 以上,作用时间短暂,术中需重复使用,有增加胃容量、与胃内容物混合不充分和诱发呕心、呕吐的缺点,有反流或术前使用麻醉药的病人不可使用。氢氧化铝凝胶、三硅酸镁等颗粒抗酸药少用或不用,因为误吸这些物质同样导致肺损伤。

2. H₂ 受体阻滞剂（表 23－5）　① 西咪替丁:抑制胃液分泌和降低胃液酸度,术前 60～90 min 给药。快速静注可引起心律失常、心动过速、低血压和心搏骤停,也有骨髓抑制的报道,其他不良反应包括嗜睡、神志错乱、恶心、呕吐、腹泻、男性乳房发育、口干和肌肉疼痛。有抑制肝脏微粒体和减少肝血流的效应,延长多种药物的作用。同时口服抗酸药或甲氧氯普胺时吸收减少,疗效降低;② 雷尼替丁:降低胃液酸度作用时间比西咪替丁长,术前使用后在麻醉恢复期仍然有效。不良反应较少,包括头痛、神志错乱、眩晕、恶心、皮疹、便秘和暂时性血清氨基转移酶升高,除心动过缓外,无其他心血管效应。可引起暂时性中性粒细胞减少,减少肝脏血流但不影响肝脏微粒体酶,不影响肝对药物的清除。同时口服抗酸药可减少其生物利用度;③ 法莫替丁:效果同西咪替丁和雷尼替丁,抑制胃液分泌的作用可持续 12 h,而对肝血流和肝药酶影响较小;④ 奥美拉唑:抑制胃壁细胞酶降解降低胃液酸度和容量,作用类似于抗酸药和 H₂ 受体阻滞剂。⑤ 较新的 H₂ 受体阻滞剂罗沙替丁睡前单次口服作用时间可持续 12 h。

表 23－5　H₂ 受体阻滞剂的使用

药　　物	口服(mg)	静脉(mg)	小儿静脉(mg/kg)
西咪替丁	800	300 *	5～10q6～12h
法莫替丁	40		
尼托替丁	300		
奥美拉唑	20～80	40	
雷尼替丁	150 bid	50 *	0.5 qid
罗沙替丁	150		

＊注射时间 15～20 min。

3. 抗胆碱药　包括阿托品和胃长宁,可降低胃液酸度,对胃液 pH 和容量的作用低于 H₂ 受体阻滞剂和抗酸药。将胃长宁与西咪替丁合用无协同作用,抗胆碱能药物降低食管胃括约肌张力,可能增加反流危险,由于抗胆碱药效果不确定,现已不用。

4. 甲氧氯普胺　刺激外周乙酰胆碱释放,增加胃肠动力和 LES 张力,降低幽门张力,有中枢性镇痛效应,峰作用在给药后 2～4 h。不良反应包括嗜睡、神经质和 CVS 多巴胺拮抗剂引起的锥体外系症状。用法为术前 1～4 h 口服 20 mg,或术前静脉注射 10 mg。

5. 奥丹西酮(枢丹)　为新型镇吐剂,选择性 S-羟基色氨酸 3 亚型受体拮抗剂,不影响胃液酸度和容量,减少术后恶心和呕吐;无胆碱能、多巴胺能和组胺能效应。其作用强于甲氧氯普胺(灭吐灵),与氟哌利多无差异。推荐剂量 4～8 mg。

二、治疗

(一)气管内吸引

可诱发咳嗽反射清除部分误吸物,也有助于证实诊断,昏迷病人应立即气管插管、取头低位或侧卧位气管内吸引。因为液体或较小的颗粒状误吸物弥散迅速,误吸后短时间内即发生肺组织损害,吸引仅能清楚部分误吸物,但尽管如此,气管内吸引可及时排出坏死内膜和分泌物保持气道通畅。

(二)支气管镜和肺灌洗

误吸较大的颗粒状物质,特别是影像学检查示局部肺容量消失,应施行支气管镜检查。严重呼吸窘迫的病人,支气管镜操作很危险,应行高频通气供氧,并加强监测。有时用少量生理盐水作灌洗以清除气道分泌物或误吸物者,但应注意用量,因大量灌洗液可进一步损害肺功能。酸性液体误吸短时间内已发生肺损伤,中性或碱性液体灌洗的作用可能不是很明显。

(三)支气管扩张剂

吸入或雾化吸入支气管扩张剂治疗,有助于改善支气管痉挛,但效果有限。可使用异丙肾上腺素 2 mg 配成 10 ml 雾化吸入,也可加入 0.02～0.08 mg 异丙托溴铵增强支气管扩张效果。氨茶碱由于不良反应多且几无疗效,不宜使用。

(四)抗生素

感染很难判断,发热、白细胞增加、黏痰等均是化学性肺炎的非特异性反应,痰培养又易受口咽部菌丛污染。ICU 发生误吸的病人常由于细菌易位等对抗生素治疗产生耐药,住院期间细菌菌群也会发生变化,尤其是那些免疫功能不全的病人。预防性治疗增加胃内 pH 的同时,菌群易位也增加,从而增加双重感染的危险。抗生素适用原则:① 预防性使用抗生素的作用有限,甚至导致双重感染,抗生素治疗应以涂片分析和培养为基础,证实感染前不要使用抗生素;② 吸入物含粪便或感染性者可以预防性使用抗生素;③ 如有继发感染,可选用适当的抗生素;④ 脓肿、脓胸或肺炎病人应注意厌氧菌感染可能。

（五）容量治疗

肺水肿导致血容量减少,高水平 PEEP 或 CPAP 使静脉回流减少,均加剧低血容量的生理效应,心排血量下降反过来可减少氧输送。应补充晶体液维持器官灌注,并监测尿量,必要时行动脉或肺动脉插管,持续监测动脉压、心排血量,分析动脉血气、混合静脉血氧饱和度,并与非创伤性 SpO_2 比较,作为氧供/氧需的指标。输液量以维持循环功能稳定为前提,对于血细胞比容明显偏低者可输入浓缩红细胞。

（六）血管活性药

常用于改善心功能,但在肺损伤时,血管扩张药可通过抑制水肿肺单位的血管收缩,使气体交换率下降;血管收缩药能改善 ARDS 病人通气/血流比,多巴胺可提高心率和收缩末期容量,增加心排血量和氧输送。但血管活性药物的长期疗效不明确,因此建议仅在发生无法控制的高血压或低血压时谨慎使用。

（七）激素

糖皮质激素的作用不肯定,虽然一般认为具有稳定细胞膜、减轻炎症反应、缓解支气管痉挛的作用,但无可靠的实验证据。临床印象认为其仍然有效,氢化可的松首次剂量 200 mg 静脉注射,以后每 6 h 注射 100 mg,或用地塞米松 10 mg 注射,以后每 6 h 注射 5 mg,糖皮质激素应早期减量,及时停用,对吸入性肺炎,一般不宜超过 3 d。

（八）吸氧和机械通气治疗及其他的治疗方法

参见相关章节。

（皋源　杭燕南）

参 考 文 献

1　Tolep K, Getch C, Criner G. Swallowing dysfunction in patients receiving long term mechanical ventilation. Chest, 1996,109:167～172.

2　Bysani GK, Rucoba RJ, Noah ZL. Treatment of hydrocarbon pneumonitis. Chest, 1994,106:300～303.

3　Goitein KJ, Rein AJ, Gornstein A. Incidence of aspiration in endotracheally intubated infants and children. Crit Care Med, 1984,12:19～21.

4　Hill SL, Evangelista JK, Pizzi AM, et al. Proarrhythmia associated with cisapride in children. Pediatrics, 1998,101:1053～1056.

5　Warner MA, Warner ME, Weber JG. Clinical significance of pulmonary aspiration during the perioperative period. Anesthesiology, 1993, 78(1):56～62.

6　Knight PR, et al. Pathogenesis of gastric particulate lung injury: A comparison and interaction with acidic pneumonitis. Anesth Analg, 1993,77:754～760.

7　Marik PE. Aspiration pneumonitis and aspiration pneumonia. N Engl J Med, 2001,344(9):665～671.

8　Baeten C, Hoefnagels J. Feeding via nasogastric tube or percutaneous endoscopic gastrostomy: a comparison. Scand J Gastroenterol Suppl，1992,194：95～98.

9　Park RH，Allison MC，Lang J，et al. Randomised comparison of percutaneous endoscopic gastrostomy and nasogastric tube feeding in patients with persisting neurological dysphagia. BMJ，1992,304(6839)：1406～1409.

第 *24* 章　机械通气的实施与管理

机械通气可以改善病人的氧合和通气,减少呼吸做功,支持呼吸和循环功能,以及进行呼吸衰竭的治疗。临床上不仅需要了解呼吸机的结构与功能,以及各种通气模式的原理和适用范围,而且更应熟悉呼吸机的操作技术,尤其是呼吸模式的选择及呼吸参数的调节,以便取得机械通气治疗的良好效果。同时还应注意防治机械通气引起的并发症。

第一节　机械通气的生理影响

一、对呼吸生理的影响

(一)对呼吸动力的影响

自主呼吸吸气时,胸腔内呈负压,使上呼吸道和肺泡间产生压差,而正压通气吸气时,压差增加,跨肺压升高,以克服气道阻力、胸廓及肺的弹性。

1. 降低气道阻力

呼吸道阻力反映气流通过气管到肺泡的摩擦力,正常时90%为气道阻力,10%为组织阻力。阻力与气流的形式有关,层流时阻力与气道半径4次方成反比,而湍流时则与气道半径5次方成反比,所以气道口径是决定阻力的重要因素。机械通气使支气管和肺泡扩张,气道阻力降低,并易保持呼吸道通畅。

2. 提高肺顺应性

肺泡弹性回缩依靠表面张力和组织弹性。在肺容量最大时,表面张力也最大,随着肺泡缩小,表面张力也逐渐减小,在50%肺总量时为相对低值。同时,肺泡表面活性物质缺少,可使肺顺应性降低。机械通气使肺泡膨胀,通气增加。呼气末正压(PEEP)时,功能残气量增多,肺充血和水肿减退,肺弹性改善,顺应性提高。

3. 减少呼吸做功

呼吸功能不全时,病人呼吸困难,辅助呼吸肌参与工作,吸气和呼气都要用力,因而呼吸做功增加。使用机械通气后,尤其是呼吸同步合拍者,在阻力降低和顺应性改善的同时,能量消耗和呼吸做功明显减少。

（二）对气体分布的影响

正常自主呼吸时,吸气流速较慢,肺内气体分布由胸内压的垂直阶差和静止肺弹性决定。由于重力、膈肌和肋间肌对肺膨胀的影响,肺下垂区及边缘肺组织的容量—压力曲线位于中段较陡部分,胸内压阶差较大,气体容量改变较多,其他无关区及支气管周围的肺组织较平坦,气体容量改变较少。胸廓形状、呼吸肌活动及局部胸内压垂直阶差,肺部病变和体位等均可影响气体分布。肺顺应性×气道阻力＝时间常数,时间常数较短则气体分布较好。但机械通气时的气体分布与自主呼吸有所不同,仰卧位间歇正压通气吸气时横膈向下移动,但由于腹内容物的重力关系,可产生静水压阶差,对抗其运动,因此无关区的横膈移动较下垂区大;气体分布在下垂区及边缘肺组织气体分布减少,而无关区则较多。总之,气道阻力小,顺应性好,时间常数短和气流速度逐渐增加和徐降及有吸气平台的正弦呼吸波,气体分布较均匀。吸气时间长、吸气流速快和潮气量大时,虽能加速气体分布,但气流通过小气道或有炎症肿胀及分泌的病变区则阻力增加,并产生湍流,使气体分布不均匀。

（三）对通气/血流比率的影响

机械通气时,如各项呼吸参数调节适当,通气量增加,死腔量减少,尤其是用 PEEP 者,功能余气量增多,则可改善通气/血流比率,肺内分流减少,氧分压升高。但如潮气量太大或跨肺压太高,则肺泡扩张,通气过度,反可压迫肺毛细血管,使血流减少,通气/血流比率失调,肺内分流反可增高。

（四）对气体交换的影响

通气/血流比率失调导致气体交换异常。正压通气可影响肺内气体分布和血流灌注,因而有效的气体交换减少。肺血流灌注由肺动脉压和肺泡压决定,肺动脉压降低和肺泡压升高使肺血流减少,使用正压通气,尤其是 PEEP,可致肺泡压升高,肺泡死腔量增多和肺血流灌注减少,由于无重力影响的肺组织的肺动脉压最低,影响较大,气体交换也减少。但是机械通气和 PEEP 的许多有益作用,远远超过其不利影响。

（五）对酸碱平衡的影响

机械通气时,如通气不足,$PaCO_2$升高,发生呼吸性酸中毒;如通气过度,则 $PaCO_2$ 降低,可引起呼吸性碱中毒。

二、对心血管功能的影响

自主呼吸时,随着呼吸周期中吸气相和呼气相的转换,右房压（RAP）、右室压（RVP）和血压也可出现周期性的波动,这与吸气时胸内负压增加,肺血管扩张,较多血储存在肺内有关。若同步测量肺动脉和主动脉的血流量,可发现左右心室每搏量(SV)变化不同,吸气时右心室 SV 增加,呼气时减少;而左心室的 SV 成相反变化,这说明吸气期右心室的后负荷降低。

机械通气时,由于肺内压和胸内压的升高,产生跨肺压,传递至肺血管和心腔,可引起复杂而与自主呼吸完全不同的心血管功能变化。当肺部有病变(肺水肿、肺炎等)时,肺顺应性降低,肺不易扩张,而肺泡压升高压力不能传递到肺毛细血管,跨肺压也升高,因此,正压通气对心血管功能的影响决定于气道压高低。

(一)右心功能的变化

1. 右心室前负荷　CMV 和 PEEP 使气道内压升高,胸内压也随之升高,外周血管回流至右房的血流受阻。平均胸内压增加,引起回心血量减少。气道内压升高,虽然能使心室内压升高,但事实上右心室容量没有增多,计算心室跨壁压则能说明问题,右心室跨壁压＝右心室内压－胸内压,在持续气道正压通气(CPPV)为 12 cmH$_2$O 时,跨壁右室舒张末压实际下降,所以右心室舒张末容量也减少。这提示胸内压升高,可直接压迫心脏,心室顺应性和舒张末容量减少,心排血量(CO)降低。

2. 右心室后负荷　CPPV 使肺容量增加,肺动脉、静脉的主要分支扩张,血流阻力下降,但因肺泡内毛细血管拉长变窄,肺血管阻力(PVR)升高。如 ARDS 病人,发生缺氧性肺血管收缩,渗透性增加,肺顺应性降低,右心室后负荷升高更多。

3. 右心室收缩性　多数接受 CMV 和 PEEP 的病人,右心室的收缩力不受影响,但缺血性心脏病病人,可能影响右心室功能。

(二)左心功能的变化

1. 左心室前负荷　CMV 和 PEEP 可使左心室前负荷降低,其发生机制可能为:① 右心室前负荷降低,引起左心室前负荷也降低;② 肺血管阻力升高,右心室后负荷增加;③ 右心室后负荷增加,改变了心室舒张期顺应性,左右心室舒张末跨壁压均降低,但左心室充盈压比右心室降低较多,室间隔左移,因而左心室顺应性降低。

2. 左心室后负荷　胸内压升高,大血管外压力也升高,所以,左心室壁张力减少,左心室后负荷降低。

3. 左心室收缩性　动物实验和临床均证实,CMV 和 PEEP 对左心室收缩性无影响。

4. 心率　实验和临床资料证明 CMV 和 PEEP 时心率无明显影响。

5. 对肺水肿的影响　CMV 和 PEEP 可增加肺泡和间质的压力,减小静水压阶差,使萎陷肺泡再扩张,但其机制不是减少肺水肿,主要是增加通气,改善气体交换。此外,在考虑机械通气对心血管功能影响同时,也要注意全身氧输送(DO$_2$)的变化,按公式 DO$_2$＝CaO$_2$×CI×10,氧输送受 CO 和 CaO$_2$ 的影响,机械通气后虽有 CaO$_2$ 增加,如 CO 降低,氧输送仍不增加,甚至可减少。所以最佳 PEEP 水平,应达到最大的氧输送,既能改善氧合,又要避免心血管功能明显抑制,才能达到预期的治疗目的。

三、对中枢神经系统的影响

正压通气后肺泡扩张,刺激了肺的牵张感受器,通过传入神经,抑制吸气。尤其是潮气量较大时,可致自主呼吸停止。同时,脑血流(CBF)和颅内压(ICP)也能发生变化。脑血管对$PaCO_2$变化十分敏感,通气不足时CO_2潴留,脑血管扩张,CBF 增多;过度通气时CO_2排出增加,$PaCO_2$降低,脑小动脉收缩,CBF 减少,甚至可出现眩晕和昏厥等缺血性改变。用PEEP 时,特别是高水平 PEEP(大于 20 cmH_2O),头部静脉受阻,静脉压上升,血液淤积在头部,脑容量增多,ICP 升高。

第二节　呼吸机的结构和原理

呼吸机的结构基本相似,包括:① 气源;② 供气和驱动装置;③ 空氧混合器;④ 控制部分;⑤ 呼气部分;⑥ 监测报警系统;⑦ 呼吸回路;⑧ 湿化和雾化装置。

一、气源

绝大多数呼吸机需高压氧和高压空气。氧气源可来自中心供氧系统,也可用氧气钢筒。高压空气可来自中心供气系统,或使用医用空气压缩机。氧气和压缩空气的输出压力不应大于 5 kg/cm^2,因此,使用中心供氧、中心供气,或高压氧气钢筒,均应装配减压和调压装置。

医用空气压缩机可提供干燥和清洁的冷空气,供气量为 55～64 L/min 的连续气流,最大输出连续气流 120 L/1.5s,工作压力 50PSI(3.4 kg/cm^2),露点下降 5～10 ℉(-2.8～-5.6 ℃),噪声小于 60 dB(1 m 之内),并有低压报警(30PSI 或 2.04 kg/cm^2)、高温报警(150 ℉或 70 ℃)及断电报警。滤过器可消除 90% 以上的污染。使用时应注意每天清洗进气口的海绵及贮水器的积水。并观察计时器工作,一般满 2 000～3 000 h 应检修一次。电动型呼吸机不需高压空气,其中部分需高压氧,部分不需高压氧,经氧流量计供氧。

二、供气和驱动装置

呼吸机供气部分的主要作用是提供吸气压力,让病人吸入一定量的潮气量,并提供不同吸入氧浓度的新鲜气体。

（一）供气装置

多数呼吸机供气装置采用橡胶折叠气囊或气缸,在其外部有驱动装置。当采用橡胶折叠气囊时,呼吸机的自身顺应性较大,除本身的弹性原因外,还不能完全使折叠囊中的气体压出。但折叠囊更换容易,作为麻醉呼吸机时有独特的优越性。采用气缸作为供气装置时,呼吸机自身顺应性小,可使气缸内的气体绝大部分被压出,但密封环处可能有少量泄漏。近来有采用滚膜式气缸作为供气装置,兼有上述两种优点,且无泄漏,顺应性小。

（二）驱动装置

驱动装置提供通气驱动力,使呼吸机产生吸气压力。可调式减压阀为目前应用较多的一种驱动方式。它是指通过减压通气阀装置将来源于贮气钢筒、中心气站或压缩泵中的高压气体转化成供呼吸机通气用的压力较低的驱动气,使用该驱动装置的呼吸机常称为气动呼吸机。吹风机、线性驱动装置、非线性驱动活塞均需使用电动机作为动力。如吹风机是通过电动马达快速恒定旋转,带动横杆向前运动,推动活塞腔中的气体排出,产生一个恒定恒速驱动气流;非线性驱动活塞是电动马达使轮盘旋转,带动连杆运动而推动活塞。采用这些驱动装置的呼吸机常称为电动呼吸机,不需要压缩气源作为动力。

（三）直接驱动和间接驱动

驱动气流进入病人肺内的方式不同,可分为间接驱动和直接驱动。从驱动装置产生的驱动气流不直接进入病人肺内,而是作用于另一个风箱、皮囊或气缸,使风箱、皮囊或气缸中的气体进入病人肺内,称为间接驱动。间接驱动类呼吸机称为双回路呼吸机。间接驱动型耗气大,一般耗气量大于分钟通气量,最大可达 2 倍的分钟通气量。如果从驱动装置产生的驱动气流直接进入病人肺内,称为直接驱动。直接驱动类呼吸机称为单回路呼吸机。直接驱动主要适用于可调式减压阀和喷射器这两种驱动装置。就喷射器而言,其采用 Venturi 原理,高压氧气通过一个细的喷射头射出,有一部分空气被吸入。FiO_2 随吸气压力、氧气压力变化而变化,且变化幅度较大。FiO_2 不小于 37% 常为急救型呼吸机采用。可调式减压阀驱动装置直接驱动时,常有性能良好的空氧混合器,有伺服性能良好的吸气伺服阀,甚至可直接用两个吸气伺服阀,一个伺服压缩空气,另一个伺服氧气,这种类型的装置可以使病人得到各种不同的吸入氧浓度。伺服阀既可伺服流量,也可伺服压力,阀门小,反应时间少。

三、空氧混合器

空氧混合器是呼吸机的一个重要部件,其输出气体的氧浓度可调范围应在 21%~100%。空氧混合器分简单和复杂两种。

（一）空氧混合装置

以贮气囊作供气装置的呼吸机,常配置空氧混合装置,其结构比较简单,混合度不可能很精确,氧浓度是可调的,由单向阀和贮气囊组成。工作原理是:一定流量的氧气经入口先进贮气囊内,当贮气囊被定向抽气时,空气也从入口经管道抽入贮气囊内,从而实现空氧的混合。要达到预定的氧浓度,则通过调节氧输入量来取得。气流量＝每分钟通气量×(混合气氧浓度－20%)/80%。例如要求混合气氧浓度达到40%,当分钟通气量为10 L时,其输入氧浓度的计算方式,即为:氧流量＝10×(40%－20%)/80%＝2.5 L/min。上述计算表明,当分钟通气量为10 L时以2.5 L/min的纯氧流量,即可获得含40%氧混合气(F_iO_2＝0.4)。

（二）空氧混合器

结构精密、复杂,必须耐受输入压力的波动和输出气流量的大范围变化,以保证原定氧浓度不变。通常由一级或二级压力平衡阀、配比阀及完全装置组成。当压缩空气和氧气输入第一级平衡阀时,输入气体的压力不可能相等,所以同轴阀芯将向压力低的一方偏移,造成压力低的一端气阻小,降压也小。而压力高的一端气阻大,降压也大。因而在第一级平衡阀的两端阀,作进一步压力平衡。使输出压力均等。配比阀实际上是同一轴上的两只可变气阻,当一只气阻减小时,另一只气阻增大。来自前级的等压力进入配比阀后由于受到的气阻不同,所以流入贮气罐的流量也不同(流量＝压力/气阻)。如果流入贮气罐的空气流量为7.5 L/min,流入的氧流量是2.5 L/min,则混合后的氧浓度＝(2.5＋7.5×20%)/(7.5＋2.5)＝40%。如果调节配比阀在中间位置,则配比阀两边气阻相同,流入贮气囊的两股气流量也相同。若氧和空气的流入量都是5 L/min,则混合后得到氧浓度＝(5＋5×20%)/(5＋5)＝60%。

四、控制部分

（一）控制原理

1. 气控　无需电源,在某种特定的环境中,如急救呼吸机在担架上、矿井内、转运过程使用。但精度不够高,一般可做一些简单控制。随着器件的低功耗化,以及高性能蓄电池的出现,气控方式有被逐渐淘汰的可能。

2. 电控　是用模拟电路和逻辑电路构成的控制电路来驱动和控制电动机、电磁阀等电子装置的呼吸机,称为电控型呼吸机。电控型呼吸机控制的参数精度高,可实现各种通气方式。电控型呼吸频率误差一般为5%～10%,气控型为15%～20%,吸呼比由气控呼吸机较难实现,而电控型十分容易,还有同步、压力报警功能等均如此,故电控型呼吸机有很多优点。

3. 微处理机控制　仍属电控型,也日趋成熟。呼吸机控制精度高、功能多,目前,呼吸机已可以不改变硬件和呼吸机的结构件,而只需改变控制系统的软件部分,即可改变呼吸机的性能,发展呼吸机的功能。

（二）控制方式

1. 起动（initiating） 是指使呼吸机开始送气的驱动方式。起动有 3 种方式：时间起动、压力起动和流量起动。① 时间起动：用于控制通气，是指呼吸机按固定频率进行通气。当呼气期达到预定的时间后，呼吸机开始送气，即进入吸气期，不受病人吸气的影响。② 压力起动：用于辅助呼吸，是指当病人存在微弱的自主呼吸时，吸气时气道内压降低为负压，触发（trigger）呼吸机送气，而完成同步吸气。呼吸机的负压触发范围（灵敏度，sensitivity）为 $-1 \sim -5$ cmH$_2$O，一般成人设置在 -1 cmH$_2$O 以上，小儿在 -0.5 cmH$_2$O 以上。辅助呼吸使用压力触发时，能保持呼吸机工作与病人吸气同步，以利撤离呼吸机，但当病人吸气用力强弱不等时，传感器装置的灵敏度调节困难，易发生过度通气或通气不足。此外，由于同步装置的限制，病人开始吸气时，呼吸机要迟 20 ms 左右才能同步，这称为呼吸滞后（lag time）。病人呼吸频率越快，呼吸机滞后时间越长，病人呼吸做功越多。③ 流量起动：用于辅助呼吸，是指在病人吸气开始前，呼吸机输送慢而恒定的持续气流，并在呼吸回路入口和出口装有流速传感器，由微机测量两端的流速差值。若差值达到预定水平，即触发呼吸机送气。持续气流流速一般设定为 10 L/min，预定触发流速为 3 L/min。流量触发较压力触发灵敏度高，病人呼吸做功较小。

理想的呼吸机触发机制应十分灵敏，可通过两个参数来评价，即灵敏度和反应时间（response time）。灵敏度反映了病人自主吸气触发呼吸机的做功大小。衡量灵敏度的一个指标为敏感百分比，敏感百分比＝ 触发吸气量/自主潮气量×100％。理想的敏感百分比应小于 1％，一般成人呼吸机的触发吸气量为 0.5 ml。小儿呼吸机则更低。

2. 限定（limited） 正压通气时，为避免对病人和机器回路产生损害作用，应限定呼吸机输送气体的量。有 3 种方式：① 容量限定：预设潮气量，通过改变流量、压力和时间三个变量来输送潮气量；② 压力限定：预设气道压力，通过改变流量、容量和时间三个变量来维持回路内压力；③ 流速限定：预设流速。通过改变压力、容量和时间三个变量来达到预设的流速。

3. 切换（cycling） 指呼吸机由吸气期转换成呼气期的方式，有 4 种切换方式：① 时间切换：达到预设的吸气时间，即停止送气，转向呼气；② 容量切换：当预设的潮气量送入肺后，即转向呼气；③ 流速切换：当吸气流速降低到一定程度后，即转向呼气；④ 压力切换：当吸气压力达到预定值后，即转向呼气。

（三）流速形态

有方波、递减波、递增波、正弦波等（图 24-1），常用的为前两者。吸气时方波维持恒定高流量，故吸气时间短，峰压高，平均气道压低，更适合用于循环功能障碍或低血压的病人。递减波时，吸气时间延长，平均气道压增高，吸气峰压降低，更适合于有气压伤的病人。在呼吸较强、初始吸气流速较大的病人，与方波相比，递减波不仅容易满足病人吸气初期的高流量需求，也适合病人呼气的转换，配合呼吸形式的变化，故应用增多。

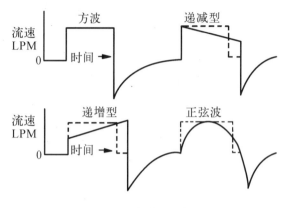

图 24-1　各种流速波形

五、呼气部分

呼气部分主要作用是配合呼吸机作呼吸动作。它在吸气时关闭,使呼吸机提供的气体能全部供给病人;在吸气末,呼气阀仍可以继续关闭,使之屏气;它只在呼气时才打开,使之呼气。当气道压力低于 PEEP 时,呼气部分必须关闭,维持 PEEP。呼气只能经此呼出,而不能经此吸入。呼气部分主要有三种功能的阀组成,如呼气阀、PEEP 阀、呼气单向阀,也可由一个或两个阀完成上述三种功能。

（一）呼气阀

常见呼气阀有电磁阀、气鼓阀、鱼嘴活瓣(兼有吸气单向阀功能)、电磁比例阀、剪刀阀。电磁阀有两种型式,常见的是动铁型电磁前期,通径一般小于 8 mm,通常指的电磁阀就是动铁型阀;另一种是动圈型电磁阀,常称电磁比例阀,电磁部分输出的力与电流有关,与输出部分的位移无关;由于电磁比例阀动作部分重量比较轻,反应速度比较快,通径可设计得比较大。电磁阀多用于婴儿呼吸机中,因为电磁阀结构小、通径小、气阻较大,通过流量不可能很大。气鼓阀的形式很多,它可以由电磁阀控制,将电磁阀作为先导阀,此时控制气鼓阀的流量可很小;也可兼有 PEEP 阀功能。如呼气时使气鼓内压力不是"0",可使气道内维持 PEEP。更为方便的是可将吸气压力作为控制气鼓阀的气源,结构变得非常简单,但此时不能兼有 PEEP 阀功能。

鱼嘴活瓣常在简单型呼吸机中采用,因为它兼有吸气单向阀的功能。电磁比例阀是通过控制线圈中的电流来控制呼气阀的开与关,可作为压力限制阀和 PEEP 阀,其反应时间少,性能良好,可开环控制,故十分方便。剪刀阀的结构如剪刀,除了作开启或关闭的呼气阀以外,亦可控制其呼出流量,且比其他阀方便。

（二）PEEP 阀

PEEP 阀除了上述可由呼气阀兼有外,还有几种阀可以实施 PEEP 功能。如水封

PEEP 阀,把插入水中的深度作为 PEEP 值,早期的呼吸机是采用此法实施 PEEP 功能的。较多见的利用弹簧 PEEP 阀,作为单独的 PEEP 阀。磁钢式 PEEP 是用磁钢吸引力代替弹簧,重锤 PEEP 阀是利用重锤来限制呼出气的,但改变数值时较麻烦,需要垂直于地面。

（三）呼气单向阀

为了防止重复吸入呼出气或自主吸气时产生同步压力触发,呼吸机都需要呼气单向阀,呼气单向阀大多数由 PEEP 阀和呼气阀兼任,但有时还必须要装一单向阀,以确保实现上述功能。

六、监测和报警系统

呼吸机监测系统的作用有两个方面,一是监测病人的呼吸状况,二是监测呼吸机的功能状况,两者对增加呼吸机应用的安全性,均具有相当重要的作用。呼吸机的监测系统包括:压力、流量、吸入氧浓度、呼出气 CO_2 浓度、CO_2 分压、血氧饱和度等。大部分呼吸机不直接带有呼气 CO_2、血氧饱和度监测装置,而只作为配件装置附带。呼吸机常配的监测装置有如下三个方面。

（一）压力监测

主要有平均气道压（Paw）、吸气峰压（Pmax）、吸气平台压（Pplateau）和 PEEP 上下限压力报警等,还有低压报警。压力监测的方式是通过压力传感器实施的,传感器一般连接在病人 Y 形接口处,称为近端压力监测,也有接在呼吸机的吸气端或呼气端。

1. 低压报警　主要作为通气量不足、管道脱落时压力下降时的报警,有些呼吸机设有低分钟通气量报警,呼吸机一般均设置这两种功能。

2. 高压报警　是防止气道压力过高引起呼吸道和肺的气压伤。高压报警有超过压力后报警,兼切换吸气至呼气功能,也有只报警而不切换呼、吸气状态的,使用时应注意。

3. 监测 PEEP　是将呼气末的压力显示出来,以监测呼吸机的性能。监测 Pmax 是显示吸气的最高压力,监测 Pplateau 是显示屏气压力。上述三个压力数据与流量数据结合,可得到吸气阻力、呼气阻力及病人的肺、胸的顺应性数据。

（二）流量监测

多功能呼吸机一般在呼气端装有流量传感器,以监测呼出气的潮气量,并比较吸入气的潮气量,以判断机器的使用状态、机械的连接情况和病人的情况。也有的呼吸机应用呼气流量的监测数据来反馈控制呼吸机。

1. 呼出气潮气量　可监测病人实际得到的潮气量。在环路泄漏的定容量通气,特别是定压通气中,有一定的价值。有的呼吸机甚至用此数据馈控吸气压力,还可提供给微电脑计算其顺应性。

2. 呼出气分钟通气量　可通过流量的滤波(即把呼气流量平均,可得到呼出气的分钟通气量)或由潮气量、呼吸时间来计算。前者反应慢,后者反应快;前者可有分立元件实现,后者必须采用微电脑计算。由于每次呼出气的潮气量与呼吸时间均可能有变化,每次计算出的数据变化较大,一般是将 3~6 次呼吸平均后作为呼出气的分钟通气量。该数据可作为控制分钟的指令通气的关键数据,也可作过度通气与通气不足报警,还可报警监测管道导管接头脱落或窒息等。流量传感器可以安装在病人的 Y 形接口处,缺点是增加了一定量的死腔量,优点是可用一个传感器同时监测吸入与呼出气的流量。

(三) F_iO_2 监测

一般安装在供气部分,监测呼吸机输出的氧浓度,以保证吸入所需浓度的新鲜空-氧混合气体。监测氧浓度的传感器有两种,一是氧电极,二为氧电池。氧电极需要一年一次的更换或加液,氧电池为随弃型。

七、呼吸回路

多数呼吸机应用管道呼吸回路,吸气管一端接呼吸机气体输出管,另一端与湿化器相连,有时可接雾化器和温度探头。呼气管一端有气动呼气活瓣,中段有贮水器。呼气管与吸气管由 Y 形管连接,只有 Y 形管与病人气管导管或气管切开导管相连处是机械死腔。

八、湿化器与雾化器

(一) 湿化器

湿化器是对吸入气体的加温和湿化,使气道内不易产生痰栓和痰痂,并可降低分泌物的黏稠度,促进排痰。较长时间使用呼吸机时,良好的湿化可预防和减少呼吸道的继发感染,同时还能减少热量和呼吸道水分的消耗。湿化器大多数是通过湿化罐中的水,使其加温后蒸发,并进入吸入气中,最终达到使吸入气加温和湿化的作用。为达到较好的加温和湿化的效果,一般使吸入气体通过加温罐中的水面;或增加其湿化面积(如用吸水纸);有些湿化器为减少气体输送过程中的温度损失和减少积水,在吸入气的管道口中还安装了加热线。

(二) 雾化器

雾化器是利用压缩气源作动力进行喷雾,雾化的生理盐水可增加湿化的效果,也可用作某些药物的雾化吸入。雾化器产生的雾滴一般小于 5 μm,水分子以分子团结构运动,容易沉淀到呼吸道壁,不易进入下肺单位;而湿化器产生的水蒸气以分子结构存在于气体中,不易携带药物。雾化器容易让病人吸入过量的水分,湿化器不会让病人吸入过量水分,通常还需在呼吸道内滴入适宜的生理盐水以补充其不足。

在使用过程中,特别要注意雾化是否增加潮气量。有些呼吸机的雾化器能使潮气量增加,还要注意有些呼吸机的雾化器是连续喷雾,有些是随病人的吸气而喷雾,使用时宜采用降低通气频率、放慢呼吸节奏的方法,使雾化效果更加完善。

第三节　各类通气模式

根据其开始吸气的机制来分类,基本通气模式有两种:控制通气和辅助通气。控制通气时,呼吸机触发呼吸并且承担全部的呼吸功;辅助通气时,病人触发和完成全部或部分呼吸周期,而呼吸机只是给予一定的呼吸支持。任何通气模式都有其优缺点,临床医师需熟悉其原理,并积累一定的经验和技术,成功应用某种通气模式,才能达到呼吸治疗的目的。

一、机械控制通气（controlled mechanical ventilation,CMV）

（一）定义

在吸气时由呼吸机产生正压,将气流送入肺内,呼吸道内压力升高,呼气时肺内气体靠胸、肺弹性回缩,排出气体,气道内压力降至零(ZEEP)(图 24 - 2)。病人接受预先已设定的潮气量(V_T)及呼吸频率,呼吸机提供全部的呼吸功。由于无同步功能,病人不能触发呼吸机。但在许多呼吸机上,CMV 模式等同于辅助/控制模式(assist/control,A/C)。

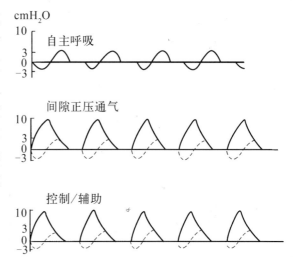

图 24 - 2　自主呼吸、CMV 和 A/C

（二）CMV 的应用指征

1. 病人呼吸微弱或没有能力进行自主呼吸(如高位脊髓损害,药物量,吉兰-巴雷综合征等)。

2. 全身麻醉时为病人提供一种安全的通气方式。

（三）CMV 的优缺点

在 CMV 时,由于无同步功能,病人不能触发呼吸机。病人的呼吸用力被有效抑制,往往会显著地增加呼吸功。并常导致人机对抗。同时肺泡通气和呼吸对酸碱平衡的调节作用完全由临床医师所控制,故需监测酸碱平衡,呼吸机的设置也应按照生理状况的改变(如:发热,营养摄取等)来调节。如果临床上长期 CMV,病人的呼吸肌可衰弱和萎缩,将造成呼吸机撤离困难。

（四）应用 CMV 时的监护

1. 吸气峰压（peak inspiration pressure，PIP）：在容量控制型的通气方式中，PIP 将随着肺顺应性和气道阻力的变化而变化。

2. 需仔细监测酸碱平衡。

3. 病人-呼吸机不同步及吸气流速率或呼吸频率的设置不恰当，不能满足病人的需要。

二、辅助/控制模式（assist/control mode，A/C）

（一）定义

A/C 模式时，只要病人自主吸气能为呼吸机的触发装置感知，即可带动呼吸机释放出一次预先设定的潮气量，从而完成同步吸气。病人不能自己改变预先设定的潮气量。病人所作的呼吸功仅仅是触发呼吸机，而呼吸机则完成其余的呼吸功。当病人不能触发呼吸机时，A/C 等同于 CMV。

（二）A/C 的应用指征

1. 重度呼吸衰竭：如急性呼吸窘迫综合征（ARDS），胸部外伤，急、慢性呼吸衰竭所致的严重呼吸肌疲劳时，为最大限度降低呼吸功，减少呼吸肌的氧耗量，以恢复呼吸肌的疲劳。

2. 心肺功能储备耗竭：如心肺复苏、循环休克、急性肺水肿。

3. 需对病人的呼吸力学如呼吸阻力、顺应性、内源性 PEEP（PEEPi）、呼吸功等进行准确测定时。

（三）A/C 模式的优缺点

A/C 模式的机械通气允许病人控制呼吸频率，并且能保证释放出预先设定的潮气量，维持最低的每分通气量。A/C 模式如适当设置流速率和灵敏度，病人所作的呼吸功可相当少。对于临床需要呼吸机完成大部分呼吸功的机械通气病人而言，则 A/C 为理想的通气模式。正常情况下，A/C 模式与 SMV 相比，病人所作的呼吸功较少。

A/C 模式的缺点为：病人在接受机械通气时常有焦虑、疼痛或神经精神因素，它可导致呼吸性碱中毒。严重的碱中毒可抑制呼吸驱动力，并损害多种代谢功能。过度通气也可能导致内源性 PEEP 的形成，这与呼气时间减少有关。由于每次呼吸都是在正压通气下产生 A/C 模式可多方面影响病人的血流动力学状态。

（四）应用 A/C 模式时的监护

1. 吸气峰压（PIP）：使用容量控制型呼吸机时，变化较大，PIP 的增加与肺部顺应性的改变和气道阻力的增加有关。

2. 呼出气潮气量（EVT）。

3. 机械通气时病人的舒适程度。

病人在发生自主呼吸努力时,监测气道压力并调节灵敏度,允许病人使用较小的触发呼吸努力,调节流速以满足病人的吸气需要。使用 A/C 模式时,触发灵敏度和流速为影响病人呼吸功的主要因素。

4. 监测酸碱平衡状态:如果病人过度通气,可考虑应用镇静剂或改变通气模式如试用 IMV,SMV 或压力支持通气(PSV)等。

三、同步间歇指令通气(synchronized intermittent mandatory ventilation, SIMV)

（一）定义

同步间歇指令通气(SIMV)预先设定潮气量与呼吸频率,在一定的时间内给予病人以强制通气,从间歇指令通气(intermittent mandatory ventilation,IMV)发展而来,基本原理是相似的,区别在于 SIMV 具有同步功能。病人能获得预先设定的潮气量和接受设置的呼吸频率,在这些呼吸机设定的强制通气期间,病人能自主呼吸,自主呼吸潮气量的大小与病人产生的呼吸力量有关。SIMV 模式通气时呼吸机释放的强制通气与病人的吸气负压相同步。如果病人不能产生吸气负压,则呼吸机能在预定的时间内给予强制通气(图 24-3)。

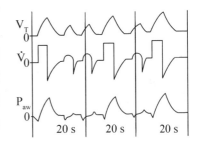

图 24-3 同步间歇指令通气(SIMV)

（二）SIMV 的应用指征

1. 呼吸中枢正常,但是病人的呼吸肌不能胜任全部的呼吸功。

2. 病人的临床情况已能允许设定自己的呼吸频率,以维持正常的 $PaCO_2$。

3. 撤离呼吸机。

（三）SIMV 的优缺点

SIMV 能与病人的自主呼吸相配合,可减少病人与呼吸机相对抗的可能,防止呼吸"重叠"。病人在机械通气时自觉舒服,并能防止潜在的并发症,如气压伤等。与 A/C 模式相比较,SIMV 产生过度通气的可能性较小。由于病人能应用自己的呼吸肌,故呼吸肌萎缩的可能性较小。SIMV 通气的血流动力学效应较少,这与平均气道压力较低有关。SIMV 时,如病人病情恶化,病人的自主呼吸突然停止,则可发生通气不足;由于自主呼吸一定程度上可增加呼吸功,如使用不当将导致呼吸肌的疲劳。

（四）应用 SIMV 的监护

1. 呼吸频率:如果呼吸频率增加,应重新测定自主呼吸的潮气量,一般来说,自主呼吸的潮气量应为 5～8 ml/kg。如果病人出现呼吸肌的疲劳,会发生浅而速的通气,这可造成肺不张、肺顺应性下降并增加呼吸功,此时需加强呼吸支持。

2. 吸气峰压(PIP):PIP 在容量控制型的呼吸机中变化较大,可随肺顺应性和气道阻力而改变。

3. 强制通气的潮气量和自主呼吸的潮气量。

4. 病人的舒适程度:如果病人自觉不能从呼吸机获得足够的气体,应仔细检查灵敏度和流速率是否适当。如在撤机时病人有焦虑或不安,可适当给予镇静剂,但注意不要抑制呼吸中枢。如果撤机时使用 SIMV 失败,可改用 T 管法和 PSV。

四、呼气末正压(positive end-expiratory pressure, PEEP)

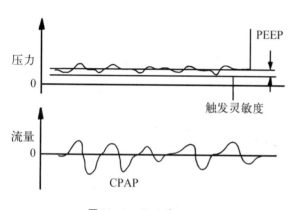

图 24 - 4　CPAP 和 PEEP

（一）定义

PEEP 指在控制呼吸呼气末,气道压力不降低到零,而仍保持一定的正水平。其产生原理是借助 PEEP 阀,在呼气相使气道仍保持一定的正压(图 24 - 4)。

（二）PEEP 的应用指征

1. 急性呼吸窘迫综合征(ARDS)

ARDS 的特征为肺渗出增加,发生非心源性水肿,引起严重的低氧血症和顺应性降低,PEEP 治疗虽可能增加 FRC 和改善氧合,但不能减少肺毛细血管渗出和血管外肺水。

2. 术后呼吸支持　麻醉和大手术后,FRC 减少,Qs/Qt 增加,可导致低氧血症,用 PEEP 有一定的治疗作用。

3. 预防性应用　使用 PEEP 可降低长时间大潮气量机械通气所致肺损伤程度。

（三）PEEP 优缺点

PEEP 可增加 FRC,使原来萎陷的肺再膨胀,同时肺顺应性也增加,因此,改善通气和氧合,减少 Qs/Qt,提高 PaO_2。目前已成为治疗低氧血症,尤其是 ARDS 的主要手段之一。但 PEEP 增加了气道内压力,可影响心血管功能,临床应用时需选择最佳 PEEP,以减轻对循环功能的抑制。

五、持续气道正压(continuous positive airway pressure, CPAP)

（一）定义

持续气道正压应用于有自主呼吸的病人,在呼吸周期的全过程中向气道内输送一个恒定的新鲜正压气流,正压气流大于吸气气流,气道内压都是正压(图 24 - 4)。病人应有稳定的呼吸驱动力和适当潮气量,在通气时呼吸机不给予强制通气或其他通气支持,因而病人需完成全部的呼吸功。CPAP 在呼气末给病人予正压支持,所以可防止肺泡塌陷,改善功能残气量(FRC)并提高氧合作用。就这些来说,CPAP 的生理作用等于 PEEP。CPAP 与 PEEP 区别在于,CPAP 是病人自主呼吸的情况下,基础气道压力升高的一种通气模式,与是否应用呼吸机无关;而 PEEP 也是基础气道压力升高的一种通气,但是病人须使用呼吸机,同时有其他方式的呼吸支持(如 A/C,SIMV,PSV 等)。

（二）CPAP 的应用指征

1. 功能残气量的下降:肺不张等而使氧合作用下降。

2. 气道水肿或阻塞(如阻塞性睡眠呼吸暂停综合征,OSAS)需要维持人工气道。

3. 准备撤离呼吸机:在撤机的过程中应用 CPAP 改善肺泡稳定性和改善功能残气量。

（三）CPAP 的优缺点

1. 优点　① 减轻肺不张,维持和增加呼吸肌的强度。因为 CPAP 时无其他辅助支持,病人要承担全部呼吸功。② CPAP 常用于撤机的过程中,与 SIMV 交换使用,随着病人呼吸肌功能的改善,CPAP 的时间可适当延长。③ 应用 CPAP 撤机时,由于病人仍与呼吸机相连接,如呼出气潮气量小于预定的报警值或出现呼吸暂停,呼吸机将会报警,此时可改变通气模式。

2. 缺点　应用 CPAP 时可引起心排血量的下降,增加胸腔内压力和导致肺部气压伤。

（四）CPAP 时的监护

1. 呼吸频率(RR)　RR 应少于 25 次/min。如 RR 增加,呼出气潮气量应重新测定。如病人出现疲劳,会产生浅而速的呼吸。

2. 呼出气潮气量(EVT)　EVT 应为 5～8 ml/kg,如小于 5 ml/kg,说明病人的呼吸肌没有足够的力量来产生适当的潮气量。这时应改用其他通气模式,如 PSV、SIMV 或 A/C。

3. 病人的舒适程度　如病人主诉不能得到足够的气量,应适当调整流速率。

六、压力支持(pressure support ventilation,PSV)

（一）定义

PSV 是指当病人的自主吸气触发呼吸机,呼吸机以预先设定的压力释放气流,并在整个吸气过程中保持该压力。应用 PSV 时,V_T 是变化的,V_T 是由病人的吸气力量和所使用的压力支持水平,以及病人和呼吸机整个系统的顺应性和阻力等多种因素所决定的。病人自行调节吸气时间、呼吸频率。病人有可靠的呼吸驱动时,方能使用 PSV,因为通气时必须由病人触发全部的呼吸。PSV 为一种流量切换的通气模式,气流以减速波的形式所释出,当病人吸气流速降低到峰值的 25%,吸气相切换成呼气相,呼吸机停止送气(图 24-5)。PSV 模式可单独应用,当病人有稳定的呼吸驱动力,调整 PSV 压力支持水平直到病人得到正常的 V_T，当潮气量达到 $10\sim15$ ml/kg 时的 PSV 水平可消除呼吸做功，称为 PSVmax。如 PSV 在此种压力水平下使用，不需要其他容量控制型的呼吸支持。PSV 模式也可与 SIMV 联合应用。SIMV 和 PSV 联合应用时，只有指令通气之外的自主呼吸得到 PSV 压力支持，故万一发生呼吸暂停，病人会得到预定的强制通气支持。此时，PSV 压力支持水平较低，压力支持水平需仔细调整，直到病人 V_T 与自主呼吸相似，$5\sim8$ ml/kg，以保证病人能得到最小的肺泡通气量及克服与人工气道和呼吸机管道相关的附加呼吸做功。

随着病人呼吸肌力量的增加和呼吸系统功能的改善，压力支持的水平应逐步降低。PSV 与 PEEP 同时应用过程中，吸气峰压（PIP）等于 PSV 水平加上 PE 的水平。

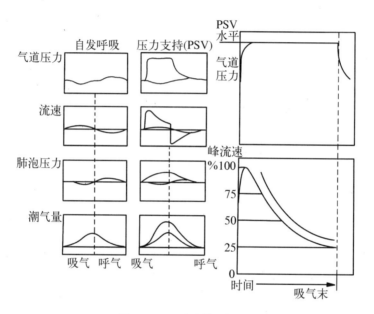

图 24-5 压力支持通气（PSV）

（二）PSV 的应用指征

1. 撤离呼吸机　病人呼吸做功可完全由 PSV 水平的改变来控制。PSV 是撤机的重要模式。

2. 长时期的机械通气　通过增加吸气气流，PSV 可克服与人工气道和呼吸机管道相关的附加呼吸功。由于病人在吸气的全过程需应用呼吸肌，故能减弱呼吸肌的废用性萎缩。

（三）PSV 的优缺点

1. 优点　① PSV 可用于克服机械通气有关的阻力，与通气有关的氧耗量也能下降。呼吸功的下降，病人也能更好地忍受呼吸机的撤离。② PSV 使病人的自主呼吸与呼吸机相配合，同步性能较好，通气过程感觉舒适，能控制呼吸的全过程，也就是病人能决定何时触发一次呼吸,吸气和呼气的时间,以及通气的方式。③ 病人对 $PaCO_2$ 和酸碱平衡的控制较好。④ 临床医师能应用 PSV,对病人较弱的自主呼吸及潮气量进行适当"放大",达到任何理想的水平并设定 PIP。PSV 模式通气时,平均气道压力较低。

2. 缺点　① PSV 时,V_T 为多变的,因而不能确保适当的肺泡通气。如肺顺应性降低或气道阻力增加,V_T 则下降。所以,对呼吸系统功能不全或有支气管痉挛或分泌物丰富的病人,使用 PSV 模式,应格外小心。② 如有大量气体泄漏,呼吸机就有可能不能切换到呼气相,这与 PSV 模式时支持吸气压力的流速率不能达到切换水平有关。这可导致在整个呼吸周期中应用正压通气,很像 CPAP。

（四）PSV 时的监护

1. 呼出气潮气量（EVT）　当 PSV 用来作完全通气支持时,V_T 应为 10～15 ml/kg。部分通气支持时应为 5～8 ml/kg。EVT 降低时应仔细检查原因,否则可能发生肺不张。压力通气模式时呼出气潮气量下降的原因:病人方面:① 肺顺应性的下降:如胸膜腔疾患,肺内浸润性病变;② 气道阻力的增加:气道狭窄,如支气管痉挛,起到内分泌物增多;③ 呼吸肌肌力不足以维持通气需要;④ 通过支气管胸膜漏丢失一部分潮气量。呼吸机管路方面:① 气流阻力的增加:气管插管或气管切开管的扭曲,呼吸机管道受压或积水等;② 呼吸机管道接口松动造成漏气;③ 潮气量从气管插管或气管切开管的套囊旁漏出。

2. 病人的呼吸频率（RR）　RR 应小于 25 次/min。如 RR 增加,需重新测定 V_T。

3. PSVmax　当应用 PSVmax 通气时,应估计正压通气时的血流动力学效应。

七、压力控制通气（pressure controlled ventilation，PCV）

（一）定义

PCV 为一种预先设定呼吸频率和吸气时间,每次呼吸都得到预设的吸气压力的支持。在单一的 PCV 中,每次呼吸均为时间触发,病人自身不能触发呼吸,也不能使呼吸频率高于预先设定的频率,因而实际上每次呼吸都由呼吸机给予强制通气。但是 PCV 也能使用设定的灵敏度而由病人来触发通气,这些自身触发的呼吸,也可得到预先设定的压力支持,这也称为压力辅助/控制通气模式。PCV 无需设定 V_T,每次接受的 V_T 是不断变化的,取决于所设定的吸气压力,吸气时间,肺部顺应性以及气道和管道的阻力。气体流量则以减速波的形式释出,随着肺内气体的充盈,流速率自然衰减。

（二）PCV 的应用指征

PCV 可提供完全通气支持,尤其适用于肺顺应性较差和气道压力较高,并且如使用容量控制型通气,氧合不理想的病人。与容量控制型的通气方式相比,PCV 模式 PIP 较低,因而减少了肺部气压伤的危险性。

（三）PCV 的优缺点

在急性呼吸窘迫综合征（ARDS）的治疗中，PCV 相当有用。因有广泛的毛细血管漏出、生理无效腔增加、血管有广泛的凝血、肺顺应性的降低、肺内分流的增加，虽然增加 FiO_2，但病人仍有严重的低氧血症，终末期 $PaCO_2$ 可升高。由于这些病理改变，如使用容量控制型通气以及方波送气，PIP 较高，肺内气体分布不均，可造成肺部气压伤，尤其当 PIP 增加，肺泡内压力梯度不均时。

PCV 通气模式使用减速波可使肺内气体分布较为均匀，同时也使气道阻力明显下降、肺部顺应性改善、无效腔通气减少以及增加氧合。PCV 时 PIP 往往低于容量控制型通气和方波送气型机械通气时的 PIP，从而减少肺气压伤发生的可能性。

PCV 在维持气道开放和改善气体分布方面较其他通气模式更为有效。在吸气早期就可释放出较高的平均气流、压力和容量。吸气初迅速增加的压力有助于扩张塌陷的肺泡，而且在整个吸气相内能维持一定的压力，因而能保持气道开放和改善气体分布（图 24-6）。

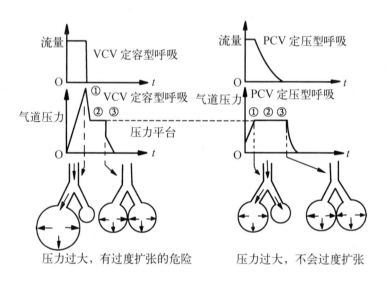

图 24-6 压力控制通气

应用 PCV 时平均气道压力与肺容量和氧合密切相关，为治疗 ARDS 的关键。适当增加平均气道压力，可以复原塌陷的肺泡，使肺水重新分布、进而增加肺容量和提高氧合作用。但是平均气道压的增加，不适合某些心功能较差的病人。

（四）PCV 时的监护

1. 观察 EVT 和每分钟通气量　任何影响肺顺应性和气道阻力的因素都会导致 EVT 的变化。PCV 的水平因随肺部病变的改善而降低，否则 V_T 的增加会使肺部过度扩张及通气过度。

2. 监测 PIP　PIP 应等于所用的 PC 水平加 PEEP。

3. 监测血流动力学变化　注意平均气道压力的变化而造成的血流动力学改变。

4. 监测气管切开管或插管套囊有无漏气　如漏气呼吸机就达不到预先设定的 PC 水平，可能造成吸气相的持续。

八、压力控制合并反比通气（pressure control with inverse inspiratory-to-expiratory ratio ventilation，PC-IRV）

（一）定义

PC-IRV 为压力控制通气的同时应用反比通气，即预先设定呼吸频率和吸气压力水平，并使用吸呼相反比例，1∶1、2∶1、3∶1、4∶1 等。

（二）PC-IRV 的应用指征

PC-IRV 可对肺顺应性较差的病人提供完全通气支持。病人有较高的气道压力，在使用容量控制型呼吸机时氧合较差。PCV 通气能通过控制吸气压力来获得理想的潮气量，使 PIP 降低，减少肺气压伤的可能性。PC-IRV 的应用可使平均气道压力增加，因而使肺内气体分布良好，氧合改善。

（三）PC-IRV 的优缺点

ARDS 时肺表面活性物质减少，肺部弥漫性的病变呈分布不均改变。病变严重的肺泡充盈时间需要较长，常规比例的通气肺泡不能适当的充盈，仍处于塌陷的状态，导致肺内分流的持续存在以及严重的低氧血症。反比通气增加了吸气时间，使肺泡得到适当的充盈，故能改善肺内气体分布。同时在呼气相，肺泡没有时间排空到静止容量，气体在肺部陷闭，陷闭的气体在肺内产生了一种压力，这就是内源性 PEEP。

PC-IRV 的应用可使功能残气量增加、肺内分流降低和无效腔通气减少，因而改善氧合。但由于平均气道压力和总的 PEEP 的增加，这一模式的通气影响血流动力学较多。

（四）PC-IRV 的具体实施

严重的呼吸衰竭病人，表现为双肺弥漫性浸润阴影伴进行性加重，PIP 增加，虽然已使用了较高的 FiO_2 和高水平的 PEEP，但症状继续恶化，此时可考虑应用 PC-IRV。呼吸机设置如下：① FiO_2 为 1.0；② I∶E 比例为 1∶1；③ 调节吸气压力（压力控制水平），使潮气量达 6～8 ml/kg，通常 PC 为 1/2～1/3 的 PIP，应用较低的压力试图获得较大的 V_T、每分钟通气量和合宜的 $PaCO_2$；肺顺应性较差，可试用较小的 V_T；④ 呼吸频率（RR）：20～25 次/min，使 RR 增快，在呼气完成前，下一次呼吸已经开始；⑤ PEEP 的设置：一般为 5 cmH_2O，由于应用 I∶E 相反比例，可能有内源性 PEEP。PC-IRV 应用时的注意事项：① 病人需要适当的监护，包括心排血量以及血流动力学监测等；② 适当地镇静和应用肌松剂，保证病人舒适，防止病人的自主呼吸干扰通气模式。病人自身的 I∶E 比例可使 PEEP 丢失，因而使 FRC 减少和造成低氧血症；③ 清理病人气道内的分泌物，在清理和负压吸引分泌物时,应提供高浓度的氧吸入。

（五）呼吸机的调节

可根据氧饱和度和呼气末 CO_2 分压的连续监测,以及血气分析的结果来适当调节呼吸机的各项指标。

1. 增加氧合作用　① 增加 FiO_2,但需保持在不引起氧中毒的吸氧水平（$FiO_2 < 0.6$）；② 调节呼吸机的呼吸频率或 I：E 比例,使内源性 PEEP 增加。呼吸频率的增加,呼吸时间则缩短,使气体在肺泡内陷闭并形成内源性 PEEP。逐渐改变 I：E 比例,从 1：1→2：1→3：1,由于呼气时间的缩短,内源性 PEEP 增加,但需注意血流动力学的改变。

2. 增加通气（$PaCO_2$）　① 如果有呼吸性酸中毒,则需增加通气量,可适当升高吸气压力或增加呼吸频率。吸气压力增加为 3～5 cmH_2O,需根据 EVT 的结果来调节。如果 EVT 的增加,$PaCO_2$ 反而上升,则压力已超过了肺组织的扩张程度。此时应恢复原有的压力水平,按可允许性高碳酸血症来处理。② 如果有呼吸性碱中毒,应降低每分钟通气量,可适当降低吸气压力或呼吸频率。但是呼吸频率的降低可使内源性 PEEP 减少,导致氧合作用的降低。

（六）PC-IRV 模式应用时的监护

1. 监测呼出气的潮气量（EVT）：任何降低肺顺应性或增加气道阻力的因素均可降低 EVT。

2. 监测内源性 PEEP 的水平。

3. 监测 PIP：PIP＝吸气压力＋设定的 PEEP。

4. 监测血流动力学变化：保证组织有适当的氧供。

5. 适当对病人应用镇静剂或肌松剂：以抑制病人的呼吸驱动力。

九、气道压力释放通气（airway pressure release ventilation,APRV）

（一）定义

APRV 期间,病人在自主呼吸的基础上接受 CPAP,呼气时阀门间断打开,释放出一定的压力低于预先设置的压力或低于周围的压力,同时应用了两种水平的压力:CPAP 水平、气道压力释放水平。气道压力释放后,仍保留 CPAP 水平（图 24-7）。呼吸机需设置:CPAP 水平、气道压力释放频率,气道压力释放的压力水平和气道压力释放的时期。

应用 APRV 模式,在 CPAP

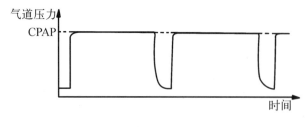

图 24-7　气道压力释放通气

水平期间,FRC 保留在一定水平上。压力释放期间,在气体被动释放出后,FRC 降至一个新水平。在气道压力释放时肺部被动排空,使肺泡通气增加并促进 CO_2 呼出。压力释放与呼气末暂停相似,应考虑到最佳释放时间,压力释放的时间通常为 1.5 s。严重的限制性肺部疾病病人,这一时间对于完全呼出气体是不恰当的,因而这类病人 APRV 为相对禁忌证。

（二）APRV 的应用指征

1. 急性肺损伤引起 FRC 降低,以及肺顺应性减少,但是呼吸肌的强度或呼吸驱动力尚正常。

2. 手术后轻度的呼吸功能不全。

（三）APRV 的优缺点

APRV 模式可增加肺容量和肺顺应性,防止呼吸肌的萎缩,通过降低肺容量(而不是增加肺容量)来促进 CO_2 排出。平均气道压力不超过 CPAP 水平,PIP 也较低,因而降低了肺部气压伤的可能性,对循环系统的影响较少。APRV 和 PCV 均能在肺顺应性差的病人中降低 PIP,减少肺部气压伤和稳定塌陷的肺泡。这两种模式在设定吸气压力和呼气压力水平方面来说较为相似,区别在于 APRV 为自主呼吸模式,而 PCV 则不然。APRV 不需对病人使用镇静剂及肌松剂。另外,APRV 的通气辅助与自主呼吸频率相关,呼吸频率增快,压力释放通气的频率也相应增加,通气辅助增大。APRV 模式的优点还在于:用气道压力的周期性降低来增加肺泡通气,可使部分呼吸衰竭病人避免气管插管。

APRV 的缺点:对气道阻力较高的 COPD 病人,因可产生内源性 PEEP,能导致肺部过度扩张。

十、双相气道正压通气（biphasic positive airway pressure，BiPAP）

机械通气时最好能保留自主呼吸,使自主呼吸的潮气量能成为总的通气量的一部分,因而减少对机械通气的依赖程度。常规通气模式提供病人自主呼吸的能力有限。同时常需应用镇静剂和肌松剂以抑制病人的呼吸驱动力,使呼吸机与病人的自主呼吸相配合。为适应当前通气策略进展的需要,新一代的呼吸机推出了 BiPAP 新模式。

（一）定义

BiPAP 是正压通气的一种增强模式,允许病人在通气周期的任何时刻都能进行不受限制的自主呼气,因而病人与呼吸机之间得到较为满意的同步化。这一通气模式使病人有可能在两个不同水平的 PEEP 上进行自主呼吸(图 24-8)。其压力波形如同压力控制通气模式(PCV),但差别在于在高水平压力和低水平压力上都能作自主呼吸。在两个 PEEP 水平之间转换的通气支持所产生的潮气量,以及病人的自主呼吸共同组成了每分钟通气量。容量监护仪能显示:病人在两个 PEEP 水平上的自主呼吸量,以及在 PEEPH(高压力水平上的 PEEP)到 PEEPL(低压力水平上的 PEEP)的呼出气容量。

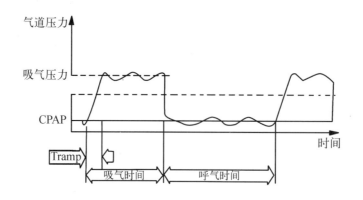

图 24-8　双相气道正压通气(BiPAP)

(二) BiPAP 的两种通气策略

BiPAP 模式中的两种不同通气策略,其差别在于低水平 PEEP(PEEPL)时所需时间不同。

1. 常规 I:E 比例　BiPAP 不受特殊的 TH:TL(高水平 PEEP 时间到低水平 PEEP 时间)比例的限制。如果高水平和较低水平 PEEP 上所消耗的时间都足够地长,且允许在这两个水平上都能进行自主呼吸,则常常称之为 Biphasic 或 BiPAP。如设置完好,则病人的自主呼吸能在两个 PEEP 水平上都能得到压力支持。

2. 气道压力释放通气(APRV)　气道压力释放通气是另一种通气策略。APRV 时,因为所有的自主呼吸均发生在高水平 PEEP 上,故 APRV 表示一种 TL 时间方式(低水平 PEEP 时间)。在较低的 PEEP 水平所"释放"的压力,其时间只允许肺容量能减少,随后立即回到高水平的 PEEP。肺容量的减少而不是肺容量的增加,这一原则可将 APRV 与其他类型的压力支持模式区别开来。

APRV 应用于肺部顺应性降低的病人,有其明显的优点。APRV 除有 CPAP 所具备的能改善肺部力学和氧合作用之外,还能增加病人的肺泡通气。

(三) BiPAP 的优点

BiPAP 使病人能在各个设置压力水平上所设定的吸气时期内进行不受限制的自主呼吸。故 BiPAP 明显地优于压力支持和压力控制模式,尤其对有自主呼吸的病人更具有明显优越性:

1. 在 PEEP 不同水平与病人自主呼吸之间同步转换:增加病人舒适程度,进一步减少呼吸功。

2. 只要有 1.5 cmH₂O 的压力支持,则可在两个 PEEP 水平上增强所有的自主呼吸。

3. 在两个 PEEP 水平上,监护所有的自主呼吸。

4. BiPAP 能扩大压力支持通气的能力:在较低的 PEEP 水平上,如时间设置足够长则也能允许进行自主呼吸,进行压力支持(PS)。在较高的 PEEP 水平上,如果 PS 水平设置足够高,也能实现压力支持通气。

5. 降低机械通气时的镇静水平:在通气治疗时间所有时相内,病人都能进行自主呼吸,在各个压力水平间进行同步转换,病人的镇静水平可得到降低。因而可以减少镇静剂对其他脏器的影响,加强病人自身对并发症的识别能力,或者能自主活动、保留咳嗽反射和有利于分泌物排出。

6. BiPAP 将 BiPAP 和 PSV 的概念结合在一起:可通过面罩进行无创伤通气。BiPAP 将两种通气模式结为一种模式,通过将 APRV 的应用原理转换其他控制通气模式,以增加各个水平上的通气,BiPAP 适用于病人的整个通气治疗的过程。

(四) BiPAP 通气在常规 TH∶TL 比例时的应用

BiPAP 通气时,最初设置高和低的 PEEP 压力水平,可以根据在容量通气时所设置的 PEEP 和平台压力来调节。设置高和低的 PEEP 所需时间,可将 TH∶TL 比例调节为 1∶1,与容量通气相类似。较低的 PEEP 水平可调节至能获得适当的氧合作用,而较高的 PEEP 水平通常调至 $12\sim16\ cmH_2O$,高于较低 PEEP 水平,这取决于病人肺部的顺应性,目的是达到适当的潮气量。PS 水平的设置为辅助病人在高和低 PEEP 时的自主呼吸。

(五) BiPAP 通气在 APRV 时的应用

最初设置的频率(释放)与在常规机械通气时所设定的频率相似(能达到理想的肺泡通气的频率)。高 PEEP 水平(通常为 $10\sim30\ cmH_2O$)由肺部顺应性来决定,调节到理想的平均呼吸道压力(MPAP)和每分钟通气量,在此水平的 PEEP,能增强自主呼吸。较低水平的 PEEP 最初设置在 $3\ cmH_2O$,调节至能释放出适当的容量。"释放"时间较短,约为 $1\sim1.5\ s$。如"释放"时间超过 $2\ s$,气体交换可能恶化。呼气时间的设定原则为,使内源性 PEEP(PEEPi)保留在低水平,但能防止低顺应性肺单元的肺泡塌陷。随后再调节呼吸频率和高压水平,以维持理想的 $PaCO_2$ 和 pH。各种可使 MPAP 增加的通气治疗设置调节措施,都能增加氧合作用,例如,增加较高或较低的压力水平,延长 TH,或增加 FiO_2。如应用 APRV 脱机,与 SIMV 相似,随着自主呼吸增强,逐渐降低 PEEPH 和频率,直到通气单用 CPAP 维持。

临床应用 APRV 时应注意其相对禁忌证,凡是气道阻力增加的病人(COPD 和哮喘等),临床上如听诊发现病人有呼气相的喘鸣音或呼气时间延长,由于不能在 $2\ s$ 内将肺泡排空,故不适合应用 ARPV。ARPV 能应用于 ARDS 病人,并以最佳状态与自主呼吸同步。BiPAP 在常规 TH∶TL 比例通气时,能从控制通气模式简单地转换到自主呼吸,而不需改变通气模式。

十一、压力调节容量控制型通气(pressure-regulated volume control,PRVC)

(一) 定义

PRVC 时,病人接受预定的呼吸频率和潮气量,并且在一定压力下完成。呼吸机的设置,包括呼吸频率、吸气时间以及预计的潮气量/每分钟呼出气量(V_T/V_E)。而呼吸机则力图达到预计的 V_T 并应用最低的压力。获得理想的潮气量。因而如果所测得的 V_T 较大,那么压力会下降,直到所设定的和测得的 V_T 相等为止。PRVC 为一种 V_T 保证型控制通气,这种通气由压力控制水平的调节来完成。最大的压力控制水平允许低于设定压力上限的 $5\,cmH_2O$。为安全起见,上限压力应尽量设置在低水平。目前只有 Servo300 呼吸机有 PRVC 模式,由微处理机连续测定肺胸顺应性并自动计算下一次通气要达到预定潮气量所需的吸气压力,通过连续测算和调整,使实际潮气量与预设潮气量相符。

(二)PRVC 的应用指征

适用于病人由基础疾病或呼吸驱动受镇静剂和(或)麻醉剂的作用而发生呼吸衰竭,缺乏稳定和可靠的呼吸驱动。PRVC 对肺脏由于疾病造成了肺泡充盈时间的差异和肺顺应性较差的病人是一种有用的通气模式。

(三)PRVC 的优缺点

PRVC 结合了压力控制和容量控制型通气的优点,接受通气治疗时所需压力较低,而且 V_T 得到保证。以减速波的形式释放通气量,能促进气体在病变不均匀的肺部得到均匀分布。呼吸机能随着顺应性和阻力等因素的改变、通气/压力关系的变化而自动调整吸气压力。在肺顺应性迅速和突然改变的病理情况下,例如张力性气胸,呼吸机也能立即作出反应和企图维持稳定的肺泡通气,直到临床医师采取有效的治疗措施。故 PRVC 能为各种急性呼吸衰竭提供有效通气支持,其优点是:① 自主呼吸与机械通气的协调性能好,可避免应用镇静剂或肌肉松弛剂;② 潮气量稳定可保证呼吸驱动力不稳定的病人安全通气,避免 PCV 时频繁调整吸气压力来获得理想的潮气量;③ 降低 PIP,减轻肺气压伤的可能。PRVC 的缺点:呼吸机系统中万一发生大量的气体泄漏,则呼吸机可不断增加压力控制的水平,以"弥补"所丢失的通气量,很可能加剧通气量的泄漏。

(四)PRVC 模式时的监护

1. 监测病人呼出气的 V_T 和每分钟呼出气量　保证达到预先设置的参数。

2. 监测吸气压力　确定压力水平已获得理想的 V_T。压力上限设定在平均所需压力的 $10\sim15\,cmH_2O$。当 PIP 达到压力上限下的 $5\,cmH_2O$ 水平,而吸气继续进行,如连续发生三次这种呼吸,压力上限会发出报警信号,表现为"压力受限(limited pressure)"。如果达到实际压力上限,吸气将中止。

十二、容量支持通气(volume support ventilation,VSV)

(一)定义

VSV 时,病人每次呼吸得到压力支持,而且每一预置的潮气量都得到保证,是一种容量为目标的通气,等于 PRVC,但又是一种自主通气模式,病人触发每一次呼吸。故 VSV 实际上为

PRVC 与 PSV 的联合应用。其基本通气模式为 PSV，为保证 PSV 时的潮气量稳定，呼吸机根据每次呼吸所测定的顺应性和压力—容量关系，自动调节 PS 水平。VSV 如 PSV 那样，病人触发每次通气，触发后的吸气量，呼吸比例由病人控制。又如 PRVC 模式，不断调节 PS 水平，以保证潮气量达到预置的 V_T。随着病人呼吸能力的增加，可自动降低 PS 水平，直到自动转换为自主呼吸。如呼吸暂停超过 20 s，呼吸机自动从 VSV 转换为 PRVC。

（二）VSV 的应用指征

VSV 适用于呼吸肌力量不足于产生恒定潮气量的病人，而病人又准备撤离呼吸机。

（三）VSV 的优缺点

VSV 可看作为 PSV 的"精确"类型，故具备 PSV 的全部优点。PSV 时，可确保最大吸气峰压，而 V_T 则随着每次呼吸而有改变。而 VSV，V_T 是保证的，而压力则随着肺顺应性和气道阻力的改变而不断变化。但与分钟指令通气(MMV)模式不同，病人不能通过浅而速的呼吸来达到预先设定的每分钟呼出气量。由于病人能控制呼吸频率和吸气时间，自觉更为舒适。

（四）VSV 时的监护

1. 呼出气潮气量：保证病人获得预定的最小 V_T/每分钟呼出气量。如果呼吸频率降低，则可获得潮气量将比预定 V_T 大 150%。

2. PIP 同 PRVC。

3. 在 PRVC 模式上所有参数都确保已设定：为万一发生呼吸暂停时的通气，准备好各种参数。

4. 病人的呼吸参数：如果呼吸频率增至 25 次/min，每分钟呼出气量增加，应估计病人继续进行自主呼吸所需呼吸功的能力。由于所设定的每分钟呼出气量为最低的可接受水平，病人的每分钟呼出气量可能超过这一预定数值。故需设定每分钟呼出气量的报警上、下限。

十三、成比例通气（proportional assist ventilation，PAV）

（一）定义

吸气时给病人提供与吸气气道压成比例的辅助压力，而不控制呼吸方式。PAV 可改善呼吸力学和自主呼吸的能力的储备。病人通过增加自主呼吸用力，可成比例地增加呼吸机的通气辅助功，使呼吸机成为自主呼吸的扩展。需要机械通气治疗的呼吸衰竭病人，其自主呼吸的比例大多降低，即呼吸用力大小与吸入气量(或吸气产生的流速)的关系不正常。为维护适当的通气和氧合、达到一定的吸气量和吸气流速，病人必须增加吸气用力，从而增加呼吸负荷，增大呼吸功，导致呼吸窘迫和呼吸肌疲劳。

如今常用的正压通气(容量、压力或时间切换)方法，因为提供的吸气压或吸气流速是预设的、非生理性的呼吸方式(如潮气量、呼/吸时比及流速方式)。例如，PAV 为 1：1，就是说吸气气道压的产生有一半是由于呼吸肌的收缩,另一半为呼吸机是施加的压力,即无论什么时候和什么通气水平,自主呼吸肌和呼吸机各分担一半呼吸功。又如 PAV 为 3:1,即呼吸机作 3/4 功,自主呼吸肌作 1/4 功。病人通过改变自己的呼吸用力,也可相应改变呼吸机提高呼吸的大小,而呼吸功比率维持不变。PAV 的实施,关键是如何感知自主呼吸肌的即时用力,然后呼吸机才能按比率给予 PAV。

（二）适应证

PAV 适用于呼吸中枢驱动正常或偏高的病人。PAV 和 PSV 均为可调性部分通气支持,可根据需要以提供吸气正压的方式来提供不同水平的通气辅助功。它们也都没有控制病人的自主呼吸方式。两者不同之处是:PSV 提供的吸气正压是恒定的,在吸气触发后气道压力迅速增加达峰值并维持一定时间,PSV 的水平是预设的,与自主呼吸用力无关;而 PAV 时提供的气道压是变化的,取决于自主呼吸用力的大小。

（三）优缺点

1. PAV 的优点是　①应用 PAV 后,病人感觉舒适;②降低维持通气所需要的气道峰压;③减少过度通气的可能性;④改善呼吸力学和自主呼吸能力的储备,使呼吸机提供的辅助功成为自主呼吸肌力的扩展,因而可能避免气管插管,可能应用无创伤性通气的方式即能改善通气;⑤增加负压通气的有效性,减少麻醉剂和镇静剂的使用;⑥呼吸机调节方便。

2. 潜在的缺点　①需要有自主呼吸驱动,PAV 压力的产生和大小由自主呼吸控制,如果自主呼吸驱动停止,则压力传送会停止。因此,PAV 模式应用于危重病人或呼吸驱动障碍的病人需设置背景通气;②压力脱逸现象;③ PAV 只能在病人现有的呼吸形式控制下辅助呼吸,不能使呼吸正常化;④增加通气潜在的不稳定性,PAV 能增加通气对化学刺激的反应,而增加通气和呼吸周期的不稳定性。PAV 为新式通气模式,应用病例尚不多,有待进一步评价。

十四、自动转换模式（automode）

（一）定义

SV300A 是西门子呼吸机中新设置的通气模式。其特点是,当病人的吸气用力可触发呼吸机时,呼吸机即从控制通气模式自动转换为支持通气模式,只要病人能保持触发能力,呼吸机就维持以支持模式来通气。但如果病人停止呼吸,或无力触发呼吸机,呼吸机立即转换回控制转换模式。

设计自动转换模式的目的,是为了让呼吸机去适应病人的自主呼吸,只要病人有中枢呼吸驱动和触发呼吸机的能力,呼吸机就自动提供(容积或压力)支持通气,病人开始第一次自主呼吸,就开始应用部分通气支持的模式,也就开始了撤离机械通气的过程。在通气过程中,自主呼吸和机械通气能很好协调,减少两者的对抗而使病人感觉舒适。可减少或避免应用镇静剂的需要,也可缩短病人应用机械通气的时间。此外,在应用支持通气模式的全过程,有控制模式作为后盾,从而可有效地保证病人的通气安全。因为,呼吸机是根据病人的病理生理状况自动提供通气支持的,这种高度智能化的现代通气模式可大大减少临床医师在床旁对病人的监控时间和避免频繁的呼吸机参数调整或重新设置。

(二) 实施步骤和方法

在 SV300A 呼吸机中,"自动转换模式"可以用"容积控制/支持"通气模式,此时的支持模式是"容积支持";也可以用"压力控制/支持"模式,此时的支持模式是"压力支持";或用"压力调节容积控制/支持"模式,此时的支持模式是"容积支持"。如果在控制模式时病人能触发呼吸机和维持自主呼吸,呼吸机就自动从控制模式转换为支持模式,同时"支持"钮旁的黄灯闪亮。如果病人不能维持自主呼吸,则在病人停止呼吸 12 s 后,呼吸机即自动从支持模式转换回控制模式。和 PRVC 和 VS 一样,应用自动转换模式时的吸气压力水平在 PEEP 水平与气道压力上限以下 5 cmH_2O 水平范围内自动调节,如果气道压力上限设置过低,则可能导致实际潮气量小于预设潮气量而发生通气不足。"自动转换模式"是机械通气模式自动化、智能化的新尝试,理论上确有许多优点但应用于脑床的时间尚短,真正的临床应用价值尚待今后更多的实践才能确切评价。

十五、适应性支持通气(adaptive support ventilation,ASV)

(一) 定义

ASV 是瑞士 Galileo"伽利略"最新一代呼吸机所特有的机械通气模式。ASV 为一种正压通气模式,是一种目标选择性通气。如果病人有吸气触发,则呼吸机可与病人的每一次呼吸相同步。临床上应用 ASV 模式时需设置:① 体重(BodyWt):用于在 ASV 模式时计算每分钟通气量和潮气量的限值;② 每分钟通气量(%Minvol):用于调节呼吸机释出的每分钟通气量。成人总的目标每分钟通气量,可按每千克体重 100 ml 计算;③ 流量触发/压力触发(flow trigger/pressure trigger);④ 压力斜坡(Pramp):在压力控制或支持通气中可决定所释出压力的上升时间;⑤ 呼气触发灵敏度(ETS):在压力支持的自主呼吸中决定呼出气的标准。在 ASV 模式通气时,呼吸频率和潮气量是由理想体重,以及达到预置目标通气所测得病人的肺部功能来决定的。目标通气从病人的理想体重和所设置的每分钟通气量百分比计算而得。病人如无自主呼吸,此时 ASV 实际上等于控制通气,吸气压力(Pcontrol)由释放出的潮气量和最佳呼吸频率所调节。通常释出的最大吸气压力(Pmax),低于实际设置的高压警报限制数值 10 cmH_2O。如果病人能部分触发呼吸,其自主呼吸将得到最小压力(Pmin=PEEP 十 5 cmH_2O)所支持。压力支持(Psupport)根据生理潮气量来调节。实际自主呼吸频率和计算所得的呼吸频率之间的差值由呼吸机的强制通气进行补偿。完全自主呼吸的病人,其压力支持水平由呼吸机自动调节,使病人保证获得最佳的呼吸频率和潮气量。临床上应用 ASV 模式时,可以通过增加或降低％每分钟通气量(％minvol)来增加或减少呼吸频率和潮气量。

(二)适应证

ASV 可应用机械通气的各个阶段,以辅助病人的通气治疗。ASV 能自动适应病人的通气需要,从完全支持通气(控制通气)到 CPAP。ASV 模式通气时,呼吸机以下述四个步骤进行工作:① 首先评价病人的肺部功能,ASV 通过连续 5 次试验性通气来测定病人的肺部动态顺应性,呼出气时间常数;② 计算最佳通气方式,潮气量和呼吸频率是根据最低做功的原则计算:如测得呼吸频率高于目标频率,则强制性通气的频率降低,反之亦然;如测得的潮气量大于目标潮气量,则降低气道压,反之亦然;③ 实现最佳通气方式;④ 维持最佳通气方式。

(三)ASV 的优点

① ASV 可自动调节适应病人的通气需要;② 避免发生压力伤、容量伤,防止窒息和呼吸频速,预防内源性 PEEP(PEEPi)发生;③ 可提供安全的最低每分钟通气量;④ ASV 可用作自动撤机支持系统。

总之,ASV 是第一个真正适应病人呼吸状态及能力的通气模式,ASV 从开始工作的瞬间状态就自动地引导病人走向脱机,该模式可用于自主呼吸到强制通气,如果病人发生呼吸停止,ASV 可自动进入强制通气。病人的自主呼吸恢复后,ASV 自动进入支持通气阶段。临床应用证明,ASV 可以最低的气道压力、最佳的呼吸频率,来满足病人的通气需要,从而避免气道压力伤、容量伤、呼吸 频速及 PEEPi。

十六、允许性高碳酸血症(permissive hypercapnia,PHC)

PHC 实际上为一种通气策略,而不是通气模式,其目的是为了降低由高吸气压力所致的气压伤发生率。通过应用较小的潮气量,通常小于 $10\sim15$ ml/kg 的传统机械通气支持所应用的 V_T,而使气道压力降低,从而也避免了肺泡的过度膨胀,由于允许 $PaCO_2$ 逐渐由 50 mmHg 上升到 $80\sim100$ mmHg,故可以应用较小的通气量进行机械通气治疗 $PaCO_2$ 的升高。然而允许性高碳酸血症在以下情况为反指征:① 存在着颅内压的增加;② 原先已有代谢性酸中毒。

(一)PHC 的基本应用

PHC 时,一般采用 $4\sim7$ ml/kg 的潮气量进行通气治疗,允许存在一定程度的高碳酸血症,$PaCO_2$ $80\sim100$ mmHg;采用较小的 V_T 可防止肺泡过度扩张和跨壁压过高,防止与呼吸机有关的肺损伤发生。应用 PHC 时,气道压力降低,可导致氧合作用的下降,病人有不同程度的低氧。防治措施:① 适当增加 PEEP;② 延长吸气时间,必要时采用反比通气;③ 增加 FiO_2;④ 适度增加 V_T。另外高碳酸血症比较严重时可应用:① 给予镇静剂、肌松剂,降温;② 限制葡萄糖摄入,减少 CO_2 的生成;③ 使用碳酸氢钠纠正细胞外液过低的 pH 值,改善呼吸窘迫;④ 通过导管向气管内吹气冲洗解剖死腔中的 CO_2。

(二)PHC 的缺点

① 高碳酸血症可引起呼吸性酸中毒,引起脑血管扩张和脑水肿及颅内压升高;② 引起外周血管扩张、心肌收缩力降低、心排血量减少和血压下降;③ 清醒病人难以耐受 PCH。

十七、完全通气支持与部分通气支持

(一)完全通气支持(full ventilation support,FVS)

FVS 是指 CMV、A/C 和 PCV 时,呼吸机提供维持有效肺泡通气所需的全部工作量,即不需要病人进行自主呼吸以吸入气体及排出 CO_2。

FVS 适用于下列情况:① 呼吸停止;② 急性呼吸衰竭;③ 因呼吸功增加或呼吸窘迫而使心血管系统不能维持有效的循环;④ 自主呼吸驱动力低下,不能产生有效的呼吸功;⑤ 机械通气治疗开始后 12 h 内,为稳定临床情况及放置必要的治疗和监测导管时也需要 FVS;⑥ 中枢神经系统疾病或功能衰竭所致的呼吸衰竭;⑦ 呼吸肌麻痹。

FVS 治疗时,呼吸机的频率在 8 次/min 以上,潮气量为 12～15 ml/kg,能使 $PaCO_2$ 维持在 45 mmHg 以下。所以 CMV、A/C 和 PCV 均能提供 FVS。当 IMV(SIMV)频率较高(>8 次/min)时,足以维持有效的肺泡通气,也能提供 FVS。由于 CMV 常需要镇静剂或麻醉剂以避免病人与呼吸机发生拮抗,所以目前 CMV 应用较少,而常用 IMV(SIMV)、PCV、A/C 来提供 FSV。

(二)部分通气支持(partial ventilation support,PVS)

PVS 是指病人和呼吸机共同维持有效的肺泡通气,换言之,PVS 要求病人有自主呼吸,因呼吸机只提供所需要通气量的一部分。

PVS 的适应证为:① 病人有能力进行自主呼吸,并能维持一定通气量;② 自主呼吸与 PEEP 相结合时,可避免胸内压过度升高;③ 减少正压通气对循环系统的不良反应;④ 进行呼吸肌群的锻炼。目前 80% 以上的通气治疗都应用 PVS。但是,临床上部分病人不能耐受 PVS,原因有:① 病人的临床情况不能适应呼吸功的增加;② 技术因素,如传感器不够灵敏等。临床上除 CMV、A/C 和单一的 PCV 以外,其余所有下述通气模式均能提供 PVS。

十八、通气模式的合理选用

虽然通气模式多种多样,但基本上分为两大基本类型:容积预置通气(velume preset ventilation,VPV)和压力预置通气(presssure preset ventilation,PPV)。① VPV:代表模式为:IMV 和 SIMV,通气时预先设定通气量,而气道压和肺泡内压是变化的,故应监测并设定报警限;② PPV:代表模式为 PSV,PSV+SIMV,PCV,APRV,PRVC 等。如果将 VPV 和 PPV 这两大类通气,分别就通气/灌注比值、病人和呼吸机的协调性、气压伤的危险性和通气保障等四个方面进行比较,PPV 在前三个方面占明显优势,而 VPV 仅在通气保障方面处于有利地位。故现在通气治疗的临床应用趋势为 PPV 类通气(如 PSV)。当前更为理想的通气方式是将两者结合起来,如 VSV 等。

总之,随着电脑在现代呼吸机的应用,已经能让呼吸机更好的配合病人,而不是像以往那样让病人去配合呼吸机。临床上可根据病人的病情和治疗目的而选用各种通气模式,透彻地了解每一模式的作用机制和优缺点有助于作正确的判断,但有一点必须遵循:即维持适当的氧合和肺泡通气,而对心肺功能和体循环的灌注无明显影响,以及防止通气治疗的并发症。虽然目前机械通气治疗中可应用的模式繁多,但实际上临床上最普遍应用的模式为 SIMV 和 PSV。

第四节　机械通气的临床应用

一、机械通气的目的

1. 纠正低氧血症:通过改善肺泡通气量、增加功能残气量、降低氧耗,可纠正低氧血症和组织缺氧。

2. 纠正急性呼吸性酸中毒:纠正严重的呼吸性酸中毒,但动脉二氧化碳分压并非一定要降至正常水平。

3. 缓解呼吸窘迫:缓解缺氧和二氧化碳潴留引起的呼吸窘迫。

4. 防止或改善肺不张。

5. 防止或改善呼吸肌疲劳。

6. 保证镇静和肌松剂使用的安全性。

7. 减少全身和心肌氧耗。

8. 降低颅内压:通过控制性的过度通气,降低颅内压。

9. 促进胸壁的稳定:胸壁完整性受损的情况下,机械通气可促进胸壁稳定,维持通气和肺的膨胀。

二、适应证

凡是通气不足或/和氧合欠佳,面罩吸氧后 $PaCO_2>60$ mmHg 及 $PaO_2<60$ mmHg 及 $PaO_2/FiO_2<300$ mmHg,呼吸急促(呼吸频率>35 次/min),肺活量<10~15 ml/kg,潮气量<正常的 1/3,$V_D/V_T>0.6$ 及最大吸气负压<-25 cmH_2O,均需要应用机械通气。

（一）外科疾病及手术后呼吸支持

1. 严重肺部外伤　多发性肋骨骨折和链枷胸、颅脑、腹部及四肢多发性创伤引起的呼吸功能不全。

2. 术后呼吸功能支持及呼吸衰竭的治疗　① 体外循环心内直视手术后,包括短期呼吸支持,一般术后 6～48 h,以及长期机械通气,数天或更长,以使改善氧合,减少呼吸做功,降低肺血管阻力,以利心功能恢复;② 全肺切除等胸腔手术及上腹部手术后呼吸功能不全;③ 休克,急性胰腺炎,大量输血及手术创伤引起的 ARDS;④ 重症肌无力施行胸腺手术后发生呼吸困难和缺氧等危象。

（二）气体交换障碍

① ARDS;② 新生儿肺透明膜病(IHMD);③ 心力衰竭、肺水肿、肺高压及右向左分流;④ 慢性肺部疾病,如哮喘和肺气肿等。

（三）呼吸机械活动障碍

① 神经肌肉疾病;② 中枢神经功能障碍;③ 胸廓疾病:如脊柱和胸部畸形等。

（四）麻醉和术中应用

机械通气不仅代替人工手法呼吸,同时可维持恒定的 PaO_2,保证氧合,并有治疗作用,如颅脑手术可使用过度通气,减低颅内压;而用于心脏手术等既支持呼吸又改善循环功能。

三、禁忌证和相对禁忌证

(1) 气胸及纵隔气肿未行引流者。

(2) 肺大疱。

(3) 低血容量性休克补充血容量者。

四、实施方法

（一）建立通畅呼吸道

1. 气管插管　短期使用机械通气,可选用气管插管,需要长期治疗者可选用气管切开。气管插管方法简便、迅速,解剖死腔量减少 50%。避免气管切开的并发症,但影响进食,病人极不舒服,需用较多镇静药,长期插管可损伤咽喉部,使气管黏膜糜烂、感染坏死。经鼻插管有利于导管固定和口腔卫生,但也有引起鼻出血和副鼻窦炎的顾虑。气管插管能保持多久,取决于导管质量和护理工作。目前高容量及低压套囊的塑料气管导管可保留鼻插管 2 周～1 个月,但阻塞率高,一般根据具体情况可按需作气管切开。气管插管后应常规摄胸片,以证实气管导管位置。

2. 气管切开　气管切开的优点在于分泌物容易清除,呼吸道阻力及死腔明显减少,可以进食,不必多用镇静药,适于长时间机械通气,其缺点是丧失了呼吸道的保温、保湿功能,增加呼吸道感染机会,时间久易致气管出血、溃疡和狭窄。为严重缺氧和二氧化碳潴留病人做气管切开,有心搏骤停的可能,可先用面罩加压供氧,然后在喉上神经及舌咽神经阻滞下施行气管插管,吸净分泌物,充分供氧,待病情稳定后再按指征做气管切开。

为避免气道漏气,应用带套囊的导管,套囊的充气量以刚能阻止漏气为度,每 4 h 开放套囊 5 min,以免气管壁长时间受压导致坏死,使用前应充分试漏,插入时避免戳破,万一破损,应及时更换,否则不能维持有效通气。

(二)呼吸参数调节

1. 通气量

正确估计和调节通气量是保证有效机械通气的根本条件,每分钟通气量 V_E =潮气量(V_T)×呼吸频率(RR),V_E 按每千克体重计算较为方便实用,一般成人为 100~120 ml/kg,儿童 120~130 ml/kg,婴儿 130~150 ml/kg。小儿个体差异较大,潮气量微小变化可引起通气效果明显改变,$V_E = V_T(5\sim7\ ml/kg) \times RR(30\sim40$ 次/min),可预定 V_T 和 RR,不管成人和小儿,V_T 和 RR 应按具体需要组合。成人用较大潮气量和较慢频率有一定优点:① 较大潮气量使病人对呼吸困难的敏感性降低,微弱的自主呼吸容易消失,病人感觉舒适;② 潮气量较大,呼吸频率变慢,吸/呼比率的呼气时间延长有利于 CO_2 排出和静脉回流;③ 使吸气流速减慢,慢气流产生层流,气体分布均匀,肺泡容易扩张,气道阻力低,并减少肺气压伤和肺不张的发生率。但近来也有不同看法,长期机械通气、肺气肿和顺应性差的病人及 ARDS 气道压较高者,潮气量不宜过大。预计值的通气效果如何,应观察临床症状,$PaCO_2$ 维持在 35~45 mmHg,如通气效果良好,病人安静,自主呼吸抑制或与呼吸机同步,两肺呼吸音清晰、对称及血压和心率稳定。反之,通气不足则表现烦躁不安、青紫和出汗、气急,呼吸机也不合拍,呼吸音轻或不对称及血压上升和心率增快,严重者甚至发生心律失常。

2. 吸/呼比率 一般可调的 I/E 比率为 1∶1~1∶4,也有 I/E 固定于 1∶2,正常吸气时间为 1~1.5 s。如 I/E 大于 1 则使吸气气流加速,静脉回流减少。慢性阻塞性肺部疾病及高碳酸血症病人呼气时间宜长,用 1∶2.5~1∶4,以利 CO_2 排出;限制性呼吸功能障碍及呼吸性碱中毒病人用 1∶1,使吸气时间适当延长。

3. 通气压力 决定通气压力的高低包括胸肺顺应性、气道通畅程度及潮气量等 3 个因素,力求以最低通气压力获得适当潮气量,同时不影响循环功能。气道压力(Paw)一般维持在(成人)15~20 cmH₂O 和小儿 12~15 cmH₂O,下列情况下通气压力升高:① 胸肺顺应性降低,如慢性阻塞性肺部疾病,体位改变及肺受压(机械性或血气胸)等;② 呼吸道不通畅,包括导管扭曲或过深,分泌物过多等;③ 麻醉浅、咳嗽和呼吸不合拍。发现上述 Paw 升高应迅速处理和调节。

4. 吸入氧浓度(FiO_2) 具有空氧混合装置的呼吸机,FiO_2 可随意调节。麻醉手术过程中可调节 FiO_2 =0.8~1.0,长期机械通气的病人 FiO_2 小于 0.6,用 FiO_2 大于 0.7 并超过

24 h易致氧中毒。如$FiO_2=0.6$低氧血症仍不改善,不要盲目提高吸入氧浓度,可试用:
① PEEP或CPAP;② 加用 EIP;③ 延长吸气时间。

5. 根据血气分析结果调节各项呼吸参数。

五、肺保护性通气策略

适当地应用呼吸支持和机械通气治疗,可挽救许多危重病人的生命。但由于机械通气本身是非生理性的,常规应用可能引起病人肺损伤或使原有的肺损伤加重,导致所谓的"呼吸机所致肺损伤"(ventilator induced lung injury, VILI),并已为大量的动物实验和临床研究所证实。为此,近年来提出了"肺保护性通气策略"的概念,其内容包括:① 限制潮气量和气道压,即用小潮气量进行机械通气;② 在吸气时加用足够的压力使萎陷的肺泡复张,呼气时用适当的 PEEP 保持肺泡开放,即"肺开放"策略。

(一) 小潮气量通气

应用小潮气量同时限制吸气压进行机械通气的目的是为了避免大潮气量或高气道压通气引起肺泡过度扩张,从而导致的 VILI。对于用小潮气量通气时潮气量的选择,以及在减少病人 ICU 停留时间、改善病人预后等方面与常规机械通气相比有无差别等关键问题,文献报道中各作者的结论不一,争议颇大。在 1999 年的全美胸科年会上,美国心肺血液研究所公布了关于小潮气量通气的多中心、前瞻性、随机、对照研究结果。841 例 ARDS 病人随机分为 2 组,① 小潮气量组 V_T 为 6.2 ml/kg,限制平台压小于 30 cmH_2O;② 常规通气组 V_T 为 11.8 ml/kg,限制平台压小于 50 cmH_2O。发现小潮气量组的死亡率为 31%,显著低于常规通气组的 39.8%,而且小潮气量组的住院时间也较常规通气组明显缩短。该研究为小潮气量通气在临床危重病人中的推广应用提供了强有力的科学依据。

但是小潮气量通气将引起 $PaCO_2$ 的增高,造成高碳酸血症。高碳酸血症可引起肺动脉压的升高,影响心肌收缩性,发生心律失常及颅内压升高等诸多不良影响,如果 $PaCO_2$ 的上升速度较缓慢,许多病人可以耐受 100 mmHg 以内的 $PaCO_2$。须注意避免引起 $PaCO_2$ 的突然升高或降低,这对病人都是极为有害的。

小潮气量通气的方法源自于"允许性高碳酸血症"(permissive hypercapnia, PHC)。PHC 于 1990 年首次作为一种机械通气策略被介绍应用于临床 ARDS 病人,目的也是希望通过限制潮气量和气道压以避免造成肺损伤。近年来研究发现,高碳酸性酸中毒可对缺血再灌注损伤起到保护作用,而呼吸性碱中毒则可加重损伤。Laffey 等学者提出了"治疗性高碳酸血症"的观点,将麻醉的鼠分为对照组和处理组,在处理组中吸入 CO_2 以维持 $PaCO_2$ 约 105 mmHg,pH 7.05,其余处理两组相同,而后通过轮流钳闭左右肺门 75 min 再开放的方法诱导产生缺血再灌注损伤,经过 90 min 后进行评估,发现处理组的肺水肿程度较轻,顺应性较好,肿瘤坏死因子(TNF-α、γ)等浓度也低。因此,他们认为在肺保护性通气策略中高碳酸性酸中毒起了相当重要的作用。由于急性高碳酸血症可引起很复杂的生理学改变，可能影响到全身几乎所有的细胞和器官系统的功能，且在"治疗性高碳酸血症"的研究中，仍有许多重要的关键问题有待解决，"治疗性高碳酸血症"目前只能停留在动物实验阶段。

（二）"肺开放"策略

"肺开放"策略指在吸气时用吸气压（PIP）使萎陷的肺泡复张，呼气时加以一定水平的PEEP维持肺泡开放。它充分利用了健康肺的特性，通过在整个人工通气过程中打开肺泡并使之保持开放，从而保留了肺的表面活性物质，使肺保持干燥、避免感染，它同时也避免了萎陷肺的反复开放和闭合所致的肺泡壁反复牵拉及顺应性不同的组织接合处局部形成的高剪切力，改善了肺的顺应性和气体交换，减少了肺水肿和感染的发生，最终使多器官功能障碍综合征的危险性降低。

物理学上的Laplace定律表明了压力（P）和表面张力（T）与半径（R）比值的关系：$P = 2T/R$。在肺泡较大张开时，即R较大时，P较小，维持肺泡开放所需的压力也较小；一旦肺泡萎陷，即R变小时，P变大，要使肺泡复张的压力也较大。另外，萎陷肺泡的表面张力T增大更加明显，也使得复张萎陷肺泡所需的压力更高。因此，打开一个萎陷的肺泡与维持已复张肺泡保持开放所需的压力是不同的，可根据压力（P）-容量（V）曲线来作为选择合适的PIP和PEEP的根据。

$P - V$曲线又称顺应性曲线，在曲线的初始段和末段分别有一个拐点，称为下拐点和上拐点（或称低拐点和高拐点），上拐点处所对应的压力使整个肺完全开放，当PIP高于此值时，可导致肺泡的过度膨胀；下拐点处所对应的压力是使肺泡保持开放的临界压力值，如果PEEP低于此值，一部分肺泡将再次塌陷。确保PEEP被设置在恰好高于此压力值，调节呼吸机可以获得：① 尽可能低的气道压力，既避免对血流动力学影响，又保证较高的PaO_2。② 尽可能低的压力变化和合适的吸/呼比及呼吸频率，避免肺泡可能产生的剪切力和确保CO_2从肺中有效排出。

"肺开放"策略在实际应用中可分为三步：① 寻找使病人肺膨胀和塌陷时的压力；② 张开肺；③ 保持肺开放。目前，"肺开放"策略已被认为是一种符合生理的过程，在世界各地逐渐被接受。且更为重要的是我们已经了解每个病人的肺需要不同的膨胀压力和保持肺开放的压力，两者都随着疾病的不同阶段在不断地发生改变。如能应用更先进的呼吸机支持呼吸，肺开放策略的临床应用将会更加普遍。

六、监测和注意事项

在整个机械通气过程中，均需严密监测病人的生理功能，包括生命体征和各主要脏器的功能，尤其是呼吸功能的监测。一般而言，$SpO_2 > 95\%$和$P_{ET}CO_2$在$35\sim45$ mmHg之间，表明通气和氧合效果良好，在开始用呼吸机通气或改变呼吸参数设置后30 min左右都应抽取动脉血作血气分析,以后视病情变化按需进行。比较重要的呼吸力学方面的监测指标有:① 潮气量(V_T)和分钟通气量(V_E):自主呼吸时 V_T 约为 8 ml/kg,V_E 为 5～7 L/min。机械通气时成人 V_T 需 8～10 ml/kg,小儿为 10～12 ml/kg,可根据 $P_{ET}CO_2$ 进行调节。② 胸肺顺应性:是表示胸廓和扩张程度的一个指标。正常值为 100 ml/cmH$_2$O,顺应性随肺组织损害加重而逐渐下降,可以反映病变的严重程度,当顺应性增加时,说明治疗效果显著。另外,它还可用于判断脱机,顺应性<25 ml/cmH$_2$O,不能脱机。③ 压力-容量环和流量-容量环形态:有助于全面了解病人呼吸力学。④ 呼吸道阻力:正常值为 1～3 cmH$_2$O/(L·S)。呼吸道阻力增高的最常见原因有呼吸道黏膜水肿、分泌物过多、支气管痉挛、气管导管内径太小等。监测呼吸道阻力可用以了解病人气道功能的变化,观察支气管扩张药的疗效及帮助选择机械通气方式和判断脱机。⑤ 呼吸中枢驱动力($P_{0.1}$):$P_{0.1}$ 是测定膈肌发生收缩时所需要的神经兴奋强度。$P_{0.1}$ 的测定不受气道阻力等机械因素干扰,反映呼吸中枢兴奋性和呼吸道驱动力。$P_{0.1}$ 已成为评估中枢功能的常用方法,也是帮助判断脱机的一个重要参考指标。正常值为 2～4 cmH$_2$O,$P_{0.1}$ 大于 6 cmH$_2$O 时不能脱机,$P_{0.1}$ 过低提示呼吸驱动减退。⑥ 呼吸功(work of breathing,WOB):包括生理功和附加功。生理功为病人自主呼吸时,为克服弹性阻力和气流阻力所做的弹性功和阻力功之和,正常为 0.3 J/L～0.6 J/L。附加功是病人为克服呼吸设备的气流阻力负荷所做的阻力功,附加功可以大于生理功。呼吸功的监测可以帮助选择最佳通气方式和呼吸参数,以及指导呼吸机的撤离。

在呼吸管理中应注意:① 保持呼吸道通畅,其中最重要措施是吸除分泌物。② 防治感染,所有器械工具均需灭菌,吸痰管应每次更换,气管内套管、呼吸机接头管道和湿化器每天消毒 1 次,可用 1:1 000 新洁而灭浸泡后,蒸馏水冲净,要注意口腔卫生,放气囊前应吸除口腔内分泌物,以免误吸;此外还可用抗生素防治。③ 加强湿化与雾化治疗,必要时行气道冲洗,一般用生理盐水 5～10 ml,冲洗后 2～3 min,再用吸引器吸除,一天可反复数次,清除痰液。④ 注意监测指标变化及处理报警信号,如气道低压报警时,检查有否接头脱落及漏气,按血气分析结果调整各项呼吸参数。⑤ 注意病人营养,增强体质,每天用氨基酸 1.75～2.0 g/kg,有利于呼吸恢复,但能量供应不要过多,不然使 CO_2 产量增加。⑥ 心功能差的病人停用呼吸机有困难时,应先用强心及利尿剂改善循环功能。⑦ 在呼吸机旁应备有简易呼吸囊,以便在呼吸机发生故障或停电、断氧时急用。

七、脱机和拔管

呼吸和(或)循环功能不全应用呼吸机支持呼吸的病人,其脱机往往需要一个过程,一般来说病人原发疾病和全身情况好转,就应考虑逐渐停用机械通气。

(一)脱机指征

病人安静、无出汗、末梢红润、循环功能稳定,FiO$_2$=0.6,CPAP<5 cmH$_2$O,PaO$_2$>

70～90 mmHg,吸空气或 40％氧气时 $PaCO_2$<45 mmHg 和 pH>7.35 时,其他呼吸功能参数达到以下要求(表 24 - 1),即可考虑逐渐停机。

表 24 - 1　脱机的呼吸参数

呼吸参数	脱机标准	正 常 值
氧合指数(PaO_2/FiO_2)	>200 mmHg	>400 mmHg
潮气量(V_T)	5～6 ml/kg	5～8 ml/kg
呼吸频率(RR)	<25 次/min	14～18 次/min
呼吸频率/潮气量(RR/V_T)	<100/min/L	<50/min/L
肺活量(Vc)	>15 ml/kg	65～75 ml/kg
最大吸气负压(P_{Imax})	>-25 cmH_2O	>-90 cmH_2O(女) >-120 cmH_2O(男)

其中用力吸气负压十分重要,据报道 P_{Imax}>25 cmH_2O,有 60％病人脱机可以成功,而<20 cmH_2O,则几乎 100％脱机失败。此外,V_E<10 L/min,脱机成功率为 50％,RR/V_T<105/min/L,脱机成功率可达 78％。

(二)脱机方法

1. T 形管脱机法　用 T 形管呼吸囊作辅助呼吸,氧气气流相对较高,防止空气吸入或重复呼吸,可保持较高吸气氧浓度,一般用于短期机械通气病人而较快速脱机。也可以间断使用,如用 T 形管呼吸囊 4 h 和机械通气 4 h,以后逐渐减少呼吸机支持时间,逐渐脱机。

2. SIMV 脱机　设定 SIMV 从 12 次/min 开始,逐渐减少至 2～4 次/min,如符合上述脱机指标,则可停用机械通气。在应用 SIMV 时,可与 PSV 合用,如 V_T 逐渐增大,呼吸频率减慢,则更易脱机。同时存在低氧血症病人,最后可单纯用 CPAP,维持一段时间,待 PaO_2 上升后,再脱机,脱机后继续吸氧。

3. BiPAP 脱机　BiPAP 的脱机程序为:① 减少 FiO_2 小于 0.5。② 减少 Thigh 至 I∶E 小于 1∶1。③ 逐步调整 Plow 和 Phigh,使平均气道压力降低。④ 调整 Phigh 和 Plow,使 ΔP 降至8～12 cmH_2O。⑤ 减少 F 至 8～9 次/min,进一步降低 Phigh 和 Plow 至平均气道压,即 CPAP 模式,再降低 CPAP 至理想水平。

(三)脱机困难的原因和注意事项

脱机困难的原因包括:① 病人因素:严重肺部疾病,呼吸肌疲劳及胸壁功能紊乱,循环功能不全,营养不良及全身情况衰弱等。② 呼吸机调节不当:通气不足和缺氧,呼吸做功增加。③ 气道因素:气管导管口径较细,分泌物阻塞和导管过深等。

一般而言,病人长期应用呼吸机或营养不良,以及脱机方法都不是脱机困难的主要原因,最重要的是原发疾病,尤其是肺功能的恢复,其他因素如休克、低心排血量和低磷、低镁和低钾血症也应引起重视。应根据临床体征及呼吸参数正确估价,确定脱机时机,才能取得成功。

脱机时应注意:① 应在上午人手较多时进行;② 镇静镇痛和肌松药的作用已消失;③ 呼吸和循环功能指标符合脱机要求;④ 在严密观察和监测下脱机;⑤ 脱离呼吸机时继续吸氧。

（四）拔管

病人脱机成功以后,尚未完全清醒或分泌物较多而排除困难,则可暂时留管,待好转后再拔管。如果对病人呼吸功能估计不足,拔除气管导管后,有可能再插管。因拔管后不会减少呼吸做功,同时拔管后 90% 以上病人存在喉水肿,但上呼吸道阻塞发生率不到 2%。如有严重的上呼吸道阻塞征象,则应立即再插管。

第五节　机械通气并发症的防治

由于行机械通气的病人难主诉病情变化,有些病人处于重危状态,若受到并发症的威胁,则有造成死亡的危险。应及早发现并加以防治。并发症可按原因分为三类。

一、气管插管和气管切开套管的并发症

气管切开的并发症约为 5%,死亡率可高达 2%,而气管插管的死亡率仅为 1:5 000。

（一）导管进入支气管

导管插入过深或外固定不确实而位置发生变动,可进入支气管,因右侧支气管与总支气管所成角度较小,导管易进入右侧支气管,使对侧肺不张而导致缺氧。临床特征为左侧呼吸音减低,而在不完全阻塞或导管尖端在隆突处或隆突下,呼吸音可能正常,但不能从左侧吸出分泌物。预防方法为每次插管后注意两侧呼吸音,常规摄胸片,肯定导管位置,用胶布沿门齿与口塞和面颊部牢固固定,以免移动。

（二）导管或套管阻塞

分泌物多而稠厚易引起导管或套管阻塞,分泌物常积聚和黏附在导管的尖端,发生阻塞而引起窒息,出现呼吸困难和产生青紫。为此,在机械通气期间应定期和及时吸引清除分泌物,如不能彻底清除,气管内套管可清洗,气管导管在必要时重新更换。此外,还应注意雾化器湿化气体的效果,同时适当补液,防止分泌物浓缩黏稠。

套囊过度充盈而疝出至导管末端是堵塞呼吸道的另一原因,诊断依据为用定容型呼吸机时呼吸道压力峰值骤增,呼吸道阻力增加,吸引管不能通过气管导管,吸气时有异常的管性呼吸音。因此,当病人发生呼吸道阻塞时应立即将套囊放气,或减少套囊充气,如还不能改善,必须紧急调换气管导管。

（三）气管黏膜坏死、出血

套囊长期过度充盈,压力太大,压迫气管壁,气管黏膜缺血坏死,糜烂而形成溃疡,也可

损伤血管而出血,甚至有报道发生气管、食管瘘和无名动脉破裂而造成死亡。故遇有导管明显搏动,提示导管尖端或套囊位于动脉附近,应引起注意。长期施行机械通气时,尽量采用低压高容套囊,避免充气过多,用带有双套囊的导管,每小时交替使用。

（四）导管脱出或自动拔管

可造成急性呼吸衰竭,病人不宜多用镇静药,若劝告或其他使病人安静的措施无效,则为防止躁动和昏迷病人的自动拔管,应给予镇静和催眠药物。

（五）气管狭窄

狭窄常发生在气管切开部位而不是气囊充气部位,常发生在气管切开套管拔除后数天或数周以后。

二、呼吸机故障引起的并发症

常见的呼吸机故障包括漏气、接头脱开、管道接错、气源或电源中断及警报系统失灵等,虽然各型呼吸机的结构不同,但通气功能的原理相似,发生问题时应依次检查下述原因。

（一）漏气

潮气量不足,胸部活动幅度减少,呼吸道峰值降低,低压、容量报警。发现漏气时,应先排除套囊充气不足或破裂,接着寻找常见的呼吸机漏气的原因,如雾化器贮水瓶是否旋紧,吸气等管道系统的接头是否松脱等。若一时仍找不出原因,则应用手控呼吸或更换呼吸机,然后进行彻底检查。呼气潮气量测定是一重要指标,一方面提示有否漏气,另一方面如潮气量低而未发现漏气,则可能是产生潮气量的机械装置失效。

（二）接管脱落

呼吸机与气管导管的接头及本身的管道完全脱开或扭曲,可使机械通气完全停止或呼吸道阻塞,气源或电源中断也会有致命危险。

（三）管道接错

如把吸气端和呼气端管道倒接,就没有气体输出,病人可能发生呼吸困难或窒息。应暂停使用呼吸机,用简易呼吸囊应急,同时按说明书图纸详细检查重装。

（四）报警装置失灵

病人通气良好时,报警器可发出声音,这是假报警,而有时病人通气不足而报警器又不响,所以使用呼吸机时也不能完全依赖报警装置。

三、长期机械通气的并发症

（一）通气不足

1. 机械性问题　包括漏气和阻塞。限压呼吸机轻度漏气时,仍能释放相同数量的气体,但严重漏气使限压型呼吸机停止工作,而在阻塞时产生通气不足。定容型呼吸机漏气时将减少通气量。

2. 慢性肺部疾患　肺功能障碍,肺弹性和总顺应性降低及呼吸道分泌物增多,需要较大潮气量,才能避免通气不足。

3. 呼吸机参数调节不当　如供氧充分则低氧血症不明显,但 $PaCO_2$ 升高。所以应经常测定呼气潮气量和进行血气分析,观察病人临床症状,及时发现和排除机械故障,调整潮气量,保证有效通气。

（二）通气过度

呼吸频率过快或潮气量太大,可引起过度通气,使 $PaCO_2$ 下降到呼吸停止阈以下即 $PaCO_2$ 30～32 mmHg,发生呼吸性碱中毒。低碳酸血症常伴有心排血量和心肌供血减少,脑血流降低和脑缺氧,孕妇子宫血管收缩,胎盘血供减少而致胎儿缺氧,肺顺应性和功能残气量减少,通气/血流比率不当,右向左分流增加,氧消耗及氧与血红蛋白的亲和力也增强,氧离曲线左移。此外,还有细胞外液中钾降低。严重酸中毒,可出现兴奋、谵妄、抽搐和肌痉挛,甚至低血压、昏迷。文献报道急性呼吸衰竭使用间歇正压通气,有因严重碱中毒(pH值 7.54)而引起死亡的病例。预防方法为:① 适当调节通气频率和潮气量;② 应用适量镇静药,提高呼吸停止的 $PaCO_2$ 阈值;③ 应用 IMV。

（三）低血压

机械通气需要用正压,PEEP 和 CPAP 也加入正压,跨肺压和胸内压升高,阻碍静脉回流,继发心排血量降低,因而发生低血压。低血压的程度与正压高低和持续时间长短呈正比。为防止低血压,可采取以下具体措施:① 选用最佳 PEEP:其指标为全身氧输送和肺静态顺应性最大,肺泡无效腔量和肺内分流最低,同时无明显心血管抑制。一般限制 PEEP 在 5～10 cmH_2O 以内,对循环影响较小,如 >10 cmH_2O,则发生低血压的可能较大。② 补充血容量:机械呼吸时,胸内压升高,静脉回流减少是影响血流动力学变化的主要原因。因此,适当补充血容量,使静脉回流增加,CO 可恢复正常,至于在治疗 ARDS 时,输注何种液体以提高前负荷尚有争议。理论上,胶体溶液可增加血管内渗透压,从而使水分均潴留在血管内。然而 ARDS 病人的肺毛细血管通透性增加,蛋白质和水分均可能透过血管壁,白蛋白积聚在肺间质内,并吸收水分。因此,毛细血管通透性增加而血红蛋白正常的病人,选用晶体优于胶体液。贫血病人应输注红细胞,血红蛋白能改善氧合,又能留在血管内。③ 应用增强心肌收缩药:多巴胺使轻度低血容量病人的 SVR 上升;多巴酚丁胺增强心肌收缩,CO 增多,用于改善心功能。

（四）肺气压伤

呼吸机相关的肺损伤(ventilator associated lung lnjury, VALI)包括:① 容量伤(volutrauma):由于肺过度膨胀直接引起肺泡损伤;② 气压伤(barotraumas):因较高跨肺压而损伤;③ 生物伤(biotrauma):炎性介质释放进入呼吸道及全身循环而致肺及其他器官损伤；④ 不张性伤(atelectrauma)：不张肺泡周期性张开和萎陷导致肺泡损伤。

机械通气时，由于气道内压过高或潮气量太大，或病人肺顺应性差，或原有肺气肿、肺大泡、哮喘和肺脓疡等慢性肺部病变，易致肺泡破裂，空气进入肺间质中，并沿血管周围鞘膜达到纵隔，或在纵隔破裂后气体通过大血管胸膜反折处，接近心包腔，进一步沿筋膜间隙扩散进入颈部皮下组织，甚至扩散到头、胸、腹及躯干其他部位，如空气进入破裂血管可引起气栓。所以肺气压伤的程度有轻重不等，其中以张力性气胸、心包腔气肿和动静脉空气栓塞最危险，后者可立即引起死亡。张力性气胸发生后，静脉回流明显减少，血压下降，心排血量降低。临床上早期症状有烦躁不安、青紫、心动过速等，X线摄片可确诊。

机械通气时气胸的发生率为 10%~20%，婴儿可高达 3%，用 PEEP 时容易发生胸内压升高，而 IMV 和 HFPPV 等气道内峰压较低，气胸发生率也减少。防治方法包括：① 正确调节呼吸机各项参数，避免气道内压过高，尤其是有慢性肺部病变者；② 加强生命体征监测，经常听诊呼吸音；③ 病情危急时可先用粗针插入锁骨中线第二肋间外侧紧急放气，然后放置胸腔导管接水封引流，可继续进行机械通气。

（五）呼吸机相关肺炎(ventilation associated pneumonia，VAP)

VAP 发生率为 9%~68%，相关死亡率高达 50%~70%，是影响机械通气病人预后的主要因素。人工气道是发生 VAP 的最根本因素，口咽部细菌定植与吸入是 VAP 的主要发病机制。由于气管插管和气管切开，使上呼吸道滤过失去作用，气管和支气管的纤毛活动减退或消失，破坏了肺免受感染的保护机制，再加上分泌物排除困难、病人原有某些疾病、抵抗力减弱，故易发生呼吸道感染。

吸入带菌气溶胶是 VAP 的另一发病机制。污染来源包括氧气、室内空气、湿化器加水、呼吸机连接管道的冷凝水反流至湿化器、储水罐的水分未及时倒掉而反流至呼吸机管道、雾化器或呼吸管道消毒不当、不注意无菌操作等。

VAP 与呼吸机治疗时间有关，病人发生 VAP 的危险性每日约增加 1%。所以应缩短呼吸机使用时间。

（六）缺氧与氧中毒

机械性意外、分泌物潴留及气管内吸引时间过长等可引起急性严重缺氧，增加吸入氧浓度及用 PEEP 可得到改善。相反在长期机械通气中，吸入氧浓度过高是极其有害的，大量氧气从肺泡中排出，易发生肺不张。动物实验证明吸入 70% 氧后，肺毛细血管充血，并发展至肺水肿，3~7 d 后死亡。长期机械通气的病人，吸入氧浓度过高，可发生氧中毒，主要病变为肺部损害，有白细胞增多，多核白细胞释放有毒的氧自由基可引起 Ⅱ 型肺泡细胞增生、变形，线粒体氧化酶活动减退，肺泡表面物质减少，肺间质水肿。这些病理变化导致严重肺功能损害。据文献报道，长期机械通气吸氧治疗后 70 例死亡病例中，发现应用呼吸机时间超过 10 d，氧浓度在 90%~100% 者，上述肺严重病变出现的概率较高。因此，吸入氧浓度应维持在 60％左右,除非病人有严重贫血和心力衰竭,PaO_2 可维持 80～90 mmHg。如必须用 100％的氧,不可超过 24 h,若氧浓度必须高于 60％,应采取措施,加用 PEEP 在短期内吸入尽可能低的氧浓度。

（七）胃肠道并发症

1. 胃肠道充气膨胀　胃扩张较多发生于经鼻插管者,偶尔见于气管切开,但较少发生在经口插管者。其发生原因为套囊充气不足,空气漏出至口咽部,尤其在鼻插管者,一侧鼻腔置导管,对侧鼻腔受压迫,若口腔关闭,气体压力会克服贲门括约肌的阻力而进入胃内,严重时可造成胃破裂。而口腔插管用牙垫使口张开,虽然病人难于吞咽,但气体可从口腔排出。

2. 胃肠道出血　常见原因是应激性溃疡,有时可大量出血而不易发现,应提高警惕。

3. 胃十二指肠溃疡穿孔　易发现在长期应用激素的病人,腹痛和体征很少,必须仔细鉴别。

机械通气时发生的并发症,大多表现为呼吸困难及其引起的烦躁不安、青紫和意识障碍等。在出现上述症状时,如不能立即解决,应暂停用呼吸机,改用高浓度氧气手控呼吸,再分析原因,根据病人体检发现,结合动脉血气分析和血流动力学变化,做出综合判断,争取早期诊断和及时处理,避免发生危险。

（皋源　杭燕南）

参 考 文 献

1　Shapiro BA，Peruzzi W. Respiratory Care. In：Miller RD. Anesthesia. 5th ed. Philadelphia：Churchiu Livington，2000：2403～2442.

2　Marino PL. ICU Book. 2nd ed. Philadelphia：Lippincott Williams & Wilkins，1997：421～484.

3　Oeckler RA，Hubmayr RD. Ventilator-associated lung injury：a search for better therapeutic targets. Eur Respir J，2007，30(6)：1216～1226.

4　Bekos V，Marini JJ. Monitoring the mechanically ventilated patient . Crit Care Clin，2007，22(3)：575～611.

5　Guttmann J，Bernhard H，Mols G，et al. Respiratory comfort of automatic tube compensation and inspiratory pressure support in conscious humans. Intensive Care Med，1997，22：1119～1124.

6　Mols G，Rohr E，Benzing A，et al. Breathing pattern associated with respiratory comfort during automatic tube compensation and pressure support ventilation in normal subjects. Acta Anaesthesiol Scand，2000，44：222～30.

7　Wrigge H，Golisch W，Zinserling J，et al. Proportional assist versus pressure support ventilation：effects on breathing pattern and respiratory work of patients with chronic obstructive pulmonary disease. Intensive Care Med，1999，25：790～798.

8　Appendini L，Purro A，Gudjonsdottir M，et al. Physiologic response of ventilator-dependent patients with chronic obstructive pulmonary disease to proportional assist ventilation and continuous positive airway pressure. Am J Respir Crit Care Med, 1999, 159(5 pt 1): 1510~1517.

9　Grasso S, Puntillo F, Mascia L, et al. Compensation for increase in respiratory workload during mechanical ventilation: pressure-support versus proportional-assist ventilation. Am J Respir Crit Care Med, 2000, 161(3 pt 1): 819~826.

10　Shapiro BA, Lichtanthal PR. Postoperative Respiratory Management. In: Kaplan JA. Cardiac Anesthesia. 4th ed. Philadelphia: W. B. Saunders Company, 1999:1215.

11　Oczenski W, Werba A, Andel H. Breathing and Mechanical Support. Berlin: Blackweu Science, 1997.

12　Hardy AK. A review of airway clearance: New techniques, indicatians, and recommendations. Respire Care, 1994, 39:440.

13　Mehta S, Hill NS. Noninvasive ventilation. Am J Respire Crit Care Med, 2001, 163:540.

14　American Thoracic Society. International consensus conferences in intensive care medicine: noninvasive positive pressure ventilation in acute respiratory failure. Am J Respire Crit Care Med, 2001, 163:283.

15　Mclntyre Jr Rc, Pulido EJ, Bensard DD, et al. Thirty years of clinical trials in acute respiratory distress syndrane. Crit Care med, 2000, 28:3314.

16　Lewandowski K. Small tidal volumes large benefit? Intensive Care Med, 1999, 25:771.

17　The Acute Respiratory Distress Syndrome Network. Ventilation with lower tidal volumes as compared with traditional tidal volumes for acute lung injury and the acute respiratory distress syndrome. N Engl J Med, 2000, 342:1301.

18　Bregen F, Ciais V, Carret V, et al. Is ventilator-assoaiated pneumonia an independent risk factor for death? Anesthesiology, 2001, 94:554.

19　Lachmann B. The concept of open lung mangemnet. Inter J Of Intensive Care, 2000, 7:215.

20　Gropper M A. Mechanical Ventilatory Support: What Every Anesthesiologist Should Know. ASA Refrasher Cours Lectures, 2007.

21　Choi J, Tasota FJ, Hoffman LA. Mobility interventions to improve outcomes in patients undergoing prolonged mechanical ventilation: a review of the literature. Biol Res Nurs, 2008, 10(1):21~33.

第 **25** 章 呼吸功能监测在气道管理中的应用

围术期呼吸功能的监测与维护对低氧血症的防治具有重要意义,其中合理、准确的气道管理是呼吸管理中的重要环节。气道管理的基本要求和目标是保证病人气道或人工气道的通畅,以保证肺通气和肺的正常交换功能,满足机体组织对氧的需求。正确的气道管理依赖可靠有效的呼吸功能监测,并根据监测进行及时、恰当的处理。本章简要介绍气道管理中相关呼吸功能监测方法、应用和意义。

第一节　通气功能和呼吸力学监测

一、呼吸功能的临床观察

尽管目前有了许多先进仪器和设备监测呼吸功能,呼吸功能的维护离不开医护人员的认真、细致的临床观察,必须高度重视。

（一）呼吸运动的观察

无论在自主呼吸还是控制/支持呼吸中,必须经常注意呼吸运动的变化。麻醉期间许多因素将影响呼吸,如区域麻醉中应用麻醉辅助药物麻醉性镇痛药、镇静药可导致舌后坠,引起气道梗阻,严重者出现低氧血症,未得到及时处理将危及生命。全身麻醉诱导和维持中呼吸运动的观察同样十分重要,可以及时判断麻醉对呼吸的影响及人工通气的效果。麻醉期间一旦呼吸运动停止,应立即判断是否存在屏气、气道梗阻、呼吸暂停或是麻醉药的作用等,以便准确处理。屏气多发生在开始吸入有刺激性吸入麻醉药时,呈现胸腹肌紧张而无起伏运动,面罩加压困难,唇色不致紫绀即可恢复呼吸,有时压迫胸廓即使屏气中断。气道完全梗阻时胸廓及膈肌剧烈收缩,面罩加压困难,口唇紫绀显著,压胸时口鼻无气呼出,血压脉搏波动明显,如不解除梗阻,很快导致衰竭。反常呼吸常预示存在严重问题,需及时解决。控制呼吸时观察呼吸运动情况能初步了解人工通气效果,结合呼吸监测方能确保正常通气。

（二）呼吸听诊

麻醉期间经常听两肺呼吸音对气道管理有许多有益作用。有些时候通过听诊更易准确判断病情如支气管痉挛。麻醉诱导及气管插管后听呼吸音对确认气管导管位置是否恰当有重要意义。麻醉维持中经胸或经食管监听呼吸音，有助于及时判断气道通畅度、是否存在痰鸣音、干湿啰音、哮鸣音等。

二、常用呼吸功能监测指标

（一）气体流量监测

1. 潮气量和分钟通气量　正常情况下，潮气量（V_T）和每分钟通气量（V_E）因性别，年龄和体表面积不同而有差异，男性 V_T 约为 7.8 ml/kg，女性约为 6.6 ml/kg，V_E 为约 5～7 L/min。呼吸抑制（如麻醉、镇痛药、肌松药等）和呼吸衰竭时 V_T 减少，手术刺激和 $PaCO_2$ 升高时，V_T 增加。如潮气量减少，频率相应增加（$V_E = V_T \times f$），若超过 25～30 次/min，则提示呼吸机械运动已不能满足机体需要，并且可导致呼吸肌疲劳。机械通气时，成人 V_T 需要 8～10 ml/kg，小儿为 10～12 ml/kg，可根据 $PaCO_2$ 或呼气末 CO_2 分压（$P_{ET}CO_2$）进行调节，V_T 过大时，使气道压力升高，可影响循环功能。$V_E > 10$ L/min，不能撤离呼吸机。

麻醉期间通常根据病人体重、麻醉状态、$P_{ET}CO_2$ 监测结果调整潮气量、呼吸频率等。在使用麻醉机前应当检测仪器和传感器的准确性，特别是系统漏气情况、设定值与实测值之间的关系，以便麻醉期间准确判断。

麻醉机、呼吸机设定潮气量与监测结果差距较大时（相差达 25% 以上）应仔细分析原因，首先排除是否存在漏气，检查各连接处、气管导管套囊充气是否足够、是否存在开放气胸等，检查麻醉机或呼吸机工作正常与否，流量监测是否需校正或工作异常，必要时更换呼吸机排除故障。

V_T、V_E 的监测可为脱机提供依据，当 $V_E > 10$ L/min，自主呼吸有急促表现的病人脱机成功机会较小。

2. 无效腔量和通气指数　人工通气时的无效腔由三部分构成，解剖无效腔、肺泡无效腔和机械无效腔。正常成人解剖无效腔约为 150 ml，占潮气量的 1/3 左右。支气管扩张时，解剖无效腔增加。另外，随着年龄的增加，肺弹性组织的减少和肺容量的增加，解剖无效腔也有所增加。肺内通气/血流（V_A/Q）比正常时，肺泡无效腔很小甚至没有，若 V_A/Q 比增大，则肺泡无效腔增加。如肺动脉压下降、肺梗死、休克和心力衰竭时，肺血流减少使得 V_A/Q 比增大。此外，机械通气时潮气量过大，气道压力过高也影响肺内血流灌注，进而影响肺泡无效腔。面罩、气管导管、麻醉机、呼吸机的接头和回路等均可使机械无效腔增加。

通气指数为无效腔气量与潮气量的比值，可反映通气功能和通气效率，正常值为 0.3～

0.4,可根据 Bohr 公式:$V_D/V_T=(PaCO_2-P_{ET}CO_2)/PaCO_2$ 计算。在有呼出气 CO_2 监测功能的呼吸机与呼吸机有连接模块的监护仪上可动态监测无效腔气量/潮气量比值,对病情判断与呼吸机设定条件的调节有参考意义。

(二) 呼吸力学监测

1. 气道压(P_{RAW})和气道阻力(R_{AW})监测 气道压和气道阻力是气道管理中十分重要指标,是判断是否存在气道梗阻、不畅、呼气道分泌物多少、肺组织顺应性等主要依据。气道内压力由潮气量、呼吸道阻力和吸入气流速等决定。呼吸道阻力由气体在呼吸道内流动时的摩擦和组织黏性形成,反映压力与通气流速的关系即(P_1-P_2/V)。其正常值为每秒 $1\sim3$ cmH$_2$O /L,呼气时阻力为每秒 $2\sim5$ cmH$_2$O /L。气道内压力一般用压力表显示,也可用记录仪描记气道压力的变化图形,并有数字显示气道峰压、平台压和 PEEP。

气道内压力出现吸气平台时,可以根据气道压力和平台压力之差(P_A^*)计算呼吸道阻力。其计算公式如下:气道阻力$=P_A/V(流速)=P_A\times\dfrac{60}{V_E}\times\dfrac{吸气时间\%}{100}$。

机械通气时,吸气时压力为正压,成人约 $1.2\sim1.5$ kPa($12\sim15$ cmH$_2$O),儿童约为 $1\sim1.2$ kPa($10\sim12$ cmH$_2$O),呼气时压力迅速下降至 0。增大潮气量、加快频率和吸入气流速,以及使用 PEEP 时均使平均气道压升高。监测气道压力变化可以及时了解 V_T 和呼吸道阻力的变化。V_T 和吸入气流速维持稳定不变,气道压力直接反映呼吸道阻力和胸肺顺应性。如气道压力升高,则说明有呼吸道梗阻、顺应性下降以及肌张力增加等。另一方面,如气道阻力和顺应性无变化,则气道压力下降说明潮气量减少。

气道压过高或过低均说明通气异常,现在使用的麻醉机和呼吸机均有气道压报警装置。气道压力消失(低压报警)说明呼吸机脱机或有严重漏气。高压报警说明气道压超过设定的压力。常见的原因有:呼吸机环路梗阻或病人气道梗阻(如呼吸机环路扭曲、气管道管打折、分泌物堵塞、支气管痉挛)、肺顺应性下降(如气胸、主支气管插管)或病人与呼吸机不同步(人机对抗)。

机械通气时,一个呼吸周期的气道压力变化见图 25-1。

气道峰压(PIP)是指机械通气的呼吸周期中气道压力所达到的最大值。它与气道内气流阻力、肺和胸壁的弹性回缩力成正比。机械通气时气道峰压过高可产生气压伤,因此,临床多数情况下应将其限制在 4 kPa(40 cmH$_2$O)以下。

平台压(Pplat)又称为吸气末压。当呼气末正

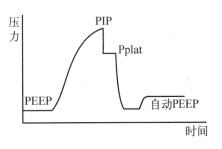

图 25-1 呼吸周期的气道压波形图

压(PEEP)为零时,$P\,\text{plat} = V_T/C_{RS}$。其中 C_{RS} 为呼吸系统顺应性。平台压决定于潮气量与呼吸系统顺应性两个因素。当潮气量不变时,它与呼吸系统顺应性成正比。因此,它也是反映呼吸系统顺应性的指标。机械通气时平台压升高提示增加肺泡过度膨胀的危险。若胸壁顺应性正常,平台压应维持在 $\leq 35\ \text{cmH}_2\text{O}$。有人认为监测平台压比气道峰压更能反映气压伤的危险性,因为气道峰压主要作用于气道,而平台压才真正反映肺泡内的最大压力。

2. 自动 PEEP(auto PEEP)　病人在呼吸末停顿时所测得的压力超过呼吸机设定的 PEEP 压力的那部分即为自动 PEEP。auto PEEP 取决于呼吸机的设置(潮气量和呼气时间)和肺功能(气道阻力和肺顺应性)。它可以作为机械通气时调节通气参数的参考指标。如可以通过减少潮气量或呼吸次数,使分钟通气量减少,从而降低 auto PEEP 水平。改变吸呼比(即缩短吸气时间)减少呼吸次数,延长呼气时间,降低 auto PEEP 水平。也可降低气道阻力来降低 auto PEEP 水平。

气道阻力取决于驱动压和气流,即 $R_{AW} = P_{RAW}/$流速,可直接反映气道的阻塞情况。正常人气道阻力在 $0.1\sim0.3\ \text{kPa}/(S\cdot L)$,气管插管病人的气道阻力可达 $0.6\ \text{kPa}/(S\cdot L)$。气道阻力增加常见原因有气道内分泌物增多、气管黏膜水肿、支气管痉挛等。机械通气时 R_{AW} 应小于 $1.0\ \text{kPa}/(S\cdot L)$(流量 $1\ \text{L/s}$)。当气道阻力增加明显,气道压力上升过高 $>25\sim30\ \text{cmH}_2\text{O}$,应选用压力控制(PCV)、压力支持(PSV)或双相正压通气(BIPAP)的通气方式,以降低气道压及改善肺内气体分布。

麻醉期间气道阻力升高的原因:① 气管内径缩小,如呼吸道黏膜水肿、充血、支气管痉挛、分泌物阻塞以及单侧肺通气等;② 气管导管内径过小,或接头过细过长。

气道压及气道阻力的监测在气道管理中具有重要临床意义。可以帮助了解、评估各种病理情况,如阻塞性肺疾患、ARDS 病情严重程度、进展;有利于评估人工气道、加热湿化器和细菌滤网等对气道阻力的影响;对支气管扩张药疗效的评估有帮助。在选择合适的机械通气方式时可根据监测结果作调整。如气道阻力增加明显,使气道压力上升过高大于 $2.5\sim3.0\ \text{kPa}(25\sim30\ \text{cmH}_2\text{O})$,应选用压力控制(PCV)、压力支持(PSV)或双相压力通气(BIPAP)的通气方式,以降低气道压及改善肺内气体分布,也有助于判断停用呼吸机的时机等。

(三) 呼吸波形监测

当代麻醉机、呼吸机多可显示呼吸时的多种图形。如气道压力图、气道流量波形图、流量-容量环、压力-容量环等。各种图形在气道管理中有许多指导意义,准确认识各种图形的临床意义对及时发现和纠正问题起到十分重要的作用。

1. 气道压力图　它反映不同呼吸周期中气道压力的变化情况。除了上述压力监测临床意义外也可用于机械通气时病人与呼吸机的同步性的监测。压力图与机械通气设定不一致时常表示两者非同步。压力图在不同通气模式中有显著不同,如容量控制通气与压力控制通气有显著不同,如图 25 - 2 显示是容量控制通气和压力控制通气模式下病人与呼吸机不同步的气道压力图。各种原因导致的呼吸异常均可反映在气道压力图的异常,应结合其他监测如流量-容量环、压力-容量环等综合判断。

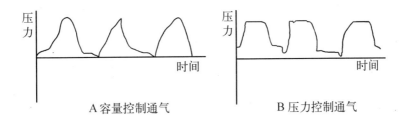

A 容量控制通气　　　　　　　B 压力控制通气

图 25 - 2　机械通气与呼吸机不同步的气道波形图

2. 流量-容量环(flow-volume loop,F-V 环)流量-容量环又称阻力环,反映呼吸时流量和容量的动态关系。图 25 - 3 为典型的正常流量-容量环。

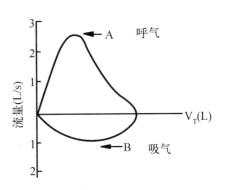

图 25 - 3　流量-容量环

流量-容量环在气道管理中主要用于:① 监测呼吸道回路有否漏气:若呼吸道回路有漏气,则流量-容量环不能闭合,呈开放状,或面积缩小(图 25 - 4)② 监测双腔导管在气管内的位置。双腔导管在气管内的位置移动,阻力环立即发生变化,呼气时流速减慢、阻力增加(图 25 - 5)。③ 监测内源性 PEEP。单肺通气时,气流阻力过大,流速过慢,致使呼气不充分,可发生内源性 PEEP,阻力环上表现为持续的呼气气流(图 25 - 6)。

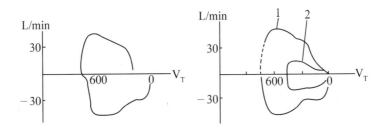

图 25 - 4　流量-容量环不能闭合,示呼吸道回路漏气

1. 正常情况;2. 回路有漏气,面积缩小

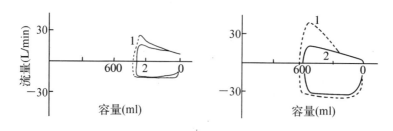

图 25 - 5　双腔管的阻力环

左图示双腔管位置正确;右图示双腔管位置移动

1. 双肺通气;2. 单肺通气

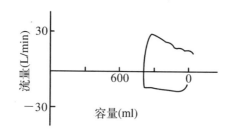

图 25 - 6　阻力环内持续性呼气气流

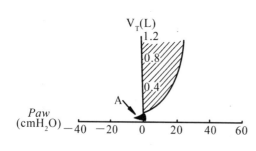

图 25 - 7　PSV 时的压力-容量环

3. 压力-容量环(pressure-volume loop,P-V 环)

压力-容量环也称肺顺应性环,主要反映压力和容量之间的动态关系。气道管理中主要用于:① 指导调节 PSV 时的压力水平,图 25 - 7 为 PSV 时的压力-容量环。其中 A 为吸气的面积,代表病人吸气触发所做的功。纵轴右面的斜线区代表呼吸机所做的功。增加压力和用流量触发都可以减少病人呼吸做功。② 发现呼吸异常情况:气管插管后,如气道压力显著高于正常,而潮气量并未增加,则提示气管导管已进入一侧支气管内。于纠正后,气道压力即恢复正常(图 25 - 8A)。如果气管导管有曲折,气流受阻时,于压力-容量环上可见压力急剧上升,而潮气量减少(图 25 - 8B)。③ 监测双腔导管在气管内的位置:双腔管移位时,其压力-容量环也立即发生变化。图 25 - 9 中左图为双腔管位置正确的压力-容量环,右图为双腔管移位时其潮气量无变化,而气道压力显著升高。④ 合理选择 PEEP 水平折点是吸气相容积随压力变化的斜率变化点(图 25 - 10),下方折点对于 PEEP 设定有指导意义,是判断 PEEP 的方法之一,可将折点以上 2 cmH$_2$O 作为最佳 PEEP。

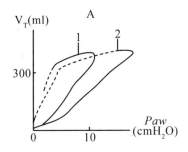 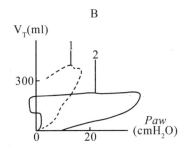

图 25－8　气管导管位置及通畅情况

A. 正常压力-容量环；B. 异常压力-容量环

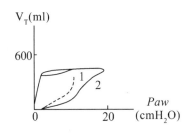 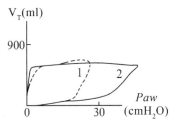

图 25－9　双腔插管时的压力-容量环

1. 双肺通气；2. 单肺通气

4. 连续气道力学监测

连续气道监测（CAM）能连续测定通气压力、容量、流率、顺应性和阻力等指标，是以顺应性环（pressure volume，PV 环）和（或）阻力环（flow-volume，FV 环）为主的一种综合性分析方法。CAM 监测技术可采用旁气流式（SSS）和主气流式来测定。旁气流监测仪是在气道中安放气体采样管，连续监测通气压力、容量、流率、顺应性和阻力为主的多项通气功能指标：① 流率：流速乘以采样管的截面积即为流率（flow rate）；② 吸（呼）潮气量（V_{Ti}、V_{Te}）：实际是数毫

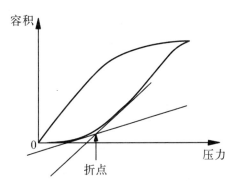

图 25－10　压力-容量环的折点

秒测一次容量，然后把一次吸（呼）气期所测的数百次容量相加；③ 吸（呼）分钟通气量（Mvi，Mve）：用 20 s 的平均潮气量乘以呼吸频率；④ 一秒率（FEV1%）：在测出呼气潮气量后计算出其中第一秒呼气量占全呼出潮气量的百分率；气道峰压（Ppeak）；平台压（Pplat）：为吸气末气流方向转变时的压力；呼气末压（PEEP）：为呼气末气流方向转变时

的压力;吸气开始时第 0.1 秒的气道压($P_{0.1}$);呼吸频率(RR);呼吸比(I:E);胸肺(总)顺应性(TLC):可分为静态顺应性(Cstat)和动态顺应性(Cdyn),两者受气道压力的影响。胸肺(总)静态顺应性降低可导致平台压上升;气道阻力增加引起气道峰压升高,并降低动态顺应性。通过监测吸气压力-时间曲线可以即时(每次呼吸)估计胸肺(总)顺应性。如果病人潮气量固定,胸肺(总)顺应性与吸气压成反比,其重要的是用于计算胸肺(总)顺应性的压力应为吸气末压(平台压),因为在吸入气流动时由于气道阻力增加了压力成分。气道峰压(与气道阻力和胸肺顺应性都有关)和平台压(只与胸肺顺应性都有关)的改变可迅速确定机械通气病人的肺顺应性是否异常。经验性参数动态顺应性(Cdyn),为潮气量(V_T)和气道峰压(Ppk)的改变,即 $Cdyn = V_T/(Ppk-PEEP)$,其正常值为 $40\sim80$ ml /cmH_2O。

5. 异常图形及处理 CAM 除了与其他同类监测仪提供相同的指标外,其突出特点是 P-V 环和 F-V 环的动态显示。如气管插管机械通气期间,通气失常时如导管突然扭曲,导管阻塞或气管口径缩小,导管误入食管,导管插入一侧支气管,单肺通气,双腔支气管导管反向,腹部牵拉过甚引起一侧肺压缩,腹腔镜下胆囊切除二氧化碳气腹期 P-V 环功能性改变等;而对临床少见的意外情况也可提供呼吸系统力学变化有价值的诊断信息。

第二节 CO_2 监测在气道管理中的应用和意义

麻醉期间以及机械通气期间呼出气二氧化碳浓度及波形监测是呼吸监测中基本的必不可少的监测,尤其是波形监测在气道管理中具有重要的、广泛的意义,充分理解、合理准确判断异常情况能及时发现严重呼吸问题、避免不良后果。

一、呼气末 CO_2 分压($P_{ET}CO_2$)监测

CO_2 的弥散能力很强,正常情况下动脉血与肺泡气中的 CO_2 分压几乎完全平衡。所以肺泡的 CO_2 分压(P_ACO_2)可以代表 $PaCO_2$。呼气时最后呼出的气体(呼气末气体)应为肺泡气。因此,$PaCO_2 \approx P_ACO_2 \approx P_{ET}CO_2$。故 $P_{ET}CO_2$ 应能反映 $PaCO_2$ 的变化。从监测 $P_{ET}CO_2$ 间接了解 $PaCO_2$ 的变化,具有无创、简便、反应快等优点。$P_{ET}CO_2$ 也有其自身的局限性。由于 $PaCO_2$ 和 $P_{ET}CO_2$ 间的相关性受到病人呼吸、循环等因素和监测仪等影响,特别在有些危重病人,两者差异较大,宜结合全身情况综合判断。临床上常用的 CO_2 监测仪大都是应用红外线分光谱、Raman 分光谱或质谱镜检的原理,可以连续监测呼吸周期中 CO_2 的浓度。

气道管理中,监测 $P_{ET}CO_2$ 主要有以下几个方面的作用。

(一)反映通气功能

调节机械通气时的通气量。可根据 $P_{ET}CO_2$,调节呼吸机和麻醉机的呼吸参数,避免通气过度和不足,一般维持于 4.6 kPa(35 mmHg)左右。病人自主呼吸恢复后,若能维持

$P_{ET}CO_2$ 于正常范围,即可停止辅助呼吸。用半紧闭装置时,可根据 $P_{ET}CO_2$ 调节氧流量,避免 $PaCO_2$ 升高。

（二）发现呼吸意外和机械故障

呼吸管道脱落是机械呼吸时常见的意外情况,监测 $P_{ET}CO_2$ 很容易发现这种情况。呼吸管道漏气、脱落或阻塞,呼吸回路活瓣失灵时,CO_2 波形也会出现异常变化或消失。

（三）确定气管导管位置

气管导管在气管内才会有正常的 CO_2 波形,因此,$P_{ET}CO_2$ 波形是确定气管导管是否在气管内的可靠指标。气管插管时如果导管误入食管,则不会出现 CO_2 正常波形或其浓度极低。如经鼻盲探插管,$P_{ET}CO_2$ 波形还可指示导管前进的方向和正确位置。在呼吸支持过程中,如气管导管移位导致导管位于气管外或导管插入一侧肺、导管扭曲等,CO_2 波形会立即发生变化。

（四）确定最佳 PEEP

动脉-呼气末 CO_2 分压差（a-$_{ET}$$DCO_2$）反映肺内 V/Q 关系,前者正常则 V/Q 适当。PEEP 可减少分流,改善 V/Q,使 a-$_{ET}$$DCO_2$ 减少,PaO_2 升高。但 PEEP 压力过大,则影响心排血量,反而使 a-$_{ET}$$DCO_2$ 增大。故 a-$_{ET}$$DCO_2$ 最小时的 PEEP 压力值即为最佳 PEEP。但此法在临床上尚有争议。

监测 $P_{ET}CO_2$ 不仅是其数值,其波形图可以提供更多反映呼吸功能的信息。

二、CO_2 波型监测

（一）正常的 CO_2 波形

正常 CO_2 波形图（图 25 - 11）显示一个呼吸周期中呼出气内 CO_2 浓度或压力波形的正常变化。开始呼气时,为解剖无效腔内的死腔气（Ⅰ相）,$P_{ET}CO_2$＝0。随即肺泡气排出和死腔气混合,$P_{ET}CO_2$ 迅速上升（Ⅱ相）。此后,呼出气全部为肺泡气,其 $P_{ET}CO_2$ 变化很小,形成肺泡平台期（Ⅲ相）,其最高点代表 P_ACO_2。吸气时,不含有 CO_2 的气体进入气道,故 $P_{ET}CO_2$ 迅速下降至基线。

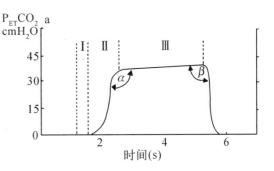

图 25 - 11　正常 $P_{ET}CO_2$ 波形

（二）呼气末 CO_2 的波形观察

呼气末 CO_2 的波形应观察：① 基线:代表 CO_2 浓度,一般应等于零；② 高度:代表呼气末 CO_2 浓度；③ 形态:正常 CO_2 波形与不正常波形；④ 频率:反映呼吸频率；⑤ 节律:反映呼吸中枢或呼吸机的功能。

（三）CO_2 波形图监测的临床意义

评价肺泡通气、整个气道与呼吸回路的情况,通气功能、心肺功能及细微的重复吸入。由于对许多问题可作出预报,故判断不准确可能引起误诊或事故。若 CO_2 波形没有正常波形的四个部分,则意味着病人心肺系统、通气系统或供气系统有问题。

（四）异常的呼气末 CO_2 波形

只有在呼吸和循环功能均维持正常时,才会出现正常的 CO_2 波形。若肺内各部分的 V/Q 和时间常数差异不大,其肺泡内的 CO_2 浓度也相近,则肺泡平台就趋于平坦,否则就逐渐上升,其斜度增加,α 角度增大。所以 α 角度的大小可以反映 V/Q 的变化。（图25-12)内 A 线为肺疾患时的异常变化(多见于哮喘),B 线见于妊娠和极度肥胖者,C 线和 β 角增大说明有重复吸入。慢性阻塞性肺疾患和哮喘病人的 V/Q 变化对 $P_{ET}CO_2$ 波形的影响,见图25-13。

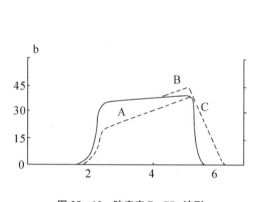

图 25-12　肺疾病 $P_{ET}CO_2$ 波形

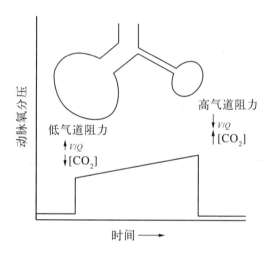

图 25-13　V/Q 异常 $P_{ET}CO_2$ 波形图

1. $P_{ET}CO_2$ 降低　$P_{ET}CO_2$ 降为零或近似零常常预示情况危急,如气管导管误入食管、导管连接脱落,完全的通气故障或导管阻塞,其中任何一种原因都可使 CO_2 在气道突然消失,而从波形上不能辨别出差异;另外若要考虑监测仪失灵,则需胸部听诊证实肺通气情况后才能确定。

2. 突然降低至非零浓度　$P_{ET}CO_2$ 下降未到零,说明气道内呼出气不完整,可能从面罩下漏出;如果是气管插管在适当的位置,应考虑气囊注气是否足够,主流式监测仪传感器位置不当时可产生类似图形。气道压的测定有助于确诊。

3. 指数降低　$P_{ET}CO_2$ 指数降低在短时间内发生,预示心搏骤停,其原因可能是生理性死腔通气增加或从组织中扩散到肺内的 CO_2 减少,其致病因素包括失血、静脉塌陷性低血压、肺栓塞(血栓、气栓)。

4. 持续低浓度　没有正常的平台,平台的缺失说明吸气前肺换气不彻底或呼出气被新鲜气流所稀释,后者可在低潮气量和高气体抽样率时发生。一些特别的呼吸音(如哮鸣音、啰音)可说明肺排气不彻底,支气管痉挛或分泌物增多造成小气管阻塞;气道吸引纠正部分阻塞,有利于恢复完全的通气及正常的 CO_2 波形。

5. 平台异常　(1)平台偏低:在某些通气正常的情况下,波形可显示一个低 $P_{ET}CO_2$ 和正常肺泡气平台。$P_{ET}CO_2$ 与 $PaCO_2$ 之间存在较大差异,说明波形不正常或机器自检失灵,但最有可能是与生理死腔增大有关。临床医师可通过吹入气体标准品来检测波形的精确性,并确保数据在 $34 \sim 46$ mmHg 之间。许多情况下,大动脉 PCO_2 与 $P_{ET}CO_2$ 呈梯度关系。实际上,麻醉可平均提高这种梯度为 4 mmHg(0.53 kPa);肺部疾病、肺炎、小儿支气管肺组织发育异常可提高动脉与肺泡气 CO_2 的梯度,由血容量减少引起的肺动脉灌注不良和高气道压(如肺外科手术期间的脱水,血管扩张和过度通气)常造成 $P_{a-ET}CO_2$ 差值增加。

(2)平台逐渐降低:当波形获得正常,但 $P_{ET}CO_2$ 在几分钟或几小时内缓慢降低,其原因可能与低体温、过度通气、全麻和(或)肺血容量不足、肺灌注降低有关。

体温下降时代谢和 CO_2 产生减少,如通气没有变化,肺泡气 CO_2 和动脉血 CO_2 将降低,$P_{ET}CO_2$ 逐渐下降。因低心排血量造成组织内返回的 CO_2 减少,生理死腔量增加,其次是心脏衰竭或低血容量。

如果通气是由于呼吸机或新鲜气流的调整而增加,$P_{ET}CO_2$ 将逐渐达到一个新的平衡值;当 V_E 变化趋势与 $P_{ET}CO_2$ 变化趋势相关时,这种现象就很明显。

6. $P_{ET}CO_2$ 逐渐增加　在波形未变时,$P_{ET}CO_2$ 升高可能是与 V_E 降低,VCO_2 增加或腹腔镜检查行 CO_2 气腹时 CO_2 吸收有关。V_E 降低可能的原因有:气道阻塞、通气机少量漏气、通气或新鲜气流设置改变。VCO_2 可随任何导致体温升高的原因而增加,包括过度加温、脓毒血症、恶性高热。在通气状态稳定而 $P_{ET}CO_2$ 迅速升高,应立即考虑恶性高热。CO_2 因外源性吸收增多(胸腔或腹腔镜检时 CO_2 气胸或气腹)与类似的 VCO_2 增加一样可造成 CO_2 波形缓慢升高。② $P_{ET}CO_2$ 突然升高:任何能使肺循环的 CO_2 总量急剧升高的原因均可使 $P_{ET}CO_2$ 突然短暂上升,其原因包括静注碳酸氢钠、松解外科止血带,主动脉钳夹后的释放。CO_2 波形基线随 $P_{ET}CO_2$ 升高而突然升高,则说明在抽样瓶内有杂物(如水、黏液、污物),清洁抽样瓶常可恢复正常。若 CO_2 波形和值逐渐升高,则说明开始呼出的 CO_2 在环路中被重新吸入。在这种情况下,CO_2 波形呼气部分不能回到基线零点处,在通气吸入相早期 CO_2 升高,这种升高与呼气相快速上升有关,$P_{ET}CO_2$ 通常在肺泡气 CO_2 张力达到新平衡后增加,这时 CO_2 排除与产生再次达到平衡。

图 25-14、图 25-15 列出了几种常见的平台期和呼气末异常呼气末二氧化碳波形。

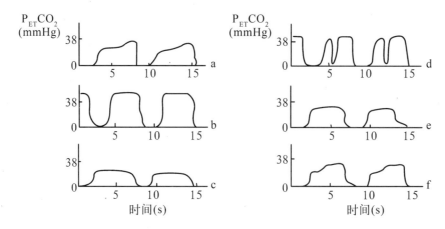

图 25－14　异常呼气末二氧化碳波形（呼气平台变化）

a. 平台终末抬高：肺泡死腔增多；d. 平台沟裂：自主呼吸恢复；

b. 平台升高：通气不足；e. 平台后段降低：按压胸肺部；

c. 平台降低：过度通气；f. 平台前段降低：肌松作用消失

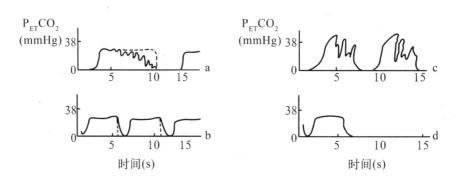

图 25－15　异常呼气末二氧化碳波形（下降支变化）

a. 呈锯齿形：心脏搏动拍击所致；b. 冰山样图形：肌松药作用消失；

c. 斜坡增大：吸气流速减慢；d. 冲洗样曲线：气管导管接头脱落

三、二氧化碳容积关系曲线图

单次呼吸二氧化碳试验（single breath test，SBT- CO_2）将呼气期 CO_2 浓度和呼气量同时记录，可得到 CO_2 容积关系曲线图（图 25－16），在第Ⅱ期 CO_2 浓度上升最快的一点上画一条垂直线，从 $PaCO_2$ 值处画一水平线。从图中 $q＝p$ 可以了解：① 呼出气中的 CO_2 容量等于 $x＋q$ 面积，从而计算 VCO_2。② 肺泡死腔量＝y 的面积。③ 解剖死腔量＝$z＋p$ 的面积。④ a-$_{ET}DCO_2$ 值，反映 V_D/V_T 变化。

CO_2 容积关系曲线图的 α 角较 CO_2 波形图大，约 $100 \sim 110$ 度。α 角度变大和 a-$_{ET}DCO_2$

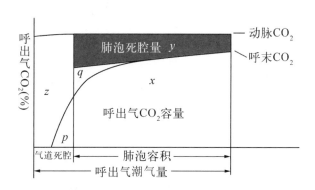

图 25－16　CO_2 容积关系曲线图

值升高都说明 V/Q 比率增加,死腔增大。

在呼吸、循环功能正常时,肺内 V/Q 分布和时间常数均在正常范围,$PaCO_2 \approx P_ACO_2 \approx P_{ET}CO_2$,$a_{-ET}DCO_2$ 几乎等于 0。但由于 V/Q 在肺内分布的正常生理差异,所以 $PaCO_2$ 和 $P_{ET}CO_2$ 并不总是能够相等,一般可相差 $1\sim4$ mmHg。青少年和孕妇(因肺血流增多)差别较小,老年人较大。但在有心、肺疾患时,其 $a_{-ET}DCO_2$ 值增大,可高达 $10\sim20$ mmHg,$P_{ET}CO_2$ 不再能反映 $PaCO_2$,此时需直接监测 $PaCO_2$,了解通气功能情况,以免发生误导。此外,也可从 $a_{-ET}DCO_2$ 的差值,了解和判断呼吸、循环功能损害的程度。心肺功能正常者全身麻醉后,因肺内分流和死腔增加,$a_{-ET}DCO_2$ 一般增加至 5 mmHg 左右。但老年病人、心肺疾病人可以相差甚多。在重症呼衰时,$a_{-ET}DCO_2$ 差值是判断通气效果和 V_D/V_T 的有用指标。其差值增大,说明死腔通气增多。

第三节　不同气道问题的呼吸监测

麻醉期间可以发生各种各样的呼吸问题,不同情况下气道管理重点不同,宜合理应用呼吸监测,及时发现和处理各种异常情况,确保安全。

一、气道阻塞及气道痉挛

麻醉期间可以发生气道部分或完全梗阻,宜积极预防和及时处理。

(一)舌后坠

重度镇静、昏迷病人或全麻后咬肌及下颌关节松弛,当平卧时常导致舌根后坠,不同程度紧贴咽后壁使气道完全或部分阻塞,后者还出现鼾声而不能像睡眠中间断消除。只要加强呼吸运动的观察、认真细致的听诊都能及时发现。在无人工气道时应用麻醉性镇痛药、镇静药、静脉麻醉药等时均可能发生舌后坠,应加强监测。

（二）喉痉挛

喉痉挛是机能性上气道梗阻，也是麻醉中防止异物侵入气道的一种防御反射。其发生的原因均在麻醉过浅，未用肌松药及气管插管或用硫喷妥钠、氯胺酮等药诱导使咽喉部应激性增高状态下，直接刺激咽喉或间接刺激远隔部位引起喉痉挛，如喉镜置入或口咽通气管直接刺激咽喉或间接牵拉直肠、肛门引起神经反射激发喉痉挛，在缺氧和二氧化碳蓄积时更易促成喉痉挛。

喉痉挛可以通过呼吸运动观察和听诊确诊。不同程度的喉痉挛有不同的临床表现，通过监测易分辨。① 轻度喉痉挛：吸气时声带紧张、声门裂变窄，发出高亢的喉鸣声。② 中度喉痉挛：气流受阻而发出粗糙的喉鸣，吸气时可有三凹体征。③ 严重喉痉挛：咽喉部肌肉皆进入痉挛状态，声带、假声带和勺状会厌襞完全内收，使气道完全梗阻，出现三凹体征及严重紫绀，应立即处理。可静脉注入琥珀胆碱及面罩加压给氧或气管插管等，紧急时可先用 16 号粗针穿刺环甲韧带，解除梗阻，挽救生命。

（三）支气管痉挛

支气管痉挛为下气道的保护性反射，有哮喘病史或过敏体质的病人围术期可发生哮喘发作。呈现可逆性呼气梗阻及喘鸣，人工呼吸挤压呼吸囊阻力大，甚至不能进气。

自主呼吸时发生支气管痉挛可通过发现呼气性呼吸困难、听诊发现喘鸣确诊。机械通气期间出现气道压显著增加、CO_2 波形显示呼气渐增型、$P_{ET}CO_2$ 显著增加、1 秒用力呼气量（FEV_1）及最大呼气流率（$FEV_{25\%\sim75\%}$）显著降低等监测异常，再通过听诊而确诊。

二、特殊病人的呼吸监测问题

（一）小儿呼吸监测

小儿呼吸道解剖和气体交换的特点均有别于成人，小儿麻醉的死亡率仍高于成人，通气不足的发生率也高于成人，且常常是致命的原因，说明麻醉期间监测尤其是呼吸监测还不完善。婴幼儿特殊解剖、生理特点决定气道管理要求高、呼吸监测尤显重要。婴幼儿颈部肌肉较软弱，不能支持头部重量，气管插管后如头部固定不牢，易摩擦声门，造成损伤、水肿，头前屈易使导管脱出声门，头后仰易使导管误入单侧总支气管。未插气管导管小儿仰卧位极易发生舌后坠。连续气道力学监测可有效地动态监测小儿。

（二）开胸手术及胸肺疾病病人非开胸手术的呼吸监测

单肺通气手术双腔管位置不当的发生率（34.7%）相当高，插管、体位变更和手术操作均可移位，且术中血流动力学和呼吸力学变化很大，CAM 可提供良好的条件。用传统方法来确认肺移植反应的严重低氧血症发现较迟，而 CAM 监测技术为肺移植反应的早诊断和处理争取了时间。

（三）腹腔或胸腔镜手术的呼吸监测

多项研究显示 CO_2 气腹（腹内压 12～15 mmHg）可降低顺应性 20％～47％,各研究结果的差别,可能源于手术体位、时间和麻醉、肌松深度的不同。但是术中病人呼吸顺应性应当是基本维持平稳的,如再次突然出现 P－V 环向右下倾斜和顺应性值降低将强烈提示气胸出现,而以前的诊断只突出了血氧失饱和状态、呼吸困难或通气调整后仍存在紫绀等重要症状,故持续的顺应性监测能及时、可靠地诊断术中气胸。胸腔镜术中也可产生相应的变化。

（四）复苏与重症监护的呼吸监测

通过连续观察 P－V 环、F－V 环和 CO_2 波形的改变,诊断术中气胸、心搏骤停和评价心肺复苏效果;同时可指导休克治疗。

（五）术中静脉气栓的监测

静脉气栓（VAE）易发生于脑外科、矫形外科等的坐位手术,但是迄今为止 VAE 的术中诊断手段或无特异性或操作繁琐。Kytta 等从临床病例及随后的动物实验中观察到,出现 VAE 时即有呼末氧浓度显著上升和呼吸顺应性显著下降,提示 CAM 在术中 VAE 诊断方面的临床研究价值。

（陈杰　杭燕南）

参 考 文 献

1　Miller RD. Miller's Anesthesia. 6th ed. New York：Churchill Livingstone，2005：1437～1482.

2　杭燕南,庄心良,蒋豪,等主编. 当代麻醉学. 上海：上海科学技术出版社,2002：1075～1088,1089～1105.

3　庄心良等主编. 现代麻醉学. 第 3 版. 北京：人民卫生出版社,2004：1997～2007.

4　Martin T. Principles and Practice of Intensive Care Monitoring. New York：MeGraw-Hill，INC，1998

5　Banner MJ. Critical Care. 3rd ed. New York：Lippincott-Raven，1997：209.

6　Mirski M A, Lele A V, Fitzsimmons L, et al. Diagnosis and Treatment of Vascular Air Embolism. Anesthesiology,2007，106(1)：164～177.

7　Lu Q, Vieira SR,Richecoeur J, et al. A simple automated method for measuring pressure-volume curves during mechanical ventilation. Am J Respir Crit Care Med，1999，159：275～282.

8　Lichtenstein D, Goldstein I,Mourgeon E,et al. Comparative diagnostic performances of auscultation, chest radiography，and lung ultrasonography in acute respiratory distress syndrome. Anesthesiology, 2004，100：9～15.

第26章 镇静药、镇痛药及肌肉松弛药在气道管理中的应用

ICU 中危重病病人的气道管理,除了呼吸支持等有效手段之外,常需要使用镇静药、镇痛药及肌松药。镇静和镇痛药可维持病人舒适,必要时应用肌肉松弛药对维持气道通畅和最佳机械通气效果。但随着药物作用增强,可能产生不良反应。因此,需要严密监测,准确实施,确保病人安全。

第一节　镇静药

镇静药常用于辅助治疗焦虑、谵妄和躁动。镇静是产生一种不再有焦虑的放松而平静的状态。轻度镇静是指病人可对语言和指令刺激做出适当的反应。深度镇静是指对语言刺激无反应,但对触摸、疼痛或其他伤害行刺激有反应。在 ICU 通常的镇静水平是既能保持病人镇静而又能被容易唤醒,以维持正常的睡眠苏醒周期。有些病人可能需要深度镇静以便机械通气。理想的镇静水平应在治疗开始时就明确,并且随着病人临床状态的变化随时评估。

一、对焦虑、谵妄和躁动的评估

焦虑是没有认知障碍的、令人不愉快的情绪及情感的改变。此种病人仍能正常的思考和理解。谵妄与焦虑一样,具有不愉快的情绪改变。不同之处是谵妄伴有急性精神错乱及认知功能障碍。无论焦虑或谵妄,常常(但不一定)伴有躁动,它是由各种类型的内部不适所引起的过分活动。躁动可伴随谵妄、疼痛以及对死亡的恐惧感等。躁动可对病人产生有害影响,导致呼吸机不同步,耗氧量增加,无意的拔除监测装置和导管等。

当病人表现出焦虑和躁动时,首要的任务是确认并处理紊乱的生理状况,例如:低氧血症、低血糖、低血压、疼痛和酒精及其他药物的戒断反应;因为持续噪声(来自仪器的报警和工作人员的谈话);持续的周围灯光和过度的刺激(频繁的测量生命体征,变换体位,缺乏活动和室温变化等);睡眠被打扰;疼痛;恐惧;病人对自身疾病的担心可以增加病人的焦虑。

发生率大于 50% 的 ICU 病人有焦虑症状。躁动常见于 ICU 所有年龄段的病人,71% 的病人至少发生过一次躁动。

（一）镇静和躁动的评估

1. 主观评估　镇静躁动评分(SAS)见表 26 - 1。

表 26 - 1　镇静和躁动评分方法

分　数	描　述	定　义
Riker 镇静和躁动评分 SAS		
7	危险躁动	拉扯气管内插管,试图拔导管,爬床栏,敲打医务人员,翻来覆去
6	十分躁动	不顾语言提醒,镇定不下来,需要身体限制
5	躁动	焦虑或轻微躁动,试图坐起。语言指导后可镇静
4	安静和能合作性镇静	镇定,容易唤醒,听从命令
3	镇静	不易唤醒,语言刺激或轻轻摇动可醒后再次入睡,听从简单命令
2	十分镇静	物理刺激苏醒,不能交流及听从命令,可自主移动
1	不能唤醒	对恶性刺激轻微或无反应,不能交流及听从命令
肌肉运动评估评分 MAAS		
6	危险躁动	无外界刺激就有活动,不配合,拉扯气管插管及导管,翻来覆去袭击医务人员,试图爬出床栏,要求时不能安静下来
5	躁动	无外界刺激就有活动,试图坐起或向床外伸出肢体,不一致性的听从命令(如要求就躺下但马上恢复并想坐起或向床外伸出肢体)
4	烦躁配合	无外界刺激就有活动,病人摆弄床单或插管,暴露自己,听从命令
3	镇定配合	无外界刺激就有活动,病人有目的的整理床单或衣服,听从命令
2	触摸、叫名字有反应	睁眼,抬眉,向刺激方向转头,触摸或大声叫名字时移动肢体
1	只对恶性刺激反应	睁眼,抬眉,向刺激方向转头,恶性刺激时移动肢体
0	无反应	恶性刺激时无活动
Ramsay 评分		
1	醒着	病人焦虑、躁动或烦躁,或两者都有
2		病人配合,有定向力,安静
3		病人只对命令有反应
4	睡着	对眉间灯光或大声听觉刺激有敏捷反应
5		对眉间灯光或大声听觉刺激有迟钝反应
6		对眉间灯光或大声听觉刺激无反应

恶性刺激=吸痰或 5 秒钟的用力按压眼眶、胸骨或甲床

2. 镇静的客观评估

（1）过度镇静或当治疗性使用神经肌肉阻滞剂掩盖病人动作行为时,客观测试病人的镇静水平是有帮助的。

（2）客观镇静评估方法可使用心率变化和食管下段收缩性等指标,但是大部分是以脑电图(EEG)变化为基础。脑电图的原始信号通过一系列处理,从而简化床边解读并提高可信度,例如:双谱指数(BIS)使用从 100(完全苏醒)至 0(等电位 EEG)的数字评分。

（3）尽管 BIS 可能是一个客观评估镇静或催眠药物效果的有前途的方法,但它在 ICU 环境中却有局限。在相同的主观镇静水平下,会得到不同 BIS 评分,而在轻度镇静时主观

评分可能有更好的可重复性。如果病人没有接受神经肌肉阻滞剂,肌肉的电活动可以干扰性地提高 BIS 评分。

（二）谵妄评估

在 ICU 多达 80％的病人会有谵妄症状。其临床特点为精神状态突然改变或情绪波动,注意力不集中,思维紊乱和意识状态改变,伴有或不伴有躁动状态。也可以是情绪过于低沉或过于兴奋或两者兼有。给镇静剂后出现精神错乱。诊断谵妄的金标准仍然是依据临床检查及病史。ICU 病人精神错乱评估法(CAM-ICU)是一种适用于在 ICU 床边进行,专门为使用呼吸机病人诊断谵妄的方法。按 CAM-ICU 标准,87％的 ICU 病人会被诊断为谵妄,平均出现时间是入 ICU 后第二天,持续时间是(4.2±1.7)d。不适当的使用镇静镇痛药物可能会加重谵妄症状,有些精神症状或谵妄的病人,接受镇静药物时会变得迟钝或思维混乱,导致躁动行为。氯丙嗪、氟哌啶醇是最常用的治疗谵妄的药物。异常的精神症状,如幻觉、妄想、思维错构等会得到抑制,但病人对周围环境却失去兴趣,产生所谓典型的平脑效应。氟哌啶醇有很长的半衰期(18～54 h),对于急性发作谵妄的病人需给负荷剂量,首剂负荷 2 mg,然后若躁动症状不缓解,每 15～20 min 重复一次 2 mg。一旦谵妄症状受到控制,规律用药(如每 4～6 h 一次)要继续几天,然后逐渐减量。也有报道用静脉持续泵入 3～25 mg/h 的方法,达到更加恒定的血浆药物浓度。氟哌啶醇的药代动力学可能会受到其他药物的影响。神经阻滞剂能引起剂量相关的心电图 QT 间期延长,增加室性心律失常的危险,(如:尖端扭转性室速)。有报道称氟哌啶醇累计用量达 35 mg 就有可能引起明显的 QT 间期延长,静脉注射 20 mg 左右,几分钟内就会出现心律失常。已有心脏病史的病人更易出现此类不良反应。与氟哌啶醇有关的尖端扭转性室速发生率目前不清楚,发生率仅为3.6％。此类药物还会引起锥体外系症状,与氟哌啶醇的一种活性代谢产物有关。有报道静脉注射氟哌啶醇,发生锥体外系症状较口服用药少,但是同时使用苯二氮䓬类药物会掩盖锥体外系症状,在减量和停药后,自限性运动失常还会持续数天至 2 周。

二、常用镇静药物

（一）苯二氮䓬类药物

苯二氮䓬类药物是理想的镇静剂和催眠剂,产生顺行性遗忘,但不造成逆行性遗忘。无镇痛作用,但与阿片类镇痛剂具有协同作用,可大大减少阿片类镇痛剂的用量。老年病人对苯二氮䓬类药物及其活性代谢产物清除缓慢,且有较大的药物分布容积,易导致明显的药物清除延长。肝肾功能损害亦会减慢苯二氮䓬类药物及其活性代谢产物的清除。

咪达唑仑给药后 2～3 min 达到峰效应,0.13～0.2 mg/kg 的最强通气抑制在静注后3 min 出现,通气抑制可以持续 60～120 min。咪达唑仑的给药速度影响最强通气抑制的出现时间,给药速度越快,最强抑制出现越早。在慢性阻塞性肺疾病病人中,咪达唑仑的呼吸抑制作用较强,持续时间较长。

咪达唑仑的血流动力学效应是剂量相关的。血浆浓度越高,动脉压下降得越多;然而也存在平台,即当血浆浓度超过 100 ng/ml 后,血流动力学几无变化。血流动力学不稳定的病人当镇静开始时常会出现低血压。间断或"按需"使用咪达唑仑可以达到理想的镇静水平。对于需要频繁用药才能保持镇静效果的病人,可以改用静脉持续输注的方法,而且节省用药量。但应谨慎使用,药物及其活性代谢产物的蓄积会产生药物过量。经常评估病人的镇静水平和主动减小输注速率可以防止镇静作用过长。经几小时或几天之内的治疗后,苯二氮䓬类药物耐受性会产生。轻度镇静时会观察到的躁动,可能是药物导致的遗忘或定向力障碍的结果。咪达唑仑仅建议短期使用,因为持续输入 48~72 h 以上时,它的苏醒时间和拔管时间无法预测。

在长期苯二氮䓬类药物治疗的病人中,不推荐常规应用苯二氮䓬类的拮抗剂,如氟马西尼。因为 0.5 mg 的氟马西尼就有诱导戒断症状和增加心肌耗氧量的风险。对接受咪达唑仑输注的病人静注 0.15 mg 氟马西尼产生很少的戒断症状。如果要测试苯二氮䓬类治疗几天后的延长镇静效果,推荐使用单剂氟马西尼。

(二)丙泊酚

丙泊酚是一种静脉使用的全身麻醉药,但是小剂量可表现镇静和催眠的特性。需要快速苏醒时(例如,进行神经学评价或拔管),首选丙泊酚镇静。与苯二氮䓬类药物相似,无镇痛特性。丙泊酚起效快,一旦停止用药镇静很快消失(表 25 - 2)。丙泊酚是磷酸酯为载体的一种乳剂形式,由脂肪提供 1.1 kcal/ml 的热量,是一个热量来源。短期镇静与病人的血浆脂质升高无关,长期或大剂量注射可导致高三酰甘油血症。丙泊酚增加血脂代谢障碍病人的脂质负荷,停药几天后病人的血脂即可恢复到正常水平,输注目标:三酰甘油 < 2 mmol/L,如果三酰甘油浓度增高,建议暂时停止丙泊酚,2%丙泊酚乳剂可相对减少输入体内的三酰甘油。

丙泊酚的其他常见不良反应包括低血压,心动过缓和外周静脉注射疼痛。发生低血压与剂量相关且多见于单次注射用药时。对血管收缩剂和强心剂需求升高或有心功能衰竭的病人在使用大剂量丙泊酚时,应该考虑其他镇静药物。丙泊酚用于神经外科病人的镇静可以减轻颅内压(ICP)的升高。治疗严重脑外伤时,使用丙泊酚和吗啡比单独用吗啡可以更好地控制 ICP。丙泊酚也可用于严重哮喘病人机械通气时镇静。

(三)右美托咪定

右美托咪定是一种高选择性的 α_2 肾上腺素能受体激动剂,通过作用于中枢神经系统的蓝斑而发挥作用。右美托咪定中 α_2:α_1 约 1 600:1,比可乐定高出 7~8 倍。近来被证实具有镇静作用,也有镇痛作用,此药经过肝脏代谢,从尿(96%)和粪便(4%)中排出,故肝功能不全者需减量,肾功能不全、性别和年龄不影响其代谢。右美托咪定可减少镇静镇痛剂的需要量,有相关报道称辅助呼吸病人联合使用右美托咪定可减少将近50%的吗啡用量。可短期($<24\,h$)应用于初期使用机械通气的病人。并具有抗焦虑作用。使用该药镇静的病人可被随时刺激唤醒,有利于神经系统检测,符合指南提出的日间定时唤醒。右美托咪定静脉输注后,可能短暂升高血压。是由于分布于血管平滑肌上的 α_2 受体兴奋,结果是血管收缩,血压和外周血管阻力先升高后降低,心率减慢,心排血量和心脏指数下降30%左右。特别是血管内容量不足或交感神经兴奋时,病人持续使用右美托咪定可出现心动过缓和低血压。老年病人使用相同剂量的右旋美托咪定,镇静持续时间延长,对心肌收缩力的抑制增强,心率减缓,扩张外周血管也更为明显。使用时适当减量并加强监测。右美托咪定的静脉输注剂量为 $0.5\sim1\mu g/(kg\cdot h)$。

(四)常用镇静药物的药理及剂量和用法

见表26-2。

表26-2 常用镇静药的药理及剂量和用法

药物	静脉注射后起效	半衰期	活性代谢产物	特殊不良反应	静脉间断用药*	持续静脉输注(常用)
地西泮	2~5 min	20~120 h	有(镇静延长)	静脉炎	0.03~0.08 mg/kg q0.5~6 h	
劳拉西泮	5~20 min	8~15 h	无	溶剂相关性酸中毒和肾衰(大剂量时)	0.02~0.06 mg/kg q2~6 h	0.01~0.1 mg/(kg·h)
咪达唑仑	2~5 min	3~11 h	有(镇静延长尤其肾衰)		0.02~0.05 mg/kg q0.5~2 h	0.04~0.1.5 mg/(kg·h)
丙泊酚	1~2 min	26~62 h	无	三酰甘油升高,注射部位疼痛	0.5~1.0 mg/kg	5~80 μg/(kg·min)
氟哌啶醇	3~20 min	18~54 h	有(EPS)	QT间期延长	0.03~0.15 mg/kg q0.5~6 h	0.04~0.15 mg/(kg·min)
右美托咪定	6 min	2 h	无		1 μg/(kg·h)	0.2~0.5 μg/(kg·h)

*均应缓慢静注,并注意低血压和呼吸抑制;EPS=锥体外系症状。

(五)镇静药物的选择

药物选择往往是复杂的。应考虑所选用药物的药代动力学,包括血浆半衰期、分布容积;活性代谢产物的形成;药效动力学,即药物对具体病人的效应;不良反应和价格等。药物的价格可有很大的不同。

第二节 镇痛药

镇痛指减轻或消除对疼痛或恶性刺激的感觉。未缓解的疼痛可造成睡眠不足,进而造成疲劳和定向力障碍。ICU病人的躁动可来自于疼痛缓解不完全。未缓解的疼痛还可引发心动过速、心肌耗氧增加,高凝状态,免疫抑制和持续分解代谢等应激反应。

镇静镇痛药物的联合使用可抑制危重病人的应激反应。疼痛可刺激疼痛区周围肌肉的保护性反应、全身肌肉僵直或痉挛等限制胸壁和膈肌运动进而造成呼吸功能不全。有效的镇痛可消除术后病人的肺部并发症。

有许多因素可引起 ICU 病人的疼痛和身体不适,例如:原发疾病、侵入性操作或外伤。病人的疼痛或不适也可能是由于监护和治疗设备(例如:导管、引流、无创呼吸设备和气管内插管)以及日常护理操作(例如:气道吸痰、物理治疗、换药和病人活动)和长期制动。

一、疼痛评估

最可靠和有效的疼痛指标是病人的主诉。疼痛评估应包括疼痛的部位、特点,加重及减轻因素和强度。

(一)一维疼痛评估法

语言评分法(RVS)、视觉模拟法(VAS)和数字评分法(NRS)。VAS 是用一个 10 cm 的水平直线,两端分别定为从不痛或最痛。变量包括垂直分区或数字标识。VAS 是一个对许多病人群体有效和可靠的方法。高龄病人应用 VAS 会有困难。NRS 是一个从 0~10 的点状标志,病人选一个数字描述疼痛,10 代表最痛。NRS 和 VAS 有关联,也是有效的方法之一。因为病人能用写或说来完成 NRS,并且它可应用于许多年龄段的病人,在危重病人中 NRS 比 VAS 更适合。

(二)多维疼痛评估法

McGill 疼痛问卷和 Wisconsin 简单疼痛问卷,可测量疼痛强度和疼痛的感知、情感和行为反应,但使用费时,且在 ICU 环境不实用。

(三)行为-生理学评分法

当危重病人如被镇静、麻醉或接受神经肌肉阻滞剂时常常不能表达疼痛的强度。在这种情况下 VAS 或 NRS 也不能解决这个问题,因为它们依赖于病人和医护人员之间的交流能力。在这些病人中各种行为-生理学评分也许能用于评估疼痛。

二、镇痛治疗

(一)非药物性干预

包括注意适当安置病人的体位,骨折的固定和消除物理刺激(如:呼吸机管道的适当放置,以避免气管内插管的牵拉)。使用加热和降温治疗也会有帮助。

(二)药物治疗

阿片类药物,非甾体类抗炎药和对乙酰氨基酚类(药理特点见表 26-3)。阿片类药物通过作用于不同的中央和外周阿片受体来镇痛。目前可用的阿片类药物能作用于许多不同的受体,但 μ 和 κ 受体对镇痛最重要。对其他受体的作用会产生不良反应。

三、常用镇痛药

(一) 阿片类药

理想的阿片类药物应具有以下优点:起效快、易调控、较少的药物及其代谢产物的蓄积和费用低廉。阿片类药物的不良反应在 ICU 病人中最主要的问题是对呼吸、血流动力学、中枢神经系统和胃肠道的作用。阿片类药物的不良反应主要是引起呼吸抑制、血压下降和胃肠蠕动减弱;在老年人尤其明显。阿片类药诱导的意识抑制可干扰对重症病人的病情观察,在一些病人还可引起幻觉、加重烦躁。

预防疼痛比治疗已存在的疼痛更有效。如果病人在"按需"的基础上使用药物,他们可能接受更少的处方剂量和推迟镇痛的时间,但是这对病人的预后没有影响。每个病人都应建立疼痛治疗计划和治疗目标,并随临床情况的变化重新评估和调整。镇痛药应该持续或定时间断使用,必要时再补充追加剂量。静脉用药常比肌肉用药需更少和更频繁用药来达到病人的舒适。因为局部的灌注不良和吸收不确定,不推荐对血流动力学不稳定的病人采用肌内注射方式。当应用持续静脉注射时,包含每日定时唤醒计划可达到更有效的镇痛控制和更小的吗啡总剂量。每日唤醒还和缩短机械通气时间和 ICU 停留期相关。在非危重病病人中,使用病人自控镇痛法(PCA)可达到稳定的药物浓度,高质量的镇痛、更轻的镇静、更小的阿片类药物消耗和更少的潜在不良反应,包括呼吸系统并发症等。另外,保持一个基本给药频率或持续注射模式就可用于睡眠期持续镇痛。使用 PCA 时病人有用药时间决定权是重要的,但应特别关注病人的认知能力,血流动力学储备和既往的阿片类药物用量。阿片类药物的拮抗剂,如纳洛酮,不能使用于长期镇痛的病人,因为它能诱发戒断反应及造成恶心,心脏应激和心律失常。同时具有激动—拮抗作用的镇痛药,也能引发戒断症状,在长期使用阿片类药物的病人身上应尽量避免使用。

治疗剂量的吗啡对血容量正常病人的心血管系统一般无明显影响。对低血容量病人则容易发生低血压,在肝、肾功能不全时其活性代谢产物可造成延时镇静及不良反应加重。间断治疗时首选吗啡,因为其作用时间长。

芬太尼具有强效镇痛效应,其镇痛效价是吗啡的 $100\sim180$ 倍,静脉注射后起效快,作用时间短,对循环的抑制较吗啡轻。但重复用药后可导致明显的蓄积和延时效应。快速静脉注射芬太尼可引起胸壁、腹壁肌肉僵硬而影响通气。用于急性疼痛病人的快速止痛时,首选芬太尼。对于血流动力学不稳定或肾功能不全的病人,首选芬太尼。

瑞芬太尼是新的短效 μ 受体激动剂,在 ICU 可用于短时间镇痛的病人,多采用持续输注。瑞芬太尼代谢途径是被组织和血浆中非特异性酯酶迅速水解。代谢产物经肾排出,清除率不依赖于肝肾功能。在部分肾功不全病人的持续输注中,没有发生蓄积作用。对呼吸有抑制作用,但停药后 3～5 min 恢复自主呼吸。

舒芬太尼的镇痛作用约为芬太尼的 5～10 倍,作用持续时间为芬太尼的两倍。一项与瑞芬太尼的比较研究证实,舒芬太尼在持续输注过程中随时间剂量减少,但唤醒时间延长。

哌替啶(杜冷丁)镇痛效价约为吗啡的 1/10,大剂量使用时,可导致神经兴奋症状(如欣快、谵妄、震颤、抽搐),肾功能障碍者发生率高,可能与其代谢产物去甲哌替啶大量蓄积有关。哌替啶禁忌和单胺氧化酶抑制剂合用,两药联合使用,可出现严重不良反应。所以在 ICU 不推荐重复使用哌替啶。

(二)非阿片类镇痛药

NSAIDs 通过非选择性、竞争性抑制在炎症反应中的关键性酶——环氧化酶(COX)达到镇痛效果。NSAIDs 可能造成明显的不良反应,包括胃肠道出血、血小板抑制后继发性出血和出现肾功能不全。低血容量或低灌注病人,老年人和有既往肾功能障碍的病人更易发生 NSAIDs 引发的肾功能损害。酮咯酸长期使用(>5 d)会增加 2 倍的肾功能衰竭风险和增加胃肠道或手术部位出血的风险。NSAIDs 不能用于哮喘和阿司匹林过敏的病人。尽管 NSAIDs 的镇痛效果没有在危重病人中系统地研究过,但使用 NSAIDs 可减少阿片类药物的需要量。

对乙酰氨基酚可用于治疗轻至中度疼痛。对乙酰氨基酚和阿片类联合使用时有协同的作用,可减少阿片类药物的用量。对乙酰氨基酚在危重病人中的作用,局限于缓解诸如长期卧床有关的轻度疼痛和不适,或当做解热剂。应当注意避免大剂量使用,特别是在肝功能衰竭或营养不良造成的谷胱甘肽储备枯竭的病人身上可能产生肝毒性。对那些有明显的饮酒史或营养状态不良的病人使用对乙酰氨基酚剂量应小于 2 g/d,其他情况小于 4 g/d。

帕瑞昔布(特耐)是第一种注射用选择性环氧合酶(COX)-2 抑制剂。帕瑞昔布是伐地昔布的水溶性前体,克服了选择性 COX-2 抑制剂仅有口服剂型的状况,满足了围手术期选择性 COX-2 抑制剂非胃肠道途径给药的临床需求,提供一种新的镇痛治疗选择。适用于手术后疼痛的短期治疗。推荐剂量为 40 mg,静脉注射(IV)或肌内注射(IM)给药,随后视需要间隔 6～12 h 给予 20 mg 或 40 mg,每天总剂量不超过 80 mg。可直接进行快速静脉推注,或通过已有静脉通路给药。肌内注射应选择深部肌肉缓慢推注。疗程不超过 3 d。通常,对于老年病人(≥65 岁)不必进行剂量调整。但是,对于体重低于 50 kg 的老年病人,帕瑞昔布的初始剂量应减至常规推荐剂量的一半且每日最高剂量应减至 40 mg。不推荐在儿童或青少年中使用。禁忌证包括:有严重药物过敏反应史,尤其是皮肤反应,如皮肤黏膜眼综合征(Stevens-Johnson 综合征)、中毒性表皮坏死松解症、多形性红斑等,或已知对磺胺类药物超敏者,活动性消化道溃疡或胃肠道出血,服用阿司匹林或非甾体抗炎药(包括 COX-2 抑制剂)后出现支气管痉挛、急性鼻炎、鼻息肉、血管神经性水肿、荨麻疹以及其他过敏反应的病人,处于妊娠后三分之一孕程或正在哺乳的病人,严重肝功能损伤(血清白蛋白<25 g/L 或 Child-Pugh 评分≥10),炎症性肠病,充血性心力衰竭(NYHAII-IV),冠状动脉搭桥术后用于治疗术后疼痛,已确定的缺血性心脏疾病、外周动脉血管和(或)脑血管疾病。

氟比洛芬酯(凯纷)以脂微球为药物载体的非甾体类镇痛剂。药物进入体内靶向分布到创伤及肿瘤部位后,氟比洛芬酯从脂微球中释放出来,在羧基酯酶作用下迅速水解生成氟比洛芬,通过氟比洛芬抑制前列腺素的合成而发挥镇痛作用。通常成人每次静脉给予氟比洛芬酯 50 mg,尽可能缓慢给药(超过 1 min 以上),根据需要使用镇痛泵,必要时可重复应用。并根据年龄、症状适当增减用量。禁忌证包括:消化道溃疡病人;严重的肝、肾及血液系统功能障碍病人;严重的心衰、高血压病人;阿司匹林哮喘,或有既往史的病人;正在使用依洛沙星、洛美沙星、诺氟沙星的病人。

(三)常用镇痛药

见表 26-3。

表 26-3　常用镇痛药的药理及剂量和用法

药物	相同镇痛剂量 iv	半衰期	活性代谢产物(效应)	不良反应	间断用药	持续用药量范围
芬太尼	200 μg	1.5～6 h	无代谢产物,无蓄积	大剂量时强直	0.35～1.5 μg/kg iv q0.5～1 h	0.7～10 μg/(kg·h)
氢吗啡酮	1.5 mg	2～3 h	无		10～30 μg/kg iv q1～2 h	7～15 μg/(kg·h)
吗啡	10 mg	3～7 h	有(镇静特别在肾功能不全时)	组织胺释放	0.01～0.5 mg/kg	0.07～0.5 mg/(kg·h) iv q1～2 h
哌替啶	75～100 mg	3～4 h	有,神经兴奋特别在肾功能不全	避免 MAOIs 和 SSRIs	不推荐	不推荐
可待因	120 mg	3 h	有,镇静和镇痛	缺少潜力组织胺释放	不推荐	不推荐
瑞芬太尼		3～10 min	无			0.6～15 μg/(kg·h)
酮咯酸		2.4～8.6 h	无	出血,消化道和肾不良反应	15～30 mg iv q6h 年龄>65 岁或体重>50 kg或肾衰减量,避免用药>5 d	
异布洛酸		1.8～2.5 h	无	出血,消化道和肾不良反应	400 mg po q4～6 h	
对乙酰氨基酚		2 h			325～650 mg po q4～6 h 避免>4 g/d	

MAOI=单胺氧化酶抑制剂;SSRI=选择性血管紧张素摄取抑制剂。

第三节　肌肉松弛药

由于现代呼吸机的性能较好,适用于 ICU 不同病情变化的呼吸模式也日益增多,病人自主呼吸与呼吸机对抗也越来越少。因此,近年来肌松药在 ICU 中应用逐渐减少。

一、目的和使用范围

(一)消除病人自主呼吸与机械通气对抗

为了消除病人自主呼吸与机械通气对抗和防治气道压力过高,如调整呼吸参数后仍未解决,可考虑使用肌松药,因为较高的气道压力可加重机械通气对心血管功能和器官血流的影响,并易致肺气压伤;ARDS 及哮喘持续状态的病人,气道压力升高,常发生病人呼吸与机械呼吸对抗;胸部外伤病人(气管或支气管破裂等)适当减低胸内压也很重要,以免加重对呼吸和循环的影响。特别是在一些实施特殊呼吸治疗的病人中,例如"反比通气"、"可允许性高碳酸血症"等,指征尤为强烈。但在用肌松药同时应注意去除气道压力升高的原因,若有低氧血症、代谢性酸中毒及肺顺应性降低等,经机械通气呼吸模式、潮气量和呼吸频率等参数调整,在短期内仍不易纠正者,可使用肌松药,以便发挥机械通气的有效呼吸支持作用。

(二)控制抽搐和胸壁僵直

破伤风、癫痫持续状态和脑缺氧后抽搐等痉挛性疾病,可影响呼吸和加重缺氧;镇痛药芬太尼静注过快或剂量太大,可使胸壁僵直,也影响通气,应用肌松药可使抽搐停止,胸壁僵直消失,保证有效通气。

(三)消除寒战、降低呼吸做功和减少氧耗

呼吸急促、用力或寒战,不能达到机械通气有效呼吸治疗的目的,使呼吸做功和氧耗增加,甚至导致缺氧,应用肌松药可使上述情况改善。

(四)降低颅内压

闭合性脑外伤及颅内肿瘤病人颅内压升高,应用肌松药,同时给予镇静药和镇痛药,减轻疼痛和不良刺激,有利于维持正常脑血流,可使颅内压降低。但文献报道尚有争议,认为对应用肌松药后降低颅内压的作用不明显。

(五)治疗、诊断或病情要求严格制动

诊断方面如为了便于 MRI、CT 检查,需要制动。治疗方面包括气管插管、气管切开等操作;心脏等大手术后循环功能不稳定,应用肌松药后,应用呼吸机进行呼吸支持,既保证充分供氧和维持正常二氧化碳分压,有利于心血管功能的恢复。

二、肌松药的剂量和用法

机械通气使用肌松药的剂量,常较手术麻醉时大。根据文献报道和临床经验,首次剂量相当于气管插管剂量,但个体差异较大,部分病人应用1/2插管剂量即可,少数病人可超过插管剂量,每小时静脉连续输注的剂量与气管插管剂量相近(表26-4)。分析ICU中病人肌松药用量比手术麻醉时大的原因如下:① 镇静药和镇痛药剂量不足,尤其是清醒病人肌松药的用量更大;② ICU中病人与手术麻醉病人的病情不同,尤其是年轻人,原来无肺部疾患,肺顺应性明显降低,则肌松药的用药剂量较大;③ 长期用药可产生耐药性。

表26-4 ICU中病人常用肌松药的剂量和用法

肌松药	首次剂量 (mg/kg)	单次静注 (mg/kg)	连续输注 (mg/kg·h)
潘库溴铵	0.06～0.1	0.01～0.05	
哌库溴铵	0.06～0.1	0.01～0.05	
维库溴铵	0.06～0.15	0.01～0.04	0.06～0.1
罗库溴铵	0.6～1.0	0.15～0.3	0.3～0.6
阿曲库铵	0.4～0.5	0.1～0.15	0.3～0.6
顺阿曲库铵	0.1～0.15	0.05～0.1	0.1～0.15

ICU中选用合适的肌松药后,希望停药后肌张力迅速恢复,以便停药后能立即撤离呼吸机和评定脑功能,而ICU中肾功能损害非常常见,以肾脏排泄为主要消除途径的长效肌松药如潘库溴铵等不适合用于这类病人,以免时效延长。对呼吸功能不全合并肾功能受损病人应用较多的肌松药是阿曲库铵、维库溴铵、罗库溴铵及顺阿曲库铵,因时效短,需持续静滴或静注维持肌松。阿曲库铵用量较手术麻醉时大,甚至高达1.0 mg/(kg·h),且仍需复合应用吗啡和咪达唑仑,但停药后肌张力恢复快而完全。维库溴铵的应用剂量个体差异大,代谢产物有肌松作用,长期用药停药后恢复时间延长,且规律性不好。有报道维库溴铵1 mg/kg,停药后37 h肌张力仍未恢复。持续性支气管哮喘病人,应避免使用甾类肌松药,对哮喘持续状态且用激素治疗者,不宜选用甾类肌松药,更应避免长期用药等,以免产生甾类肌松药综合征,合并应用大剂量皮质激素治疗的病人更易发生,以致停药后肌张力长时间不恢复产生严重软瘫,血肌酸激酶升高和肌坏死,需人工通气维持,恢复缓慢,常需历时数月。这类病人应用苄异喹啉类肌松药如阿曲库铵,发生此情况者少见。但阿曲库铵的代谢产物N-甲四氢罂粟碱,有中枢兴奋作用,犬的中毒水平为17 μg/ml,可引起癫痫样发作。人的中毒水平尚未确定,该代谢产物主要经肝代谢,部分经肾排泄,临床报道肾功能衰竭病人静注阿曲库铵0.6 mg/kg后以0.6 mg/(kg·h)维持29 h,停药后130 min,血中N-甲四氢罂粟碱已不能测出。另有报道即使阿曲库铵用量高达1.0 mg/kg,其代谢产物也未发现有中枢刺激现象。目前已有比阿曲库铵不良反应更少的顺式阿曲库铵,适用于肝、肾功能

不全及脏器移植病人实行机械通气有呼吸机对抗时使用。

ICU 中应用肌松药的给药方法一般主张小剂量间断静注,而不贸然采用持续静滴或静注,在追加药量之前一定要确定有肌张力恢复的确切证据后方可给药。Mascia 和 Murry 报道按肌松药指南合理用药,当 TOF<2 时停止用药,TOF>2 时维持目前输注速率,而 3>TOF>2 时,增加输注速率,TOF>3 则单次静注追加剂量,合理用药既安全又经济。对脓毒血症、肝肾功能衰竭和大剂量应用激素治疗的病人,肌松药不应长期应用,一般维持时间不超过 24 h。对哮喘持续状态且用激素治疗者,不宜选用甾类肌松药,更应避免长期用药。对自主呼吸与机械通气对抗的病人,应先针对病因,在应用肌松药前改变或选择合适的通气方式,调整镇静药和镇痛药用量,如未见效最后才考虑应用肌松药。

三、ICU 中应用肌松药的不良反应和注意事项

(一)不良反应

1. 对循环的影响　肌松药不良反应包括影响植物神经功能和释放组胺。剂量大时不良反应增加,以致引起心血管功能紊乱。琥珀胆碱可致心动过缓;潘库溴铵可阻断去甲肾上腺素再摄取和促进肾上腺素释放,引起血压升高和心动过速;大剂量筒箭毒碱可引起组胺释放,导致血压下降,大剂量阿曲库铵也可致心动过速。

2. 对呼吸影响　部分或完全箭毒化病人,气道保护性反射削弱,咳嗽反射减弱或被完全抑制,痰液难以排出易发生肺不张和肺部感染等并发症,病人长期卧床不动也可发生深部静脉栓塞和肺梗死。

3. 对神经系统影响　长期应用肌松药,可影响脑中乙酰胆碱受体,干扰血脑屏障功能。非去极化肌松药有中枢神经系统兴奋作用,可发生肌强直、抽搐及自主神经改变。

4. 对周围神经和肌肉的影响　长时间应用肌松药在停药后可出现长时间肌无力,其原因可能与肌松药所引起的肌病、运动神经元损害以及长时间的神经肌肉传递阻滞有关,Dodson 的研究发现,长期使用肌松药的病人,乙酰胆碱受体减少,从分子学说明肌病发生的机制。临床资料表明肌松药用药量大、用药时间长则神经疾病发病率高。肝肾功能不全以及哮喘病人应用激素治疗,当合用甾类肌松药时可发生严重软瘫、肌酸激酶升高和肌肉坏死,以致在停药后需机械通气的发生率增高达 $15\%\sim40\%$。促使急性肌病发生的因素包括营养不良、同时给予氨基糖苷类抗生素或环孢霉素、高血糖、肾或肝功能不全、发热及严重的代谢或电解质紊乱。关于"重症病人神经肌肉功能异常"(critical illness neuromuscular abnormalities, CINMA)的概念,这是一种在 ICU 病人中发生的以神经肌肉功能障碍为主的一组症候群。它的发病机制还不清楚,但是哮喘、多脏器功能衰竭、应用肌松药和大剂量激素是危险因素。在长期使用肌松药的病人中,可以观察到运动神经轴突病变、Ⅱ 型肌纤维减少、肌肉萎缩和肌纤维坏死。如同时使用大剂量激素,将加重上述病变。因此在 ICU

中应尽量避免肌松药和皮质类固醇同时应用,尽量使肌松药的应用限制于最小剂量最短时间。另外,长时间肌肉松弛使病人失去肌紧张性保护作用,易发生低温、褥疮及周围神经损伤,应引起重视,并加强保温和护理。

（二）注意事项

1. 排除与机械通气对抗的原因　包括呼吸机故障、呼吸参数调节不当、回路漏气及管道被分泌物阻塞等。

2. 重视肌松药的药代动力学变化　ICU中病人常有多脏器功能损害或减退,长期使用肌松药可产生蓄积作用,应引起注意:① 肾衰病人应避免使用主要肾脏排泄的肌松药,否则肌松作用将延长。肾移植后用免疫抑制剂环胞酶素可延长潘库溴铵的作用,对琥珀胆碱的作用时效无影响,但血钾浓度可明显高至危险程度;② 肝功能减退病人,合成假性胆碱酯酶减少,琥珀胆碱作用时间延长,对阿曲库铵和维库溴铵的影响较小;③ 阿曲库铵通过Hoffmann途径代谢,易在体内自行消除,可用于多脏器功能衰竭病人。

3. 正确选择药物和调节剂量　单次静注可选择中长效的肌松药,如潘库溴铵或哌库溴铵,心动过速者不宜用潘库溴铵。开始剂量较大,以后逐渐减少,只要能维持良好机械通气即可。

4. 静脉输注方法　应正确计算浓度和剂量,为保证持续而恒定地输注药物,最好用定量注射泵或输液泵,必要时应用神经肌肉功能监测仪,监测肌松程度,指导用药。

5. 与镇静药和镇痛药配合使用　应用神经肌肉阻滞药后,病人的疼痛和焦虑将被掩盖,因此必须使用镇静和镇痛药物来确保病人安睡和无痛,同时还可减少肌松药的剂量。

6. 加强肌松药作用监测　在持续用药期间原则上保持肌张力抑制 $80\% \sim 90\%$,用四个成串刺激监测时不应是四个肌颤搐完全消失,而要保留 T_1 或 T_1 和 T_2,在间断静注追加用药前用监测仪确定肌张力已有恢复后再追加用药。

7. 慎重使用肌松药　当危重病病人同时接受激素治疗时尤其应该注意。研究发现激素和肌肉组织持续松弛两种情况同时出现时肌病的发生率大大增加。在危重病肌病的病因回顾性研究中发现肌肉组织的持续松弛是疾病发展的唯一因素。因此,应避免连续使用肌松药,当必须使用肌松时,最好先间断给药,这样能使肌肉功能部分恢复,并能判断是否还要继续使用肌松药治疗。

（皋源　杭燕南）

参 考 文 献

1　李春盛,主译. 急诊气道管理手册. 第 2 版. 北京:人民卫生出版社,2008.

2　杭燕南,主编. 当代麻醉手册. 上海:上海世界图书出版公司,2004.

3　闻大翔,欧阳葆怡,杭燕南,主编. 肌肉松弛药. 上海:上海世界图书出版公司,2007.

4　庄心良,曾因明,陈伯銮,主编. 现代麻醉学. 第 3 版. 北京:人民卫生出版社,2006.

5 Hogarth DK, Hall J. Management of sedation in mechanically ventilated patients. Curr Opin Crit Care, 2004,10(1):40~46.

6 Kress JP,Pohlman AS, O'Connor MF, et al. Daily interruption of sedative infusions in critically ill patients undergoing mechanical ventilation. N Engl J Med, 2000,342(20):1471~1477.

7 Aldemir M, Ozen S, Kara IH, et al. Predisposing factors for delirium in the surgical intensive care unit. Crit Care ,2001,5(5):265~270.

8 Soliman HM, Melot C, Vincent JL. Sedative and analgesic practice in the intensive care unit: the results of a European survey. Br JAnaesth, 2001,87(2):186~192.

9 RikerRR, Picard JT, FraserGL. Prospective evaluation of the Sedation-Agitation Scale for adult critically ill patients. Crit CareMed ,1999,27(7):1325~1329.

10 Sessler CN, Grap MJ, Brophy GM: Multidisciplinary management of sedation nd analgesia in critical care. Semin Respir Crit Care Med, 2001, 22:211~226.

11 Park G,Coursin D, Ely EW, et al. Balancing sedation and nalgesia in the critically ill. Crit Care Clin, 2001, 17:1015~1027.

12 Kress JP,Pohlman AS, Hall JB. Sedation and analgesia in the intensive care nit. Am J Respir Crit Care Med, 2002, 166:1024~1028.

13 Liu LL,Gropper MA. Postoperative analgesia and sedation in the adult tensive care unit: A guide to drug selection. Drugs, 2003, 63:755~767.

第 *27* 章　围术期呼吸治疗药物

肺部病变是围术期较为常见的并发症,随着人口的老龄化,合并呼吸系统疾患的老年人逐渐增多,对于这些老年病人,围术期发生肺部并发症的可能性就更大。药物是治疗呼吸系统疾病的重要手段,下面分别介绍。

第一节　β肾上腺素受体激动剂

人体气道的 β 肾上腺素受体有两个亚型,即 β_1 和 β_2 受体。人体气道主要为 β_2 受体,该受体存在于不同的效应细胞,当这些受体兴奋时可产生不同的调节功能,如气道平滑肌 β_2 受体兴奋可致气道平滑肌松弛;肥大细胞 β_2 受体兴奋可抑制组胺等过敏介质的释放;纤毛上皮细胞 β_2 可增强纤毛运动,加速黏液运送速度;血管内皮细胞 β_2 受体兴奋可减少内皮间隙,降低通透性;胆碱能神经节 β_2 受体兴奋可抑制气管壁胆碱能神经节的传递。因此,β肾上腺素受体激动剂可以缓解或消除支气管痉挛导致的喘息。

一、β肾上腺素受体激动剂的分类和构效关系

常用 β 肾上腺素受体激动剂分为选择性 β_2 受体激动剂和非选择性 β 受体激动剂两类。这类药物的化学结构中多数具有苯乙胺基团,但由于侧链基团等的差别使各类药物具有不同的特征。如:

(1) 儿茶酚胺类:儿茶酚胺类在苯环的 3,4 位上各有一羟基,前者为儿茶酚氧位甲基转移酶(COMT)的作用点,后者为硫酸激酶的作用点,因此在体内稳定性差,作用短暂。由于此类药物侧链短,对肾上腺素受体选择性差,并易被单胺氧化酶水解成为 3,4 -二羟基杏仁酸。

(2) 间羟酚类和水杨酸类药物:间羟酚类和水杨酸类药物分别以间羟酚环或水杨醇环取代儿茶酚环,可使药物稳定性增加,不易被 COMT 与硫酸激酶灭活,可口服,同时作用时间延长。如叔丁喘宁,沙丁胺醇等。

（3）当儿茶酚胺的乙醇胺侧链上，胺基的氢原子以异丙基或叔丁基取代后，可明显增强对 β_2 受体的选择性，同时抵抗单胺氧化酶的裂解作用，延长作用时间，如异丙喘宁、沙丁胺醇等。

（4）当儿茶酚环上以氯离子取代两个间位羟基，或于对位增加氨基后，可以不被 COMT 与硫酸激酶灭活，使稳定性增加，β_2 受体的选择性也增加，如氯喘。

（5）侧链加长，增强非极性，延长对 β_2 受体的作用时间。

二、β 肾上腺素受体激动剂的药理作用

（一）松弛气道平滑肌

当药物与受体结合后，可以激活气道平滑肌细胞膜腺苷酸环化酶，腺苷酸环化酶可以促使细胞内 ATP 转化成 CAMP 增多，从而使平滑肌细胞细胞膜稳定性增加，气道松弛，同时也使炎性细胞如肥大细胞，嗜碱性粒细胞的细胞膜稳定性增加，抑制组胺、白细胞三烯（leukotrienes，LT）C_4、D4、前列腺素（prostaglanddin，PG）D2 等炎性介质的释放，从而减轻炎性介质引起的支气管痉挛和呼吸道黏膜充血、水肿。

（二）增强纤毛系统的清除功能

可以增强纤毛运动，促进黏液的转运。

（三）其他

作用于血管内皮细胞可以减小内皮间隙，降低血管的通透性。还可作用于多种炎性细胞的 β 受体，调节炎症反应过程。

三、非选择性 β 受体激动剂

（一）异丙肾上腺素（isoprenaline）

异丙肾上腺素又名喘息定、治喘灵，对 β_1、β_2 受体均有明显的激动作用。气雾吸入给药可用于哮喘发作时控制症状，一次气雾吸入 2 mg，30～60 s 即可奏效，作用时间可维持 1～2 h。成人气雾吸入 0.2～0.5 ml/次，每日 2～3 次。长期反复应用，可产生耐药性使疗效下降，但停药后耐药性可逐渐消失，常见不良反应为心悸、心动过速，有时可出现心律失常和心绞痛。

（二）肾上腺素（adrenaline）

肾上腺素又名副肾素，对 α 及 β 受体均有强大激动作用，通过激动呼吸道平滑肌 β_2 受体可缓解支气管平滑肌痉挛，激动黏膜血管的 α 受体，可减轻呼吸道黏膜充血水肿程度，但激动呼吸道平滑肌 α 受体，可引起平滑肌收缩，还可促进肥大细胞释放过敏介质，因此受体作用可能减弱激动 β_2 受体的平喘作用，本品只适用于哮喘的急性发作，可迅速缓解症状。常用方法为皮下注射 0.25～1 mg/次。主要不良反应为兴奋心脏 β_1 受体可引起心动过速、

心律失常,严重者出现心室颤动,此外尚有头痛、面色苍白,平指震颤等。由于其对心脏的不良反应,因此临床应用受限。

四、选择性 β_2 受体激动剂

1. 沙丁胺醇(salbutamol) 沙丁胺醇又名舒喘灵,羟甲叔丁肾上腺素,嗽必妥。本品可选择性激动支气管平滑肌的 β_2 受体,激活腺苷环化酶,促进环磷腺苷的生成,松弛平滑肌,抑制肥大细胞等炎性细胞释放过敏介质。对 β_1 受体作用弱,本品口服、气雾吸入、静滴均可产生明显的支气管扩张作用。一般常用气雾吸入给药,可迅速缓解支气管痉挛,由于气雾吸入给药,直接作用于呼吸道平滑肌,起效快,同时吸收入血液循环量很少,对心脏作用少,而口服、静脉给药疗效并不比吸入好,且对心脏作用大,所以推荐吸入给药,少数人可有心悸、头晕、头痛、恶心、手指震颤,气雾吸入时这些不良反应轻微。全特宁(Volmax)为控释沙丁胺醇片,常用剂量为 4 mg,早晚各 1 次口服,口服时常见不良反应为肌肉震颤,一般不需停药,随着用药时间延长可逐渐减轻或消失。爱纳灵(Etinoline)为硫酸沙丁胺醇缓释胶囊,口服 8 mg/次,每日 2 次。

2. 特布他林(terbutaline) 特布他林又名叔丁喘宁、间羟舒喘灵、间羟叔丁肾上腺素、间羟嗽必妥,为选择性 β_2 受体激动剂,支气管舒张作用比异丙肾上腺素强,但不及沙丁胺醇,常用口服剂量为 2.5～5 mg/次,3 次/d;气雾吸入剂:喘康速气雾剂,每次 0.25 mg,每日 3～5 次;干粉剂:博利康尼都保干粉剂,0.5 mg 每 6 h 1 次,不良反应同沙丁胺醇。

3. 克仑特罗(clenbuterol) 克仑特罗又名氨双氯喘通、克喘素、氨腺素。本品为强效 β_2 受体激动剂,作用较沙丁胺醇强 100 倍,还能增强支气管黏膜纤毛运动和促进痰液排出,口服次 20～40 mg/次,每日 3 次;气雾吸入 10～20 mg/次,每日 3～4 次,直肠给药,每次 60 mg,每天 2 次,不良反应较沙丁胺醇轻。

4. 丙卡特罗(procaterol) 丙卡特罗又名美喘清、异丙喹喘宁。对 β_2 受体选择性高,支气管扩张作用与持续时间均明显优于沙丁胺醇,可促进支气管黏膜纤毛运动,还有明显的抗过敏作用,此外还有一定的镇咳作用。常用剂量为 25～50 mg/次,每日 2 次。

5. 氯丙那林(clorprenaline):氯丙那林又名喘通,氯喘,氯喘通。对 β_2 受体有一定选择性,对呼吸道平滑肌有较强的松弛作用,对心脏 β_1 受体作用少,平喘效果较异丙肾上腺素弱,可口服与气雾吸入给药。口服 5～10 mg/次,每日 3 次。气雾吸入 1～2 mg/次,每日 3～4 次。

6. 福莫特罗(formoterol) 福莫特罗又名安通克。本品为长效 β_2 受体激动剂,作用强而持久,此外还有明显的抗炎作用。每喷剂量为 4.5 μg,不良反应为震颤和心悸,一般为一过性,随着治疗的进行而降低。

WEI SHU QI QI DAO GUAN LI
第 27 章
围术期呼吸治疗药物

7. 沙美特罗(salmeterol)　本品为长效选择性 β_2 肾上腺素受体激动剂,有明显的支气管扩张作用,还可抑制由抗原诱发的组胺、白三烯、前列腺素的释放,还可降低血管通透性,常用剂量为:轻中度哮喘,吸入 50 μg/次,每日 2 次,重度哮喘,100 μg/次,每日 2 次,不良反应同其他 β_2 受体激动剂。

8. 班布特罗(bambuterol)　班布特罗为亲脂性的特布他林的前体药物,激活 β_2 受体,并且可抑制由内源性介质引起的充血水肿以及增加纤毛的清除能力。有效作用可持续 24 h。不良反应同其他 β_2 受体激动剂。口服为 10~20 mg/次,睡前服用。

第二节　抗胆碱药物

一、抗胆碱能药物的药理作用

从药理学角度,可将 M 胆碱受体分为三个亚型。研究证实,人与多种动物的气道黏膜下腺体,肺泡壁、副交感神经节存在着丰富的 M_1 受体,提示这些受体可调节胆碱能张力。M_2 受体位于突触前节后副交感神经,对乙酰胆碱的释放具有很强的抑制作用,为抑制型反馈调节受体,有研究提示哮喘病人 M_2 受体功能紊乱,导致胆碱能神经节后纤维末梢释放乙酰胆碱增加,从而使气道收缩加剧。M_3 受体主要存在于人的大小气道平滑肌,也存在于气道黏膜下腺体和血管内皮细胞,M_3 受体激动可使气道平滑肌收缩,气道口径变小,血管扩张,黏液分泌增加。目前抗胆碱能药物均为非选择性 M 受体阻断药,不仅阻断 M_3 受体,同时也阻断突触前 M_2 受体,导致胆碱能神经节后纤维释放乙酰胆碱增加,削弱药物对支气管的扩张作用。哮喘病人往往存在一个放大的胆碱能反射机制。抗胆碱能药物不仅可阻断胆碱能反射所致的支气管收缩,此外也可阻断炎性介质的直接支气管收缩作用。

二、常用抗胆碱能平喘药物

1. 异丙托品(ipratropium,atrovent)　本品为阿托品的异丙基衍生物,对呼吸道平滑肌具有较高的选择性,有较强的松弛支气管平滑肌作用,对心血管系统作用不明显。本品主要采用气雾吸入法,每次 40~80 μg,每天 3~6 次,稳定期病人略减,疗程视病情而定。由于用药后极少从黏膜吸收,副作用极轻微,极少数病人可有轻度口干、恶心、青光眼、孕妇、哺乳期病人慎用。

2. 氧托品(oxitropium)　氧托品结构不同于异丙托品,但作用及用途与异丙托品相似,主要为气雾吸入每次 200 μg,早晚各一次,作用持续时间较长,可达 8 h。临床上,抗胆碱能药物常与其他平喘药物联合应用,由于抗胆碱能药物起效较缓,因此不能单独用于急性哮喘时控制症状。

第三节　茶碱类药物

一、药理作用

（一）支气管平滑肌的舒张作用

茶碱松弛支气管平滑肌的机制比较复杂,可能是通过多环节来实现的。

1. 抑制磷酸二酯酶　抑制细胞内的磷酸二酯酶,使细胞内环磷酸腺苷含量增加,导致气道平滑肌张力降低,气道扩张。

2. 促进儿茶酚胺的释放　通过促进内源性肾上腺素与去甲肾上腺素的释放,进而引起气道平滑肌松弛。

3. 拮抗腺苷作用　目前认为腺苷是哮喘发作时收缩气管介质之一,茶碱通过阻断腺苷受体,舒张支气管。

4. 对钙通道的作用　茶碱可促进气道平滑肌线粒体对钙的摄取,从而降低细胞内游离钙水平。

（二）对气道纤毛运动系统的作用

茶碱能促进气道纤毛运动,加强黏膜纤毛的运转速度,有利于改善通气功能。此外还具有增强膈肌收缩力及呼吸兴奋作用。

（三）抗炎作用

在体外,茶碱对多种炎性细胞具有抑制作用。研究显示,治疗剂量的茶碱可抑制人中性粒细胞氧化代谢产物的生成,亦可抑制外周血单核细胞和肺泡巨噬细胞释放氧,对嗜酸粒细胞的脱颗粒和释放碱基蛋白均有抑制作用。对轻症哮喘病人支气管活检标本的研究显示,茶碱可显著抑制变应原刺激所致哮喘病人气道黏膜中嗜酸粒细胞数量的增加和外周血 CD_4^+ , CD_8^+ 淋巴细胞的增加。

（四）免疫调节作用

有研究认为茶碱的免疫调节作用与其抑制 T 细胞衍生细胞因子有关,此外还有人认为细胞内 cAMP 增加可促进 B 淋巴细胞的凋亡,从而减少免疫球蛋白等物质的产生,起到免疫调节作用。

二、常用的茶碱类药物

1. 氨茶碱(aminophylline)　氨茶碱又名茶碱乙烯双胺。本品为茶碱与乙烯双胺的混合物。本品口服成人剂量为 0.1～0.2 g/次,每日 3 次。静脉用药每次 0.25～0.5 g,用

25%葡萄糖液 20～40 ml 稀释,宜缓慢推注,或 5%葡萄糖液 500 ml 稀释后静滴。直肠给药每次 0.3～0.5 g,每日 1～2 次。不良反应常见有胃肠道刺激症状和中枢神经兴奋症状,如恶心、食欲不振、呕吐、胃痛、头疼、烦躁、失眠等,少见有腹泻、眩晕、面色潮红、呼吸增快,药物中毒时可出现激动、反复呕吐、惊厥、精神狂乱等。

2. 胆茶碱(choline theophylline)　本品为茶碱与胆盐的复盐,作用与氨茶碱相似,疗效不及氨茶碱,常用量 0.2 g/次,每日 3 次,不良反应也较氨茶碱轻。

3. 二羟丙茶碱(diprophylline)　二羟丙茶碱又名喘定,甘油茶碱。本品为茶碱的衍生物,作用与氨茶碱相似,但支气管扩张作用约为氨茶碱的十分之一。常用量为成人 0.1～0.2 g/次,每日 3 次;肌内注射:每次 0.25～0.5 g;静脉点滴每次 0.5～1.0 g。

4. 丙羟茶碱、乙羟茶碱、吡哆茶碱、安布茶碱(proxyphylline, etofylline, pyridofylline, ambuphylline)　均为茶碱衍生物,作用机制同氨茶碱。

5. 多索茶碱(doxofylline)　本品为黄嘌呤类药物,其支气管舒张作用强,是氨茶碱的 10～15 倍。

6. 恩丙茶碱(enprofylline)　一种新的黄嘌呤衍生物,其舒张支气管作用为氨茶碱的 5 倍。

多索茶碱与恩丙茶碱由于平喘作用强于氨茶碱,几无胃肠道、心血管和中枢神经系统不良反应,有可能成为新一代茶碱制剂。

7. 茶碱缓释剂与控释剂　本制剂的主要优点是血药浓度波动小,峰值与谷值间差异不大,服药后能维持有效血浓度,常用缓释剂茶喘平,250～500 mg/次,每 12 h 1 次。舒氟美,200 mg/次,每 12 h 1 次。控释剂为优喘平 400 mg/次,每日 1 次,或 200 mg/次,每日 1～2 次。

第四节　糖皮质激素类药物

糖皮质激素(glucocorticoids,GCs)具有强大的抗炎和一定的免疫抑制作用,对许多炎症性与免疫性疾病的控制是有效的,在呼吸系统的许多疾病的治疗中有着重要的地位。

一、药理作用

(一)抗炎作用

皮质激素对各种原因所致的炎症和炎症的不同阶段均有强大的抗炎作用。最近关于糖皮质激素抗炎作用的研究集中于对细胞因子基因转录的抑制作用之上。研究认为糖皮质激素能够抑制多种细胞因子及其受体的转录为肿瘤坏死因子 α(TNFα),粒巨噬细胞集落刺激因子(GM-CSF),IL-1,IL-2,IL-3,IL-4,IL-5,IL-6,IL-8 等。细胞因子合成的抑制能减少白细胞-内皮细胞黏附分子的表达,如 E-选择素和细胞间黏附分子-1(ICAM-1),并影响炎症效应细胞的存活。除此之外,抗炎机制还包括:① 诱导磷脂酶 A_2 抑制蛋白(如巨皮素 macrocortin)的产生,使花生四烯酸不能从细胞膜磷脂游离出来,从而减少白三烯与前列腺素的形成。② 稳定肥大细胞和溶酶体膜,减少脱颗粒和溶酶体酶的释放。③ 干扰补体激活,减少炎症介质的产生。④ 增加毛细血管对儿茶酚胺的敏感性。

（二）免疫抑制作用

（1）抑吞噬细胞的趋化反应,吞噬和处理抗原的作用。

（2）抑制 T 淋巴细胞的激活与阻碍细胞因子的释放。

（3）抑制敏感动物的抗体反应。

（4）可阻碍补体成分附着于细胞表面。

（5）抑制炎症因子的生成。

糖皮质激素在哮喘治疗中的地位已不容置疑,支气管哮喘是气道的一种慢性炎症,糖皮质激素能够通过对炎症,免疫介质和细胞的多方面作用,抑制气道炎症,同时能够改善哮喘时气道上皮的损伤。

二、常用糖皮质激素的药代动力学特点

见表 28-1。

表 28-1　常用糖皮质激素类药物的比较

	药　物	抗炎作用	等效剂量(mg)	受体亲和力	水盐代谢	血清半衰期(min)	生物半衰期(h)
短效	氢化可的松	1.0	20	100	1.0	90	8~12
	可的松	0.8	25	1	0.8	30	8~12
中效	泼尼松	4.0	5	5	0.6	60	12~36
	泼尼松龙	4.0	5	220	0.6	200	12~36
	甲泼尼龙	5.0	4	1 190	0.55	180	12~36
长效	曲安酰(去炎松)	5.0	4	190	0	300	12~36
	地塞米松	25	0.75	710	0	200	36~72
	倍他米松	25	0.75	540	0	>300	36~72

三、常用糖皮质激素的用药方法

（一）口服应用

呼吸系统中常用的口服糖皮质激素为泼尼松与泼尼松龙,常用剂量为30~40 mg/d,维持量一般为 10~15 mg/d,每日清晨一次服用对下丘脑-垂体-肾上腺(hypothalamic-pituitary-adrenal,HPA)轴的抑制作用小,不影响内源性促肾上腺皮质激素(ACTH)的分泌。但病情重的病人有时需分次给药,一旦临床症状控制,剂量逐渐递减,分次给药逐渐改变为清晨一次给药,尽可能将剂量减至最小有效量,直至停药。关于减量方案应根据病种、

病情、药物治疗反应进行个体化。

（二）静脉用药

氢化可的松和甲泼尼龙是最常选用的静脉用糖皮质激素，氢化可的松的起效时间为5～6 h，甲泼尼龙 8 h。由于氢化可的松注射液中含有乙醇，因此目前多采用琥珀氢化可的松，常用剂量为 4 mg/kg，甲泼尼龙为 1～2 mg/kg。但如果病情严重，也可予大剂量或冲击疗法。

（三）吸入用药

吸入用药是呼吸系统疾病一种重要的给药方式，糖皮质激素吸入用药主要用于支气管哮喘，吸入用药减少了糖皮质激素全身用药的不良反应。常用的激素类吸入剂有二丙酸倍氯米松（必可酮）。轻度哮喘 200～400 μg/d，分 2～4 次给药，中度哮喘 600～1 000 μg/d，分次给药，严重哮喘 1 000～2 000 μg/d，分次给药；普米克气雾剂（布地奈德），成人初始剂量200～800 μg/次，每日 2 次，维持量 200～400 μg/d；干粉剂：轻度哮喘 400～800 μg/d，重症哮喘 800～1 600 μg/d。

四、糖皮质激素的不良反应

1. 精神神经系统的紊乱　包括情绪激动，甚至精神无常，有精神病史，癫痫病人禁用或慎用。

2. 医源性肾上腺皮质功能亢进　表现为满月脸，水牛背，向心性肥胖，痤疮，多毛，浮肿，高血压。糖耐量异常，停药后大多可自行消失。

3. 消化系统　由于刺激胃酸，胃蛋白酶的分泌可诱发或加剧胃十二指肠溃疡病，严重者造成消化道出血或穿孔。

4. 心血管系统　由于水钠潴留，血脂升高可引起高血压和动脉粥样硬化。

5. 慢性肌病　长期服用糖皮质激素可出现近端肌肉无力，严重者上下肢不能抬起，必要时需要更换药物或停药。

6. 骨质疏松　这是由于糖皮质激素抑制成骨细胞，减少骨中胶原合成，促进胶原和骨基质的分解，骨质形成发生障碍，严重者可发生自发性骨折，骨无菌性坏死。

7. 诱发或加重感染　由于 GCs 有强大的抑制免疫作用，原有感染病灶的病人，应用GCs 时必须有强而有效的抗感染治疗。

8. 伤口愈合迟缓，皮肤萎缩　由于 GCs 增加肌肉皮肤中蛋白质分解，抑制成纤维细胞增生和肉芽组织的形成，使皮肤变薄，皮下组织萎缩，创口延迟愈合。

9. 反跳现象　长期口服 GCs 治疗，停药过后会引起肾上腺功能不足，即撤药综合征，表现为原有疾病病症加重，伴有肌肉关节疼痛、头痛、厌食等。因此，停药时需缓慢递减药物剂量，避免反跳现象发生。

10. 儿童生长迟缓　长期口服泼尼松剂量≥10 mg/d,对儿童身材生长有抑制作用。

五、糖皮质激素在呼吸系统疾病中的临床应用

1. 支气管哮喘　由于近年来对哮喘发病机制的更进一步认识,目前激素在哮喘治疗中的地位已不可取代。由于口服和静脉应用激素会引起许多不良反应,因此吸入 GCs 作为哮喘病人应用激素的首选方法。目前认为应该尽可能早应用吸入 GCs,有利于早期控制气道炎症,防止气道功能的不可逆性改变。口服或静脉用药仅用于不可用其他治疗控制病人,病情控制后应逐渐改为吸入治疗。

2. 慢性阻塞性肺病(COPD)　对于 COPD 病人,慢性阻塞性肺病全球倡议(gobal initative for chronic obstructive lung disease, GOLD)推荐只有当病人对呼入性糖皮质激素(6 周～3 个月)有明确的反应,或第一秒用力呼气容积(FEV$_1$)小于 50%预计值并有反复的急性加重需要应用抗生素或口服糖皮质激素的病人,才规则吸入糖皮质激素。可以依靠糖皮质激素可逆性试验进行判断,即吸入糖皮质激素 6 周～3 月,若 FEV$_1$ 增加 200 ml,或增加 15%即认为对糖皮质激素治疗有效。

3. 特发性间质肺炎(idiopathic interstitial pneumonia)　特发性间质肺炎是一组不明原因的肺间质性病变,目前分为四种类型,即特发性肺纤维化(IPF/UIP),急性间质性肺炎(AIP),特发性脱屑性间质性肺炎/呼吸性细支气管炎间质性肺病(DIP/RBILD),特发性非特异性间质性肺炎(NSIP),其中后两者对激素反应好,前两者激素治疗反应差,预后差。一般口服剂量为泼尼松 1～1.5 mg/kg,视病情逐渐减量,AIP 病人有时需静脉应用较大剂量激素。

4. 外源性过敏性肺泡炎　又称过敏性肺炎,是由于吸入某种有机粉尘引起,激素治疗效果佳。一般口服泼尼松 30～60 mg/d,病情缓解后逐渐减量。

5. 肺结核和结核性胸膜炎　当肺结核和结核性胸膜炎病人伴有严重的结核毒性反应时,可短期口服加用糖皮质激素,GCs 可抑制炎症和过敏反应,同时可促进渗液的吸收,减少胸膜粘连的发生,但同时必须给予有效的抗结核治疗。

6. 其他　肺血管炎,肺部嗜酸性粒细胞浸润性疾病,闭塞性细支气管炎伴机化性肺炎等肺部疾病亦是激素应用的适应证。

第五节　预防性平喘药

预防性平喘药是一类具有炎症细胞膜保护作用或炎症介质阻碍作用的药物,其主要作用为阻碍过敏反应靶细胞释放过敏介质,从而预防支气管哮喘的发生。

1. 色甘酸钠(sodium cromoglicate)　色甘酸钠又名咽泰,咳乐钠。该药主要是稳定肥

大细胞膜,且对肥大细胞膜的阻释作用具有组织专一性,可阻止人肺组织的肥大细胞释放介质,但对人皮肤的肥大细胞无阻释作用。哮喘激发试验证明,预先吸入色甘酸钠,再予抗原攻击,则可防止抗原诱发的速发反应和迟发反应。其机制认为是多方面的,除稳定肥大细胞膜外,还可抑制蛋白激酶 C,抑制炎症细胞的活性,降低气道毛细血管的通透性,降低与慢性哮喘炎症紧密相关的迟发相反应细胞的活性,抑制非特异性气道高反应性,直接抑制支气管痉挛的某些反射。临床主要用于预防哮喘发作,特别对已知抗原哮喘病人疗效较佳,对于运动、冷空气等诱发的哮喘亦有较好的预防作用,儿童哮喘的预防用药效果较好,预防用药需在发作前 7~10 d 用药,对哮喘发作病例立即用药无效。常用剂量 20 mg/次,每日 2~4 次,吸入疗效不显著,每次可增至 40 mg,一般在用药 1 个月内见效,由于本品是极性高的化合物,强酸性。口服不易从胃肠道吸收,难溶于一般有机溶剂,不能制成气雾剂,需粉雾吸入。不良反应少见,主要与干粉末的直接刺激有关,如咽喉部不适、刺痛感、咳嗽甚至产生支气管痉挛,必要时与 β 受体激动剂同用。

2. 曲尼司特(tranilast) 药理作用与色甘酸钠相似,具有抑制速发型变态反应的作用,能抑制 IgE 介导的特异性反应,并能抑制肥大细胞,嗜碱性粒细胞释放过敏性介质。对外源性过敏性哮喘有明显预防效果。对其他类型的哮喘也有预防效果。常用量 100~200 mg/次,每日 2~3 次口服,不良反应少见,有食欲不振、恶心、呕吐、腹泻、头疼、嗜睡等。

3. 扎普司特(zaprinast) 本品为肥大细胞膜稳定剂,临床用于支气管哮喘和喘息性支气管炎。常用剂量 20 mg/次,每日 3 次。不良反应少,少数病人有口干、恶心、胸闷等,但一般可耐受。

4. 酮替芬(ketotifen) 又名噻喘酮。本品具有明显的 H_1 受体阻断作用,与 H_1 受体结合为非竞争性,因此即使气道局部产生的组胺量很大,也不能把它们轻易从 H_1 受体结合位置上取代下来,因此作用强而久,此外酮替芬还可以抑制中性粒细胞的游走、趋化,合成和释放化学介质,对炎性介质如白三烯、血小板活化因子、缓激肽、速激肽等都有一定阻断作用;还可增强 β_2 受体激动药的效应,可能是由于本品用于 β 肾上腺素受体激酶的结果。对各型哮喘有一定预防发作的效果,对儿童哮喘疗效最好。常用剂量 1 mg/次,每日 2 次。不良反应少,少数病人可出现镇静、疲倦、头晕、口干等不良反应。

5. 氮䓬斯汀(azzelastine) 本品结构式与酮替芬相似,药理作用也相似,具较强的抗炎过敏作用,临床疗效较好。常用剂量 4 mg/ 次,每日 2 次,不良反应与酮替芬相似。

6. 呋塞米(furosemide) 呋塞米又名呋喃苯胺酸,速尿,腹安酸。为高效利尿剂。本品雾化吸入有明显平喘作用,可抑制某些抗原、冷空气、偏亚硫酸氢盐、烟雾、蒸馏水等引起的支气管痉挛,而对一些直接刺激物质为组胺。乙酰甲胆碱、PAF 等引起的呼吸道痉挛无保护作用,实验研究发现呋塞米对肥大细胞膜有一定稳定作用,可抑制中性粒细胞的趋化和释放过敏介质。此外可能与增加气道前列腺素的释放有关。临床用于运动性哮喘,抗原引起的速发性和迟发性痉挛,常用量为 20～40 mg,无明显不良反应。

第六节　新型平喘药

近些年的研究已经认识到哮喘已不再是以往认为的支气管平滑肌的可逆性痉挛而是气道的一种慢性炎症,有多种炎症细胞和细胞因子的参与,因此平喘药的一个发展方向就是根据哮喘的发病不同途径,环节开发新的与已往作用机制不同的药物。

1. 抗白三烯药物　许多内源性炎症介质都被认为在哮喘的发病机制中起重要作用,近年来的研究认为白三烯似乎在哮喘中起特别重要的作用。

有研究认为白三烯释放在引起炎症和气道阻塞的多种不同因素中是最终的共同通路之一。白三烯可引起呼吸道平滑肌收缩,黏液分泌增加,嗜酸性粒细胞聚集,增加黏膜血流,增加血浆渗出,白三烯受体拮抗剂可能主要用于炎症反应的迟发阶段,可以降低痰液,气道黏膜和外周血嗜酸性粒细胞的聚集。许多研究表明,体内糖皮质激素并不能影响气道半胱胺酰白三烯的产生。因此,白三烯受体拮抗剂与吸入糖皮质激素在哮喘的治疗中有互补作用。这些结果在临床研究中也得到证实。一项临床研究显示在应用吸入糖皮质激素的基础上加用白三烯受体拮抗剂组病人较单用糖皮质激素组,在临床症状的改善方面前者优于后者。另外一项研究中增加白三烯受体拮抗剂可使吸入糖皮质激素的剂量逐渐减少,而哮喘的控制没有减弱,表明两者合用具有较好的协同效应。

孟普斯特钠(顺尔宁)是目前应用于临床的一种白三烯受体拮抗剂,成人常用量 10 mg每日一次。儿童为 5 mg 每日 1 次。不良反应轻微,包括头痛、咽炎、胃肠道紊乱,大多可以耐受。

2. 钾通道开放剂　研究认为钾通道激活剂可以使参与哮喘发病调节的细胞的钾离子通道开放,导致细胞内钾离子外流,使细胞超极化而关闭钙离子通道,抑制细胞钙离子内流,降低细胞兴奋性,与此同时,还可抑制支气管致痉剂引起的细胞内储存钙离子的释放和抑制细胞内钙离子库的摄取作用,还可抑制非肾上腺素能,非胆碱能神经的功能。因此有学者认为钾通道激活剂是一种非肾上腺素能,升胆碱能 C 神经抑制剂。目前用于临床研究阶段的药物有 Cromakalim 和 Levcromakalim。

3. 钙离子拮抗剂　钙离子内流在变应原所致的炎症细胞释放炎性介质的过程中起一定作用,阻碍钙离子通道可以减轻哮喘病人气道变应性炎症和支气管痉挛中的相关炎性细胞的活性。目前有关钙离子拮抗剂的研究主要为硝苯地平,维拉帕米(异搏定),硫氮草酮。

(1)硝苯地平:该药主要通过直接作用于平滑肌细胞来抑制支气管平滑肌的收缩,此外还具有肥大细胞膜稳定作用,常用量 10 mg/次,每日 3 次。雾化吸入量为 1.5～3 mg/次,每日 3 次。

(2) 维拉帕米:主要是抑制肥大细胞炎性介质释放,雾化吸入常用量 10~20 mg/次,每日 3 次,口服常用量 40~80 mg/次,每日 3 次。

(3) 硫氮䓬酮:该药在哮喘方面目前研究资料少。

钙离子拮抗剂主要不良反应有头痛,口干,恶心和心动过速。吸入给药不良反应较少。

4. 选择性磷酸二酯酶同工酶抑制剂　目前关于该类药物的临床研究不多,但研究认为该类药物既有支气管扩张作用,又有抗炎作用,是一类较有前途的平喘药物。

5. 速激肽受体阻断剂　速激肽可引起支气管平滑肌收缩,血管通透性增高,和气道黏膜下腺体的黏液分泌,速激肽对靶细胞的作用由三种特异性受体介导,人的气道中主要是 NK1 和 NK2 受体。目前关于该类药物的研究资料较少,预计在今后的研究中,该类药物也将有更多的临床研究来评定其疗效。

第七节　呼吸兴奋药

呼吸兴奋药是通过直接或间接兴奋延脑呼吸中枢,从而兴奋呼吸,改善通气功能的一类药物。呼吸兴奋药由于其价格低廉,使用方便,便于推广,因此在呼吸衰竭的治疗中仍占有一定地位。

所有呼吸兴奋药对中枢神经的作用部位选择性不高,因此剂量过大时会引起一些中枢神经系统方面的效应,可能引起抽搐、烦躁不安、出汗、头痛、瞳孔扩大、汗毛竖立、定向障碍、幻觉、甚至惊厥等,增加机体的代谢率,因而可能导致供氧相对不足,高剂量时还可引起心血管系统改变如高血压,心律失常。目前临床常用的呼吸兴奋药如下。

1. 尼可刹米(nikethamide)　尼可刹米又名可拉明。本品可直接兴奋延脑呼吸中枢,也可通过刺激颈动体和主动脉体化学感受器,反射性兴奋呼吸中枢,从而使呼吸加快加深,并能提高呼吸中枢对二氧化碳的敏感性,尼可刹米常用剂量为 20 mg/kg 经稀释后 15 min 内注射,也可以 1.0~1.875 g 溶于 5% 葡萄糖液 250~500 ml 内缓慢静滴。不良反应在治疗量时常见面部刺激症、烦躁不安、肌肉抽搐、恶心、呕吐等,可在短时间内消失。大剂量使用可出现多汗,恶心,血压升高,心动过快,心律失常,肌肉震颤,僵直,直至惊厥。

2. 洛贝林(lobelin hydrochloride)　洛贝林又名山梗菜碱。本品为山梗菜中提取的生物碱,现已能人工合成。本品是通过刺激颈动脉体和主动脉体化学感受器反射性地兴奋呼吸中枢,对呼吸中枢无直接兴奋作用,具烟碱样作用。本药作用快,时间短。常用剂量静注每次 3 mg,静滴 9 mg 溶于 500 ml 液体内。不良反应主要为大剂量时因兴奋迷走神经而引起恶心、呕吐、心动过速、传导阻滞,特大剂量是可导致惊厥。

3. 二甲弗林(dimefline hydrochloride)　二甲弗林又名回苏灵。本品能直接兴奋呼吸中枢,作用强度较尼可刹米强,作用快,维持时间短,常用剂量,静注每次 8 mg,静滴每次 16～32 mg,以葡萄糖或生理盐水稀释。不良反应与尼可刹米相似。

4. 贝美格(demegride) 贝美格又名美解眠。本品对延脑呼吸中枢有兴奋作用,能直接兴奋血管中枢,能使呼吸加深加快,血压微升,主要用于解除巴比妥类及其他催眠药所致的呼吸抑制。常用剂量静滴为 50～150 mg/次,溶于 5% 葡萄糖液 100～200 ml,静注时 50 mg/次。大剂量或注射过快可引起恶心、呕吐、反射亢进、肌肉抽搐,甚至惊厥。

5. 多沙普尼(doxapram) 多沙普尼又名盐酸多普兰,吗乙苯吡酮。本品能选择性直接兴奋延脑呼吸中枢,使呼吸加深加快,通气量增加,同时也能通过刺激颈动脉体和主动脉体化学感受器,反射地兴奋延脑呼吸中枢,与其他呼吸兴奋药相比,安全范围宽,氧耗量增加少。临床主要用于麻醉药引起的呼吸抑制。常用剂量 0.5～1 mg/kg 静注。静滴时 1～2 mg/kg。每日最高剂量 3 mg/kg。不良反应有头痛,无力,呼吸困难,心律失常,恶心呕吐,腹泻及尿潴留等。

6. 哌甲酯(methylphenidate) 哌甲酯又名哌醋甲酯,利他林。本品为兴奋作用温和的哌啶类精神运动兴奋药物,对大脑皮质,皮质下中枢包括呼吸中枢均有兴奋作用,剂量一般时主要使精神兴奋以消除抑郁症状,剂量较大时可引起普遍性中枢兴奋,甚至惊厥。主要用于中枢抑制药为巴比妥类及其他镇静催眠药,抗精神病药,抗组胺药等过量所致的昏睡和呼吸抑制,也用于顽固性抗逆。常用剂量为静注 20～50 mg/次,肌注 10 mg/次。不良反应最常见的是神经质和失眠、食欲不振,其他为头痛、恶心等。

7. 纳洛酮(naloxone) 又名丙烯吗啡酮。本品为阿片类解毒剂。阻断吗啡与阿片受体的结合,可增加急性中毒呼吸抑制病人的呼吸频率,并能对抗镇静作用及使血压升高。主要用于吗啡急性中毒,酒精中毒及其他呼吸抑制。常用剂量肌注或静注 0.4～0.8 mg/次。不良反应主要为对阿片碱成瘾者用本药后可立即出现戒断症状。

8. 阿米三嗪(almitrine) 阿米三嗪又名烯丙哌三嗪,肺达宁,阿米屈仑。本品为哌嗪类衍生物。主要刺激动脉体和主动脉体化学感受器,提高对动脉氧分压下降的敏感性,间接兴奋呼吸中枢,加深呼吸,无脊髓兴奋作用,剂量过大也不会引起惊厥,常用剂量为成人 100 mg/次,1 日 3 次,口服。静注每次 100 mg。不良反应少见,可有消瘦、感觉异常、失眠、焦虑、心悸、消化功能紊乱等。

(皋源 李燕芹)

参 考 文 献

1 Ram FSF, Sestini P. Regular inhaled short-acting [beta]2-agonists for the management of stable chronic obstructive pulmonary disease. Thorax, 2003, 58:580～582.

2 Kertsjens HA, Bland PL, Quanjer PH, et al. Variability of bronchodilator response and effects of inhaled corticosteroid treatment in obstructive lung disease. Dutch CNSLD Study Group. Thorax,

1993,48:722~729.

3 Appleton S, Poole P, Smith B, et al. Long-acting beta-2 agonists for poorly reversible chronic obstructive pulmonary disease. Cochrane Database Syst Rev, 2006,3:CD001104.

4 Man WD, Mustfa N, Nikoletou D, et al. Effect of salmeterol on respiratory muscle activity during exercise in poorly reversible COPD. Thorax, 2004,59:471~476.

5 Goldkorn A, Diotto P, Burgess C, et al. The pulmonary and extra-pulmonary effects of high-dose formoterol in COPD: a comparison with salbutamol. Respirology, 2004,9:102~108.

6 Belmonte KE. Cholinergic pathways in the lungs and anticholinergic therapy for chronic obstructive pulmonary disease. Proc Am Thorac Soc, 2005,2:297~304.

7 van Noord JA, Bantje TA, Eland ME, et al. A randomised controlled comparison of tiotropium and ipratropium in the treatment of chronic obstructive pulmonary disease. Thorax, 2000,55:289~294.

8 van Noord JA, Auman J-L, Janssens E, et al. Comparison of tiotropium once daily, formoterol twice daily and both combined daily in patients with COPD. Eur Respir J, 2005,26:214~222.

9 Brusasco V, Hodder R, Miratvitlles M, et al. Health outcomes following treatment for six months with once daily tiotropium compared with twice daily salmeterol in patients with COPD. Thorax, 2003,58: 399~404.

10 Barr RG, Bourbeau J, Camargo CA, et al. Tiotropium for stable chronic obstructive pulmonary disease: a meta-analysis. Thorax, 2006,61:854~862.

11 O'Donnell DE, Fluge T, Gerken F, et al. Effects of tiotropium on lung hyperinflation, dyspnoea and exercise tolerance in COPD. Eur Respir J, 2004,23:832~840.

12 Powrie DJ, Wilkinson TMA, Donaldson GC, et al. Effect of tiotropium on sputum and serum inflammatory markers and exacerbations in COPD. Eur Respir J, 2007,30:472~478.

13 Decramer M, Celli B, Tashkin DP, et al. Clinical trial design considerations in assessing long-term functional impacts of tiotropum in COPD: the UPLIFT trial. COPD, 2004,1:303~312.

14 D'Urzo AD, De Salvo MC, Ramirez-Rivera A, et al. In patients with COPD, treatment with a combination of formoterol and ipratropium is more effective than a combination of salbutamol and ipratropium: a 3-week, randomized, double-blind, within-patient, multicenter study. Chest, 2001, 119:1347~1356.

15 Kerstjens HAM, Bantje TA, Luursema PB, et al. Short-acting bronchodilators added to maintenance tiotropium therapy. Chest, 2007,132:1493~1499.

16 Cazzola M, Centanni S, Santus P, et al. The functional effects of adding salmeterol and tiotropium in patients with stable COPD. Respir Med, 2004,98:1214~1221.

17 The COMBIVENT Inhalation Solution Study Group. Routine nebulized ipratropium and albuterol together are better than either alone in COPD. Chest, 1997,112:1514~1521.

18 Vestbo J, Sorensen T, Lange P, et al. Long term effect of inhaled budesonide in mild and moderate chronic obstructive pulmonary disease: a randomized controlled trial. Lancet, 1999,353:1819~1823.

19 Pauwels RA, Lodahl CG, Laitinen LA, et al. Long term treatment with inhaled budesonide in persons with mild chronic obstructive pulmonary disease who continue smoking. European Society Study on chronic obstructive pulmonary disease. N Engl J Med, 1999,340:1948~1953.

20 Burge PS, Calverley PM, Jones PW, et al. Randomised, double blind placebo controlled study of fluticasone proprionate in patients with moderate to severe chronic obstructive pulmonary disease: the ISOLDE trial. BMJ, 2000,320:1297~1303.

21 Lung Health Study Research Group. Effect of inhaled triamcinolone on the decline in pulmonary function in chronic obstructive pulmonary disease. N Engl J Med, 2000,343:1902~1909.

22 Soriano JB, Sin DD, Zhang X, et al. A pooled analysis of FEV1 decline in COPD patients randomized to inhaled corticosteroids or placebo. Chest, 2007,131:682~689.

23 Yang I, Fong KM, Sim EHA, et al. Inhaled corticosteroids for stable chronic obstructive pulmonary disease. Cochrane Database Syst Rev, 2007,18:CD002991.

24 Ernst P, Gonzalez AV, Brassard P, et al. Inhaled corticosteroid use in chronic obstructive pulmonary disease and the risk of hospitalization for pneumonia. Am J Respir Crit Care Med, 2007, 176: 162~166.

25 Calverley PMA, Anderson JA, Celli B, et al. TORCH investigators. Salmeterol and formoterol proprionate and survival in chronic obstructive pulmonary disease. N Engl J Med, 2007, 356: 775~789.

第28章 气道护理及物理治疗

　　围术期需要气道护理的病人,包括清醒、嗜睡、昏迷或术后尚未清醒的病人,除了清醒病人之外,其他都应把头转向一侧,除非气管插管或气管切开,不宜置头高位或半卧位。昏迷病人最好去枕,吸除口腔内分泌物,保持呼吸道通畅,吸氧并用脉率氧饱和度监测。老年意识丧失的病人,更应注意防止误吸,必须加强气道护理和管理。

第一节　气管插管病人的护理

一、气管插管或气管切开前护理

　　经口或鼻插管前利用人工呼吸球囊充分给氧,并准备好插管需要的各种器械、药物和吸引器。对清醒病人在气管插管前应做好解释工作,同时与家属谈话并签字。遵照医嘱使用镇静剂或肌松剂,减轻病人插管时的痛苦,防止躁动,减少物理损伤。监护病房必须备用急救气管插管箱。气管切开应准备气管切开包、充足的光源、合适的气管套管、负压吸引装置等。

二、导管位置判断与记录

　　气管导管的尖端应该位于气管隆突上 2~3 cm,相当于第 3~4 后肋水平,即通常所说的"三下四上"。可通过 X 线摄片了解气管导管的深度,也可仔细听诊两肺呼吸音是否对称。如听诊发现一侧呼吸音消失,则提示气管插管过深,可适当回拔、重新固定。护士在巡视病房尤其在交接班时一定要判断气管插管深度(中切牙咬合的刻度或鼻尖的刻度,cm),并记录在护理录上。

三、有效固定

　　气管插管期间必须有效固定导管,防止移位或滑出。一般使用胶带和棉织寸带进行双固定,固定不宜过紧,防止管腔变形。固定方法可略有差异,但总的目标就是固定有效,防止发生非计划性导管滑脱。推荐的固定方法(图 28 - 1)。

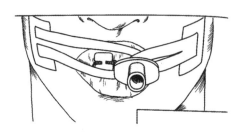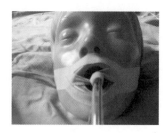

图 28 - 1 气管导管固定方法

四、气囊管理

在实行机械通气时,需将气管导管或气切套管气囊充气以封闭气道,保证有效通气;防止上呼吸道分泌物及胃内容物反流入下呼吸道引起肺部感染。然而,气囊压力引起的各种并发症也不容忽视,气囊压力过高可导致气管黏膜受压缺血、水肿,甚至糜烂、溃疡、出血,严重者可引起气管瘘或狭窄等后遗症;气囊压力过低出现气道漏气,呼吸机设定的潮气量不能全部输入肺内,引起通气不足,同时也是吸入性肺炎发生的主要因素。因此,如何管理好气囊是人工气道护理的重要内容。

（一）气囊压力

气囊压力是决定气囊损伤气管黏膜与否的重要因素。为了避免因气囊压力过高或过低引起的并发症,目前认为理想的气囊压力为有效封闭气囊与气管壁间隙的最小压力,即"最小封闭压力(MOP)",其相应的容积为"最小封闭容积(MOV)",MOP 一般不超过 25 mmHg,最适宜的是 18～20 mmHg。护士可以使用如手估气囊测压法、血压计测定、专用套囊电子测压计(图 28 - 2)和自动调整气囊压力的测压装置等评估气囊压力。护理人员每班或重新充气后应监测一次并记录。

图 28 - 2 套囊电子测压计

（二）气囊放气

有关气囊是否需要定时放气，各研究结论不一，传统护理常规要求气囊每 4～6 h 放气 1 次，每次 3～5 min，以预防气囊长时间压迫气管内壁导致黏膜损伤。目前有研究证实，采用 MOP 技术且不需定时放气，在维持潮气量和 SaO_2 稳定等方面均优于定时放气方法，建议临床以 MOP 技术管理气囊，不需定时放气，但必须非常规性的放气或调整气囊压力。气囊放气需两人操作，病人取平卧位，先将口、鼻腔分泌物及囊上积液吸净，再由一人用注射器缓慢放气，另一人则在放松气囊同时吸出渗漏的分泌物，同时注意观察潮气量及病人全身情况，以防病人通气量不足发生意外。

（三）囊上积液

是指封闭的气囊上方滞留的分泌物、血液或胃内反流物等，这些在气囊上方形成"黏液湖"。研究证明，囊上积液是呼吸机相关性肺炎（VAP）发生的主要因素，故保持气囊上方清洁十分重要。具体方法较多，需根据实际情况而定。方法一：每日行气道冲洗 1～2 次，先吸净口咽部分泌物，然后用吸痰管经鼻腔插至声门附近，经吸痰管注入 0.9％生理盐水 50～100 ml，反复冲洗再吸出，最后吸净口腔、咽腔内的生理盐水，以彻底清除气囊上方滞留物。冲洗时应使气囊充气达到有效封闭气道的压力，防止冲洗液流入下呼吸道。方法二：在气囊放气的同时，通过呼吸机或手动皮囊给予较大的潮气量，使气囊周围形成较大的冲力，将其上方的分泌物"冲"到口咽部，有利于充分吸净。方法三：经鼻置一根引流管于气囊上部，每 30～60 min 冲洗抽吸 1 次，以保持囊上清洁。方法四：采用带引流管的气管导管，持续引流气囊上方分泌物，降低口咽部及胃肠道定植菌吸入的机会，从而减少医院内感染性肺炎的发生率。

第二节　安全吸痰——保持气道通畅

一、吸痰时机

以定时结合按需吸痰为宜。病人在以下情况下，应给予适时吸痰：发生频繁呛咳或者床旁听到痰鸣音，提示大量痰液瘀积在上气道，需立即吸痰，如支气管扩张、肺脓肿、重症肺炎、昏迷病人等；另外，护士听诊呼吸音，如听到痰鸣音也应立即给予吸痰；雾化吸入，体位变化前后，监护仪氧饱和度突然降低。定容控制呼吸时呼吸机气道压超高报警，定压控制呼吸时潮气量下降等更应及时吸痰。有的病人需吸痰 1 次/1 h，甚至间隔时间更短，而有的病人则需 1 次/4 h 或更长时间吸引。有研究提出根据病情需要，必要时才吸痰，多数可达到明显改变病人通气的效果，属按需吸痰；而根据"遵医嘱"或"按时间"属于定时吸痰。有临床实践者认为，按需吸痰比定时吸痰更有效，一方面可减少对病人的刺激，是因为有些病人的痰液比较少。定时吸痰会对病人带来很大的刺激。并造成不能耐受而吐管对抗治疗；另一方面,痰量多的病人有时每隔几分钟就需吸痰。如一味拘泥于定时吸痰,则不能及时彻底清除气道内分泌物,延误病情,导致并发症发生。合理吸痰,正确吸引分泌物,应废弃过去护理此类病人常规1~2 h吸痰1次的做法。只有当呼吸道分泌物增多,确须吸痰时才实施吸痰。

二、吸痰管的选择

气管内吸引时选择大小适当的吸引管至关重要。选择粗细适宜的吸痰管。可降低气道损伤的发生。吸痰管适宜是指吸痰管外径不超过气管导管内径的1/2,这样吸痰时空气仍可进入肺内,减少缺氧程度,大大减少窒息的发生,并可防止负压过大引起的肺不张。一般成年人的气管内套管直径为7~9 mm,故吸痰管的直径应是2.0~2.5 mm,一般在一次性吸痰管的包装袋外有直径的标示。吸痰管过粗,产生的负压过大,易造成损伤;吸痰管过细,产生负压小,吸痰不畅,达不到效果。目前成人常用12号高分子硅胶吸痰管,长度50 cm,有1个正孔和2个侧孔,这种吸痰管软硬适合,弹性好,不易扭曲,可分散吸痰时负压,减少刺激,损伤小,对病人较安全。特别指出的是应重视小儿吸痰管的选择。

三、湿化气道

上呼吸道对吸入气体的加温和湿化作用,人工气道建立后完全丧失了该项功能,再加上病人咳嗽能力减弱,呼吸道失水增加,未经湿化的气体直接经气管导管进入下呼吸道,因此也就失去了上气道的加温和湿化作用。充分湿化气道以增加上呼吸道湿度。稀释痰液,以利痰液吸出,同时加强气道湿化也是预防呼吸机相关性肺炎的主要措施之一。如果人工气道湿化不够,将在人工气道或上呼吸道形成痰痂,对肺功能将造成一定的损害或引起气道堵塞,肺部感染率随气道湿化程度的降低而升高。而当湿化充分时,即便是没有咳嗽反射的昏迷病人,也能保持呼吸道纤毛运动。从而保证有效的呼吸道分泌物引出,确保使用人工气道病人气道通畅。人工气道湿化判断标准是根据呼吸系统进气部位与正常情况下气道内的湿度水平相比较而制定的。经人工气道吸入气体,温度应达32~34℃,相对湿度95%~100%(绝对湿度至少达36 mg/L)。如果湿度和温度低于以上水平为气道缺乏湿度,如果气道湿化高于标准即可能发生液体过度负荷和病人感觉不适。没有任何湿化器时,人工气道病人可通过一细塑料管向气管插管或气管切开套管内滴入液体,但滴入液体量不能过多。一般每分钟进液量1.5~3 ml,每日湿化液量在150~250 ml较妥。确切的滴液量可根据痰液的性质来决定,如痰液稀薄,容易吸出并在吸痰管道内没有滞留,表明湿化满意;如痰液过稀过多,频繁咳嗽,需经常吸痰即表明湿化过度;痰液黏稠结痂,吸引时痰液黏滞在吸痰管壁甚至冲洗水也无法冲洗,表明湿化不足。气道湿化包括非机械通气气道湿化法与机械通气气道湿化法,其中前者包括纱布覆盖法、滴注湿化法、雾化湿化法、人工鼻湿化法。

四、吸痰技巧

吸痰动作一定要轻柔,将吸痰管外表湿润后捏住,连接管处关闭负压轻而快地插入气管导管内,常规吸痰管插入深度以遇有阻力为佳,但深部吸引易引起组织损伤及炎症。肉芽组织形成而导致气管狭窄、肺气肿和肺不张。因此,提倡浅层吸痰法。有研究者认为,吸痰管插入长度为气管插管或气管切开管长度再延长 1～2 cm,有附件(调节器呼吸机接头等)时,另加附件长度,这种吸痰深度对气管黏膜损伤性较小且效果好。吸痰管插入导管后给予负压,边旋转边吸引,慢慢向外提出,手法轻巧,动作轻柔。如遇痰液多时在旋转提出的过程中可稍停留,将吸痰管左右稍摆动,吸出气管内较多量痰液。切忌反复上下抽吸,引起气道损伤。禁止退出时间断施压和进管时施压,否则会造成吸痰无效。

五、密闭式吸痰

可以使用封闭式吸痰管或者吸痰延长管来实现不需脱开呼吸机或停止机械通气进行吸痰。使用封闭式吸痰管,该管的外套有透明薄膜,整个吸痰过程是在密闭情况下完成(图 28-3),操作者不需戴无菌手套即可操作。其优点在于密闭式吸痰不中断呼吸机送气,可以保持通气及吸氧浓度,最大限度减少气道内压力的变化,减少肺泡萎陷,避免吸痰引起的肺顺应性进一步下降。对 ARDS 机械通气病人吸痰时选择密闭式吸痰更合理、更安全和有效避免风险。其次,有研究发现使用密闭式吸痰系统对动脉血氧影响较小,能有效预防吸痰引起的低氧血症,明显减少吸痰过程中血氧饱和度下降的发生率。再则,呼吸道感染发生率密闭式吸痰明显低于开放式吸痰,这是由于使用密闭式吸痰器在吸痰过程中保证了气道的密闭性,明显降低了含菌气溶液的吸入,并明显减少操作者的污染机会。

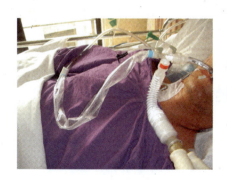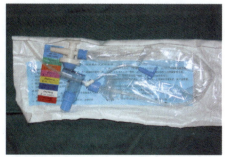

图 28-3 密闭式吸痰

六、膨肺技术的应用

人工气道的病人经常规的翻身、拍背、吸痰等仅能排出气管分支的分泌物。而细小支气管末梢的分泌物不能排出。而吸痰后采用控制性肺膨胀改善吸痰引起的缺氧和肺不张,可以促使塌陷的肺泡复张而改善氧合。方法有简易呼吸器法和呼吸机法。利用膨肺技术同时配合支气管滴液,再加上叩背与有效吸痰能有效排出细小支气管末梢的痰液。

七、吸痰后并发症的护理

（一）低氧血症

吸痰前后给予预充氧,可预防吸痰导致的低氧血症和组织缺氧,即吸痰前给予吸纯氧2～3 min,吸痰结束后 2～3 min 内仍给予纯氧吸入。气管切开套管内吸氧的病人调高吸氧流量 6～8 L/min。2～3 min 后再吸痰,注意调高吸氧浓度时湿化瓶内蒸馏水位为 1/3,防止高流量氧导致吸入蒸馏水造成呼吸困难。

（二）气管黏膜损伤

频繁吸痰和过大负压吸引可导致气道黏膜损伤。在吸痰过程中应做到一慢二快三忌。即退吸痰管宜慢;进管与整个吸痰过程宜快;一次吸痰中忌反复抽插吸痰管;忌负压过大;忌在严重低血氧饱和度和心率、心律明显异常情况下吸痰;出现气管黏膜损伤时应减少吸痰次数。观察痰液变化。

（三）心律失常

吸痰不及时可造成通气量下降、窒息,甚至心律失常。因此。吸痰时要严密监测心率及心律变化,在吸痰过程中若出现心律失常、气道痉挛、紫绀等情况要立即停止吸痰,并给予高浓度吸氧。

（四）其他

容易出现的并发症有高血压等。护士要熟悉病人的基础病情,如肺动脉高压的病人要警惕吸痰引发肺动脉危象。

第三节　机械通气护理

机械通气护理目标与措施如下。

一、维持安全及有效的通气治疗

（1）护士要维持连续性及紧密性的监测,以确保呼吸机正常运作,及确保病人能获得足够的供养及通气。

（2）为要确保病人在突发事故时（例如：意外性脱管），能及早获得抢救，呼吸机的报警系统应保持开启状态并及时响应分析报警原因。

（3）任何时候都应有护士在病人床边进行监察，以防止任何事故的发生；并且观察病人有否因病情恶化或机械故障引起的呼吸窘迫呼吸衰竭。

（4）床边应常备有手动式呼吸球囊、氧气装置及抽痰装置，以便急救时应用。

二、维持足够的供氧及通气

（1）按医嘱调校呼吸机的通气设定，并记录在护理记录单。

（2）为减少病人胃胀及增进其肺部扩张，必要时病人插入鼻胃管，引流出过多的胃液及空气。

（3）呼吸机的通气设定需按医嘱、病人情况或血气报告而作出适当调节。护士需定时核查呼吸机的设定，以确保设定没有被意外的改动。

（4）护士需时常观察病人对正压通气的反应，包括肤色、血气报告及 X 线胸片报告。

（5）观察包括定时查看呼吸机的气道压力有否增高。正常气道压力一般低于 $35\,cmH_2O$ 或以下，而气道压力增高常发生于气道分泌物过多、呼吸机管道曲折、气管内导管移位、气管痉挛、压力性气胸及病人与呼吸机对抗等情况。

（6）为确保病人在接受通气治疗期间能减少不适及焦虑，应给予适量的止痛剂（例如：吗啡）及镇静剂（例如：咪达唑仑）。必要时，应放入防咬垫或防咬器于病人口中。

（7）人工气道闭塞可严重影响通气的效果，故护士应使用加湿器（例：热湿交换器、加热加湿器），以防止因气道分泌过多而产生的气道阻塞。这个措施对患儿、吸入性灼伤病人、痰液多且浓厚的病人及需要长期通气病人尤为重要。若病人出现支气管痉挛，则需要雾化器输送支气管扩张药给病人扩张其气管。

（8）清除气道分泌物，除施行物理治疗外，护士应经常替病人抽取痰液。抽取痰液时护士应使用无菌技术；提供氧气，以减少并发症；抽痰时最好加上放泄气接头以减少抽痰时的气体流失；应加上 PEEP 以维持肺气泡持续张开。

（9）定时为病人转换体位十分重要，它不单可以防止压疮的发生，更加可以增进肺内气体的分布，及减低肺内痰液的潴留。

（10）在通气期间，如果病人出现缺氧或通气困难时，护士应立即使用手动式呼吸囊为病人做手动式通气，然后找出问题发生的原因及做出适当的处理。

三、维持足够的心脏输出量及组织灌流

（1）间歇正压通气能够令胸腔内的压力增大，导致心脏受压，心脏的回流、输出以至组

织灌流因而减少。

（2）护士应该定时观察病人的血压、脉搏、心电活动、尿量及外围组织灌流（例：末梢温度、微血管再灌注），以及早发现心血管系统所受的影响。

四、维持正常的肠胃道完整及提供足够营养

（1）应时常检查及预防、处理病人急性肠胃溃疡。

（2）应该确保病人能够摄取足够的营养，因营养不足会导致肌肉无力、感染及延长通气期等并发症发生。

（3）评估病人对该种营养补给产生的反应（有腹胀、腹泻、血糖高等等）。

（4）不能采用鼻胃管喂饲，应给予静脉内高营养治疗。

五、预防感染

（1）洗手。

（2）无菌气管内吸痰。

（3）减少不必要拆卸呼吸机管道。频繁拆除或更换呼吸机管道会增加呼吸机管道内细菌散播到病房环境的机会（例：每 7 d 更换管道 1 次。有研究显示，每 7 d 更换管道 1 次比起每 1～2 d 更换管道 1 次在感染率上并无分别，且更能节省人力资源）。

（4）加湿。

（5）监察感染的出现，包括心搏率、呼吸率、体温、白细胞数量等。

（6）无反指征情况床头抬高 30°～45°角。

（7）含洗必泰的漱口液进行口腔护理，每日 2～6 次。

（8）使用声门下吸引功能的气管套管。

六、维持基本的生理照顾

（1）眼部护理　定时为病人滴眼部润滑剂及把病人眼睛闭上，以防止眼睛受损。

（2）口腔护理　口插管容易引起口部溃疡及口腔分泌过多，故应时常帮病人清洁口腔及清除过多的唾液。

（3）皮肤护理　维持病人皮肤清洁及定时为病人转换体位及清除过多的唾液。

（4）排泄护理　观察病人的排泄功能是否正常。病人如有便秘，原因是吗啡的不良反应、食物改变、活动减少等；病人如有腹泻，原因是对流质食物过度反应，或抗生素的不良反应。

（5）四肢护理　长期卧床的病人四肢因缺乏活动，容易造成肌肉萎缩或变形，下肢甚至可因而有深静脉栓塞。护士应定时给病人进行肢体活动，帮病人穿上抗栓塞长袜以减低此

类并发症的发生。

七、提供足够的心理支持

ICU 是一个精神压力很大的场所,病人容易产生 ICU 综合征。会出现包括神志不清、胡言乱语及行为失控等。护士可以采取一些积极的措施。

(1) 控制环境的光线、音量及温度,从而使病人有舒适的环境。

(2) 让病人分辨日夜与时间,与病人保持沟通。

(3) 提供止痛剂及安眠药以免痛苦及使容易得到休息。

(4) 施行护理工作时应予病人充足的解释,使其安心,病人焦虑时,护士应给予适当的心理安慰和支持。若病人因插入人工气管不能讲话,护士应提供纸笔,让病人写出他们的需要,增进沟通。向病人播放他们喜爱的音乐,起到放松的效果。家属至亲的陪伴及支持,更是预防及减少 ICU 综合征重要的一环。

第四节　胸部物理治疗

胸部物理治疗是指用物理的技术清除呼吸道分泌物的一种治疗方法。传统方法包括体位引流、拍背、震颤、咳嗽、吸引、呼吸练习。近年来在此基础上又创造了多种新技术(如气道内拍击、机械吸呼治疗等),并且某些重症单位设置专门的胸部物理治疗师,这已成为强化重症监护是医疗与护理质量的一种方式。

胸部物理治疗适用于无力咳嗽或体力衰竭的病人,当出现有过多或不正常分泌物滞留时使胸部物理治疗的适应证。然而,临床上并非每一位病人都适合接受物理治疗,病人如有肋骨损伤,严重的支气管痉挛或哮喘发作,肺脓疡或气胸无胸腔引流,高颅内压,不稳定的血流动力情况,肺出血或凝血病,异物吸入或特别的呼吸困难等现象都不合适接受物理治疗。因此,进行胸部物理治疗前必须进行详尽的评估。

一、胸部物理治疗前评估

(一)病史回顾

可提供疾病的相关信息,如体征、用药史、治疗史、病情的发展。也可获得 X 线片、CT、MRI 等检查结果,有助于肺或胸廓的特殊区域的疾病,明确了胸部物理治疗的操作范围,及时和医生、护士沟通以了解病人的主要问题和疾病有价值的信息。

(二)体格检查

病人生命体征、呼吸运动模式、肺部听诊、触诊、病人咳嗽能力及配合能力、分泌物性状等。

（三）胸部物理治疗技术

1. 体位引流　根据评估的情况、病人的需求，协助病人采取合适体位，以有利于分泌物引流，肺通气和灌注，促进气管支气管内的分泌物清除。重症病人的体位安置极为重要，头低位时易引起呼吸困难，需谨慎严密观察。如病人有以下情况应避免颅内压增高，如反流、新生儿腹部膨胀、膈神经麻痹。接受腹部手术、神经外科、心脏外科手术的病人也不适合以头低位进行胸部理疗。一般病人如不适合上述体位，可采用侧卧位进行。

2. 拍背　拍背是一项常用的技术，主要是利用手腕的力量，将手掌弯起通过拍的动作会使不同大小振幅及频率的波穿过胸部，减少分泌物附着于气道壁，物理性的将黏液移除，并且增加气道传送的速度。拍背可在整个呼吸周期进行，遵循"由外到内，由上到下"原则，手成空掌有节律性的拍击所需引流部位的胸廓。婴儿可使用婴儿面罩进行拍背，也可用三个手指形成环状（中间手指抬起，叠于第一、第三手指上），或从"大鱼际肌"和"小鱼际肌"配合进行拍背。通常拍背的频率是儿童和成人大约 60 次/min，即 1 秒一次。婴儿的大约 40 次/min，对重症婴儿和易引起支气管痉挛者频率应慢。

拍背时病人的皮肤需以薄层的衣服盖住（以免损伤皮肤），厚的质料如毛毯、毛巾、毛衣会吸收而非传导震动。拍背技术不应产生疼痛或不适，也不应在接近伤口或胸腔引流管处拍背。拍背技术应在餐后一小时后进行。当病人出现如皮肤不佳、凝血病、骨质疏松、心律不齐、呼吸暂停、心动过缓、治疗中烦躁、颅内压高、脑室出血、肺水肿、严重的心功能不全等情况时，胸部物理治疗不适合治疗。

3. 震颤　震颤是将一种细微颤抖的压力间歇性的施于胸部，产生波能。治疗者在病人呼气时或吸气前施力于病人肋骨和软组织处，震颤的力量根据病人的年龄大小和病情而决定。拍背和震动应联合使用，并能刺激咳嗽，促进痰液的排出。具体实施前护士要经过专业的指导练习，也可使用专业的排痰仪实施震颤。

4. 咳嗽　咳嗽是去除肺部分泌物的一个重要机制。深吸气时，声门关闭，胸腹腔内压力增加，声门打开，腹肌收缩，快速排出空气，形成了咳嗽。即分解为刺激、吸气、屏气及咳出四个步骤。基于此原理，现代胸部物理治疗逐渐发展出模仿/加强咳嗽过程的技术，以期提高病人的咳嗽效率。

一般采取的体位是低坐位，双肩放松，头及上体稍前倾前屈，双臂可支撑在膝上，以放松腹部肌肉利于其收缩。然后指导病人以腹式呼吸深吸气，屏气一段时间后在身心放松下突然开放声门，运用腹肌的有力收缩将痰液咳出。对于一些胸腹部大手术后以及神经肌肉疾病的病人，操作者或病人还可在此基础上用手置于其两侧胸壁或上腹部，在其咳嗽时施压辅助。这对一般病人是有效的，但 COPD 病人却会因用力呼气使胸内压升高而造成小气道陷闭。因此，人们对此进行了改进，产生了强迫呼气技术（forcedexpiratory technique，FET）或称 Huff。FET 是指在正常吸气后，口与声门需保持张开，压缩胸部和腹部肌肉将气体挤出,如同在用力地发出无声的"哈"。这样就可使病人在呼气时尽可能维持较低的胸内压以避免较小气道的塌陷,因此适用于 COPD 病人。此外,该技术也适用于那些衰弱无力咳嗽或术后伤口疼痛不愿咳嗽的病人。临床研究表明,FET 有着较好的排痰效果。

总之,由病人自己运用 FET 与常规物理治疗相比,其排痰量大而所花费的时间较少。特别是与体位引流结合后,应用雾化吸入的观察表明,其痰液的清除效果较单纯咳嗽好。

鼓励病人咳嗽同时,护士要避免失控的咳嗽痉挛(阵发性);选择竖直体位咳嗽会加强效果。无能力自主咳嗽或咳嗽反射差要及时选择气道吸引方式。

5. 主动呼吸周期和自发性引流 经过多年的摸索和完善,目前在国际上又创造了运用呼吸方式来松动和排除痰液的两种技术。主动呼吸周期(active cycle of breathingtechniques,ACB T),综合了用力呼气、胸廓扩张运动以及呼吸控制三种技术(一次操作周期的流程见图 28－4)。其中,胸廓扩张运动则要求深吸气,有或无屏气都可,平静放松呼气;呼吸控制则是病人按照自己的频率和深度进行呼吸,但其中鼓励病人应用胸廓下部呼吸,并放松双肩及上胸部。

6. 自发引流(autogenic drainage,AD) 与体位引流完全不同,自发引流是通过病人应用不同肺容积的膈式呼吸和呼气气流来移动分泌物的一种痰液引流方式,其目的在于增大呼气流速(图 28－4)。为取得最佳疗效,病人采取坐位。指导其控制呼气流速,从而避免小气道塌陷。在整个周期中,尽量避免咳嗽,直至结束。

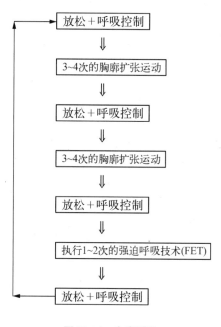

图 28－4 自发引流

7. 呼吸练习　通过指导病人学会呼吸控制并运用有效呼吸模式，使吸气时胸腔扩大，呼气时胸腔缩小，促进胸廓运动，改善通气功能；同时建立“控制呼吸”的自信心，有助于精神放松。特别是胸腹手术病人，在手术前物理治疗师可进行手术前的访视，指导呼吸练习，让病人掌握呼吸练习技巧，有利于术后做呼吸练习，减少肺部并发症。练习要避免用力呼气和呼气过长，以免发生喘息、憋气，支气管痉挛或者过度通气。① 腹式呼吸：该练习时腹肌与膈肌运动，气体交换容量大，对内脏有按摩作用；改善肺底部通气，有助于正常呼吸模式的恢复；降低呼吸肌群的能耗，提高呼吸效率。练习方法是：先呼后吸，吸鼓呼瘪；呼时经口，吸时经鼻；细呼深吸，不可用力。② 缩唇呼吸：该方法强调呼气时噘嘴（O 型嘴，鱼唇嘴），用鼻吸气，用口呼气；吸呼比 1∶2～1∶5，呼吸频率小于 20 次/min。多用于拔管后病人及术前、术后病人做呼吸练习，以促进肺部扩张。③ 胸部扩张练习：在物理治疗师的指导协助下进行，有单/双侧低胸扩张、胸背部扩张、肺尖部扩张、自我胸部扩张练习以及呼吸肌群柔韧性的练习。

其他主动呼吸的技巧可由以下活动促进病人的参与：① 一般活动：由于病人长期患有呼吸道疾病，因此应鼓励病人多进行活动，可教导病人进行床上运动；重症者应更换体位，活动躯干四肢，防止肺部并发症。另外下床行走也适合病情稳定的病人，在手术后鼓励早期下床走，促进胸廓运动。如病人的病情能进行较剧烈的运动，如跳跃运动刺激咳嗽，将有利于分泌引流。② 游戏法：根据儿童的年龄选择适当的游戏，以促进呼吸练习，如吹气球、肥皂泡、风车、棉花球等，在进行游戏的同时也得到了呼吸练习。③ 雾化吸入法：帮助气道湿化有利于分泌物引流，支气管痉挛者可在雾化中加入支气管扩张剂，在胸部物理治疗前 20 min 雾化。如用激素、抗生素雾化，须在 CPT 后（气道分泌物清除）进行，有利于药物的吸收。

（皋源　郑微艳）

参 考 文 献

1 刘淑媛. 危重症护理专业规范化培训教材. 北京：人民军医出版社，2006.

2 李洁，杜美莲，詹庆元. 胸部物理治疗新进展，国际呼吸杂志，2007，13，27(13)：1031～1035.

3 杭燕南，庄心良，蒋豪，主编. 当代麻醉学. 上海：上海科学技术出版社，2002：1221～1251.

附录 中英文名词对照

25%肺活量时最大呼气流速	maximal expiratory flow In 25% vital capacity	V_{max25}
50%肺活量时最大呼气流速	maximal expiratory flow In 50% vital capacity	V_{max50}
CO_2 波形引导	capnograph-guided	
MRI 兼容型喉罩	MRI-safe LMA	
饱和度	saturation	S
比例辅助通气	proportional assist ventilation	PAV
比气道传导率	specific airway conductance	Gsp
比顺应性	specific compliance	
闭合气量	closing volume	CV
闭合容量	closing capacity	CC
变形喉罩	curve-altered LMA	
标准大气压	standard pressure	SP
表面活性物质	surfactant	
表面张力	surface tension	ST
补呼气量	expiratory reserve volume	ERV
部分可曲喉罩	Semi-flexible LMA	
残气量	residual volume	RV
常规机械通气	conventional mechanical ventilation	
超氧化物歧化酶	superoxide dismutase	SOD
潮气量	tidal volume	V_T
持续肺泡内正压	continuous positive alveolar pressure	
持续气道正压	continuous positive airway pressure	CPAP
持续气道正压	maintained positive airway pressure	MPAP
持续正压呼吸	continuous positive pressure breathing	CPPB
持续正压通气	continuous positive pressure ventilation	CPPV

初期复苏,基础生命支持	basic life support	BLS
粗管喉罩	Large-bore LMA	
大气压	braometric pressure	PB
大气压的	barometric	B
代谢性酸中毒	metabolic acidosis	
单肺通气	single lung ventilation	
等流量容积	volume of Isoflow	Viso
等压点	equal pressure point	EPP
低流量	low flow	
低频正压通气	low frequency positive pressure ventilation	LFPPV
低碳酸血症,低 CO_2 血症	hypocapnia	
低血容量	hypovolemia	
低氧性缺氧	hypoxic-hypoxia	
低氧血症	hypoxemia	
第二气体效应	second gas effect	
动静脉血氧含量差	arterial venous oxygen content differences	A-VDO2
动脉血-肺泡气二氧化碳	alveolar-arterial carbon dioxide	$P_{(a-A)}CO_2$
分压差或梯度	diference or gradient	
动脉血二氧化碳分压	arterial carbon dioxide partial pressure	$PaCO_2$
动脉血二氧化碳含量	arterial carbon dioxide content	$CaCO_2$
动脉血气	arterial blood gases	ABG
动脉血氧饱和度	arterial oxygen saturation	SaO_2
动脉血氧分压	arterial oxygen partial pressure	PaO_2
动脉血氧含量	arterial oxygen content	CaO_2
动态顺应性	dynamic compliance	Cdyn
短管喉罩	short tube LMA	
多系统器官功能衰竭	multiple system organ failure	MSOF
多脏器功能衰竭	multiple organ failure	MOF
二氧化碳产生量	CO_2 production	V_{CO_2}
二氧化碳分析仪	analyzer	CO_2
二氧化碳复吸	rebreathing	CO_2
二氧化碳结合力	carbon dioxide combining power	CO_2-CP
二氧化碳曲线图	capnography	

二氧化碳吸收罐	canister	CO_2
二氧化碳吸收剂	absorbent	CO_2
二氧化碳蓄积	accummulation	CO_2
二氧化碳总量	total carbon dioxide content	C_{CO_2}
反比通气插管型喉罩	inverse ratio ventilation intubating LMA	IRV
反常通气	paradoxical respiration	
防咬装置	bite block	
肺不张	atelectasis	
肺冲洗	lung lavage	
肺弹性	elastance of lung	E_L
肺动脉高压	pulmonary artery hypertension	PHA
肺动脉嵌顿压	pulmonary capillary occlude pressure	PCOP
肺动脉楔入压	pulmonary arterial wedge pressure	PAWP
肺动脉压	pulmonary artery pressure	PAP
肺动脉阻力	pulmonary arterial resistance	PAR
肺梗死	pulmonary infarction	
肺过度扩张	hyperinflation	
肺活量	vital capacity	VC
肺开放	open lung	
肺扩散能力	diffusing capacity of the lung	
肺量计	spirometer(pulmometera)	
肺毛细血管楔压	pulmonary capillary wedge pressure	PCWP
肺毛细血管血容量	capillary blood flow	Q_c
肺弥散	diffusion of lung	DL
肺弥散量	lung diffusing capacity	
肺内分流	pulmonary shunt	
肺内分流率	right-to-left shunt ratio	Q_s/Q_t
肺内解剖分流量	anatomical pulmonary shunt	Q_{ana}
肺内生理分流量	physiological pulmonary shunt	Q_{sphy}
肺内外压差	transpulmonary pressure	P_L
肺泡-动脉血氧分压差	alveolar-arterial oxygen difference	$A-aDO_2$
肺泡二氧化碳分压	alveolar carbon dioxide partial pressure	
肺泡二氧化碳分压	alveolar oxygen partial pressure	

肺泡二氧化碳分压	alveolar partial pressure of carbon dioxide	P_ACO_2
肺泡二氧化碳浓度	alveolar CO_2 concentration	$FACO_2$
肺泡气	alveolar gas	A
肺泡气-动脉血氧分压差或梯度	alveolar-arterial oxygen diference or gradient	$P_{(A-a)}O_2$
肺泡通气量	alveolar ventilation	
肺泡压	alveolar pressure	
肺泡氧浓度	alveolar O_2 concentration	FAO_2
肺气肿	emphysema	
肺栓塞	pulmonary embolism	
肺水肿	pulmonary edema	
肺顺应性	lung compliance	CL
肺炎	pneumonia	
肺氧弥散量	diffusing capacity for oxygen of the lung	DLO_2
肺一氧化碳弥散量	diffusing capacity for carbon monoxide of the lung	DL_{CO}
肺脂肪栓塞	lung fat embolism	
肺重症监护病房	pulmonary intensive care unite	PICU
肺总量	total lung capacity	TLC
分流	shunt	
分钟肺泡通气量	minute volume alveolar ventilation	VA
分钟通气量	minute volume of ventilation	V_E
分钟通气量	minute volume	MV
分钟无效腔通气量	minute volume of dead space ventilation	V_D
分钟指令性通气	mandatory minute volume ventilation	MMV
辅助-控制通气	assisted-control ventilation	C/A
辅助呼吸	assisted ventilation	
高频喷射通气	high frequency jet ventilation	HFJV
高频通气	high frequency ventilation	HFV
高频振荡	high frequency oscillation	HFO
高频正压通气	high frequency positive pressure ventilation	HFPPV
高碳酸血症,高 CO_2 血症	hypercapnia	
高压舱	hyper baric chamber	
高压氧治疗	hyper baric oxygentherapy	HBO

功能残气量	functional residual capacity	FRC
固定架检查	stabilizing rod testing	
过度通气	hyperventilation	
喉罩	laryngeal mask airway	LMA
呼出气	expired gas	Exp
呼气 CO_2 分压	expired CO_2 tension	$P_{ET}CO_2$
呼气-吸气比	expiration/inspiration ratio	E/I
呼气二氧化碳浓度	expired CO_2 concentraion	$FECO_2$
呼气肺活量	expiratory vital capacity	EVC
呼气活瓣	expiratory valve	
呼气流速峰值,最高呼气流速	peak expiratory flow rate	PEFR
呼气末负压	negative end-expiratory pressure	NEEP
呼气末零压	zero end-expiratory pressure	ZEEP
呼吸道正压	positive airway pressure	
呼吸道阻塞	respiratory obstruct	
呼吸功	work of breathing	
呼吸功能监测	respiratory function monitoring	
呼吸管;螺纹管	breathing tube(Corrugated tube)	
呼吸管理	respiratory management	
呼吸环流系统	breathing circuit	
呼吸机相关性肺损伤	ventilator induced lung injury	VILI
呼吸急促	tachypnea	
呼吸困难	dyspnea	
呼吸模式	respiratory model	
呼吸末二氧化碳	end tidal carbon dioxide	$Et\ CO_2$
呼吸末停顿	end-inspiratory pause	EIP
呼吸末正压	positive end expiratory pressure	PEEP
呼吸频率	respiratory rate	RR
呼吸期气道正压	expiratory positive airway pressure	EPAP
呼吸器	respirator	
呼吸商	respiratory exchange ratio	RQ
呼吸衰竭	respiratory failure	RF
呼吸性碱中毒	respiratory alkalosis	

呼吸性酸中毒	respiratory adcidosis	
呼吸抑制	respiratory depression	
呼吸支持	respiratory support	
呼吸指数	spiro-index	
呼吸重症监护治疗室	respiratory care unit	RICU
呼吸阻力	respiratory resistance	R_{RS}
化碳弥散量氧供	perliter of alveolar volum	
缓冲碱	buffer base	BB
混合静脉二氧化碳分压	mixed venous CO_2 pressure	$PvCO_2$
混合静脉血氧饱和度	mixed venous oxygen saturation	
混合静脉血氧分压	mixed venous O_2 pressure	PvO_2
混合静脉血氧含量	oxygen content in mixed venous blood	
机械辅助通气	assisted mechanical ventilation	AMV
机械通气	mechanical ventilation	MV
急性呼吸功能不全	acute respiratory failure	ARF
急性呼吸窘迫综合征	acute respiratory distress syndrome	ARDS
急性呼吸衰竭	acute respiratory failure	
间歇按需通气	intermittent demand ventilation	IDV
间歇辅助通气	intermittent assisted ventilation	IAV
间歇正负压呼吸	intermittent positive negative pressure breathing	IPNPV
间歇正压呼吸	intermittent positive pressure breathing	IPPB
间歇正压通气	intermittent positive pressure ventilation	IPPV
间歇指令通气	intermittent mandatory ventilation	IMV
碱剩余	base excess	BE
经鼻喉罩	nasal LMA	
经鼻盲探插管	blind nasotracheal intubation	
经皮二氧化碳分压	trnascutaneous CO_2 tension	$TcPCO_2$
经皮氧分压	trnascutaneous O_2 tension	$TcPO_2$
颈内静脉血氧饱和度	jugular bulb oxygen saturation	SjO_2
静脉血氧饱和度	venous oxygen saturation	SvO_2
静脉血氧含量	oxygen content in venous blood	CvO_2
可拆装喉罩	split LMA	
可曲喉罩	flexible LMA	

控制呼吸	controlled ventilation	CV
控制通气	mechanical controlled ventilation	
控制性机械通气	controlled mechanical ventilation	CMV
口对口人工呼吸法	mouth-to-mouth resuscitation	MMR
口咽部漏气压	oropharyngeal leak pressure	OLP
跨肺压	transpulmonary pressure	
跨膜压	transmural pressure	
扩展分钟指令性通气	extended mandatory minute ventilation	EMMV
流量-容积曲线	flow-volume curve	V-V
流量计	flow meter	
流量容量环	flow-volume loop	
慢性呼吸衰竭	chronic respiratory failure	CRF
慢性阻塞性肺疾病	chronic obstructive pulmonary disease	COPD
盲探插管	blind intubation	
毛细血管血氧分压差	capillary partial pressure of oxygen	PcO2
毛细血管氧饱和度	capillary oxygen saturation	ScO_2
每升肺泡容积的一氧	diffusion capacity for carbon monox	DLCO/Va
弥散量	diffusion capacity	D
面罩通气	mask ventilation	
明视插管术	visual intubation	
脑氧化饱和度	cerebral oxygen saturation	RSO_2
旁流型	sidestream	
喷射通气	jet ventilation	
贫血性缺氧	anemic-hypoxia	
频率依赖顺应性	frenquence dependent compliance	Cfd
平均动脉压 可塑喉罩	mean arterial pressure malleable LMA	MAP
平均气道压	mean airway pressure	MAP
平均气道压力	average in airway pressure	Paw
评分	apgar score	Apgar
屏气试验	breath holding test(Sebarese's)	
普通喉罩	classic LMA	
气道传导率	airway conductance	Gaw
气道管理	airway management	

气道减压通气	airway pressure release ventilation	APRV
气道困难	difficult airway	
气道压力监测仪	airway pressure monitor	
气道阻力	airway resistance	AWR
气道阻力	airway resistance	RAW
气动呼吸器	pneumatic ventilation	
气管导管斜口	tracheal tube bevel	
气管和支气管重建术	reconstruction of trachea-bronchial tree	
气管牵曳	tracheal tug	
气管切开	tracheotomy	
气管塌陷	tracheal collapse	
气管造口	tracheaostomy	
气管造口术	tracheostomy	
气压	barometric pressure	BP
气压伤	pressure trauma	
呛咳	bucking	
清醒插管	conscious intubation	
缺氧	hypoxia	
缺氧性肺血管收缩	hypoxia pulmonary vasoconstriction	HPV
人工腭	artificial palate	
人工呼吸	artificial respiration(ventilation)	
容量支持	volume support ventilation	VSV
上游气道阻力	upstream resistance	Rus
深吸气量	deep inspiration volume	
声门关闭反射	glottic closure reflex	
湿化	humidification	
时间肺活量	timed vital capacity	TVC
实际碱剩余	actual base excess	ABE
实际碳酸氢根	actual bicarbonate radical	
实际碳酸氢盐	actual bicarbonate	AB
食管引流喉罩	esophageal-vent LMA	
气道食管双管型喉罩	proseal LMA	
双腔喉罩	double-lumen LMA	

双水平气道正压通气	bi-level positive airway pressure	BiPAP
睡后呼吸暂停	sleep apnea	
顺应性	compliance	
顺应性辅助通气	adaptive assisted ventilation	AAV
体外膜肺人工循环	extrocorporeal membrane oxygenator	ECMO
体外式肺辅助	extrocorporeal lung assist	ECLA
通道	channel	
通气不足	hypoventilation	
通气容量监护仪	spiromed	
通气衰竭	ventilatory failure	V_F
通气血流比率	ventilation perfusion ratio	V_A/Q
通气压力监测仪	baromed	
同步间歇正压通气	synchronized intermittent positive pressure ventilation	SIPPV
同步间歇指令通气	synchronized intermittent mandatory ventilation	SIMV
脱机	weaning	
完全性重复吸入系统	complete rebreathing system	
胃镜喉罩	gastroscope LMA	
无创通气	noninvasive ventilation	
无效腔/潮气量比	ratio of dead space to tidal volume	Vd/V_T
无效腔空气量	volume of dead air space	
无效腔量	dead space volume	D
无效腔量	dead space volume	V_D
无栅栏喉罩	barless LMA	
无重复吸入	non-rebreathing	
误吸	aspiration	
吸气-呼气时间比	inspiratory time/expiratory time ratio	I/E
吸气储备量	inspiratory reserve capacity	IRC
吸气活瓣	inspiratory valve	
吸气量,深吸气量	inspiratory capacity	IC
吸气量	inspired volume	Vi
吸气流速率	inspiratory flow rate	

吸气压,用力吸气负压	inspiratory pressure	IP
吸气氧浓度	expired O_2 concentraion	FEO_2
吸入气氧浓度	fractional concentration of O_2 in inspired gas	FiO_2
吸入性肺炎	aspirated pneumonia	
下咽部漏气压	hypopharyngeal leak pressure	
下游气道阻力	downstream resistance	Rds
限量型呼吸器	volume-control respiratory	
限压通气	pressure limit ventilation	
限压型呼吸器	pressure-control respirator	
心肺复苏	cardiopulmonary resuscitation	CPR
心肺脑复苏	cardiopulmonary cerebral resuscitation	
新生儿特发性呼吸窘迫综合征，新生儿肺透明膜病	idiopathic respiratory distress syndrome (of the newborn)	IRDS
新生儿窒息	anoxia of newborn	
胸壁顺应性	chest wall compliance	Ccw
胸外心脏按压	external cardiac compression	ECC
血/气分配系数	blood-gas partition coefficient	
血管外肺水	extravasvular lung water	
血红蛋白	hemoglobin	Hb
血红蛋白解离曲线	oxygen-hemoglobin dissociation curve	ODC
血气分析	blood gas analysis	
血氧饱和度50%氧分压	oxygen half-saturation pressure of hemoglobin	P_{50}
压力-容积环	pressure volume loop	
压力调节容量控制通气	pressure regulated volum econtrol ventilation	PRVC
压力控制通气	pressure controlled ventilation	PCV
压力限制通气	ressure Limited Ventilation	PLVP
压力支持通气	pressure support ventilation	PSV
压伤	Barotruama	
咽通气道	pharyngeal airway	
延长管	extender	
氧储备	oxygen stores	

氧供	delivery of oxygen	DO_2
氧供	oxygen supply	
氧耗量	oxygen consumption	
氧耗量	oxygen consumption	V_{O_2}
氧合	oxygenation	
氧浓度	oxygen concentration	
氧浓度分析仪	oxygen concentration analyzer	
氧摄取	oxygen uptake	
氧输送	oxygen delivery	
氧治疗	oxygen therapy at high pressure	OHP
氧中毒	oxygen intoxication	
液体通气	liquid ventilation	
一次性喉罩	disposable LMA	
一秒用力呼气率	first second forced expiratory volume rate	$FEV_{1.0\%}$
一秒用力吸气率	first second forced inspiratory volume rate	$FIV_{1.0\%}$
一氧化氮	nitric oxide	NO
逸气活瓣	overflow (pop-off) valve	
用力肺活量	forced vital capacity	FVC
用力呼气流量	forced expiratory flow	FEF
用力呼气容积	forced expiratory volume	FEV
用力呼气时间	forced expiratory time	FET
用力吸气流量	forced inspiratory flow	FIF
用力吸气容积	forced inspiratory volume	FIV
有效顺应性	effective compliance	Ceff
淤滞性缺氧	stagnant-hypoxia	
张力气胸	tension pneumothorax	
正负压呼吸	positive negative pressure breathing	PNPB
正压呼吸	positive pressure breathing	PPB
正压通气	positive pressure ventilation	PPV
支气管插管	bronchial intubation	
支气管导管	bronchial tube	
支气管痉挛	bronchospasm	
支气管扩张	bronchiectasis	

支气管内插管术	endobronchial intubation	
支气管内麻醉	endobronchial anesthesia	
支气管哮喘	bronchial asthma	
支气管胸膜瘘	bronchopleuaral fistula	
支气管炎	bronchitis	
中心静脉压	central venous pressure	CVP
重症监护治疗室	intensive care unit	ICU
自动导管补偿	automatic tube compensation	ATC
自发辅助呼吸	assisted spontaneous breathing	ASB
自主呼吸	spotaneous ventilation	
总肺阻力	total pulmonary resistance	R_L
总呼吸阻抗	repiratory Impedance	Zrs
总呼吸阻抗	respiratory impeda	
阻力环	resistance loop	
组织中毒性缺氧	histotoxic anoxia	
最大呼气流量	maximum expiratory flow volume	MEFV
最大呼气流量	peak exspiratory flow	PEF
最大呼气流速	maximal expiratory flow	V_{max}
最大呼气流速	maximum expiratory flow rate	MEFR
最大呼气压	maximum expiratory pressure	MEP
最大呼气中期流速	maximum mid expiratory flow	MMEF
最大静脉氧含量	maximum venous oxygen content	MVO_2
最大通气量	maximum volume ventilation	MBC
最大吸气流量	maximum inspiratory flow volume	MIFV
最大吸气流量	peak inspiratory flow	PIF
最大吸气流速	maximum inspiratory flow rate	MIFR
最大吸气压	maximum inspiratory pressure	MIP
最大吸气压	peak inspiratory pressure	PIP
最大吸气压力	peak insoiratory pressure	PIP
最大中期呼气流量	mean forced expiratory flow during the middle half of the FVC	$FEF_{25\%-75\%}$
最大自主通气量	maximum voluntary ventilation	MVV
最低肺泡浓度	minimum alveolar concentration	MAC

（陈治宇　尤新民）